DISCOURS 20-23

SOURCES CHRÉTIENNES

Directeurs-fondateurs : H. de Lubac, s.j., et † J. Daniélou, s.j.
Directeur : C. Mondésert, s.j.

N° 270

GRÉGOIRE DE NAZIANZE

DISCOURS 20-23

INTRODUCTION, TEXTE CRITIQUE, TRADUCTION ET NOTES

PAR

Justin MOSSAY

Professeur ordinaire à l'Université Catholique de Louvain

avec la collaboration de **Guy LAFONTAINE**

Premier Assistant

Publié avec le concours du Centre National des Lettres

LES ÉDITIONS DU CERF, 29, BD DE LATOUR-MAUBOURG, PARIS

1980

La publication de cet ouvrage a été préparée avec le concours de l'Institut des Sources Chrétiennes (E.R.A. 645 du Centre National de la Recherche Scientifique)

ISBN 2-204-01540-7

AVANT-PROPOS

L'auteur exprime sa reconnaissance envers l'Institut de Recherche et d'Histoire des Textes, de Paris, spécialement envers le R. P. J. Paramelle, et tous les membres de la Section grecque qui lui ont procuré la plupart des microfilms utilisés pour cette édition. Il témoigne aussi sa gratitude à l'égard du Professeur A. P. Kazhdan, de Moscou (maintenant à Dumbarton Oaks) et à I. S. Čičurov, collaborateur de l'Institut d'Histoire de l'URSS, à Moscou, qui ont bien voulu se charger de la collation de six feuillets d'un manuscrit du Musée Historique de Moscou, dont il n'avait pas été possible de se procurer les photographies en temps voulu pour la mise au point du texte du *Discours* 25.

Le Professeur G. Garitte a bien voulu relire le manuscrit de cet ouvrage et a suggéré bon nombre d'améliorations et de corrections à l'auteur. Celui-ci lui en est profondément reconnaissant. Il remercie aussi de son concours M. Guy Lafontaine, Premier Assistant de l'Université Catholique de Louvain, attaché au Centre de l'Orient Chrétien ; cette collaboration a été précieuse pour la majeure partie des collations sur microfilms des dix manuscrits servant de base à l'établissement du texte. M. Lafontaine s'est ensuite tourné vers les versions orientales, spécialement copte et arménienne, dont il prépare de son côté les éditions critiques. Une telle entreprise, indispensable aux recherches sur la tradition indirecte du texte grec des Discours de Grégoire de Nazianze, ne pouvait être en de meilleures mains. Nous lui souhaitons prompt succès.

Les collègues rassemblés autour des Professeurs P. Gallay et J. Bernardi, en vue de préparer l'édition de l'ensemble des *Discours* de Grégoire de Nazianze dans la Collection des Sources Chrétiennes, ont aussi une grande part à notre gratitude. Leurs conseils et leur collaboration nous ont aidé à résoudre plus d'un problème et à corriger plusieurs erreurs. En organisant et en soutenant cette collaboration, le R. P. C. Mondésert, directeur de l'Institut des Sources Chrétiennes, ainsi que le R. P. Doutreleau ont mérité d'être cités au nombre de ceux à qui nous devons d'avoir pu mener cette édition à bonne fin. Nous les remercions de leur dévouement attentif autant que de l'accueil offert à ce volume dans la collection des Sources Chrétiennes.

INTRODUCTION GÉNÉRALE*

L'édition des *Discours* 20 à 26 fut envisagée et entreprise après que l'Institut des Sources Chrétiennes eut mis en chantier l'édition collective des *Discours* et des *Lettres théologiques* de Grégoire de Nazianze. Les *Lettres théologiques* éditées par P. Gallay[1] venaient de sortir de presse et l'éditeur annonçait l'achèvement très prochain de l'édition des *Discours théologiques* (27 à 31); de son côté J. Bernardi mettait la dernière main à celle des *Discours* 1 à 3. L'équipe de collaborateurs déjà engagés dans cette entreprise avait mis au point ses objectifs et ses méthodes. Les volumes déjà parus ou sur le point de paraître garantissaient l'efficacité de la collaboration ainsi organisée dans le cadre du Séminaire dirigé par P. Gallay, au sein de l'Institut des Sources Chrétiennes à Lyon. Néanmoins dans la répartition des tâches entre les collaborateurs, les *Discours* 20 à 26 n'avaient été attribués à personne.

Lorsque je me suis présenté en ouvrier de la onzième heure, il arriva le contraire de ce que Platon raconte dans le mythe d'Épiméthée (*Protagoras*, 321 b-c) : on se souvient comment Épiméthée avait été chargé par les dieux de pourvoir aux besoins des êtres vivants et leur avait distribué aux uns la force, aux autres la résistance au

* Les abréviations bibliographiques employées dans l'Introduction comme dans le corps de l'ouvrage sont expliquées dans l'Index bibliographique qui se trouve à la fin de ce volume.

1. Cf. J. Bernardi, *Compte rendu*, dans *REG*, 89 (1976), p. 176.

froid, aux autres l'agilité, des ailes, des sabots, etc.; mais, « sa sagesse étant imparfaite », il se trouva totalement dépourvu quand vint le tour des hommes, arrivés en retard à cette distribution... En ce qui me concerne, lorsque je suis arrivé en retardataire dans l'équipe des Sources Chrétiennes, la part qui restait sans titulaire et qui m'échut était assez homogène; il s'agissait de sept *Discours* (20 à 26) rangés par les Mauristes au nombre des œuvres composées à Constantinople dans les années 379 à 381[1]. En l'acceptant, le dernier venu bénéficiait de l'expérience de ses devanciers et des travaux déjà effectués. Il eut donc l'avantage de s'embarquer « dans un train en marche », comme on dit, libéré notamment des servitudes d'une heuristique relativement complexe et des responsabilités inhérentes au choix toujours délicat des manuscrits à retenir comme témoins du texte à éditer. La partie étant déjà engagée et les règles du jeu bien établies, il ne s'agissait plus de revenir sur les principes acceptés au départ ni de remettre en question les articles qui sont à la base de l'entreprise et que M. Gallay avait formulés comme suit : « Pour la question de l'histoire du texte des Discours de Grégoire et du classement des manuscrits, on se reportera à l'exposé de J. Bernardi dans l'introduction du tome I des *Discours* dans « Sources Chrétiennes ». L'auteur y indique les raisons du choix qu'il a fait de dix manuscrits pour l'établissement du texte[2]. »

En appliquant ces principes, la Collection des Sources Chrétiennes est en mesure de mettre à la disposition des chercheurs et des personnes qui lisent Grégoire de Nazianze un texte assuré et dûment contrôlé, dont chaque leçon est aujourd'hui fondée sur l'examen critique de sources connues. En ce qui concerne les *Discours* 20 à 26, nous apportons sans doute un petit nombre de modifications,

1. On verra s'il y a lieu d'accepter cette chronologie.
2. GALLAY, *Lettres théologiques*, p. 29.

et généralement légères, au texte des Mauristes tel qu'il se trouve dans le tome 35 de la Patrologie grecque, retouché par les collaborateurs de J.-P. Migne. Notre édition représente néanmoins par rapport à celles de nos prédécesseurs, dom F. du Frische, M. M. Veyssière de Lacroze, dom F. Louvart et enfin dom Ch. Clémencet et ses confrères bénédictins de la Congrégation de Saint-Maur, un réel progrès, car le texte est désormais vérifié et vérifiable. Tel est l'objet primordial du travail scientifique.

Ce qu'on vient de lire explique pourquoi les prolégomènes ont pu être réduits à l'essentiel. Vu l'étendue des discours à éditer, il a été nécessaire de répartir ceux-ci en deux volumes; le premier contient l'Introduction générale et les *Discours* 20, 21, 22 et 23; le second comprendra les *Discours* 24, 25 et 26, avec les index. La nature même des textes édités imposait de présenter chaque discours par une introduction particulière, qu'on fera aussi brève que possible : on analysera le contenu du discours, on le situera dans l'histoire, et on indiquera les particularités marquantes des témoins utilisés ainsi que les problèmes spécifiques posés par le texte, l'apparat critique, la traduction ou les notes, s'il y a lieu. Quelques données générales paraissent cependant nécessaires ou utiles pour permettre de situer l'ensemble des textes dans la carrière de leur auteur et dans l'histoire générale, ainsi que pour signaler plusieurs points pratiques relatifs à l'ecdotique et surtout pour introduire le lecteur dans le domaine doctrinal familier à saint Grégoire de Nazianze. Toutefois, dans une série telle que celle des œuvres de cet auteur, les volumes déjà parus nous dispensent de répéter ici ce que le lecteur peut lire dans les précédents au sujet de l'auteur, de sa carrière et de sa doctrine, ainsi qu'à propos des manuscrits utilisés pour l'édition. Nous bénéficions ainsi d'un privilège appréciable. M. Maurice Jourjon, doyen de la Faculté de Théologie de Lyon, a rédigé l'introduction doctrinale de deux volumes déjà sortis de presse : *La doctrine des*

Lettres théologiques[1] et *La doctrine des Discours théologiques*[2]; le lecteur trouve ces excellentes pages dans les deux volumes de P. Gallay et on ne peut mieux faire que de s'y référer. Celles qui concernent spécialement les *Discours théologiques* (27 à 31) exposent avec érudition et limpidité les positions prises par Grégoire dans le domaine trinitaire. Cette synthèse est aussi valable pour les *Discours* 20 à 22 et 24 à 26, composés à Constantinople, comme les *Discours théologiques*, entre 379 et 381, et même pour le *Discours* 23, *Deuxième Discours irénique*, qui est plus ancien. D'autre part, l'introduction aux *Discours* 1-3, édités par J. Bernardi, permet au lecteur de compléter le bref aperçu historique qui fait l'objet du premier paragraphe du présent volume. Elle lui fournit aussi les données générales utiles concernant les manuscrits et les méthodes adoptées dans l'ensemble de cette édition des discours du Théologien. Nous nous contentons donc de relever ici — ce sera l'objet du chap. II de la présente introduction — les particularités propres aux textes que nous éditons. Lorsque ces particularités sont spécifiques à un seul Discours, elles seront indiquées dans l'introduction du texte qu'elles concernent. Ceci ne nous dispense pourtant pas de faire quelques observations d'ensemble sur l'édition des *Discours* 20-26 : on les trouvera dans le chapitre III.

I. Les circonstances historiques

La carrière de Grégoire de Nazianze (ca. 330-390) coïncide avec la période de l'histoire générale qui s'étend de Constantin Ier à Théodose Ier. Ses activités littéraires

1. Cf. *ibid.*, p. 11-23.
2. Cf. Gallay, *Discours théologiques*, p. 29-65.

se situent sous les règnes des empereurs Julien (361-26 juin 363), Jovien (27 juin 363-17 février 364), Valens (28 mars 364-9 août 378) et Théodose (19 janvier 379-17 janvier 395). Cette période présente des caractères propres qu'on a pu assimiler à ceux d'un triomphe du christianisme dans la vie publique.

Officiellement reconnue par Constantin, la religion chrétienne s'est diffusée et développée dans le territoire de l'empire romain; l'évangélisation devient facile, l'influence grandit, les cadres s'organisent et se définissent, les biens ecclésiastiques se développent en même temps que le rayonnement culturel des communautés chrétiennes. L'ascension est grandiose. Mais périlleuse! Tandis que le temporel menace le spirituel, l'ambition se fait jour et la piété se dégrade; les hérésies prolifèrent et les schismes s'affichent.

Quelques points forts fournissent les cadres généraux de la carrière de l'écrivain. On ignore la date précise de sa naissance, en Cappadoce, vers le premier quart du IVe siècle; on suppose qu'il naquit dans la période proche du Concile de Nicée (325) et de la fondation de Constantinople par l'empereur Constantin (330). Il évoque volontiers le climat de piété chrétienne qui régnait dans le milieu des grands propriétaires cappadociens, romanisés et hellénisés, dont il est issu[1]. En 355, il séjourne à Athènes, dont il fréquente les hautes écoles. Vingt-cinq ans plus tard, il rappellera des souvenirs de sa vie d'écolier athénien dans le panégyrique de son camarade d'études, Basile de Césarée[2]. Le poème autobiographique qu'il composa à la fin de sa vie dans les années de retraite, rappelle comment il était arrivé à Athènes, venant d'Alexandrie après avoir terminé ses premières études dans sa Cappadoce

1. *Discours* 19, 11 (*PG* 35, col. 997 A 9 - D 2) ; et GALLAY, *Vie*, p. 19-22.

2. *Discours* 43, 13-22 (éd. F. Boulenger, Paris 1908, p. 84-106).

natale, à Nazianze et à Césarée, puis en Palestine, dans une autre Césarée, et en Égypte.

Vers 360, il est revenu à Nazianze; l'Anthologie grecque conserve une épigramme qui évoque son retour au domaine familial « quand, dans les parterres fleuris, sa mère venait au-devant de ceux qui arrivaient d'une terre étrangère en ouvrant les bras pour accueillir ses enfants et en criant : Grégoire... » (*Anth. Palat.*, VIII, 30, vers 1-5). Il ne tarde pas à s'engager dans la carrière ecclésiastique, qui est, pour le rhéteur, une carrière d'orateur sacré et d'écrivain chrétien : d'abord prêtre à Nazianze, puis évêque à partir de 372, dans son pays natal d'abord, à Séleucie, ensuite dans une retraite relative, à partir de 375.

Au cours de l'hiver de 379 à 380, il est appelé à Constantinople comme évêque de la communauté des orthodoxes nicéens qui mènent leur vie religieuse en marge de l'Église officielle de la capitale, alors arienne comme sous le règne de l'empereur Valens. Lorsque Théodose s'établit à Constantinople et prit possession du palais impérial, le 24 novembre 380, Grégoire se trouva porté à la tête de l'Église de la Nouvelle Rome et bientôt à la tête des évêques assemblés en concile œcuménique (concile de Constantinople I) en 381. Dès le début de l'été de cette année-là, l'écrivain a renoncé à la capitale et il est revenu à Nazianze, où ses activités sont principalement littéraires; comme il le dit lui-même dans son discours d'adieu, il continue à servir la foi et l'Église « par l'encre et par la plume » (*Discours* 42, 26).

Il reste — qui s'en étonnera ? — beaucoup de points à éclaircir dans l'histoire de cette carrière. Celle-ci apparaît toutefois comme celle d'un témoin privilégié des transformations qui marquent l'histoire du monde romain et du monde chrétien depuis l'époque constantinienne jusqu'à la période théodosienne. On trouve, en effet, notre auteur au cœur d'événements qui différencient progressivement l'Orient et l'Occident ecclésiastiques au cours de la seconde moitié du IVe siècle.

Le professeur J. Gaudemet note que les causes de cette dissociation, qui conduira à la rupture, sont complexes et dépassent largement la seule histoire ecclésiastique[1]; aussi l'importance et la portée des écrits de Grégoire tiennent-elles souvent au fait que ceux-ci sont liés aux circonstances historiques dans lesquelles ou en fonction desquelles ses œuvres ont été conçues[2].

Les Mauristes classaient les *Discours* par ordre chronologique; le numérotage que la Patrologie grecque et que l'édition bénédictine ont popularisée correspond donc, dans l'esprit de ses auteurs, à un classement dans le temps. Les études de S. Lenain de Tillemont et les notes ou scolies que des lettrés ou des copistes byzantins ont pu incorporer aux titres des œuvres qu'ils nous ont transmises fournissaient aux éditeurs de la Congrégation de Saint-Maur des indications historiques généralement puisées dans le texte même des œuvres de Grégoire. En donnant aux sermons édités ici les numéros 20 à 26, on a placé leur composition dans la période pendant laquelle Grégoire est à Constantinople, soit de l'hiver 379/380 à l'été 381 et avant celle des *Discours théologiques*, 27 à 31; nous verrons dans l'introduction particulière de chaque texte dans quelle mesure il faut faire confiance à ces façons de voir.

Les problèmes posés par la formulation et l'élaboration des doctrines théologiques prennent une importance très grande dans l'histoire des milieux ecclésiastiques du

1. GAUDEMET, *L'Église dans l'Empire*, p. 3.

2. Pour plus de détails et pour la bibliographie concernant l'histoire générale : STEIN, *Bas Empire*, I, p. 191-218, et p. 520-535 ; JONES, *The Later Roman Empire, passim* ; et pour ce qui concerne l'histoire religieuse ou ecclésiastique : DUCHESNE, *Histoire ancienne*, II, p. 377-666 ; DANIÉLOU et MARROU, *Des origines à S. Grégoire*, p. 262-369.

dernier quart du IVe siècle. Comme nous venons de le dire, nous renvoyons sur ces points aux exposés doctrinaux qu'on trouvera dans les introductions des volumes déjà parus, *Lettres théologiques* et *Discours théologiques*. Si nous nous arrêtons particulièrement aux questions littéraires, c'est que sur ce point Grégoire se présente comme un écrivain marqué par son époque et son milieu, très imprégné de « sophistique » et de classicisme scolaire. Nous renvoyons à ce qu'en ont écrit P. Gallay, J. Bernardi et M. Guignet. Personne ne pensera que Grégoire le Théologien, prenant la parole devant les fidèles ou mettant au point les *Discours* qu'il destinait à la postérité, ait seulement cherché à soulager quelque vaine démangeaison d'écrire. Toute son œuvre et toute sa carrière dénotent chez lui le sens des responsabilités épiscopales et sacerdotales. Déjà la fine analyse de Jean Le Clerq notait que Grégoire « est plein d'ornemens tirez de l'Histoire ou de la Fable Paienne » et qu'il « parle même de cette dernière en quelques endroits comme les philosophes paiens en parloient, sans la rejetter ouvertement[1] ». Nul n'oublie en le lisant qu'il fut un évêque et un écrivain de son temps.

II. La transmission des textes

Comme on l'a lu plus haut, les dix manuscrits sur lesquels cette édition est fondée avaient été choisis par J. Bernardi et ses collaborateurs avant que ce volume fût mis en chantier. Conformément aux règles établies, il n'est fait appel aux traditions indirectes que de façon exceptionnelle, notamment dans le cas de la version copte du *Discours* 21

1. J. Le Clercq, *Bibliothèque universelle et historique*, t. 18, Amsterdam 1690, p. 23-24.

ou de la version latine du *Discours* 26, comme on l'indiquera plus loin[1].

Nous avons même totalement négligé les versions arméniennes. G. Lafontaine, qui, comme nous l'avons dit, prépare l'édition du Grégoire de Nazianze arménien, a déjà examiné de nombreux témoins de la version dont il s'occupe : les témoins arméniens dépassent la centaine et ils contiennent soit des collections de 8, de 12 ou de 15 *discours* de Grégoire, soit des textes isolés. Cette présence, dans la tradition arménienne, de collections stables différentes des collections connues en grec relance le problème du ou des *corpus* des *Discours* en prose de Grégoire de Nazianze. Il ne peut échapper à personne que la question de la constitution et de l'origine des collections, voire du ou des *corpus* de ces *Discours* est d'un intérêt capital pour l'histoire des textes que nous éditons, de même que pour le choix des leçons et l'établissement du texte critique. On en est toujours sur ce terrain aux observations et aux hypothèses de Th. Sinko[2].

Comme le savant polonais, dont les recherches, on le verra, rendent encore des services fort précieux, nous avons totalement négligé celle des collections grecques qui semble avoir été la plus répandue, la collection « des seize *Discours liturgiques* »; on y trouve cependant les *Discours* 21 (pour la fête de saint Athanase) et 24 (pour saint Cyprien)[3].

Il faut enfin signaler que les collations ont dans l'ensemble été faites sur les microfilms mis à notre disposition par l'Institut de Recherche et d'Histoire des Textes, de Paris,

1. T. Orlandi, « La traduzione copta dell' Encomio di Atanasio di Gregorio Nazianzeno », dans *Le Muséon*, 83 (1970), p. 351-366 ; *T. Rufini orationum Gregorii novem interpretatio*, edidit A. Engelbrecht (*CSEL*, 46), Vienne 1910, p. 167-189.

2. Sinko, *De traditione*, I, *passim*, et notamment p. 1-3, 84-89, et p. 233.

3. Devreesse, *Fonds Coislin*, spécialement p. 219 ; et Galavaris, *Liturgical Homilies*, p. 10-12.

ou par l'Institut des Sources Chrétiennes, de Lyon. On a recouru à l'examen direct des manuscrits pour des vérifications bien précises dans des cas très rares, qui seront signalés dans les introductions propres aux textes concernés.

Les manuscrits

A = *Ambrosianus gr. E 49-50 inf.* (IXe s.).
Q = *Patmiacus gr. 43* et *Patm. gr. 44* (Xe s.).
B = *Parisinus gr. 510* (vers 880).
W = *Mosquensis Synod. gr. 64* (Vladimir 142) (IXe s.).
V = *Vindobonensis theolog. gr. 126* (XIe s.).
T = *Mosquensis Synod. gr. 53* (Vladimir 147) (Xe s.).
S = *Mosquensis Synod. gr. 57* (Vladimir 139) (IXe s.).
D = *Marcianus gr. 70* (Xe s.).
P = *Patmiacus gr. 33* (année 941).
C = *Parisinus Coislin. gr. 51* (Xe-XIe s.).

Description sommaire

A. Du IXe siècle selon E. Martini et D. Bassi[1], qui le décrivent. Le codex est paginé ; on y trouve nos textes aux pages suivantes :

1. *D.* 20 : p. 393 a - 401 b ;
2. *D.* 21 : p. 315 - 341 ;
3. *D.* 22 : le début jusqu'aux mots ὡς οὐδὲν τὸν λόγον (*PG* 35, col. 1144 B 9), p. 603 a - 610 b ; par suite d'une erreur du relieur, la suite jusqu'aux mots γὰρ οἶμαι (col. 1149 D 3), p. 627 a - 630 b ; la fin (7 lignes) fait défaut ;

1. E. Martini et D. Bassi, *Catalogus codicum graecorum Bibliothecae ambrosianae*, II, Milan 1906, p. 1086.

4. *D*. 23 : p. 119 b - 128 b;
5. *D*. 24 : p. 342 a - 354 a;
6. *D*. 25 : p. 367 a - 383 b;
7. *D*. 26 : le début jusqu'aux mots κατ' ἐμαυτόν (*PG* 35, col. 1237 B 6) p. 651 b - 656 b, et par suite d'une erreur du relieur, la suite p. 611 a - 619 b.

Q. Les deux codex indiqués par ce sigle sont les deux parties d'une seule collection des *Discours* de Grégoire, reliée en deux tomes, du xe s. selon J. Sakkelion[1]. Dans la première partie, soit le *Patmiacus gr.* 43, se trouvent les *Discours* suivants :

1. *D*. 21 : aux f. 236 v - 256 ;
2. *D*. 23 : aux f. 85 v - 92 v;
3. *D*. 24 : aux f. 256 v - 267 ;
4. *D*. 25 : aux f. 276 - 288.

Dans l'autre partie, soit le *Patmiacus gr. 44* :

1. *D*. 20 : aux f. 294 v - 301 ;
2. *D*. 22 : aux f. 136 v - 146 ;
3. *D*. 26 : aux f. 164 - 175.

B. Codex impérial, richement illustré entre les années 880 et 883[2]. On y trouve nos textes respectivement aux feuillets suivants :

1. *D*. 20 : f. 165 v - 170;
2. *D*. 21 : f. 319 v - 332;
3. *D*. 22 : f. 360 v - 366;
4. *D*. 23 : f. 62 - 67;

1. Sakkelion, *Patmiaki*, p. 33-34.
2. Der Nersessian, *The Illustrations*, dans *DOP*, 16 (1962), p. 197-198 ; Omont, *Inventaire*, I, p. 65-66 ; Halkin, *Les manuscrits de Paris*, p. 20-21 : bibliographie. Les Mauristes le désignent par le sigle *bm* (*PG* 35, col. 29-30 et 25-28) en souvenir de l'empereur byzantin Basile le Macédonien.

5. *D.* 24 : f. 333 - 339 v;
6. *D.* 25 : f. 346 v - 354 v;
7. *D.* 26 : f. 231 v - 238 v.

W. Du IXe s. selon le catalogue de Vladimir[1]. Nos textes y occupent les feuillets suivants :

1. *D.* 20 : f. 168 v - 172;
2. *D.* 21 : f. 136 v - 147;
3. *D.* 22 : f. 262 - 266 v;
4. *D.* 23 : f. 51 v - 55 v;
5. *D.* 24 : f. 147 - 153;
6. *D.* 25 : f. 158 - 164 v;
7. *D.* 26 : f. 276 - 282.

V. Du début du XIe s. selon le catalogue[2]. Nos textes se lisent respectivement dans les feuillets suivants :

1. *D.* 20 : f. 145 v - 148 v;
2. *D.* 21 : f. 117 - 126 v;
3. *D.* 22 : f. 229 v - 234 v;
4. *D.* 23 : f. 44 v - 47 v;
5. *D.* 24 : f. 126 v - 131 v;
6. *D.* 25 : f. 136 v - 142;
7. *D.* 26 : f. 243 - 248 v.

T. Du Xe s. selon l'archimandrite Vladimir[3]. Nos *Discours* se lisent aux feuillets suivants :

1. *D.* 20 : f. 154 v - 158 v;
2. *D.* 21 : f. 270 v - 284;
3. *D.* 22 : f. 294 - 299;

1. VLADIMIR, *Sistematičeskoe (Description systématique)*, p. 148-149, renvoyant aux p. 143-147.
2. De NESSEL, *Breviarium*, I, p. 208-213.
3. VLADIMIR, *Sistematičeskoe (Description systématique)*, p. 152-153 renvoyant aux p. 148-149 et p. 143-147.

4. *D.* 23 : f. 57 v - 62;
5. *D.* 24 : f. 263 v - 270 v, compte tenu d'une erreur commise dans la foliotation du codex;
6. *D.* 25 : f. 327 v - 333 v;
7. *D.* 26 : f. 318 - 323 v.

S. Sans doute du ixe s. : le catalogue de l'archimandrite Vladimir, qui le décrit, le date du viiie-ixe s.[1]. Nos textes se lisent aux feuillets suivants :

1. *D.* 20 : f. 218 - 222 v;
2. *D.* 21 : f. 287 - 301;
3. *D.* 22 : f. 100 - 106;
4. *D.* 23 : f. 95 v - 100;
5. *D.* 24 : f. 281 v - 287 v;
6. *D.* 25 : f. 273 v - 281 v;
7. *D.* 26 : f. 266 - 273 v.

D. Du xe s., d'après le catalogue de J. Morelli[2]. Ce codex contient nos textes aux feuillets suivants :

1. *D.* 20 : f. 254 - 258;
2. *D.* 21 : f. 320 v - 332;
3. *D.* 22 : f. 109 - 115 ;
4. *D.* 23 : f. 104 v - 109;
5. *D.* 24 : f. 313 v - 320;
6. *D.* 25 : f. 306 - 313 v;
7. *D.* 26 : f. 299 - 306.

P. Daté d'octobre 941 par J. Sakkelion et par M. A. D. Kominis[3]. Il est paginé, mais nous indiquerons, par feuillets, où nos textes se trouvent dans ce témoin :

1. *Ibid.*, p. 143 et 147.

2. Morelli, *Bibliotheca*, I, p. 68-69. Selon Mioni, *Codici*, p. 84 (fac-similé du feuillet 226 verso), et p. 39-40, du début du xe siècle.

3. Kominis, *Nouveau catalogue*, p. 22 ; Sakkelion, *Patmiaki*, p. 17-23 ; p. 17 : écrit par le moine Nicolas et par son fils Daniel, à

1. *D*. 20 : f. 97 - 99;
2. *D*. 21 : f. 133 - 139;
3. *D*. 22 : f. 26 - 27 v et 66-67;
4. *D*. 23 : f. 23 v - 26;
5. *D*. 24 : f. 129 v - 132 v;
6. *D*. 25 : f. 125 v - 129;
7. *D*. 26 : f. 121 v - 125.

C. Du xe-xie s. pour R. Devreesse[1]. On lit nos textes aux feuillets suivants :

1. *D*. 20 : f. 251 v - 256 v;
2. *D*. 21 : f. 334 - 349;
3. *D*. 22 : f. 120 v - 127 v;
4. *D*. 23 : f. 115 - 120;
5. *D*. 24 : f. 326 - 334;
6. *D*. 25 : f. 317 - 326;
7. *D*. 26 : f. 308 v - 316 v.

III. L'Édition des textes

Pour ce qui regarde la méthode et plus spécialement l'heuristique des témoins, cette édition a été établie, comme nous l'avons déjà dit plus haut, suivant les règles adoptées bien avant que l'auteur de ce volume se mît au travail. Il est indispensable de rappeler brièvement les principes sur lesquels ces règles sont fondées et de faire observer plusieurs conséquences qui en découlent en ce qui touche le groupement des témoins, le choix des leçons à retenir pour établir nos textes et enfin la présentation de l'édition.

Reggio de Calabre, au mois d'octobre 941 (Indiction 15), comme l'atteste le colophon.

1. Devreesse, *Fonds Coislin*, p. 47-48. Les Mauristes renvoient à ce ms par le sigle *Coislin 1*.

Principes et méthode

Cette édition a été fondée sur des faits positifs et sur des hypothèses. Les faits découlent de la collation des dix témoins directs présentés plus haut, et occasionnellement de celle de la version copte du *Discours* 21 par le truchement de la traduction latine faite par M. T. Orlandi, ainsi que de la version latine du *Discours* 26 faite par Rufin et éditée dans le *Corpus* de Vienne par A. Engelbrecht. Deux hypothèses sont en outre à la base du travail critique entrepris. La première est celle qui fonde toute ecdotique dite « d'originalité »; on la formule comme ceci : chaque témoin reproduit plus ou moins fidèlement le texte original ou celui d'un archétype plus proche de l'original, qu'il s'agit de retrouver et qui nous rapproche de l'original.

Cette hypothèse de travail justifie et explique tout le travail de critique effectué à partir de la collation des témoins jusqu'à l'établissement du texte édité et de son apparat critique.

Une seconde hypothèse a été prise en considération; selon celle-ci, les témoins qui conservent l'une des collections dites « complètes », de 45 (groupe M) ou de 52 (groupe N) *Discours*, ont conservé un texte qui offre le maximum de chances de se rapprocher de l'original. Th. Sinko tirait argument du caractère très ancien de plusieurs scolies qui remontent sans doute à une époque où le trithéisme était encore d'actualité et où le novatianisme avait encore cours, pour étayer son hypothèse selon laquelle l'archétype des deux groupes, qu'il appelait des « familles », remontait à une haute antiquité très proche de l'original. C'est en raison de ces principes que les témoins n'appartenant pas à ces deux groupes ont été délibérément négligés ici.

Chaque hypothèse comporte, jusqu'à vérification faite, une part d'incertitude. Adopter une méthode de recherche à partir d'une telle hypothèse ne veut donc pas dire que l'on suppose résolus tous les problèmes. Par exemple, la question du ou des *corpus*, remontant ou non à l'auteur lui-même, reste entière. En attendant de pouvoir y répondre, nous avons seulement pour objectif précis d'établir le texte de l'archétype supposé être à l'origine de nos dix témoins.

L'archétype

Cet archétype, qu'en savons-nous ? Beaucoup moins sans doute que nos collègues polonais qui avaient entrepris l'édition de Grégoire de Nazianze au cours du premier quart de ce xxe siècle, les L. Sternbach, J. Sajdak, L. Witkowski, Th. Sinko, etc., et qui ont été attentifs à ce problème[1]; nous en savons à peine plus que ce qu'ils en ont écrit. Th. Sinko, qui connaissait tous nos manuscrits, note que les mss A, Q, B, W, V, T, appartiennent au groupe des collections de 52 *Discours* (groupe N), et les autres, soit S, D, P, C, au groupe des collections de 45 (groupe M)[2].

Th. Sinko pense aussi, et il a sans doute raison, que les collections dites « des 52 Discours », déjà mentionnées par Élie de Crète au xie siècle (notre groupe N), aussi bien que les collections dites « des 45 Discours » évoquées par le poète Jean le Memphite (notre groupe M), sont constituées à partir de classements chronologiques, corrects ou non, mais systématiques, des prédications de Grégoire[3]. Cette hypothèse ne rend cependant pas parfaitement compte de tous les faits constatés au cours de l'examen de nos témoins.

1. Schnayder, *Editionis gregorianae*, p. 5-19 ; Mossay, *Léon Sternbach*, p. 821-828.

2. Sinko, *De traditione*, p. 2 et p. 84-86.

3. *PG* 36, col. 757 A 5 (Élie de Crète) ; Sinko, *O rekopisach*, p. 64.

L'archétype du groupe N

Pour ce qui concerne nos textes — et uniquement ceux-là — le classement proposé par Th. Sinko n'explique pas des originalités constatées dans deux de nos six témoins du groupe N. Par exemple, nos sept discours semblent avoir été classés de façon uniforme dans A, Q, W, et V, mais on les trouve dans un ordre différent dans B. Th. Sinko avait déjà remarqué cette particularité sans chercher à l'expliquer[1]; mais, il ne semble pas avoir attaché d'intérêt au fait que notre ms. T n'est pas d'accord non plus sur ce point ni avec A, Q, W et V, ni avec B[2]. Un examen très sommaire de nos témoins AQBWVT permet ainsi de constater que les collections dites « des 52 » ou « groupe N » ne sont pas homogènes et cette observation oblige à se demander quelle est la composition interne du groupe N. Toute provisoire que soit notre enquête et quelque limitée que soit la documentation analysée, en ce qui concerne la distribution de nos sept textes, les six témoins du groupe N se classent suivant le schéma suivant :

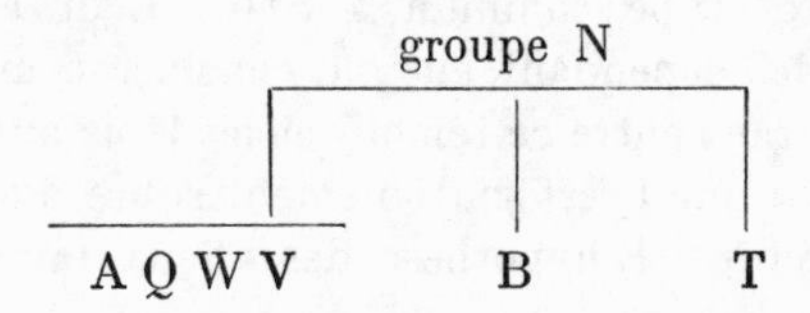

A l'heure actuelle, on dispose de trop peu d'éléments pour tirer des conclusions constructives de ces constatations. Toutes précaires qu'elles soient, les conclusions de Th. Sinko relatives à l'antiquité de l'archétype de nos témoins du groupe N s'appuient sur des raisons qu'on ne peut négliger. L'argument qu'il tire de l'ancienneté

1. SINKO, *De traditione*, p. 2 et p. 87.
2. *Ibid.*, p. 2.

de deux scolies a été mentionné plus haut : l'unique scolie du *Discours* 23 qui se lise dans le ms. A (f. 126, marge inférieure, concernant le ch. 11) présente le « trithéisme » comme une erreur directement visée par le texte et encore en vogue[1]; et dans le même codex une scolie, au ch. 8 du *Discours* 25, traitant du novatianisme, relève que cette doctrine est encore vivace[2].

L'archétype du groupe M

Les sept *Discours* édités ici se rencontrent dans les quatre témoins appartenant au groupe M suivant un ordre rigoureusement uniforme. Pourtant la composition interne de ces collections pose ici aussi un problème qui mérite d'être signalé. Les données de ce problème sont fournies par l'examen de la stichométrie indiquée dans les mss S, D et P, à la fin du *Discours* 23 (stich. : 342) et du *Discours* 22 (stich. : 438); ces indications ne correspondent pas à la réalité, mais elles sont identiques dans les trois codex, ce qui permet de supposer qu'elles ont été copiées telles quelles d'un archétype commun à SDP. Leur absence dans C ne permet cependant aucune conclusion au sujet des affinités existant entre ce témoin et les trois autres du même groupe, vu que C est extrêmement sobre d'annotations de tous genres. L'hypothèse des « deux familles N

1. *Ibid.*, p. 89. La même scolie se lit dans B (f. 66 r), où elle présente le même caractère exceptionnel que dans A, et aussi dans V (f. 47) où elle est aussi la seule scolie du *Discours* 23, mais où le texte expliqué n'est pas rapporté. Elle ne se trouve pas dans W, dont les marges sont entièrement occupées par une chaîne de scolies parmi lesquelles nous n'avons pas retrouvé celle-ci alors qu'on remarque au bon endroit un appel de note marquant le passage auquel elle devrait se rapporter (f. 55 r). On la trouve aussi dans T (f. 61), dans la forme qu'elle a dans V et où elle est aussi la seule scolie : οἱ νῦν τριθεῖται...

2. On trouve cette scolie dans A, à la p. 373, et dans V, au f. 138 v : ἕως τοῦ νῦν.

et M » élaborée par Th. Sinko permet d'expliquer les affinités particulières dont il vient d'être question, mais elle n'explique pas la sélectivité constatée dans le domaine de la reproduction des indications stichométriques d'un « archétype » ou d'un modèle commun aux mss SDPC. En effet, on constate que le ms. P ne reproduit pas seulement la stichométrie des *Discours* 23 et 22, comme le font ses cousins, les mss S et D, mais il copie en outre et d'une façon tout aussi étrangère à la réalité, une stichométrie des autres *Discours* édités ici : 20, 21, 24, 25 et 26, alors que S et D ne le font pas. Cette sélectivité pose des questions qu'il faut actuellement laisser sans réponse en attendant un examen plus complet de la tradition manuscrite. On peut provisoirement noter le fait, en le marquant d'une « crux » comme un cas pour lequel il semble téméraire et prématuré de hasarder une hypothèse. Ce que l'on peut dire de l'organisation interne du groupe M reste donc, en ce qui concerne nos textes, aussi provisoire et aussi hypothétique. Si l'on s'en tient aux données actuelles, nos témoins du « groupe M » semblent se répartir selon le schéma suivant :

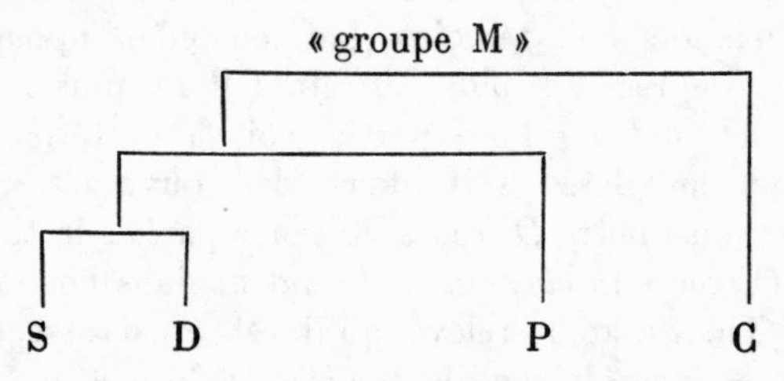

Familles, collections, groupes

Les questions qu'on vient de laisser en suspens en appellent d'autres qui concernent l'organisation interne des recueils dont nous tirons les pièces éditées ici. Nos témoins rassemblent en un seul volume, parfois sous deux reliures distinctes (comme le codex Q = *Patmiacus 33/34*), soit une collection de 52 *Discours*, soit une collection de 45. En faisant état du nombre de 52 textes, Élie de Crète, dont nous ne connaissons la scolie que par l'édition de A. Jahn (Berne 1858) reproduite dans la *Patrologie grecque* (*PG* 36, col. 757 A 5 et le contexte), ne semble viser que l'inventaire des collections, sans autre préoccupation que celle de donner une indication arithmétique. Le titre du poème de Jean Memphite « sur le livre des 45 discours du Théologien », reproduit par Th. Sinko dans la revue *Eos*, 15 (1909), p. 64, d'après la publication faite par R. Montagu (Eton 1610), ne dénote pas plus de préoccupations critiques relatives à la transmission ou à l'authenticité des textes concernés. Il semble prématuré de considérer ces collections comme un critère de parenté absolu, et il vaut donc mieux renoncer provisoirement à la formule de Th. Sinko, qui peut tromper. Nous dirons que nos témoins constituent « deux groupes », celui des recueils de 52 et celui des recueils de 45, sans que cela implique en soi des relations de parenté nécessaire entre eux en ce qui concerne la transmission de chaque texte en particulier.

L'examen de nos témoins fait en effet apparaître l'existence de recueils plus restreints dont plusieurs de nos *Discours* ont pu faire partie, soit à l'intérieur des collections complètes soit dans des ouvrages moins complets : ainsi notre *Discours* 20 porte parfois le titre de *Premier Discours théologique*, notamment dans nos mss T, S et P; Th. Sinko a relevé qu'il est ainsi associé au *Discours* 28 dans « la famille M » (*De traditione*, p. 84-85, et p. 63). Mais cette association existe en dehors de la collection que l'érudit polonais désigne ainsi, et lui-même remarque que les collections de 52 groupent les *Discours* 20 et 27-31, les cinq derniers étant connus comme *les cinq Discours théologiques* (*De traditione*, p. 85-86). De même les *Discours* 21, 24 et 25 se suivent ordinairement dans l'ordre dans nos témoins du groupe N, tandis que l'ordre

25, 24, 21 semble constant dans nos témoins du groupe M (Sinko, *De traditione*, p. 85-86). Il faut ajouter que tous nos mss sans exception rapprochent les *Discours* 22 et 23, en leur donnant respectivement les titres de *Troisième* et *Deuxième discours iréniques* : ce qui les associe d'une certaine manière au *Discours* 6, *Premier discours irénique*.

Les collections qui se trouvent reproduites par nos témoins non seulement ne sont pas rigoureusement homogènes, comme on s'en est aperçu, mais elles sont tributaires de collections mineures, dont l'origine et le destin sont pour l'instant totalement inconnus. Pour y voir clair, il sera nécessaire d'examiner les collections dites « liturgiques » ou « des seize Discours », ainsi que celles des recueils complémentaires (les collections « des discours qu'on ne lisait pas » τῶν μὴ ἀναγιγνωσκομένων λόγων : Th. Sinko, *De traditione*, p. 2)[1]. La situation apparaît donc beaucoup plus complexe que les conclusions de Th. Sinko ne le laissaient supposer. Les *Discours* que nous éditons ici ont-ils été transmis « en bloc » soit par des collections soit par des recueils mineurs, à partir d'un archétype ou à partir des origines ? Chacun a-t-il une tradition individuelle indépendante des collections du IXe siècle où on le trouve actuellement ? Quelques textes sont-ils solidaires d'une tradition commune, tandis que d'autres auraient une histoire particulière autonome ? Provisoirement, l'état limité de notre documentation interdit de répondre à ces questions.

1. On connaît le poème de Jean Mauropous, *Sur les Discours non-lus* du Théologien, dans lequel ce lettré du XIe siècle note qu'il a décidé de « faire lire » les œuvres de notre Grégoire « qu'on ne lisait pas », de les recopier et de les diffuser : HOERANDER, *Poésie*, dans *Travaux et Mémoires*, 6 (1976), p. 261-262. Le ton du poète byzantin est peut-être satirique (ANASTASI, Λόγοι, p. 202-204) ; ses propos attestent néanmoins l'importance du recueil des « non-lus » : cf. aussi le *cod. Parisin. Coisl. gr. 53*, et DEVREESSE, *Fonds Coislin*, p. 49.

Les contaminations

Les collations effectuées dans nos dix témoins des sept *Discours* édités ici confirment ces incertitudes. D'une part, si l'on s'en tient notamment aux accidents significatifs, c'est-à-dire ceux dont on ne peut expliquer la présence dans plusieurs manuscrits par l'effet du hasard et dont la répartition parmi les témoins signifie que ceux-ci ont au moins des attaches communes, on relève des cas où le groupe M s'oppose en bloc au groupe N : cas d'omissions, additions, cas d'inversions, leçons variantes. D'autre part, tous les manuscrits sans exception prennent des libertés par rapport à leur propre groupe. L'indépendance de chacun des témoins n'affecte généralement que des détails peu importants et quelquefois négligeables; mais tous ont au moins une leçon qui les oppose à tous les autres, et les cas où un seul témoin se désolidarise du reste de son groupe pour suivre le groupe opposé sont relativement fréquents : ainsi S peut aller avec le groupe N, de même P et D, alors que le reste du groupe M s'oppose à la leçon suivie; de même aussi W, avant correction ou après, ainsi que T ou V suivent quelquefois le groupe M, alors que le reste du groupe N s'y oppose; et on constate parfois que c'est une fraction du groupe N qui suit le groupe M unanime, contre l'autre fraction de N.

La complexité des affinités existant entre les témoins se manifeste en outre par la présence de leçons appuyées par une partie de chacun des groupes M et N d'accord contre le reste des deux groupes. Toutes ces constatations, qui ne se limitent pas à des accidents négligeables, trahissent une contamination certaine entre les traditions auxquelles appartiennent les groupes M et N, et cette observation est confirmée par le fait que dans plusieurs cas des témoins ont manifesté leur embarras ou leur hésitation devant le choix à faire entre des leçons également recommandables, que l'on trouve juxtaposées. Les affinités certaines existant entre les témoins de chacun des groupes de collections, N et M, sont souvent contredites, embrouillées ou compliquées par l'effet de ces contaminations diverses.

Le classement des témoins

Dans les conditions qui viennent d'être exposées, il n'est pas question d'établir un stemma généalogique de nos manuscrits. Même si ceux-ci présentent des affinités certaines que Th. Sinko a remarquées, nous devons provisoirement nous contenter de parler de deux groupes, celui des collections de 52, que nous continuerons d'appeler en raccourci le groupe N, et celui des collections de 45, en raccourci groupe M. De sorte que les schémas présentés plus haut peuvent à titre hypothétique tenir lieu de stemma.

Si l'on y ajoute l'honnête conjecture de Th. Sinko au sujet de l'archétype des deux « groupes », dont la version de Rufin pourrait être un témoin, on peut compléter le schéma comme il est présenté à la page suivante[1] :

1. Sinko, *De traditione*, p. 233.

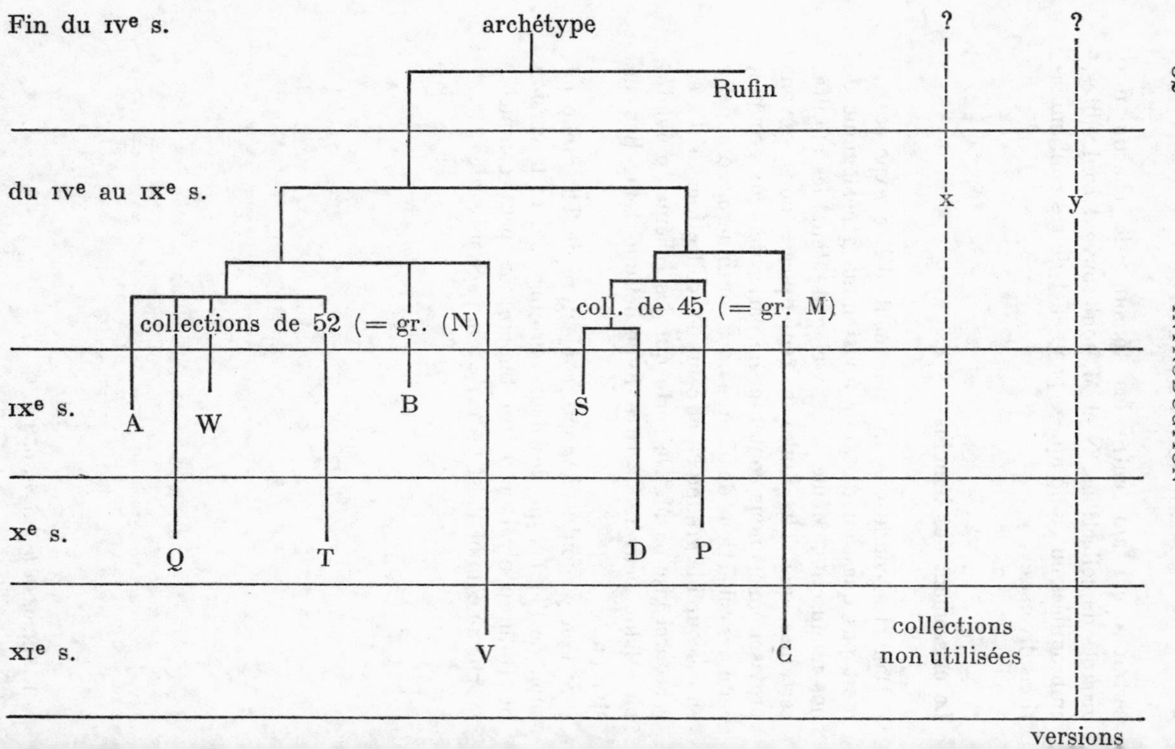
Fin du IVe s.
archétype
Rufin
?
?
du IVe au IXe s.
x
y
collections de 52 (= gr. (N))
coll. de 45 (= gr. M)
IXe s.
A
W
B
S
Xe s.
Q
T
D
P
XIe s.
V
C
collections
non utilisées
versions

Le choix des leçons

Les schémas ci-dessus concernent seulement la généalogie hypothétique des collections comme telles. Il y aurait lieu d'examiner séparément la tradition de chaque *Discours* comme si l'on avait à faire à une œuvre isolée et de vérifier s'il est possible d'obtenir un stemma généalogique plus ferme des témoins utilisés. Disons tout de suite que jusqu'à présent de patientes recherches dans ce sens se révèlent, en ce qui concerne nos textes, vaines et négatives. Malgré des indices qui nous ont plusieurs fois entraîné dans des vérifications systématiques toujours décevantes, nous considérons que toute hypothèse positive de classement, même partiel, serait actuellement prématurée.

Ces conclusions ont imposé les règles qui sont appliquées dans le choix des leçons adoptées en établissant le texte de cette édition. Premièrement, l'accord des deux groupes N et M est considéré comme un argument péremptoire dans tous les cas où il est compatible avec le sens et avec la correction philologique du texte.

Deuxièmement, on donne l'avantage à la leçon appuyée par un groupe unanime renforcé par des témoins appartenant à l'autre groupe.

Troisièmement, dans tous les autres cas, on accorde du poids aux raisons suivantes rangées par ordre d'importance décroissant : d'abord la logique du texte, ensuite le nombre des témoins favorables, et enfin, notre interprétation personnelle, ultime recours dont on évite autant que possible de faire usage, mais qui peut s'imposer notamment lorsque toutes les autres raisons s'accordent mal avec la philologie ou avec la logique (par exemple, dans *Discours* 22, chap. 15, l. 15).

Comme corollaire de ces règles, on a fait appel à la tradition indirecte, en donnant l'avantage à la leçon appuyée par le copte ou par le latin, dans les cas où une telle solution des problèmes critiques était possible.

Il est même arrivé une fois (*Discours* 23, chap. 5, l. 20) d'introduire une variante dans le texte même, parce que le choix entre deux mots se révélait impossible dans un cas fort important, où l'un de ces mots avait permis à plusieurs critiques de fonder une argumentation en vue de dater le texte.

L'apparat critique

L'apparat critique rend compte de ces choix dans tous les cas. Il est généralement négatif. On a jugé inutile de donner des indications sur les accidents propres à la graphie ou à la phonétique byzantines ou les bévues manifestes dues à l'inadvertance des copistes (syllabes redoublées, accentuation fantaisiste, orthographes aberrantes, etc.), à l'exception toutefois des cas où ces détails pourraient avoir un rapport même minime avec l'interprétation du texte, par exemple quand la confusion entre les lettres qui se prononcent *i* a une incidence sur la flexion des mots qu'elle affecte.

L'apparat est néanmoins positif chaque fois que la clarté l'exige ou le recommande, notamment lorsque le choix à faire porte sur plus de deux leçons.

SIGLES DES MANUSCRITS

A = *Ambrosianus E 49-50 inf.* (IXe s.).
Q = *Patmiacus gr. 43-44* (Xe s.).
B = *Parisinus gr. 510* (vers 880).
W = *Mosquensis Synod. gr. 64* (Vladimir *142*) (IXe s.).
V = *Vindobonensis theol. gr. 126* (XIe s.).
T = *Mosquensis Synod. gr. 53* (Vladimir *147*) (Xe s.).

S = *Mosquensis Synod. gr. 57* (Vladimir *139*) (IXe s.).
D = *Marcianus gr. 70* (Xe s.).
P = *Patmiacus gr. 33* (année 941).
C = *Parisinus Coislin. gr. 51* (Xe-XIe s.).

cod. = accord de tous les manuscrits.
n = groupe AQBWVT.
m = groupe SDPC.
Maur. = l'édition des Mauristes.
copt. = Fragments coptes, éd. et trad. latine de T. Orlandi.

L'indice 2 placé après le sigle d'un codex indique qu'il s'agit de ce ms. après correction, sans préciser la main du correcteur. L'indice 1 indique la leçon du ms. avant toute retouche.

DISCOURS 20

INTRODUCTION

Au début du règne de Théodose, les églises chrétiennes sont aux prises avec deux types de difficultés dont les reflets sont perceptibles dans la composition du *Discours* 20 : des incertitudes théologiques et des dissensions ecclésiastiques ayant pour raisons ou pour prétextes les difficultés doctrinales. Il est indispensable de rappeler brièvement quelle était la situation à cet égard (ch. I) avant de présenter le contenu du *Discours* 20 ainsi que les problèmes particuliers posés par sa composition et par les circonstances qui entourent celle-ci (ch. II) ; on signalera ensuite les particularités majeures de cette édition (ch. III).

I. Situation ecclésiastique en 379-381

L'historien Socrate consacre plusieurs paragraphes de son *Histoire ecclésiastique* (V, 3-6) à la situation des Églises au moment où Théodose Ier succéda à Valens à la tête de l'empire d'Orient. Il signale que Damase, qui avait succédé à Libère, était à la tête de l'Église romaine, Cyrille dirigeait celle de Jérusalem, mais l'Église d'Antioche était divisée en trois partis : après Euzoios, l'arien Dorothée avait pris la direction d'un certain nombre d'Églises, les autres s'étaient rangées soit sous l'autorité de Paulin soit sous celle de Mélèce ; à Alexandrie, les ariens avaient pour évêque Lucios ; bien qu'il fût en exil,

Timothée, successeur de Pierre, était à la tête de la communauté fidèle à l'homoousios, c'est-à-dire à la doctrine qui enseigne l'identité de nature des trois Personnes, tandis qu'à Constantinople, Démophile, le successeur d'Eudoxe, à la tête de la religion arienne, avait la direction des Églises, mais ceux qui rejetaient son autorité se réunissaient de leur côté (Socrate, *Hist. eccl.*, V, 3 : *PG* 67, col. 569 A 1-B 1).

Le lecteur qui parcourt ces souvenirs consignés dans l'ouvrage de l'historien du ve siècle constate que la situation des Églises chrétiennes à la fin du règne de l'empereur Valens est marquée par des divisions évidentes, que la responsabilité de celles-ci est mise à la charge des évêques et que les raisons proposées pour en expliquer les origines sont à la fois des raisons personnelles et des raisons théologiques. Des sectes secondaires compliquaient encore la situation et ajoutaient au trouble des esprits. Elles se recommandaient, elles aussi, de leurs évêques propres (*Hist. eccl.*, V, 5). « C'est alors », dit l'historien, « que du commun accord d'un bon nombre d'évêques, Grégoire était passé du siège épiscopal de Nazianze à celui de Constantinople » (*Hist. eccl.*, V, 6 : *PG* 67, col. 572 B 12-14). Ici l'auteur de l'*Histoire ecclésiastique* commet une légère erreur : Grégoire était de Nazianze, où il exerça, avant et après son séjour dans la capitale, des fonctions épiscopales soit à titre d'auxiliaire de l'évêque titulaire, qui était son propre père, soit à titre d'administrateur provisoire de l'Église locale pendant une vacance du siège[1]; mais, lui-même fut titulaire du siège de Sasimes, un bourg peu plaisant qui ne l'intéressait pas et où il semble n'avoir jamais eu l'intention de résider[2].

Une critique rigoureuse n'a donc pas manqué, avec raison, de reprocher à l'historien d'avoir été sur ce point

1. Gallay, *Vie*, p. 100-117, et p. 225-228.
2. *De vita sua*, v. 439-450 (éd. Jungck, p. 74-76).

d'autant plus négligent qu'il n'avait apparemment aucune difficulté à puiser dans l'œuvre même de Grégoire toutes les précisions souhaitables. Mais cette négligence même de l'auteur de l'*Histoire ecclésiastique* est révélatrice d'un climat général. Que Grégoire vînt de l'un ou de l'autre bourg n'importait guère. Ce dont on se souvenait un demi-siècle après les événements, c'est qu'au milieu des dissensions épiscopales, on était allé chercher dans sa lointaine province un *homo novus*, indemne jusque-là des vices et des misères du temps, qui était à la fois disponible et au fait des difficultés de l'heure. Le désarroi est général, les évêques en place incapables de sortir le christianisme de ses difficultés. Grégoire va se trouver aux prises avec les incertitudes doctrinales et avec les querelles « plus qu'humaines » opposant entre eux les responsables de l'Église[1].

Le *D.* 20 reflète un tel climat. Sans préciser les faits ni les personnes qu'il vise directement ou indirectement, l'auteur indique, dès les premières phrases du prologue, les situations qu'il prend pour cibles : « Lorsque je vois la ' glossalgie ' qui sévit actuellement, les sages improvisés, les théologiens qu'on élit, qui, au lieu de la possession de la sagesse, se contentent du simple désir de la posséder... » (chap. 1, commencement). Mais, s'il ajoute qu'il voudrait échapper à cette ambiance et s'il confesse qu'il songe à « fuir dans un désert... », ce n'est apparemment pas pour s'y retrouver avec l'Alceste de Molière. Gardons-nous de prendre tout cela au pied de la lettre. Car de telles déclarations ne l'empêchent pas de réagir énergiquement contre un mal public qui sévit. On n'en veut pour témoignage que le ton et le contenu du *D.* 20 lui-même.

1. Pour plus de détails sur la situation historique, voir STEIN, *Bas-Empire*, I, p. 191-218 ; JONES, *The Later Roman Empire*, p. 138-182 ; DANIÉLOU et MARROU, *Des origines à S. Grégoire*, p. 304-309, et p. 321-369 ; DUCHESNE, *Histoire ancienne*, II, p. 418-446.

II. Le Discours 20

L'analyse sommaire du contenu de l'œuvre permettra d'aborder les problèmes particuliers que posent la composition, le titre et la date de l'œuvre.

1. **Analyse sommaire de la doctrine**

Le théologien doit être vertueux et connaître les Écritures (ch. 1). Lorsque Moïse s'approcha de Dieu, sa suite resta à l'écart (ch. 2). Héli et Oza furent punis comme profanateurs pour avoir indûment touché des objets sacrés (ch. 3). Quiconque manque de vertu et de détachement est inapte aux fonctions sacrées et, en les accomplissant, il les profane (ch. 4).

Aussi, après avoir ainsi parlé du théologien, il faut parler de l'objet même de la théologie : la Trinité (ch. 5).

L'orthodoxie tient le juste milieu entre deux exagérations, celle qui réserve le caractère divin au Père seulement, celle qui admet trois divinités distinctes (ch. 6). Père,Fils et Saint Esprit sont un seul Dieu, mais le Père est sans principe, le Fils est uni au Père comme à son principe (ch. 7). Le rôle du principe n'est pas le même ici que dans le cas d'une génération humaine et corporelle (ch. 8). La génération divine est un mystère ineffable : Dieu crée et engendre d'une manière non-humaine (ch. 9). Le Père est inengendré, le Fils est engendré : notre vocabulaire est inadéquat et il suffirait de dire que le Fils existe et qu'il dépend du Père (ch. 10). Il faut s'abstenir de chercher à savoir comment se fait la génération du Fils, car cela nous dépasse, de même que l'explication de plusieurs phénomènes naturels nous échappe (ch. 11). La vertu permet de connaître les mystères de Dieu dans l'autre monde (ch. 12).

Ce *Discours* est parfaitement charpenté. Le ch. 1 lui sert de préambule et d'introduction : il déplore la témérité de ceux qui se chargent de diriger les âmes sans en être capables (ch. 1). Le premier développement est consacré à ce thème (ch. 2-4).

Le ch. 5 commence par une transition brève, mais très appuyée, qui sert de charnière entre les deux développements : puisque nous avons précisé ce que doit être le théologien, résumons maintenant la doctrine théologique en faisant confiance au Père, au Fils et à l'Esprit, qui sont l'objet de la théologie (commencement du ch. 5). La seconde partie, ainsi introduite (ch. 5-11), concerne donc l'objet de la théologie, comme la première partie concernait le sujet qui prend sur lui de remplir la fonction de théologien. Les deux développements aboutissent à la même conclusion : pour devenir théologien, il faut s'élever à force de vertu jusqu'à l'illumination parfaite; celle-ci est réservée à l'autre monde et procure la connaissance parfaite de la Trinité, objet même de la théologie (ch. 12). Tel qu'on le lit, le *Discours* apparaît construit sur un plan aussi limpide que rigoureux.

Nous renvoyons pour un exposé plus développé des doctrines théologiques à l'Introduction de l'édition des *Discours théologiques* de P. Gallay (*SC* 250, p. 43-51), où M. Jourjon analyse les *Discours* 29 et 30. La partie dogmatique du *Discours* 20, soit les chapitres 5 à 11, présente le même enseignement en raccourci. D'autre part, les Mauristes ont dressé l'index analytique des passages parallèles où Grégoire traite les mêmes thèmes ou des idées connexes : *PG* 36, col. 1288-1290, s.v. *Deus*; 1300, s.v. *Filius Dei*; 1302, s.v. *generatio divina*; 1345, s.v. *processio Spiritus Sancti*. On apprécie la qualité de la pensée de Grégoire et la limpidité de son expression quand on compare ce *Discours* 20, et spécialement sa seconde partie, au Livre III,18-21 de la *Théologie platonicienne*, de Proclos (éd. H. D. Saffrey et L. G. Westerink, Paris 1978, p. 58-73), où le maître de philosophie des écoles païennes d'Athènes, au début du ve siècle, commentant le *Timée* de Platon, traite à son tour de théodicée trinitaire, de génération et de procession divines[1].

2. Doublets et passages parallèles

Les thèmes développés dans le *D.* 20 sont familiers à l'auteur. J. Sajdak s'appuyait sur l'analyse de cette œuvre pour illustrer et confirmer la conclusion tirée d'autres observations qu'il avait faites sur la manière dont l'écrivain composait ses *Discours* : « Il est remarquable que Grégoire a l'habitude de reprendre et de répéter les mêmes choses et les mêmes expressions », écrit-il[2]. A l'appui de cette remarque, il relève premièrement deux doublets :

1° 20, 1 de οὐδὲν γάρ μοι... à ... τρανότερον (10 lignes) = un passage de *D.* 2, 7 (*PG* 35, col. 413 B 15 - 416 A 2) ;

2° 20, 2 de ἀκούω μὲν αὐτοῦ ... à ... τὰς τοῦ πνεύματος (19 lignes) = *D.* 2, 92 (*PG* 35, col. 496 A 2 - B 5).

et il note ensuite plusieurs parallélismes marqués :

1° 20, 1 *(in fine)* - 2, de ὡς μόλις ἄν τις... à ... πνεύματος, qu'il met en parallèle avec *D.* 2, 91-92 ;

2° 20, 3-4 (première partie), de γινώσκω δὲ Ἡλεὶ... à ... θυσίαν ζῶσαν, qu'il met en parallèle avec *D.* 2, 3-4 ;

3° 20, 4 (deuxième partie) : de καὶ διὰ τοῦτο... à ... εἴτε δόγματα, qu'il met en parallèle avec *D.* 39, 9 ;

4° 20, 5 (première ligne), qui a sa réplique dans la première ligne de *D.* 39, 11.

Mis à part les deux doublets de dix et dix-neuf lignes (dans la Patrologie grecque de Migne), les formules répétées mot pour mot se réduisent à fort peu de choses dans les passages parallèles relevés par J. Sajdak ; il s'agit seulement d'expressions très courtes dont la plus

1. Commentaire dans J. Le Clercq, *Bibliothèque universelle et historique*, t. 18, Amsterdam 1690, p. 25, et p. 57-58.

2. Sajdak, *Nazianzenica*, I, p. 124 : Perspicuum est igitur Gregorium easdem res et sententias saepe iterare et retractare.

longue est celle qui se lit au début du chap. 5 du *D.* 20 et au début du chap. 11 du *D.* 39 : Ἐπεὶ δὲ ἀνεκαθήραμεν τῷ λόγῳ τὸν θεολόγον, φέρε. Il s'agit d'une formule rhétorique utilitaire, servant de charnière ici et là, et que l'on retrouve aussi dans les premiers mots du *D.* 28 (*PG* 36, col. 25 C 3). Grégoire reprend, répète et rabâche des thèmes familiers plus souvent qu'il ne se répète mot pour mot *(retractat)*.

Poussant plus loin que J. Sajdak, Th. Sinko d'abord, P. Gallay ensuite, ont noté que les idées développées dans le *D.* 20 trouvent presque toutes leurs répliques dans d'autres *Discours*, notamment dans les *Discours théologiques*. Outre les doublets et les parallélismes relevés plus haut, notons encore :

1° *D.* 20, 5 (Première partie : invoquant Salomon et S. Paul pour prouver qu'il est difficile de connaître Dieu) a sa réplique dans *D.* 28, 21[1] ;

2° *D.* 20, 5 (deuxième partie) et 6 (la profession de foi dirigée tant contre les sabelliens, qui méconnaissaient la distinction des personnes que contre les ariens, qui leur refusaient l'unité de nature) a sa réplique dans *D.* 2, 37. Et Th. Sinko découvre en outre des lieux parallèles dans *D.* 21, 13 (*PG* 35, col. 1096 A 11 - C 2) et 35 (col. 1125 A 6-10), où il s'agit de montrer en S. Athanase un modèle d'orthodoxie, ainsi que dans *D.* 43, 30 (*PG* 36, col. 536 C 6 - 437 B 10), où S. Basile est présenté comme modèle d'évêque orthodoxe ; il y en a encore dans d'autres *D.* (*D.* 22, 12 ; 34, 8)[2] ;

3° *D.* 20, 6-10 (la polémique contre l'arianisme eunomien) a sa réplique, sous une forme plus développée dans *D.* 29, 3, 4 et 8[3] ;

4° *D.* 20, 10 (l'idée que le mystère du Saint-Esprit dépasse notre entendement) a sa réplique dans *D.* 28, 22 et 27 - 29[4] ;

5° *D.* 20, 12, première partie (qu'il faut s'abstenir des vaines curiosités théologiques et pratiquer la vertu pour arriver à connaître Dieu) a sa réplique dans *D.* 27, *passim*[5], et spécialement dans le ch. 7[6] ;

6° *D.* 20, 12, deuxième partie (l'idée que l'illumination de l'autre monde éclairera les bienheureux sur les mystères théologiques) a un parallèle dans le *D.* 28, 17[7].

---

1. Sinko, *De traditione*, p. 61 ; Gallay, *Vie*, p. 184.
2. Sinko, *ibid.*, p. 61-62 ; Gallay, *ibid.*, p. 183.
3. Sinko, *ibid.*, p. 62 ; Gallay, *ibid.*, p. 184.
4. Sinko, *ibid.*, p. 62.
5. Gallay, *Vie*, p. 183, n. 9.
6. Sinko, *De traditione*, p. 62.
7. *Ibid.*

Ces analyses pourraient laisser croire que le ch. 11 du *D.* 20 échappe exceptionnellement à la règle générale, et qu'il est plus original que le reste de l'œuvre, puisqu'il semble qu'on ne lui ait trouvé nul parallèle. Et pourtant le ch. 11 développe l'idée qu'il est vain de chercher à expliquer les mystères théologiques, que ceux-ci sont impénétrables, de même que beaucoup de phénomènes naturels. Voilà bien un thème familier de l'auteur ! Le Professeur J. Plagnieux en a fait l'exégèse et a signalé qu'on le trouve dans le *D.* 28, 29 (*PG* 36, col. 68 B 9 - 69 A1), et le *D.* 29, 8 (*PG* 36, col. 84 A 8 - C 10)[1]. Les doublets constatés ici et les parallélismes de toutes sortes indiquent assez que l'écrivain revient plus d'une fois sur les mêmes thèmes, les mêmes sujets, voire les mêmes formules littérales, et qu'il lui arrive à l'occasion de résumer quelque doctrine développée plus amplement ailleurs. Lui-même le fait remarquer au ch. 5, quand il aborde l'exposé proprement théologique : « allons ! exposons la doctrine sur Dieu sous forme d'un résumé », dit-il. Et au moment de conclure cet exposé, il souligne lui-même qu'il se répète souvent et non sans intention : « Je répète souvent la même chose vu que je me méfie de ta raison épaisse et matérielle... » (ch. 10). Il s'agit bien d'une méthode de prédication systématique et consciente. Elle est sans doute à rapprocher des remarques faites par M. Guignet dans l'analyse des procédés typiques de la rhétorique de l'écrivain, où il note des accumulations de synonymes dans un même contexte, apparemment oiseuses mais explicables par une sorte de crainte de n'être pas compris par l'auditoire[2].

Littéraires et sophistiques, volontaires ou non, ces répétitions, doublets et reprises ont donné lieu à des explications diverses des critiques. Explications parfois contradictoires, dont Th. Sinko s'est fait l'écho et qu'il n'est pas inutile de signaler ici en passant, parce qu'elles peuvent avoir des répercussions sur l'herméneutique de l'œuvre.

Un humaniste anversois, Gabrielus Eugubinus (Anvers 1573),

---

1. Plagnieux, *Grégoire théologien*, p. 26, n. 65.

2. Guignet, *Rhétorique*, p. 86-87. En général les doublets constatés dans Grégoire de Nazianze n'excèdent pas l'importance d'un chapitre de l'édition des Mauristes (20 à 30 lignes), par exemple, *Discours* 21, 10 = 43, 81 ; il arrive cependant que des doublets quasiment textuels soient beaucoup plus importants, c'est notamment le cas de *Discours* 38, 6-13 = 45, 2-9 ; 14-15 = 26-27. Il faut attendre un examen systématique et exhaustif de la tradition manuscrite avant de songer à expliquer l'origine de ces répétitions quasi-littérales.

suppose que les passages répétés étaient des parties particulièrement appréciées du public ; les Mauristes (Paris 1778) imaginent que des scribes ou des secrétaires négligents ont par inadvertance recopié des passages d'une œuvre dans une autre ; Th. Sinko pour sa part, est hésitant ; il suppose à la page 33 que le *Discours* 20 serait une improvisation de circonstance, ce qui expliquerait que l'auteur ait puisé des passages entiers, de mémoire, dans son « répertoire » oratoire[1], et que, aux p. 62-64, il attribue à des tachygraphes zélés l'initiative d'une « publication » que l'auteur lui-même ne souhaitait pas[2]. Toutes ces hypothèses sont gratuites, faut-il le dire ? Mais elles ne sont pas toutes dépourvues d'intérêt, car elles attirent l'attention sur plusieurs facteurs qui ont pu intervenir dans la mise au point de notre texte. Toute hypothèse de ce genre reste impossible à vérifier aussi longtemps que les traditions directe et indirecte des *Discours* de Grégoire de Nazianze n'auront pas été analysées de façon exhaustive.

3. Le titre

Traditionnellement le *D.* 20, qui portait le nº 29 dans les anciennes éditions antérieures aux Mauristes, est connu sous le titre *De dogmate et constitutione episcoporum* qui signifie *Sermon sur le dogme et l'installation d'évêques*, et qui traduit la formule grecque adoptée par les éditeurs comme titre original. Nous nous conformons à l'usage quand il y a lieu. Toutefois ce que l'on sait à l'heure actuelle de la tradition manuscrite rend insoutenable cette formule moderne adoptée pour le titre.

Résumons ce que la tradition manuscrite atteste à ce sujet. L'apparat critique permet de vérifier que nos témoins du groupe M (SDPC) portent tous comme titre initial *<Discours> sur <la> théologie et sur <l'>installation d'évêques*, et parfois l'indication

1. Sinko, *De traditione*, p. 33, p. 60 et 62-64.

2. On touche ici la question de « l'édition originale » possible du vivant de l'auteur. Au sujet des tachygraphes chargés de sténographier les prédications, on cite couramment : Eusèbe, *Hist. eccl.*, VI, 23 (Wattenbach, *Das Schriftwesen*, p. 417 ; Gardthausen, *Die Schrift*, p. 280-281). Grégoire lui-même fait état de leur présence dans ses auditoires de Constantinople : *Discours* 42, 26 (*PG* 36, col. 492 A 3-4). Au sujet des « publications » faites sans l'accord de l'auteur : Jérôme, *Lettre à Pammachius*, *Epist.* 48, 2 (éd. J. Labourt, II, Paris 1951, p. 117, 4-7).

qu'il s'agit du « *premier discours* » sur cette matière[1] ; leur titre final est identique au titre initial dans trois d'entre eux (DPC) et probablement aussi dans le quatrième (S, qui est illisible dans notre microfilm). Nos témoins du groupe N sont partagés ; on y trouve les titres initiaux suivants : soit (dans Q et V) περὶ δόγματος καὶ καταστάσεως ἐπισκόπων σχεδιασθείς *(Esquisse. Sur <le> dogme et <l'>installation d'évêques)*, soit (dans A et W) περὶ δογμάτων καὶ καταστάσεως ἐπισκόπων σχεδιασθείς *(Esquisse. Sur <les> dogmes et <l'>installation d'évêques)*, soit (dans T) περὶ δόγματος καὶ καταστάσεως ἐπισκόπων ἤτοι περὶ θεολογίας λόγος πρῶτος *(Sur <le> dogme et <l'>installation d'évêques ou premier discours théologique)* ; B *(codex Paris. gr. 510)* est illisible à cet endroit. Les titres finaux sont soit (dans Q) identiques au titre initial, soit (dans A et W) περὶ θεολογίας σχεδιασθείς *(Esquisse. Sur <la> théologie)*, soit inexistants (dans B, V et T)[2]. On se trouve ainsi en présence d'une forme courte et d'une forme longue, qu'il convient d'examiner séparément.

Le titre court

Les témoins collationnés ne présentent aucune variante dans la forme brève du titre du *D.* 20 : περὶ θεολογίας *Sur la théologie* : titre final de A et W, second titre faisant quasiment fonction de sous-titre, dans T. Nous adoptons cette forme brève.

Le titre long

Sous sa forme développée, le titre oppose assez nettement nos deux groupes de témoins. En l'occurrence nous accorderions un poids prépondérant au témoignage du groupe M ; l'unanimité des témoins de ce groupe, l'appui du titre initial de T et des titres finaux de A et W donnent de l'autorité à la leçon longue qu'ils présentent, et cette autorité est renforcée par les divergences constatées dans nos autres témoins du groupe N. Nos manuscrits ne nous laissent donc pas le choix : dans l'état actuel de la documentation, la formule

---

1. Περὶ θεολογίας καὶ καταστάσεως ἐπισκόπων (SDPC) + λόγος πρῶτος (SP).

2. Les Mauristes, qui, comme on sait, ont eu quelque 150 témoins en mains, ont trouvé le titre suivant : περὶ δόγματος καὶ κατὰ ἐπισκόπων *Sur <le> dogme et contre les évêques* dans des codex qu'il n'est pas possible d'identifier d'après ce qu'ils en disent : *PG* 35, col.1065, note 47.

περὶ θεολογίας καὶ καταστάσεως ἐπισκόπων s'impose comme ayant le plus de chance d'authenticité. On peut considérer comme des additions : 1° le mot σχεδιασθεὶς complétant soit le titre initial (A, Q, W, V) soit le titre final (A, Q, W, V), 2° l'indication que l'œuvre aurait été prononcée à Constantinople (Q, P), ou 3° que l'œuvre est le premier discours sur le sujet (T, S, P). Il faudra revenir sur ces détails un peu plus loin, lorsqu'il va être question des circonstances dans lesquelles l'œuvre fut composée.

Le premier élément du titre long indique très clairement le sujet de l'œuvre ; il est identique au titre court : *Sur la théologie*. Le *D.* 20 développe exactement les idées de l'auteur sur cette matière : dispositions requises d'un « bon » théologien, objet à traiter par la « bonne » théologie[1]. Le second élément composant le titre long a beaucoup intrigué les critiques et pose encore des questions. Les plus importantes concernent l'interprétation et l'authenticité des mots καὶ καταστάσεως ἐπισκόπων.

État des questions

S. Lenain de Tillemont notait qu'il ne savait pas pourquoi le titre mentionne « des évêques », « car il n'y a rien qui regarde ce dernier point, si ce n'est ce qui est dit en général des dispositions qu'il faut avoir pour enseigner les mystères[2] ».

De son côté l'édition des Mauristes fait remarquer que rien ou presque rien ne concerne ici l'établissement des évêques ; mais, elle se borne à relever l'anomalie sans chercher à l'expliquer[3]. Cette observation, comme celle de Tillemont, impliquent que la formule est interprétée comme destinée à préciser le contenu de l'œuvre. Th. Sinko, suivi par P. Gallay, suppose au contraire que la seconde partie du titre long est une addition faite par un scribe inspiré d'un désir d'expliciter les circonstances relatives à l'origine de l'œuvre plutôt que le contenu de celle-ci ; selon cette hypothèse, la formule telle qu'elle se lit actuellement serait une corruption paléographiquement explicable de κατὰ καταστάσεως ἐπισκόπων[4] que P. Gallay

---

1. Cf. Szymusiak, *Théologie*, p. 14 s.

2. Tillemont, *Mémoires*, IX, p. 440 ; cf. aussi Puech, *Littérature*, III, p. 339, note 1.

3. *PG* 35, col. 1065-1066.

4. Sinko, *De traditione*, p. 65 ; et Gallay, *Vie*, p. 186 : la préposition κατά placée devant καταστάσεως a pu être omise par suite d'une haplographie, « faute bien connue des paléographes », après quoi la conjonction καί fut ajoutée pour que le génitif καταστάσεως se rattachât à περί.

traduit : « à l'occasion d'une réception d'évêques » ou bien « à cause d'une visite d'évêques[1] ». Ici l'authenticité de la tradition manuscrite est donc mise en question, ainsi que l'interprétation du mot καταστάσεως.

A l'appui de la théorie de Th. Sinko et de P. Gallay, on a fait valoir l'usage d'Hérodote qui emploie le mot κατάστασις dans un contexte où il s'agit clairement de la « réception de dignitaires étrangers dans une assemblée » ; dans le cas qui nous occupe, le *D*. 20 serait censé concerner des « dignitaires ecclésiastiques », donc des évêques, reçus par Grégoire et par sa communauté[2].

J. Bernardi estime cette conjecture inutile et l'argumentation de P. Gallay trop fragile. D'une part, si le titre long est effectivement l'œuvre d'un scribe, comme le suppose Th. Sinko, elle est destinée à expliciter le contenu de l'œuvre et plus d'un détail ont pu justifier l'interprétation qui met en cause les évêques, notamment le mot χειροτονητούς qui se lit au ch. 1, où il s'applique explicitement aux théologiens, mais où il vise l'épiscopat de façon transparente. D'autre part, remarque J. Bernardi, faire appel à un usage particulier du mot κατάστασις dans Hérodote paraît être un anachronisme vicieux dans le cas qui nous occupe[3]. Le mot prend dans Grégoire de Nazianze des sens divers exprimant l'idée de « situation », « mise en place » ou « installation » ; c'est notamment le cas dans la correspondance de l'auteur[4].

Conclusions

En constatant que la formule longue explicite le contenu de l'œuvre, on revient à l'idée de départ de Tillemont et des Mauristes, qui a été soulignée plus haut. Cette façon de voir est confirmée par

---

1. Gallay, *Vie*, p. 186.
2. Sinko, *De traditione*, p. 65 ; Gallay, *Vie*, p. 186.
3. Bernardi, *Prédication*, p. 190.
4. *Ibid.*, p. 189-190. Cf. Grégoire de Nazianze, *Lettre* 79, § 10 (éd. Gallay, Berlin 1969, p. 70, 24-25) : ὡς ἀναξίου τοῦ ἀνδρὸς ἴσως λαμβάνεσθαι καὶ διὰ τοῦτο ἐπισκήπτειν τῇ καταστάσει (trad. P. Gallay, Paris 1964, p. 102 : « peut-être se saisir de cet homme comme d'un indigne et, pour ce motif, attaquer son ordination »). L'affaire concerne un prêtre d'origine servile et que sa maîtresse entend récupérer après qu'il a été ordonné ; Grégoire semble admettre le bon droit de la maîtresse (§ 13, éd. Berlin, p. 71, 8-11) dont la réclamation vise ici autant la *situation* ou la *condition* (servile) de l'intéressé que son *ordination* : cf. Liddell et Scott, *Lexicon*, p. 913, s.v. II, 2 ; Lampe, *Lexicon* p. 720, s.v. B.

l'initiative indiscutable d'un scribe complétant le titre traditionnel du *D.* 2 *(Apologeticus de fuga)* : *Sur sa fuite ou sur le sacerdoce,* par ces mots : *et sur les qualités requises de l'évêque,* καὶ οἷον εἶναι δεῖ τὸν ἐπίσκοπον[1].

Il ne fallait pas être grand clerc pour s'apercevoir que le mot χειροτονητούς, appliqué ici aux « théologiens », vise des théologiens ayant bénéficié de promotions du genre des élections épiscopales. Rien d'étonnant donc que le scribe qui prit l'initiative de compléter le titre ait interprété comme il l'a fait le contenu du *D.* 20[2]. Implicitement le texte vise le haut clergé.

L'interprétation traditionnelle du mot κατάστασις appelle encore quelques nuances. La langue byzantine — celle des scribes de nos sources manuscrites — donne couramment à ce mot un sens proche de celui que Th. Sinko relevait dans Hérodote et qu'il invoquait pour appuyer son interprétation et sa conjecture présentées plus haut. Plusieurs sources d'époques diverses désignent par le mot κατάστασις une « installation » ou une « mise en place » conforme aux règles du cérémonial des réceptions officielles[3] et le mot signifie plus spéciale-

---

1. *PG* 35, col. 407, note 45.

2. ESTIENNE, *Thesaurus,* VIII, col. 1420, s.v. Le mot n'est pas relevé par LAMPE, dans le lexique du grec des Pères ; il semble ne pas appartenir au lexique biblique (absent de BAUER, *Wörterbuch*). Par contre les mots χειροτονῶ et χειροτονία signifient soit « désigner » soit « ordonner » ou « sacrer » des évêques ou des prêtres ; ainsi : *A.A.*, 14, 23, et BAUER, *Wörterbuch,* col. 1742, ou LAMPE, *Lexicon,* p. 1522-1523. Le mot χειροτονητής désignant celui qui ordonne un prêtre ou qui sacre un évêque peut aussi signifier « celui qui désigne », « celui qui choisit », note LAMPE, *Lexicon,* même référence. Au sujet du mode de désignation, les mots de cette famille ne peuvent rien nous apprendre ; ils peuvent en effet avoir le sens générique de « choisir », qu'il s'agisse de choix fait par vote, désignation ou élection.

3. OSTROGORSKY et STEIN, *Die Krönungsordnungen,* p. 191, n. 1, et p. 206-210, spécialement p. 210, notent que le titre byzantin de ὁ τῆς καταστάσεως remplace le titre latin de *comes admissionum* (ou *amissionum*) κόμης ἀδμησιόνων et désigne la fonction palatine de « maître des cérémonies ». Cf. aussi BURY, *The Imperial System,* p. 118. La *Souda* signale que Pierre le Patrice aurait composé au VIe siècle un livre sur « la constitution politique » περὶ πολιτικῆς καταστάσεως (*Souda,* éd. G. Bernhardy, Halle et Brunswig 1853, II, col. 247-248) ; mais, si l'on en juge par les fragments conservés de cet ouvrage, qui se trouvent dans Constantin VII Porphyrogénète,

ment dans le *Clétorologion* de Philothée « l'ordonnance » des réceptions protocolaires et les « règles à suivre pour installer » des convives reçus au palais impérial[1]. Nos copistes byzantins composant ou recopiant ou relisant le titre long interprétaient le *D.* 20 comme un sermon *Sur la théologie c'est-à-dire*[2] *sur la manière d'installer des évêques.* La formule paraît authentique. Quant à l'originalité d'un tel titre, il n'en faut pas parler. Surtout dans l'état fragmentaire de nos recherches sur les sources manuscrites.

4. *Date et circonstances*

Th. Sinko s'est fondé sur des arguments d'ordre littéraire tirés du rapprochement du *D.* 20, avec les cinq *Discours théologiques* (*D.* 27 à 31), dont on s'accorde à dire qu'ils doivent avoir été composés à Constantinople, en été ou en automne de l'an 380, et il a daté notre texte de la même année entre la fin de février et la fin de l'été[3].

---

dans l'appendice du *De Ceremoniis Aulae byzantinae,* I, 84-86 (éd. J. J. Reiske, Bonn 1829, I, p. 386, 24 - 393, 2), l'ouvrage du Patrice était un livre sur le protocole des réceptions (περὶ καταστάσεως tout simplement) et nullement un livre politique, comme l'affirme la Souda.

1. *Clétorologion de Philothée* ou *Listes de Préséance* (éd. N. Oikonomidès, Paris 1972, p. 81, 1-5, titre) : « Exposé exact de *l'ordonnance* (τῆς ... καταστάσεως) des banquets impériaux, avec l'appellation et la valeur de chaque titre, rédigé sur la foi d'anciennes listes de préséances par Philothée, protospathaire impérial et atriklinès, sous le règne de notre empereur ami du Christ le très sage Léon, au mois de septembre, indiction 3, en l'an du monde 6408 » (= 899 de notre ère). On y rencontre le mot κατάστασις employé dans un sens analogue, dans plusieurs passages où il est question du protocole des banquets ou des réceptions impériales ; notamment : p. 165, 11-17 ; p. 185, 6-13 ; p. 189, 11.

2. Au sujet de cette nuance du καὶ explicatif, unissant deux termes dont le second est destiné à expliquer, déterminer ou *expliciter* le premier, comme nous voyons que c'est le cas ici, voir Guignet, *Rhétorique,* p. 88 ; sur l'origine biblique et sur l'usage populaire de cette construction : Zerwick, *Graecitas biblica,* n° 450-465, p. 141-145 ; et Tabachovitz, *Grec de la basse époque,* p. 8-9.

3. Sinko, *De traditione,* p. 60-65, et 68.

P. Gallay et J. Bernardi se sont à leur tour penchés sur ce moment précis de l'histoire littéraire et de l'histoire tout court[1]. Nous n'avons pas à revenir sur leurs exposés, mais trois détails relatifs aux circonstances dans lesquelles le *D.* 20 fut composé doivent retenir l'attention; ce sont trois indications incorporées aux titres de l'œuvre par certaines traditions byzantines dont témoignent nos manuscrits.

Le *D.* 20 « prononcé à Constantinople » (P : ἐρρέθη ἐν Κωνσταντινουπόλει ; Q : λεχθεὶς ὁμοίως). Ce genre de localisation des origines d'un texte se rencontre plusieurs fois dans nos manuscrits; tantôt cette indication prend la forme d'une scolie ou d'une note marginale, tantôt on la trouve intégrée au titre même, et il n'est pas possible dans l'état actuel de notre documentation de déterminer si une scolie est le résultat d'une contamination ou inversement si une amplification du titre résulte de l'incorporation d'une scolie dans le texte.

Quelle que soit l'origine de cette note, le climat général décrit par les passages du poème autobiographique de Grégoire « Sur sa propre vie » traitant de son séjour à Constantinople, va très bien avec le ton et avec le fond du *D.* 20 : l'auteur déplore l'incompétence du haut clergé, il s'irrite du goût manifesté par des collègues pour les réceptions impériales. Tout cela peut cadrer avec le sujet traité dans notre texte. Mais on ne peut tirer d'une seule présomption un véritable critère de datation[2].

Le *D.* 20 *Premier Discours sur la théologie* (SP T).

Cette indication a été confrontée par Th. Sinko avec une partie de la tradition manuscrite plus importante que nos dix témoins et l'examen auquel il s'est livré lui a

1. Gallay, *Vie*, p. 183-186 ; Bernardi, *Prédication*, p. 188-189.
2. *De vita sua*, v. 1703-1718 ; et v. 1420-1435 (éd. Ch. Jungck, Heidelberg 1974, p. 136-138 ; et p. 122-124).

permis d'affirmer : 1° que les manuscrits du groupe M rapprochent généralement les *Discours* 20 et 28, 2° que certains témoins du groupe N présentent le *Discours* 28, les uns comme « premier », d'autres comme « second discours théologique », 3° que ces rapprochements s'expliquent non seulement par des affinités de fond constatées entre les deux œuvres *(similia cum similibus coniuncta sunt)*, mais aussi par des raisons chronologiques[1].

Toutes provisoires et fragmentaires qu'elles soient, ces observations permettent de considérer comme hautement vraisemblable que le *D.* 20 fut composé à Constantinople, comme les *Discours théologiques*. Peut-on présumer que ce fut avant ceux-ci ? Abordant la doctrine théologique au ch. 5, l'écrivain annonce qu'il va résumer la matière traitée ὡς ἐν βραχεῖ. On peut, sans rien forcer, voir dans l'exposé introduit de cette façon un raccourci des doctrines développées dans les *Discours théologiques*, mais rien ne permet de savoir s'il fut prononcé avant ou après ceux-ci. A ce sujet, le seul indice vraiment explicite est fourni par la note ajoutée au titre et qui fait de notre texte le « premier » des *Discours théologiques*. Mais on ignore quelle est l'origine et l'autorité de cette indication.

Le *D.* 20, une « esquisse » (AQWV, titres initiaux et finaux : σχεδιασθείς).

Il a été fait état plus haut de l'hypothèse relative à la composition ou plutôt au manque de composition de l'œuvre : on explique ce défaut supposé, en faisant intervenir des tachygraphes prenant au vol le texte d'un discours improvisé[2]. Le *D.* 20 est parfaitement construit; mais, en dépit de sa construction rigoureuse, l'œuvre ne présente qu'une charpente ou une esquisse de la doctrine orthodoxe. Ainsi doit-on interpréter la note du copiste

1. Sinko, *De traditione*, p. 2-3, et p. 83-85.
2. *Ibid.*, p. 60-63.

lettré, qui le premier intégra le mot σχεδιασθείς au titre de l'œuvre : il ne se prononce pas sur le genre littéraire, mais qualifie le contenu du sermon, qui est une esquisse ou, comme l'auteur lui-même le déclare, « un raccourci » (ch. 5) tracé à grands traits.

III. L'Édition

Disons tout de suite que le texte a été établi à partir de la collation de nos dix témoins conformément aux principes exposés dans l'Introduction générale. Nous nous bornerons ici à dire un mot des particularités marquantes que ces témoins présentent dans leurs parties où se lit le *Discours* 20, en renvoyant pour les généralités à ce qui a été dit plus haut, et en nous limitant à quelques détails codicologiques indispensables.

A = *Ambrosianus E 49-50* inf. *(gr. 1014)* (ixe s.).

Le texte se lit en entier p. 393 a - 401 b. Les deux premières pages ont été restaurées ; deux miniatures ont disparu : p. 393, au bas de la colonne b), il reste la partie gauche d'un tableau, et ce qu'on voit représente une foule nombreuse de personnages ; p. 394, il reste la partie droite d'une miniature dont le reste a disparu au bas de la colonne a) ; ce qui en reste montre un attelage de deux bœufs tirant vers la droite ce qui paraît être un édifice en train de basculer. Quelques lettres des dernières lignes du texte des pages 393 b et 394 a ont disparu par suite de la restauration.

Le titre final est entre deux fins bandeaux de pointes de flèches. Les gloses marginales sont rares.

Q = *Patmiacus gr. 44* (xe s.).

Le *D.* 20 s'y trouve entièrement aux f. 294v - 301r ; il porte le numéro 23 et l'indication « 6 feuillets ». Le portique ornant le titre initial est très sobre (f. 294v, col. b), tandis que trois bandeaux très fins se voient l'un au-dessus et les deux autres au-dessous du titre final (f. 301r, col. a). La première lettrine, marquant l'initiale du premier mot du texte, est un O très orné qui prend l'aspect d'une couronne d'arabesques ayant l'esprit et l'accent du mot inscrits en son centre. A part les très rares signes marginaux, on ne relève dans les marges qu'une seule note, qui est une variante de lecture introduite par l'abréviation ΓΡ (f. 297r, col. b).

B = *Parisinus gr. 510* (IXe s.).

Tout le texte s'y trouve du f. 165v au f. 170 ; son titre initial est quasiment illisible. L'œuvre porte ici le no 18. Le f. 165r est entièrement peint ; on ne voit rien dans le texte en regard qui ait pu fournir le thème de cette peinture[1].

W = *Mosquensis Synod. gr. 64* (Vlad. *142*) (IXe s.).

Notre *Discours* occupe les f. 168v à 172. Les titres, le texte et les annotations se présentent de la façon qui a été dite dans l'introduction générale ; les titres en tête et à la fin sont surmontés d'un bandeau ; on trouve ici un no 23. Dans ce codex, le *Discours* 20 est immédiatement suivi du 27.

V = *Vindobonensis theol. gr. 126* (XIe s.).

L'ensemble du *D.* 20 se lit aux f. 145v-148v. Cette partie du codex n'appelle aucune remarque particulière. On peut se reporter à la description générale en ajoutant que des notes, en petites majuscules, sont très brèves et assez rares, il y en a quelques-unes en minuscules et pas de titre final.

T = *Mosquensis Synod. gr. 53* (Vlad. *147*) (Xe s.).

La totalité du texte a été copiée du f. 154v au f. 158v ; il porte ici le no 17. L'écriture et l'ornementation n'appellent aucune remarque particulière. L'examen du microfilm permet de déceler plusieurs mains dans les notes et scolies : f. 154v, une scolie en minuscule est suivie d'une autre assez longue et beaucoup plus récente ; f. 155, l'écriture des scolies paraît encore différente, tandis qu'on relève dans les f. 155v et suivants, des notes et variantes en petites majuscules. Il n'y a pas de titre final.

1. Bordier, *Description*, p. 74.

S = *Mosquensis Synod. gr. 57* (Vlad. *139*) (IXe s.).

Le *D.* 20, qui se lit ici aussi en entier, occupe les f. 218-222v ; il porte le nº 4, qui ne correspond certainement pas à sa place dans le codex ni à celle que Vladimir lui assigne[1]. Le titre initial est en grandes majuscules rondes, d'un type hybride mêlé de lettres anguleuses, de style ornemental et baroque (f. 218 b). Les notes très rares sont toutes très brèves. Le titre final illisible sur le microfilm est placé entre deux bandeaux.

D = *Marcianus gr. 70* (Xe s.).

Notre texte se lit en entier aux f. 254-258, avec le numéro 32 comme numéro d'ordre. Il n'y a quasiment rien de particulier à ajouter à la description générale, sauf le fait que des annotations marginales attirent l'attention sur plusieurs passages d'une façon plus explicite que ne le font les signes marginaux traditionnels : f. 254r, 257r (ch. 11), 258r.

P = *Palmiacus gr. 33* (de 941).

Le texte a été collationné par Mme M.-A. Calvet-Sébasti, sur microfilms à l'Institut des Sources Chrétiennes, à Lyon. Nous la remercions vivement.

La stichométrie : 301 (f. 99r).

C = *Parisinus Coislin. gr. 51* (Xe-XIe s.).

Le *D.* 20, portant ici le nº 29, est complet du f. 251v au f. 256v. Le titre initial en petites majuscules de type assez carré caractérisé par la haste du P prolongée plus bas que la ligne, est d'un style sévère et élégant ; il est orné d'un bandeau orné de motifs géométriques et surmonté de trois palmettes. Les signes marginaux sont extrêmement rares ; les notes aussi rares et extrêmement brèves ; le titre final en petites majuscules de type et de style analogues à celles qu'on trouve dans le texte mêlées aux minuscules.

1. VLADIMIR, *Sistematičeskoe (Description systématique)*, p. 145.

PG 35
1065 A

Περὶ θεολογίας καὶ καταστάσεως ἐπισκόπων

1. Ὅταν ἴδω τὴν νῦν γλωσσαλγίαν καὶ τοὺς αὐθημερινοὺς σοφοὺς καὶ τοὺς χειροτονητοὺς θεολόγους οἷς ἀρκεῖ τὸ θελῆσαι μόνον πρὸς τὸ εἶναι σοφοῖς, ποθῶ τὴν ἀνωτάτω φιλοσοφίαν καὶ σταθμὸν ἔσχατον ἐπιζητῶ, κατὰ τὸν
5 Ἱερεμίαν[a], καὶ ἐμαυτῷ μόνῳ συγγενέσθαι βούλομαι. Οὐδὲν γάρ μοι δοκεῖ τοιοῦτον οἷον μύσαντα τὰς αἰσθήσεις, ἔξω σαρκὸς καὶ κόσμου γενόμενον, μηδενὸς τῶν ἀνθρωπίνων προσαπτόμενον, ὅτι μὴ πᾶσα ἀνάγκη, ἑαυτῷ προσλαλοῦντα καὶ τῷ Θεῷ ζῆν ὑπὲρ τὰ ὁρώμενα καὶ ἀεὶ τὰς θείας ἐμφάσεις
10 καθαρὰς ἐν ἑαυτῷ φέρειν ἀμιγεῖς τῶν κάτω χαρακτήρων

Titulus > B ‖ θεολογίας m : δογμάτων AW δόγματος QBVT Maur. qui notant codices habere δογμάτων ἤτοι θεολογίας ‖ ἐπισκόπων : + σχεδιασθείς AWV + σχεδιασθείς λεχθεὶς ὁμοίως Q + λόγος πρῶτος S + ἤτοι περὶ θεολογίας λογὸς πρῶτος T + λόγος πρῶτος ἐρρέθη ἐν Κωνσταντίνου πόλει P (Maur. addunt nonnullos codices habere περὶ δογμάτων καὶ κατὰ ἐπισκόπων).

1, 4 φιλοσοφίαν : Wmg. ἐρημίαν, quod videtur esse glossa ‖ 6 τοιοῦτο DP

---

1. a. Jér. 9, 1.

---

1. Voir plus haut p. 39, l'Introduction.

2. Sur la notion de « philosophie », comme forme supérieure de l'ascèse chrétienne, voir Malingrey, *Philosophia*, p. 237-260 : Grégoire serait, parmi les auteurs chrétiens, le premier témoin de l'emploi de l'expression dans ce sens particulier ; voir spécialement *Discours* 43, 23 (*PG* 36, col. 528 A 7 ; éd. F. Boulenger, p. 108) et les commentaires de A.-M. Malingrey, p. 220-221, n. 19-22 ; p. 242.

DISCOURS 20

Sur la théologie, c'est-à-dire sur l'installation d'évêques

1. Lorsque je vois la « glossalgie » qui sévit actuellement, les sages improvisés, les théologiens qu'on élit[1], qui, au lieu de la possession de la sagesse, se contentent du simple désir de la posséder, je regrette de ne pas posséder la « philosophie »[2] suprême, je cherche à arriver à la dernière étape, selon la formule de Jérémie[a], et je me décide à rentrer en moi-même[3]. En effet, rien ne me paraît égaler celui qui a dominé les sens, qui a échappé à la chair et au monde et qui, sans s'attacher à rien de ce qui est humain, à part le strict nécessaire, s'entretenant avec lui-même et avec Dieu, vit au-dessus des choses visibles et porte constamment en lui-même le pur reflet des choses divines sans contamination des empreintes de ce bas-monde et

Lorsque le mot se présente avec cette nuance, nous le traduisons « philosophie » (entre guillemets).

3. Dans *Jér.*, 9, 1, le contexte immédiat du passage évoqué ici fait état explicitement d'une situation analogue à celles que Grégoire doit avoir connues en 380 et 381, et qui aboutirent à son départ de Constantinople, analogue aussi à celle que suggère le *Discours* 20. Cf. *De vita sua*, v. 1703-1718 (éd. Ch. Jungck, p. 136-138). Le thème des inconvénients de la nécessité d'enseigner la théologie sans y être préparé se rencontre souvent dans les œuvres de Grégoire datées des années de Constantinople : *Discours* 42, 18 (*PG* 36, col. 480 A 7 - C 3) ; 21, 9 (ci-dessous et *PG* 35, col. 1089 C 7 - 1092 A 1) ; etc. Cf. *Jér.*, 9, 1-2 a, dans la LXX : « Qui me donnera au désert un dernier abri (σταθμὸν ἔσχατον) ? J'abandonnerai mon peuple, je me retirerai d'avec eux, car ils ne sont que des adultères, un concile de négateurs ; ils bandent leur langue comme un arc ; le mensonge et non la foi prévaut sur terre... »

καὶ πλανωμένων, οἷον ἔσοπτρον ἀκηλίδωτον Θεοῦ καὶ τῶν θείων καὶ ὃν καὶ ἀεὶ γινόμενον, φωτὶ προσλαμβάνοντα φῶς

B καὶ ἀμαυροτέρῳ τρανότερον, μέχρις ἂν πρὸς τὴν πηγὴν ἔλθωμεν τῶν τῇδε ἀπαυγασμάτων καὶ τύχωμεν τοῦ μακαρίου

15 τέλους, λυθέντων[b] τῶν ἐσόπτρων τῇ ἀληθείᾳ· ὡς μόλις ἄν τις ἑαυτὸν ἢ μακρᾷ φιλοσοφίᾳ παιδαγωγήσας καὶ ἀπορρηγνὺς κατὰ μικρὸν τὸ τῆς ψυχῆς εὐγενὲς καὶ φωτοειδὲς, τοῦ ταπεινοῦ καὶ σκότῳ συνεζευγμένου ἢ Θεοῦ τυχὼν ἵλεω ἢ καὶ ἄμφω ταῦτα καὶ μελέτην ὅτι μάλιστα ποιούμενος

20 ἄνω βλέπειν τῆς κατασπώσης ὕλης ἐπικρατήσειε. Πρὶν δὲ ταύτην ὑπερσχεῖν, ὅση δύναμις, καὶ ἀνακαθᾶραι ἱκανῶς τά

1068 A τε ὦτα καὶ τὴν διάνοιαν ἢ ψυχῆς ἐπιστασίαν δέξασθαι ἢ θεολογίᾳ προσβαλεῖν οὐκ ἀσφαλὲς εἶναι γινώσκω.

2. Καὶ ὅθεν εἰς τοῦτο ὑπήχθην τὸ δέος ἵνα μή με τοῦ δέοντος δειλότερον ὑπολάβητε ἀλλὰ καὶ ἐπαινῆτε τῆς

1, 12 ὃν : ὢν PC ‖ γινόμενος PC ‖ 13 ἀμυδροτέρῳ P corr. mg. ‖ 18 τυχὼν AQBWV DPC : τυχόν Smg. T sed parum distincte ‖ 19-20 καὶ — βλέπειν m > n sed T mg. rest. ‖ 20 ἐπικρατήσειεν AQBW T1 DPC ‖ 21 ὅσηι T ‖ 22 ἢ + τῇ et postea eras. S, ut videtur.

2, 1 τοῦθ' S ‖ 2 δηλότερον S_1 corr. S_2 ‖ ὑπολάβοιτε S Maur. ‖ ἐπαινεῖτε SPC ἀκούομεν S_1 corr. S_2

---

1. b. I Cor. 13, 12.

---

1. Des préoccupations analogues se manifestent dans les élites cultivées de Constantinople de la seconde moitié du IVe siècle ; les soucis pastoraux de Grégoire rejoignent ici un courant de pensée assez profond qui marque son époque. La correspondance de l'empereur Julien avec Théodore, grand pontife du paganisme traditionnel, dénote une mentalité analogue : JULIEN, *Lettre à Théodore, Lettre* 89, 298 b (éd. J. Bidez, p. 166, 5), et 304 d (p. 173, 5-7). Thémistius formule des exigences analogues — compétence et aptitudes — à l'égard de tous les titulaires de hautes fonctions laïques dans l'État : *De republica gerenda* (version arabe, éd. et trad. latine de I. Shahid, Leipzig 1974, p. 109).

2. Depuis les mots οὐδὲν γὰρ « en effet... » jusqu'à cet endroit ... τρανότερον : doublet = *D.* 2, 7 (*PG* 35, col. 413 B 15 - 416 A 2). Introduction, p. 42 ; KERTSCH, *Bildersprache*, p. 140.

de ses erreurs[1]. Il est et devient toujours davantage un miroir limpide de Dieu et des réalités divines qui emprunte son lumineux éclat à la Lumière et capte une clarté plus pure dans sa surface plus obscure[2], jusqu'au moment où nous parviendrons à la source des rayons qui illuminent ce monde dans le bonheur d'une fin heureuse où la vérité aura rendu les miroirs inutiles[b]. Ah! Si l'on pouvait soit par l'exercice prolongé de la « philosophie » qui libère progressivement l'élément noble et lumineux de l'âme de l'élément bas et ténébreux, soit par l'effet de la bienveillance de Dieu, soit par ces deux voies à la fois en s'exerçant de toutes ses forces à tourner ses regards vers les réalités d'en-haut[3], dompter la matière avilissante! Avant d'avoir élevé cette matière dans toute la mesure du possible et d'avoir purifié suffisamment ses oreilles et ses pensées, accepter charge d'âmes ou se lancer dans la théologie, je sais que c'est téméraire[4].

2. Pour que vous ne me soupçonniez pas de pusillanimité excessive à cause du fait que j'en étais arrivé à redouter une telle charge et pour qu'au contraire vous me sachiez

3. Développement de style platonisant. Cette manière d'écrire, et peut-être de penser, est familière aux écrivains cappadociens et à Grégoire de Nazianze en particulier ; au sujet du thème de l'illumination de l'âme par l'union à Dieu, voir Lampe, *Lexicon*, p. 178, s.v. ἀπαύγασμα, B. Cf. Gottwald, *De Gregorio platonico*, p. 10-12, avec des références à Platon et à des penseurs platoniciens et cyniques. Voir surtout des textes parallèles, notamment la Lettre à Philagrios, de notre Grégoire : *Epist.* 31, 2-4 (éd. P. Gallay, Berlin 1969, p. 27, 18 - 28, 8). D'une façon générale, cf. Daniélou, *Platonisme, passim* ; et, enfin, Porphyre, *Sentences*, 32 (éd. E. Lamberz, Leipzig 1975, p. 31, 9 - 32, 2, notamment, et le contexte).

4. L'argumentation teintée d'intellectualisme caractéristique de cette entrée en matière donne à penser que le texte s'adresse à des milieux distingués et lettrés, tels que ceux de Constantinople : Jones, *The Late Roman Empire*, p. 1002-1007, et l'exégèse qui est faite du « Songe » de S. Jérôme (*Epist.* 22, 30, éd. J. Labourt, I, p. 144, 16 - 145, 12).

προμηθείας, ἀκούω μὲν αὐτοῦ Μωϋσέως ἡνίκα ἐχρημάτιζεν αὐτῷ ὁ Θεός, ὅτι πλειόνων εἰς τὸ ὄρος προσκεκλημένων,
5 ὧν εἷς ἦν καὶ Ἀαρὼν σὺν τοῖς παισὶν αὐτοῦ τοῖς δύο τοῖς ἱερεῦσιν, οἱ μὲν λοιποὶ πάντες προσκυνῆσαι πόρρωθεν ἐκελεύσθησαν ἐγγίσαι δὲ Μωϋσῆς μόνος[a] οὐ συναναβῆναι
B δὲ ὁ λαός. Καὶ μικρὸν πρὸ τούτων, τοὺς μὲν ἄλλους ἀστραπαὶ καὶ βρονταὶ καὶ σάλπιγγες καὶ ὅλον καπνιζόμενον τὸ ὄρος
10 καὶ ἀπειλαὶ φρικώδεις καὶ τοιαῦτα δείματα ἵστη κάτω· καὶ μέγα ἦν αὐτοῖς ἀκοῦσαι τῆς τοῦ Θεοῦ φωνῆς μόνον καὶ ταῦτα εὖ μάλα ἁγνισαμένοις. Μωϋσῆς δὲ καὶ ἄνεισι καὶ τῆς νεφέλης εἴσω χωρεῖ καὶ Θεῷ συγγίνεται καὶ δέχεται νόμον, τοῖς μὲν πολλοῖς τὸν τοῦ γράμματος τοῖς δὲ ὑπὲρ
15 τοὺς πολλοὺς τὸν τοῦ πνεύματος[b].

C **3.** Γινώσκω δὲ Ἡλεῖ[a] τὸν ἱερέα καὶ μικρὸν ὕστερον Ὀζᾶν[b] τινα· τὸν μὲν καὶ ὑπὲρ τῆς τῶν παίδων παρανομίας ἀπαιτηθέντα δίκην ἣν ἐτόλμων κατὰ τῶν θυσιῶν, καὶ ταῦτα οὐκ ἀποδεχόμενον αὐτῶν τὴν ἀσέβειαν ἀλλὰ πολλὰ πολλάκις
5 ἐπιτιμήσαντα· τὸν δὲ ὅτι τῆς κιβωτοῦ ψαῦσαι τολμήσας μόνον περισπασθείσης ὑπὸ τοῦ μόσχου, τὴν μὲν περιεσώσατο, αὐτὸς δὲ ἀπώλετο, φυλάσσοντος τοῦ Θεοῦ τῇ κιβωτῷ τὸ σεβάσμιον. Οἶδα δ' ἐγὼ μηδὲ τῶν τοίχων τοῦ ἱεροῦ ψαῦσαι

2, 3 Μωσέως nP ‖ 5 τοῖς² > T μ<έν> duae ultimae litterae excisae A ‖ 7 Μωσῆς m ‖ 8 δ' SPC ‖ 10 fortasse τὰ τοιαῦτα C S_1 corr. S_2 ‖ 12 ἁγνισομένων C ‖ Μωσῆς n ‖ 14 δ' m.

3, 1 δ' PC ‖ Ἡλεῖ AQVDP : Ἡλί B ἡλί ST ut videtur ἤλει C illis. W ‖ 3 ταῦτα : τοῦτο C ‖ 5 δὲ + καί SPC δ' PC ‖ 7 δ' D ‖ φυλάσσοντος + δηλαδή m Maur. postea eras. S_2 ‖ κιβω<τῷ> duae ultimae litterae excisae A ‖ 8 δέ AQWVT > S

---

2. a. Ex. 24, 9-12. b. Cf. Ex. 19, 3-25 ; 24, 9-18 ; Hébr. 12, 18-19 ; et II Cor. 3, 6-8, ainsi que Gal. 5, 18 ; Rom. 4, 14 ; et Jn 1, 17.
3. a. Cf. I Sam. 2, 12-36 ; 4, 1-18. b. Cf. II Sam. 6, 2-8.

---

1. Le même thème développé dans des termes à peu près analogues se trouve aussi dans *Carmina*, II, 1, 13, *Ad episcopos*, v. 117-123 (*PG* 37, col. 1236-1237).

2. Sur les interprétations à donner à la Loi mosaïque, voir aussi Grégoire de Nysse, *La vie de Moïse*, 207 (éd. J. Daniélou, p. 98),

gré de ma prudence, voici l'histoire qu'on raconte de Moïse lui-même. Au moment où Dieu lui faisait ses révélations, une foule immense avait été appelée à gravir la montagne; Aaron même était du nombre avec ses deux enfants, qui étaient prêtres, et tous les autres furent invités à se prosterner à distance, tandis que Moïse tout seul fut invité à s'approcher sans que le peuple l'accompagnât dans son ascension[a1]. Et l'histoire racontait un peu plus haut que des éclairs, des coups de tonnerre et de trompettes, une fumée qui enveloppait la montagne, des menaces horrifiantes et d'autres terreurs de ce genre arrêtèrent tous les autres au pied de la montagne. Et c'était une grande chose pour eux que d'entendre seulement la voix de Dieu, et cela après s'être très soigneusement purifiés. Quant à Moïse, il monte et pénètre à l'intérieur de la nuée, il rencontre Dieu et reçoit la Loi, qui pour la masse du peuple est celle de la lettre, mais qui est celle de l'esprit[b] pour ceux qui ont dépassé le niveau de la masse[2].

3. Je connais encore l'histoire du prêtre Héli[a3], et un peu plus tard, celle d'un certain Oza[b4]. Le premier eut à expier la faute que ses enfants avaient osé commettre à l'encontre des sacrifices, et cela alors qu'il n'approuvait pas leur impitié, mais au contraire qu'il la leur avait souvent et vivement reprochée. Le second avait seulement osé toucher l'arche bousculée par un jeune bovidé et il avait sauvé celle-ci; mais, lui-même périt, car Dieu veille sur l'inviolabilité de l'arche. Je sais, moi, qu'il n'est même

ainsi que les notes et la bibliographie. A partir du mot ἀκούω « voici l'histoire qu'on raconte »... jusqu'à πνεύματος (fin du chapitre) : doublet = *D.* 2, 92 (*PG* 35, col. 496 A 2 - B 5).

3. L'histoire des fils d'Aaron et celle des fils d'Héli sont aussi évoquées après un rappel de l'attente des Hébreux au pied du Sinaï, dans *Carmina,* II, I, 13, *Ad episcopos,* v. 124-133 (*PG* 37, col. 1237-1238).

4. Josèphe (*Antiquités judaïques,* VII, 4, 2) dit qu'Oza fut frappé de malédiction divine parce qu'il avait porté la main sur l'arche, n'étant pas prêtre.

τοῖς πολλοῖς ὃν ἀσφαλὲς καὶ διὰ τοῦτο ἑτέρων ἐδεήθησαν
10 τοίχων τῶν ἔξωθεν · μηδὲ τὰς θυσίας αὐτὰς ὑφ' ὧν καὶ
ὅτε καὶ οὗ μὴ καθῆκον ἦν ἀναλίσκεσθαι · τοσούτου δεῖν
πρὸς τὰ Ἅγια τῶν ἁγίων προσφοιτᾷν θαρροῦντα τὸ κατα-
D πέτασμα ἢ τὸ ἱλαστήριον ἢ τὴν κιβωτὸν ἢ προσβλέπειν
εἶναι παντός, ἢ προσάπτεσθαι.

4. Ταῦτα οὖν εἰδὼς ἐγὼ καὶ ὅτι μηδεὶς ἄξιος τοῦ μεγάλου
1069 A Θεοῦ καὶ θύματος καὶ ἀρχιερέως[a] ὃς μὴ πρότερον ἑαυτὸν
παρέστησε τῷ Θεῷ θυσίαν ζῶσαν[b], μᾶλλον δὲ ναὸς ἅγιος[c]
ἐγένετο Θεοῦ ζῶντος καὶ ζῶν, πῶς ἢ αὐτὸς προχείρως
5 ἐγχειρήσαιμι τοῖς περὶ Θεοῦ λόγοις ἢ ἀποδέξομαι τὸν
ἐγχειροῦντα θρασέως ; Οὐκ ἐπαινετὸς ὁ πόθος · φοβερὸν
τὸ ἐγχείρημα.

Καὶ διὰ τοῦτο καθαρτέον ἑαυτὸν πρῶτον, εἶτα τῷ καθαρῷ
προσομιλητέον · εἰ μὴ μέλλοιμεν τὸ τοῦ Μανωὲ πείσεσθαι
10 καὶ λέξειν ἐν φαντασίᾳ Θεοῦ γενόμενοι · « Ἀπολώλαμεν, ὦ
γύναι, Θεὸν ἑωράκαμεν[d] », ἤ, ὡς Πέτρος, ἀποπέμψασθαι τοῦ
πλοίου τὸν Ἰησοῦν ὡς οὐκ ἄξιοι τοιαύτης ἐπιδημίας[e] ·
ἤ, ὡς ὁ ἑκατόνταρχος ἐκεῖνος τὴν μὲν θεραπείαν ἀπαιτήσειν,
τὸν θεραπευτὴν δὲ οὐκ εἰσδέξασθαι. Λεγέτω τις καὶ ἡμῶν,

3. 9 ἐδεήθησαν m : ἐδέησαν n corr. Q sup. l. ἐδέησε S2 ‖ 12 τὸ : ἢ τὸ Q SDC T sup. l. Maur.
4, 1 ταῦτ' T ‖ 2 ἀρχιερέως καὶ θύματος S ‖ 5 ἀποδέξομαι AQBW Vm : ἀποδεξαίμην T ἀποδέξωμαι Maur. ‖ 8 ἑαυτὸν > T rest. mg. ‖ 10 γινόμενοι AQWVTC ‖ 11 ὡς : ὡς ὁ B ‖ ἀποπέμψεσθαι QWVT ‖ 12 ἄξιοι + τῆς S ‖ 13 ἀπαιτήσειν : ἐπιζητήσειν Q_1 corr. mg. Q_2 ‖ 14 τὸν : add. δέ S ‖ δέ AQBVTW_2 : δ' DPC >W_1S ‖ εἰσδέξεσθαι Q_2 sup. l. W

4. a. Cf. Hébr. 9, 11-14. b. Cf. Rom. 12, 1. c. Cf. II Cor. 6, 16. d. Jug. 13, 22. e. Cf. Lc 5, 8.

1. Le P. J.-M. van Cangh, chargé de cours à l'Université de Louvain-la-Neuve, relève, dans la Bible et dans Josèphe, une série de textes relatifs au Temple de Jérusalem qui auraient pu servir d'arrière-fond historique aux allusions bibliques de ce chapitre. La

pas sans danger pour la masse du peuple de toucher les murailles du temple : c'est la raison pour laquelle de secondes murailles, extérieures, furent nécessaires; et (qu'il n'est même pas sans danger) que les offrandes soient consommées par des personnes, à des moments ou en des lieux qui ne conviennent pas. Oser s'approcher du Saint des Saints, regarder ou toucher le voile, l'autel ou l'arche, n'est pas laissé à l'initiative de tout le monde. Tant s'en faut![1].

4. Quant à moi, sachant cela et sachant en outre que nul n'est digne du Dieu suprême, à la fois victime et grand-prêtre[a], s'il n'a pas commencé par s'offrir lui-même à Dieu en offrande vivante[b], bien plus, s'il ne s'est pas fait le temple saint et vivant du Dieu vivant[c], comment pourrais-je me charger témérairement de m'occuper de la parole de Dieu ou approuver celui qui s'en charge sans réfléchir? Le désirer n'est pas louable; s'en charger est redoutable.

C'est la raison pour laquelle il faut commencer par se purifier soi-même, ensuite s'entretenir avec l'Être pur. Sinon nous en viendrions à subir le sort de Manoué et à dire, en imaginant que nous sommes en présence de Dieu : « Femme, c'en est fait de nous, nous avons vu Dieu[d] »; ou, comme Pierre, à supplier Jésus de s'éloigner de notre bateau parce que nous ne nous estimons pas dignes de sa présence[e]; ou encore, comme le célèbre centurion, nous implorerions la guérison en refusant de recevoir chez nous le guérisseur. Aussi longtemps qu'on est le centurion

description du temple idéal d'Ézéchiel (*Éz.*, 40, 1 - 44, 9) avec son mur extérieur (40, 5), les pains d'oblation (41, 22), l'autel et sa consécration (43, 13-27), avec les prêtres-lévites, qui apprennent à « distinguer entre le sacré et le profane, le pur et l'impur » (44, 23), semble avoir fourni l'inspiration littéraire ; le mot τοῖχος s'y trouve associé à ἔξωθεν (41, 9) et aussi θυσία (44, 11 ; 44, 29 ; 42, 13 ; ...), et ἱλαστήριον (43, 14-17). Au sujet du voile du temple, cf. H. Lesêtre, art. *Voile*, col. 2448-2449. Cf. R. de Vaux, *Les institutions de l'Ancien Testament*, Paris 1960, II, p. 291-347, et p. 147-173.

15 ἕως ἐστὶν ἑκατόνταρχος καὶ πλειόνων ἐν κακίᾳ κρατῶν καὶ
B ἔτι στρατευόμενος Καίσαρι τῷ κοσμοκράτορι τῶν κάτω
συρομένων · « Οὐκ εἰμὶ ἱκανὸς ἵνα μου ὑπὸ τὴν στέγην
εἰσέλθῃς[f]. » Ὅταν δὲ Ἰησοῦν θεάσωμαι, καίτοι μικρὸς ὢν
τὴν πνευματικὴν ἡλικίαν ὡς ὁ Ζακχαῖος ἐκεῖνος, καὶ ὑπὲρ
20 τὴν συκομοραίαν[g] ἀρθῶ, νεκρώσας τὰ μέλη τὰ ἐπὶ τῆς
γῆς[h] καὶ μωράνας[i] τὸ σῶμα τῆς ταπεινώσεως · τότε καὶ
Ἰησοῦν εἰσδέξομαι καὶ ἀκούσομαι · « Σήμερον σωτηρία τῷ
οἴκῳ τούτῳ[j] » · καὶ τῆς σωτηρίας τεύξομαι καὶ φιλοσοφήσω
τὰ τελεώτερα σκορπίζων καλῶς ἃ κακῶς συνήγαγον[k] εἴτε
25 χρήματα εἴτε δόγματα.
C **5.** Ἐπεὶ δὲ ἀνεκαθήραμεν τῷ λόγῳ τὸν θεολόγον, φέρε

4. 15 καὶ[2] > S_1 rest. S_2 || 16 ἔτι > S_1 rest. S_2 || 17 σκέπην D || 18 δ' P || 20 συκομοραίαν Q_2m et scholia Eliae Cretensis ut legitur in *PG* 36, col. 799 A 3 : συκομωραίαν VT συκομωρέαν AQ_1BW συκομορέαν Maur. || 21 μωράνας $AQBWVT_2$ S_2DPC : μαράνας T_1 corr. mg. Maur. ὑπεραναβάς S_1 corr. mg.

4. f. Matth. 8, 8. g. Cf. Lc 19, 2-4. h. Col. 3, 5. i. Phil. 3, 21. j. Lc 19, 9. k. Cf. Lc 16, 9.

1. Élie de Crète (scolie à ce passage, dans *PG* 36, col. 799 A 3) interprète l'épisode de Zachée mentionné ici, comme si le sycomore était « une sorte de petit arbuste stérile ». Nous ne renvoyons pas aux botanistes modernes qui donnent ce nom à un figuier fertile originaire d'Égypte, ni au langage courant qui donne vulgairement et improprement le nom de sycomore à une espèce d'érable : cf. Robert, VI, Paris 1976, p. 432. Même l'étymologie du mot peut ici être négligée : figue σῦκον + mûre μόρον ou μῶρον (?) ; mais l'apparat critique dénote que l'étymologie supposée (figue σῦκον + fou μωρόν) peut expliquer : 1° les fantaisies de l'orthographe du mot dans la plupart de nos témoins ; 2° le jeu de mots subtil : « monter dans le sycomore » (figuier *fou*) et « convaincre de *folie* le corps de notre bassesse » μωραίνω. Voir plus loin la note au mot μωράνας « traitant comme fou ». La traduction de ἡλικία « stature » cherche à sauvegarder le piquant de l'allusion au texte de *Luc*.

2. « Traiter comme fou » ou « faire passer comme fou » μωραίνω : *I Cor.*, 1, 20 ; *Is.*, 44, 25. Cf. Bauer, *Wörterbuch*, p. 1050.

qui commande une centurie de malices et davantage, et qu'on reste au service d'un César qui gouverne l'univers des réalités terre-à-terre, que chacun de nous dise à son tour : « Je ne suis pas digne que tu entres sous mon toit[f]. » Mais, lorsque je verrai Jésus, bien que je sois petit comme le célèbre Zachée par la stature[1] spirituelle, et que je grimperai moi aussi dans le sycomore[g] en mortifiant mes membres terrestres[h] et en réduisant à rien[i] le corps de ma bassesse[2], alors aussi je recevrai Jésus chez moi, je l'entendrai dire : « Aujourd'hui c'est le salut pour cette maison[j] », j'obtiendrai le salut et je pratiquerai la « philosophie » d'une manière plus parfaite en dépensant pour le bien ce que j'ai amassé pour le mal[k], tant ma fortune que ma science[3].

5. Dans la première partie du Discours, nous avons précisé ce que doit être le « théologien »[4]. Eh, bien!

3. L'ensemble du ch. 4 exploite le répertoire des thèmes littéraires bibliques, sous forme d'allusions, citations, traits divers, et sa composition trahit un style recherché, fort dans le goût de la seconde sophistique : voir PSEUDO-DÉMÉTRIUS DE PHALÈRE, *De elocutione*, 132-175 (éd. L. Spengel, *Rhet. gr.*, III, p. 291, 27 - 300, 24), « sur les agréments du style ». Grégoire lui-même fournit la clé de cette préciosité dans une lettre à Nicobule sur l'art d'écrire une lettre : « (La troisième qualité des lettres, c'est) la grâce. Cette dernière, nous l'assurerons à condition de ne pas écrire d'une manière sèche, désagréable et sans coquetterie, sans parure ni toilette, comme l'on dit : par exemple, si nous nous passions de sentences, de proverbes et de traits, ou encore de plaisanteries et d'énigmes qui égaient le style... » : *Lettre* 51, 5 (éd. et trad. P. Gallay, Paris 1964, I, p. 67). On a vu que le ch. 1 est marqué par la même « coquetterie » ; mais là, c'est surtout au répertoire des thèmes en vogue dans les milieux intellectuels de tradition païenne, que l'écrivain a emprunté les « parures » du style.

4. Sur le « théologien », spécialiste des choses de Dieu, tel que Grégoire le conçoit : SZYMUSIAK, *Théologie*, p. 7-14 ; et PLAGNIEUX, *Grégoire théologien*, p. 168-176. La formule : « dans la... théologien » ἐπεὶ ... θεολόγον, φέρε semble être une cheville littéraire de transition que l'auteur emploie encore dans D. 28, 1 et 39, 11. Cf. aussi *D.* 28, 21 (*PG* 36, col. 53 B 9-15).

τι καὶ περὶ Θεοῦ ὡς ἐν βραχεῖ διαλεχθῶμεν, αὐτῷ τῷ Πατρὶ καὶ τῷ Υἱῷ καὶ τῷ ἁγίῳ Πνεύματι θαρρήσαντες, περὶ ὧν ὁ λόγος. Εὔχομαι δὲ τὸ τοῦ Σολομῶντος παθεῖν
5 μηδὲν ἴδιον ἐννοῆσαι περὶ Θεοῦ μηδὲ φθέγξασθαι. Ὅταν γὰρ λέγῃ, « Ἀφρονέστατος γάρ εἰμι πάντων ἀνθρώπων καὶ φρόνησις ἀνθρώπου οὐκ ἔστιν ἐν ἐμοί[a] », οὐκ ἀσυνεσίαν ἑαυτοῦ δήπου καταγινώσκων τοῦτό φησιν. Πῶς γὰρ ὅς γε τοῦτο καὶ ᾔτησε παρὰ Θεοῦ πρὸ παντὸς ἄλλου καὶ
10 ἔλαβε σοφίαν καὶ θεωρίαν καὶ πλάτος καρδίας[b] ψάμμου πλουσιώτερόν τε καὶ δαψιλέστερον ; Καὶ ὁ τοσοῦτον σοφὸς καὶ τοιαύτης τετυχηκὼς δωρεᾶς, πῶς ἀφρονέστατον πάντων ἑαυτὸν ὀνομάζει ; Ὡς οὐκ ἔχων ἰδίαν δηλαδὴ φρόνησιν,
D ἐνεργούμενος δὲ τὴν θείαν τε καὶ τελεωτέραν.
15 Καὶ γὰρ ὁ Παῦλος λέγων, « Ζῶ δέ, οὐκ ἔτι ἐγώ, ζῇ δὲ ἐν ἐμοὶ Χριστός[c] », οὐχ ὡς περὶ νεκροῦ πάντως ἑαυτοῦ διελέγετο ἀλλ' ὡς ζῶντος κρείσσονα τῶν πολλῶν ζωὴν τῷ μετειληφέναι τῆς ὄντως ζωῆς καὶ μηδενὶ θανάτῳ περα-
1072 A τουμένης. Προσκυνοῦμεν οὖν Πατέρα καὶ Υἱὸν καὶ Πνεῦμα
20 ἅγιον, τὰς μὲν ἰδιότητας χωρίζοντες ἑνοῦντες δὲ τὴν θεότητα · καὶ οὔτε εἰς ἓν τὰ τρία συναλείφομεν, ἵνα μὴ τὴν Σαβελλίου νόσον νοσήσωμεν, οὔτε διαιροῦμεν εἰς τρία ἔκφυλα καὶ

5, 2 τι : τε P δὴ Maur. || 5 μηδὲ : μήτε AQBV || 6 λέγει S fortasse W_1 || ἀνθρώπων exp. A_2 || 7 ἐν > P Maur. || 9 καί[1] nS : ante τοῦτο DPC > S || 12-13 ἑαυτὸν πάντων D Maur. || 17 κρείττονα S || 20 ἅγιον Πνεῦμα BSD Maur. || 21 Σαβελλείου C

5. a. Prov. 20, 2. b. Cf. Sir. (Eccles.), 7, 23 ; 8, 17 ; et III Rois 3, 12 ; II Par. 1, 11-12. c. Gal. 2, 10.

1. Sabellius et le sabellianisme furent condamnés par le Concile de Constantinople I (en 381) ; ils l'avaient été déjà à Rome, un siècle plus tôt, par le pape Callixte : Daniélou et Marrou, *Des origines à Saint Grégoire*, p. 250-252 ; et Duchesne, *Histoire ancienne*, II, p. 437. Grégoire reproche maintes fois à Sabellius son « monarchisme théologique » consistant à confondre le Père, le Fils et éventuellement le Saint-Esprit dans une unité abusive, tandis que

exposons la doctrine sur Dieu sous forme d'un résumé, dans un acte de confiance au Père lui-même, au Fils et au Saint-Esprit, dont il sera question. Je me flatte d'éprouver ce que Salomon lui-même éprouvait et de ne rien penser ni rien déclarer de mon propre cru au sujet de Dieu. En effet, lorsqu'il dit : « Je suis le moins sensé de tous les hommes et la sagesse de l'homme n'est pas en moi[a] », vous pensez bien qu'il ne s'exprime pas ainsi pour reconnaître sa propre sottise. Comment le pourrait-il, alors qu'il avait demandé et obtenu de Dieu, avant toute autre chose, une sagesse, une contemplation et une largeur de cœur plus riches et plus abondantes que le sable[b] ? Alors qu'il était doué d'une si grande sagesse et que la fortune l'avait si bien doté, comment se fait-il qu'il se nomme le moins sensé de tous ? C'est, comme chacun sait, qu'il ne possède pas de sagesse propre et qu'il est l'instrument de la sagesse divine et plus parfaite.

En effet, en disant : « Ce n'est plus moi qui vis, mais le Christ vit en moi[c] », Paul ne voulait pas parler de soi comme s'il était décédé au sens propre, mais comme s'il vivait d'une vie supérieure à celle de la masse grâce au fait qu'il participait à la vie qui est réellement vie, à laquelle aucune mort ne met fin. Nous adorons donc le Père, le Fils et l'Esprit Saint, en distinguant les propriétés et en proclamant l'unité de la divinité; nous évitons de confondre les trois en un seul pour ne pas contracter la maladie dont souffre Sabellius[1]; nous évitons de diviser en trois réalités distinctes et opposées pour ne pas tomber dans les folies

lui-même situe les positions doctrinales orthodoxes à mi-chemin entre Sabellius et Arius : cf. encore les *D.* 18, 16 (*PG* 35, col. 1005 A 7-12) ; 2, 27 (col. 444 C 4 - 445 B 3) ; 25, 8 (col. 1208 C 11 - 1209 B 1) ; 31, 30 (*PG* 36, col. 168 D 1 - 169 A 2) ; 33, 16 (col. 233 D 1 - 236 A 2) ; 39, 11 (348 A 2-6) ; 43, 30 (col. 537 A 8-12). Présentant aussi Athanase comme le modèle de l'évêque orthodoxe, il place celui-ci entre les Sabellianistes et les Ariens : *D.* 21, 13 (ci-dessous, et *PG* 35, col. 1096 A 12 - C 3).

ἀλλότρια, ἵνα μὴ τὰ Ἀρείου μανῶμεν. Τί γὰρ δεῖ, καθάπερ φυτὸν ἑτεροκλινὲς πάντη καμπτόμενον βίᾳ μετάγειν ἐπὶ τὸ
25 ἕτερον μέρος διαστροφῇ τὴν διαστροφὴν διορθουμένους ἀλλὰ μὴ πρὸς τὸ μέσον εὐθύνοντας ἐν ὅροις ἵστασθαι τῆς θεοσεβείας ;

B **6.** Μεσότητα δὲ ὅταν εἴπω, τὴν ἀλήθειαν λέγω πρὸς ἣν βλέπειν καλῶς ἔχομεν μόνην καὶ τὴν φαύλην συναίρεσιν παραιτούμενοι καὶ τὴν ἀτοπωτέραν διαίρεσιν ὡς μήτε εἰς μίαν ὑπόστασιν συναιρεθέντα τὸν λόγον, δέει πολυθεΐας,
5 ψιλὰ ἡμῖν καταλιπεῖν τὰ ὀνόματα τὸν αὐτὸν Πατέρα καὶ Υἱὸν καὶ ἅγιον Πνεῦμα ὑπολαμβάνουσι καὶ μὴ μᾶλλον ἓν τὰ πάντα ἢ μηδὲν ἕκαστον εἶναι ὁριζομένοις (φεύγοι γὰρ ἂν εἶναι ἅπερ ἐστίν, εἰς ἄλληλα μεταχωροῦντα καὶ μεταβαίνοντα) · μήτε εἰς τρεῖς ἢ ξένας καὶ ἀνομοίους οὐσίας

5, 23 δὴ WSDC ‖ 26 ἀσεβείας S_2

6, 1 δ' SPC ‖ 5 καταλιπεῖν ἡμῖν n ‖ 6 Πνεῦμα ἅγιον AD Maur. ‖ 7 φεύγει PC ‖ 8 ἂν > S_1 rest. S_2 mg. ‖ 8 ἄλληλα : ἄλλα C ‖ μεταπίπτοντα Q scribit μεταβαίνοντα mg. ‖ 9 ἢ > C et S_1 rest. S_2 mg. ‖ ἀνομοίους οὐσίας Qm : ἀνομοίους (om. οὐσίας) T ἀνομοουσίους οὐσίας WV ἀνομοουσίους AB videtur A habere aliam lectionem mg.

1. Arius, théologien d'Alexandrie, répandit pendant le premier quart du IVe siècle, une doctrine qui attribuait au Père seul une véritable nature divine et au Fils une nature particulière « inférieure » à celle du Père. Il a donné son nom à d'innombrables théories destinées à expliquer la nature du Fils ou Logos en subordonnant celui-ci au Père. L'arianisme désigne proprement la doctrine d'Arius, et dans un sens plus large le courant hérétique, très en vogue au IVe siècle, qui réserve la divinité au Père en lui subordonnant le Fils : Liébaert, *Arianismus*, col. 842-848 ; cf. Bardy, *La crise arienne*, p. 69-298, spécialement p. 69-80. On ne peut recenser tous les passages de notre auteur dirigés ouvertement contre l'arianisme ; le titre de plusieurs de ses œuvres apocryphes fait état de la polémique : D. 35, *Traité de la foi, contre les Ariens* I, notamment. Les Mauristes ont rassemblé les références à cette propagande relevées dans les *Discours*, dans leur Index analytique : *PG* 36, col. 1269. Le thème de la « folie d'Arius » est un « topos » familier de Grégoire : *Discours* 2, 37 (*PG* 35, col. 445 A 11) ; 25, 8 (col. 1209 A 10-11) ; 43, 30

d'Arius[1]. Pourquoi, en effet, faudrait-il imiter ceux qui, lorsqu'une plante est complètement déviée dans un sens, la tirent de force dans le sens opposé en corrigeant sa déviation par une déviation en sens inverse, au lieu de se tenir dans les limites de la piété en la maintenant bien droite entre les extrêmes[2].

6. Quand je dis « juste milieu », je veux dire la seule vérité sur laquelle il est bon de tenir nos regards fixés en rejetant l'erreur qui consiste à tout ramener à l'unité et l'absurdité pire encore qui consiste à tout distinguer[3]. J'évite ainsi la formule qui, par crainte de tomber dans le polythéisme, ramène tout à une seule hypostase et concède des distinctions purement verbales à nous qui admettons que le même est Père, Fils et Saint-Esprit et qui n'acceptons pas plus comme dogmes définis l'identité des trois que le néant de chacun en particulier. En effet, en se confondant et en passant l'un pour l'autre, ils refuseraient d'être ce qu'ils sont. J'évite en outre de distinguer, comme le voudrait la folle théorie si bien

(*PG* 36, col. 537 A 11) ; et ci-dessous 20, 6 ; autres références dans Gallay, *Vie*, p. 183.

2. Le thème de la plante qui reprend spontanément sa position naturelle semble assez familier à l'auteur : *D.* 2, 15 (*PG* 35, col. 424 C 10 - 425 A 1) ; 6, 8 (col. 732 B 2-6) ; 23, 1 (col. 1152 B 9-13) ; cf. Plagnieux, *Grégoire théologien*, p. 213-260 : l'esprit de la théologie, le sens de la mesure.

3. Voir au ch. 5, la note précédente et la note sur Sabellius. Grégoire présente maintes fois la doctrine orthodoxe comme le « juste milieu de la vérité », « l'expression harmonieuse de la vérité », qui se recommande par le sens de la mesure et l'esprit de modération. Par contre il reproche à Sabellius comme à Arius leur intransigeance et leur radicalisme. Une prédilection analogue pour l'équilibre et une même méfiance à l'égard des radicalismes caractérisent la pensée antique en général. Sans vouloir sous-estimer le poids de la culture antique dans la réflexion théologique de notre auteur, on n'oubliera pas cependant que la fermeté de sa doctrine a pour cause « le zèle pour les oracles divins et la lumière que nous y découvrons sous la conduite de l'Esprit » (*Lettre* 6, 4, éd. P. Gallay, I, p. 7).

10 καὶ ἀπερρηγμένας διαιρεθέντα, κατὰ τὴν Ἀρείου καλῶς ὀνομασθεῖσαν μανίαν, ἢ ἀνάρχους καὶ ἀτάκτους καὶ οἷον εἰπεῖν, ἀντιθέους.

C Τῷ μὲν εἰς Ἰουδαϊκὴν σμικρολογίαν κατακλεισθῆναι μόνῳ τῷ ἀγεννήτῳ τὴν θεότητα περιγράφοντας · τῷ δὲ εἰς 15 ἐναντίον μέν, κακὸν δὲ ἴσον πεσεῖν τρεῖς ἀρχὰς ὑποτιθεμένους καὶ τρεῖς Θεούς, ὃ τῶν προειρημένων ἀτοπώτερον · δέον μήτε οὕτως εἶναί τινας φιλοπάτορας, ὡς καὶ τὸ εἶναι Πατέρα περιαιρεῖν (τίνος γὰρ ἂν καὶ εἴη Πατήρ, τοῦ Υἱοῦ τὴν φύσιν ἀπεξενωμένου καὶ ἀπηλλοτριωμένου μετὰ τῆς κτίσεως ;) · 20 μήτε οὕτω φιλοχρίστους, ὡς μήτε τοῦτο φυλάττειν τὸ εἶναι Υἱόν (τίνος γὰρ ἂν καὶ εἴη Υἱός, μὴ πρὸς αἴτιον ἀναφερόμενος τὸν Πατέρα ;) μήτε τῷ Πατρὶ τὸ τῆς ἀρχῆς κατασμικρύνειν ἀξίωμα, τῆς ὡς Πατρὶ καὶ γεννήτορι · μικρῶν γὰρ ἂν 24 εἴη καὶ ἀναξίων ἀρχὴ μὴ θεότητος ὢν αἴτιος τῆς ἐν Υἱῷ D καὶ Πνεύματι θεωρουμένης. Ἐπειδὴ χρὴ καὶ τὸν ἕνα Θεὸν τηρεῖν καὶ τὰς τρεῖς ὑποστάσεις ὁμολογεῖν, εἴτ' οὖν τρία πρόσωπα καὶ ἑκάστην μετὰ τῆς ἰδιότητος.

1073 A **7.** Τηροῖτο δ' ἄν, ὡς ὁ ἐμὸς λόγος, εἷς μὲν Θεός, εἰς ἓν αἴτιον καὶ Υἱοῦ καὶ Πνεύματος ἀναφερομένων, οὐ συντιθεμένων οὐδὲ συναλειφομένων καὶ κατὰ τὸ ἓν καὶ ταυτὸ τῆς θεότητος, ἵν' οὕτως ὀνομάσω, κίνημά τε καὶ βούλημα 5 καὶ τὴν τῆς οὐσίας ταυτότητα · αἱ δὲ τρεῖς ὑποστάσεις, μηδεμιᾶς ἐπινοουμένης συναλειφῆς ἢ ἀναλύσεως ἢ συγχύσεως,

6, 11 ἀτάκτους καὶ ἀνάρχους C ‖ 12 ἀντιθέτους S_1 corr. S_2 ‖ 14 post ἀγεννήτῳ add. τῷ ἀνάρχῳ S_1 eras. S_2 ‖ 17 καὶ > S ‖ 19 ἀποξενωμένου S ‖ 20 μήτε[1] : μήθ' DC ‖ οὗτως P ‖ τοῦτο : τούτῳ BWVC atque T et S (fortasse post corr.) ‖ 22 κατασμικρύνειν S_1DP > n exp. S_2 κατασμικρύνων C

7, 2 ἓν > S_1 ‖ καὶ : fortasse eras. T_2 ‖ συστιθεμένων P ‖ 3 ταυτὸν PC ‖ 4 ἵνα Maur. ‖ 6 συναλειφῆς ABWVm : συναλιφῆς Q συναλοιφῆς Maur. συναλι ? φῆς T

1. Voir au ch. précédent la note sur Arius.

2. Plagnieux, *Grégoire théologien*, p. 449 : « On ne se représente pas toutes les difficultés auxquelles les Cappadociens ont dû faire

dénommée du nom d'Arius[1], soit trois essences étrangères l'une à l'autre, dissemblables et bien séparées, soit n'ayant entre elles ni hiérarchie ni ordre, autant dire des caricatures de Dieu.

D'un côté, ceux qui réservent la divinité exclusivement à l'Inengendré se laissent enfermer dans la terminologie trop étroite du judaïsme; de l'autre, ceux qui posent en hypothèses trois principes et trois Dieux tombent dans l'erreur opposée et aussi néfaste et dans une invraisemblance pire que celles qui ont été exposées plus haut.

On peut craindre que certains ne soient partisans du Père au point même d'éliminer sa paternité — en effet, de qui serait-il le Père, une fois que le Fils est privé de l'identité de nature et en acquiert une distincte après sa création ? — On peut craindre aussi que des partisans du Fils ne le soient au point de ne pas maintenir l'existence du Fils — en effet, de qui serait-il le Fils s'il ne remonte pas au Père comme à sa cause ? — On peut craindre enfin qu'ils ne limitent la dignité de principe appartenant au Père en tant que Père et Générateur, car il serait le principe de choses petites et sans valeur s'il n'était cause de la divinité contemplée dans le Fils et l'Esprit. En conclusion, il faut tenir qu'il y a un seul Dieu et confesser les trois hypostases, c'est-à-dire donc trois personnes avec leurs propriétés distinctes[2].

7. Qu'on garde donc, comme je le dis, un seul Dieu et qu'on rapporte Fils et Esprit à une seule cause première sans les additionner ni les confondre, conformément à l'unité et à l'identité de mouvement et de volonté de la divinité, pour employer ces noms, et à l'identité de l'essence. Qu'on garde aussi les trois hypostases sans envisager ni fusion ni séparation ni confusion en évitant

face pour choisir et forger le vocabulaire chrétien trinitaire et déjà, jusqu'à un certain point christologique »... (et la suite p. 449-452).

ἵνα μὴ τὸ πᾶν καταλυθῇ, δι' ὧν τὸ ἓν σεμνύνεται πλέον ἢ καλῶς ἔχει · αἱ δὲ ἰδιότητες Πατρὸς μὲν καὶ ἀνάρχου καὶ ἀρχῆς ἐπινοουμένου καὶ λεγομένου (ἀρχῆς δέ, ὡς αἰτίου 10 καὶ ὡς πηγῆς καὶ ὡς ἀϊδίου φωτός) · Υἱοῦ δὲ ἀνάρχου μὲν οὐδαμῶς ἀρχῆς δὲ τῶν ὅλων. Ἀρχὴν δ' ὅταν εἴπω, μὴ χρόνον παρενθῇς μηδὲ μέσον τι τάξῃς τοῦ γεγεννηκότος B καὶ τοῦ γεννήματος μηδὲ διέλῃς τὴν φύσιν τῷ κακῶς παρεντεθέντι τοῖς συναϊδίοις καὶ συνημμένοις. Εἰ γὰρ 15 χρόνος Υἱοῦ πρεσβύτερον ἐκείνου δηλαδὴ πρώτως ἂν εἴη αἴτιος ὁ Πατήρ. Καὶ πῶς ποιητὴς χρόνων ὁ ὑπὸ χρόνον[a] ; Πῶς δὲ καὶ Κύριος πάντων[b] εἰ ὑπὸ χρόνου προείληπταί τε καὶ κυριεύεται ;

Ἄναρχος οὖν ὁ Πατήρ · οὐ γὰρ ἑτέρωθεν αὐτῷ οὐδὲ 20 παρ' ἑαυτοῦ τὸ εἶναι. Ὁ δὲ Υἱὸς ἐὰν μὲν ὡς αἴτιον τὸν Πατέρα λαμβάνῃς, οὐκ ἄναρχος · ἀρχὴ γὰρ Υἱοῦ Πατὴρ ὡς αἴτιος · ἐὰν δὲ τὴν ἀπὸ χρόνου νοῇς ἀρχήν, καὶ ἄναρχος · οὐκ ἄρχεται γὰρ ὑπὸ χρόνου ὁ χρόνων δεσπότης.

C **8.** Εἰ δέ, ὅτι τὰ σώματα ὑπὸ χρόνον, διὰ τοῦτο ἀξιώσεις κεῖσθαι καὶ τὸν Υἱὸν ὑπὸ χρόνον, περιθήσεις καὶ σῶμα τῷ ἀσωμάτῳ · καὶ εἰ ὅτι τὰ παρ' ἡμῖν γεννώμενα, οὐκ ὄντα ποτέ, εἶτα γινόμενα, διὰ τοῦτο καὶ τὸν Υἱὸν ἀναγκάσεις 5 ἐξ οὐκ ὄντων εἰς τὸ εἶναι παρεληλυθέναι, συγκρίνεις τὰ ἀσύγκριτα, Θεὸν καὶ ἄνθρωπον, σῶμα καὶ τὸ ἀσώματον · οὐκοῦν καὶ πείσεται καὶ λυθήσεται ὅτι καὶ τὰ ἡμέτερα

7, 7 πλέον nS : ante σεμνύνεται S ante τὸ ἓν PC ‖ 9 δ' D ‖ 11 δ' : δὲ n Maur. ‖ 15 πρεσβύτερος VS ‖ 17 προείληπται > S_1 rest. S_2 ‖ προειλήπτεται Q ‖ 19 οὐδὲ : ἀλλὰ C ‖ 22 αἴτιον AQBW
8, 1 δ' C ‖ 6 τὸ > S

7. a. Cf. Hébr. 1, 2. b. Rom. 10, 12 ; cf. Hébr. 2, 8-10.

1. Cf. *D.* 37, 18 (*PG* 36, 304 A 1-14) ; 40, 44 (col. 421 C 5-10) ; et Kertsch, *Bildersprache*, p. 86, n. 2 ; et p. 196, n. 4.

2. « Les Pères de Nicée avaient eu recours au concept d'οὐσία pour désigner l'unité de nature ; ceux de Constantinople éclairciront la notion de personne ; ils distingueront mieux ὑπόστασις d'οὐσία et

de laisser détruire le tout par ceux qui tiennent l'unité en honneur plus qu'il n'est bon de le faire.

Qu'on garde enfin les propriétés : celles du Père envisagé et déclaré sans principe et principe — principe en tant que cause, source et lumière éternelle —; celles du Fils, qui n'est nullement sans principe, mais qui est principe de toutes choses. Et lorsque je dis qu'il est le principe, n'y introduis pas une durée, ne place même aucun intermédiaire entre le générateur et l'être engendré et ne divise même pas leur nature grâce à quelque chose qui serait introduit abusivement entre les êtres coéternels et parfaitement unis ensemble, car si une durée était antérieure au Fils, le Père serait naturellement la cause première de celle-ci. Comment celui qui fait les durées serait-il soumis à une durée[a] ? Et comment serait-il le « maître de toutes » choses[b] s'il a été devancé par une durée dont il subit l'emprise[1] ?

Le Père est donc sans principe : son être ne dépend de rien ni au-dehors ni au-dedans de lui-même. Mais, le Fils n'est pas sans principe si tu admets le Père comme sa cause, car le Père en tant que cause est le principe du Fils; tandis que, si tu comprends le principe comme dépendant de la durée, alors il est aussi sans principe, car le maître des durées n'est pas soumis à une durée comme à son principe[2].

8. Si tu estimes que le Fils est soumis à la durée parce que les corps sont soumis à la durée, tu attribueras aussi l'enveloppe d'un corps à l'incorporel; si tu forces le Fils à passer du néant à l'être parce que dans notre univers les êtres qui naissent commencent à exister après n'avoir jamais été, tu compares les choses qui ne se comparent pas, Dieu et homme, un corps et l'incorporel : va-t-il donc aussi connaître la souffrance et la destruction parce que c'est

lui assimileront πρόσωπον, jusque-là suspect de sabellianisme » : Plagnieux, *Grégoire théologien*, p. 297.

σώματα. Σὺ μὲν οὖν ἀξιοῖς διὰ τοῦτο οὕτω γεννᾶσθαι
Θεὸν διότι τὰ σώματα · ἐγὼ δὲ διὰ τοῦτο οὐχ οὕτως,
1076 A ὅτι οὕτω τὰ σώματα. Ὧν γὰρ τὸ εἶναι οὐχ ὅμοιον, τούτων
11 οὐδὲ τὸ γεννᾶν ὅμοιον · εἰ μὴ καὶ τἄλλα δουλεύσῃ ταῖς
ὕλαις, οἷον πάσχων καὶ λυπούμενος καὶ πεινῶν καὶ διψῶν
καὶ ὅσα ἢ σώματος ἢ τοῦ συναμφοτέρου πάθη. Ἀλλὰ ταῦτα
οὐ παραδέχεταί σου ὁ νοῦς · περὶ Θεοῦ γὰρ ὁ λόγος. Μὴ
15 τοίνυν μηδὲ τὴν γέννησιν ἄλλως ἢ ὡς θεϊκὴν παραδέχου.

9. Ἀλλ' εἰ γεγέννηται, πῶς γεγέννηται, φησίν ; Ἀπόκριναί
μοι, ὦ διαλεκτικὲ σὺ καὶ ἄφυκτε. Εἰ ἔκτισται, πῶς ἔκτισται ;
Κἀμὲ ἀπαίτει τό, Πῶς γεγέννηται ; Πάθος περὶ τὴν γέννησιν ;
B Πάθος καὶ περὶ τὴν κτίσιν · ἢ γὰρ οὐ πάθος ἡ ἀνατύπωσις
5 καὶ ἡ φροντὶς καὶ ἡ τοῦ νοηθέντος ἀθρόως εἰς τὸ κατὰ
μέρος ἐξάπλωσις ; Χρόνος περὶ τὴν γέννησιν ; Ἐν χρόνῳ
καὶ τὰ κτιζόμενα. Τόπος ἐνταῦθα ; Τόπος ἐκεῖ. Ἀποτυχία
περὶ τὴν γέννησιν ; Ἀποτυχία καὶ περὶ τὴν κτίσιν. Ταῦτα
ἤκουσα φιλοσοφούντων ὑμῶν · ἃ γὰρ ὁ νοῦς ὑπέγραψε,
10 πολλάκις ταῦτα ἡ χεὶρ οὐκ ἐτέλεσεν.

Ἀλλὰ λόγῳ, φησί, τὸ πᾶν ὑπέστησε καὶ βουλήματι.
« Αὐτὸς γὰρ εἶπε καὶ ἐγενήθησαν · αὐτὸς ἐνετείλατο καὶ ἐκτίσθησαν[a]. » Ὅταν εἴπῃς τῷ λόγῳ τοῦ Θεοῦ τὰ πάντα ἐκτίσθαι,

8, 8 οὖν > D_1 rest. D_2 || 10 οὕτως C || 11 τὰ ἄλλα QBWVTS || δουλεύσει AQWTC fortasse S_1 || 13 post ἢ tres litterae erasae (fortasse τοῦ) S || 15 ἄλλως : add. πῶς S

9, 3 τό > S_1 restit. S_2 || 6-7 Χρόνος — κτιζόμενα nm > W_1 rest. mg.

---

9. a. Ps. 148, 5.

---

1. L'idée que la génération divine est sans commune mesure avec la génération humaine est développée aussi dans *D.* 29, 4 (*PG* 36, col. 77 C 1 - 80 A 4).

2. Schéma caractéristique de la diatribe, procédé de la rhétorique populaire consistant dans un dialogue fictif engagé avec un partenaire imaginaire sur un thème de philosophie morale : Tibère, *De figuris* (éd. L. Spengel, *Rhetores gr.*, III, p. 67-68). C'est l'un des cas où l'on constate ce que l'on a appelé « l'osmose culturelle » entre le

le sort de nos corps à nous ? Tu estimes donc, toi, que Dieu est engendré de cette manière parce que les corps le sont ainsi ; moi, j'estime qu'il ne l'est pas de cette manière parce que les corps le sont ainsi. Car les êtres qui ne sont pas de même nature n'engendrent pas de la même manière. Sinon il serait aussi soumis pour tout le reste aux lois de la matière telles que souffrir, avoir de la peine, avoir faim, avoir soif et subir tout ce que ressentent le corps ou les deux éléments à la fois. Mais cela, ton intelligence ne l'accepte pas ; car c'est de Dieu qu'on parle[1]. Par conséquent abstiens-toi d'admettre même sa naissance autrement que comme naissance divine.

9. « Mais s'il a été engendré, comment a-t-il été engendré ? », dis-tu[2]. Réponds-moi, toi, raisonneur et entêté : s'il a été créé, comment a-t-il été créé ? Tu me demandes à moi : « comment a-t-il été engendré ? » La souffrance a sa place dans la naissance ? La souffrance a aussi sa place dans la création ! N'est-ce pas une souffrance, en effet, la représentation, la réflexion et le développement progressif et analytique de ce que l'esprit a conçu de façon synthétique ?

La durée a un rôle dans la naissance ? Les choses créées sont aussi dans la durée. Le lieu existe ici ? Il existe là aussi. Le mauvais sort peut avoir un rôle dans la naissance ? Le mauvais sort peut aussi avoir un rôle dans la création ! Je vous ai entendu développer ces raisonnements, car la main refuse souvent d'accomplir ce que l'esprit a souscrit. Mais, l'univers dut son existence à une parole et à un acte de volonté, car « Il prononça une parole et les choses furent engendrées, Il ordonna et elles furent créées[a] ».

monde hellénisé et les sources chrétiennes, Nouveau Testament et Pères de l'Église (H. I. Marrou, art. *Diatribe*, dans *RAC*, III, 1957, col. 997-1009) ; cf. dans Grégoire, les *D.* 33, 1-2 et 12 (*PG* 36, col. 216 A 8 - B 8, et col. 229 B 5-9) ; 41, 10 (col. 441 D 1-3) ; 42, 7-9 (col. 465 D 5 - 469 A 3) ; etc., et notamment ci-dessous 20, 11.

οὐ τὴν ἀνθρωπίνην κτίσιν εἰσάγεις· οὐδεὶς γὰρ ἡμῶν λόγῳ
15 πράττει τὰ γινόμενα. Οὐδὲν γὰρ ἂν ἦν ὑψηλότερον ἡμῶν
C οὐδὲ ἀπονώτερον εἰ τὸ λέγειν ἔργου συμπλήρωσις ἦν·
ὥστε εἰ καὶ λόγῳ κτίζει Θεὸς τὰ κτιζόμενα, οὐκ ἀνθρώπινον
αὐτῷ τὸ κτίζειν. Ἢ γὰρ δεῖξον καὶ ἄνθρωπον λόγῳ τι
πράττοντα ἢ δέξαι ὅτι οὐχ ὡς ἄνθρωπος κτίζει Θεός. Ἐπεὶ
20 διάγραψον βουλήματι πόλιν καὶ παραστήτω πόλις· θέλησον
γενέσθαι σοι υἱὸν καὶ παραστήτω παῖς· θέλησον ἄλλο
τι τῶν πραττομένων καὶ εἰς ἔργον ἡ βούλησις χωρησάτω.
Εἰ δὲ τούτων οὐδὲν ἕπεται τῷ βούλεσθαι Θεοῦ δὲ τὸ
βούλεσθαι πρᾶξίς ἐστιν, ἄλλως μὲν ἄνθρωπος κτίζει, ἄλλως
25 δὲ ὁ πάντων κτίστης Θεός. Πῶς οὖν κτίζει μὲν οὐκ ἀνθρωπικῶς, γεννᾶν δὲ ἀναγκάζεται ἀνθρωπικῶς; Σὺ μὲν οὐκ
ὤν, ἔπειτα ἐγένου, εἶτα γεννᾷς· διὰ τοῦτο οὐκ ὄντα εἰς
τὸ εἶναι παράγεις, ἤ, ἵνα τι βαθύτερον εἴπω, τάχα δὲ οὐδὲ
29 αὐτὸς ἐξ οὐκ ὄντων παράγεις· ἐπεὶ καὶ ὁ Λευΐ, φησίν,
D ἔτι ἐν τῇ ὀσφύϊ τοῦ πατρὸς ἦν πρὶν εἰς τὸ εἶναι παρελθεῖν.
Καὶ μηδεὶς ἐπηρεαζέτω τῷ λόγῳ. Οὐ γὰρ οὕτως ἐκ τοῦ
Πατρός φημι τὸν Υἱὸν ὑπάρχειν, ὡς ἐν τῷ Πατρὶ πρότερον
ὄντα[b] μετὰ δὲ τοῦτο εἰς τὸ εἶναι ὁδεύσαντα· οὐδὲ γὰρ
ἀτελῆ πρότερον, εἶτα τέλειον, ὅσπερ νόμος τῆς ἡμετέρας
35 γεννήσεως.

1077 A **10.** Ταῦτα τῶν ἐπηρεαζόντων ἐστίν· ταῦτα τῶν ἐπι-

9, 15 οὐδέ S_1 corr. S_2 || 16 οὐδ' TDC || 17 Θεὸς κτίζει S ἀνθρώπιον S_1 corr. S_2 || 18 τι > AW || 21 σοι > m || 21-22 ἀλλ' ὅτι C || 24 ἄλλος in textu, ἄλλως sup. l. W || 25 κτίστης > T_1 rest. T_2 || κτίζειν C || 28 τι > S_1 rest. S_2 || βαρύτερον V || δὲ > $BTPCD_1$ Maur. || οὐδ' DC || 30 ἔτη B || ante πρίν 2 vel 3 litterae erasae S || 31 ἐπερεαζέτω D || 34 ὥσπερ SP et fortasse A Maur. || 35 κυήσεως n

---

9. b. Hébr. 7, 10 ; cf. Gen. 19, 34.

Lorsque tu dis que toutes choses ont été créées par la parole de Dieu, tu ne prends pas en considération la créativité humaine, car personne parmi nous ne fait d'une parole les choses qui se produisent. Rien ne serait au-dessus de nous ni même mieux à l'abri des efforts si accomplir une œuvre consistait à le dire ! De sorte que, si même Dieu crée d'un mot les créatures, son pouvoir de créer n'est pas humain. En effet, de deux choses l'une : ou bien montre un homme qui fait quelque chose d'un mot ou reconnais que Dieu ne crée pas comme un homme. Et alors dessine à volonté le plan d'une ville et qu'une ville se dresse, décide d'avoir un fils et qu'un enfant se dresse, décide quelque autre chose à faire et que ta volonté se réalise dans le domaine concret. Si rien de tout cela ne suit ta volonté alors que la volonté de Dieu est l'exécution même, un homme crée d'une certaine manière, mais le Dieu créateur de tout, d'une autre manière. Comment donc est-il forcé d'engendrer d'une manière humaine alors qu'il crée d'une manière non humaine ? Quant à toi, tu n'existais pas, puis tu es venu au monde, ensuite tu engendres. Pour cela tu fais passer à l'existence quelqu'un qui n'existait pas, ou je dirais, pour aller davantage au fond des choses, que ce n'est peut-être même pas toi qui le tires du néant, puisque Lévi, dit-on, était encore dans le flanc de son père[b] avant de passer de là à l'existence[1]. Et que personne ne dénigre cette parole, car je ne dis pas que le Fils existe à partir du Père, comme s'il avait été d'abord dans le Père[b] et qu'après cela, il aurait suivi la voie qui mène à l'existence, ni même, en effet, qu'il aurait été d'abord imparfait et ensuite parfait, ce qui est précisément la loi de notre naissance.

10. Ces propos sont ceux des insolents ; ces propos sont ceux des gens qui dénigrent sans réflexion tout ce qui se

1. Le même thème dans *D.* 29, 9 (*PG* 36, col. 84 D 1-4).

πηδώντων προχείρως πᾶσι τοῖς λεγομένοις. Ἡμεῖς δὲ οὐχ οὕτω φρονοῦμεν, οὐχ οὕτω δοξάζομεν· ἀλλ' ὁμοῦ τῷ τὸν Πατέρα εἶναι ἀγεννήτως (ἀεὶ δὲ ἦν, οὐχ ὑπερπίπτει γὰρ
5 εἰς τὸ μὴ εἶναί ποτε ὁ νοῦς), καὶ ὁ Υἱὸς ἦν γεννητῶς. Ὥστε συντρέχει τῷ εἶναι τοῦ Πατρὸς τὸ γεγεννῆσθαι τοῦ Μονογενοῦς, ἐξ αὐτοῦ τε ὑπάρχοντος καὶ οὐ μετ' αὐτὸν ἢ ἐπινοίᾳ μόνῃ τῇ τῆς ἀρχῆς· ἀρχῆς δέ, ὡς αἰτίου.

Πολλάκις γὰρ τὸν αὐτὸν ἀναστρέφω λόγον, τὸ παχύ σου
10 καὶ ὑλικὸν τῆς διανοίας φοβούμενος. Εἰ δὲ οὐ πολυπραγμονεῖς τὴν τοῦ Υἱοῦ, εἴτε γέννησιν χρὴ λέγειν, εἴτε ὑπόστασιν, εἴτε τι ἄλλο τούτων κυριώτερον ἐπινοεῖ τις (νικᾷ γὰρ τὴν ἐμὴν γλῶτταν τὸ νοούμενον καὶ λεγόμενον), μηδὲ τοῦ
B Πνεύματος περιεργάζου τὴν πρόοδον. Ἀρκοῦμαι ἀκούειν ὅτι
15 Υἱὸς καὶ ὅτι ἐκ τοῦ Πατρὸς καὶ ὅτι ὁ μὲν Πατήρ, ὁ δὲ Υἱός· καὶ οὐδὲν παρὰ τοῦτο περιεργάζομαι, μὴ ταὐτὸ πάθω ταῖς φωναῖς, αἳ τῷ ὑπερφωνεῖσθαι παντελῶς διαπίπτουσιν ἢ τῇ ὄψει τεινούσῃ πρὸς ἡλιακὴν ἀκτῖνα. Ὅσῳ γὰρ ἂν πλεῖον καὶ ἀκριβέστερον ἰδεῖν ἐθέλοι τις, τοσούτῳ τὴν
20 αἴσθησιν παραβλάπτεται καὶ τὸ ὁπωσοῦν ὁρᾶν ἀποστερεῖται διὰ τοῦ πλείονος νικῶντος τὴν ὄψιν τοῦ ὁρωμένου ἐὰν ὅλον ἰδεῖν ἐθελήσῃ καὶ μὴ ὅσον ὁρᾶν ἀσφαλές.

C **11.** Ἀκούεις γέννησιν ; Τὸ πῶς μὴ περιεργάζου. Ἀκούεις ὅτι Πνεῦμα τὸ προϊὸν ἐκ τοῦ Πατρός ; Τὸ ὅπως μὴ πολυ-

10, 2 ἅπασι S ‖ δ' C ‖ 3 τῷ : τὸ BC ‖ 3-4 τὸν πατέρα DP > AQ BWV post εἶναι TSC ‖ 4 εἶναι + τὸν ἄναρχον AQBWV ‖ 5 εἰς τὸ μὴ nm : exp. S_2 ‖ 6 τῷ : τό S_1DP Maur. ‖ τὸ : τῷ P Maur. ‖ γεγενῆσθαι C ‖ 8 δ' DC ‖ 9 γάρ : δέ V ‖ 12 κυριώτερον τούτων DP Maur. ‖ 16 ταὐτὸν C ‖ 17 τῷ : τό D ‖ 19 πλείω S ‖ τοσοῦτο S
11, 2 τὸ Πνεῦμα S Maur.

1. Cette transition fournit la clé du système de dialectique populaire désigné sous le nom de diatribe (voir plus haut la note au ch. 9). Comparer avec *D.* 42, 9 (*PG* 36, col. 469 A 1-3), et ci-dessous 20, 11 *(in fine)*. Cf. Kertsch, *Bildersprache*, p. 141, n. 4.

2. Voir dans l'introduction du *D.* 20, l'exégèse de ce passage, p. 43.

dit. Ce n'est ni notre idée ni notre opinion[1]. Au contraire, pour nous l'existence du Fils par génération va de pair avec l'existence du Père sans génération — et il existait éternellement car l'intelligence ne tombe jamais dans le néant. De sorte que la génération du Fils unique coïncide avec l'existence du Père dont il tire son origine, sans venir après lui sauf par la notion du principe uniquement, et du principe de causalité.

Je répète souvent la même chose vu que je me méfie de ta raison épaisse et matérielle; et ne te mêle même pas inconsidérément de la procession de l'Esprit si tu n'attaches pas d'importance à ce qu'il faut appeler soit la naissance du Fils, soit son hypostase, soit autrement si quelqu'un trouve un terme plus approprié, car l'objet de nos réflexions et de nos propos dépasse les ressources de mon vocabulaire[2]. Il suffit qu'on me dise qu'il y a le Fils et qu'il vient du Père, que celui-ci est le Père et celui-là le Fils et je ne me mêle inconsidérément de rien de plus que cela pour éviter de subir ce qui arrive à la voix de ceux qui perdent la parole à force de crier trop fort ou à la vue de ceux qui fixent les rayons du soleil. Dans la mesure où l'on voudrait y voir plus et plus clair, on émousse ses perceptions et on se prive de toute faculté de voir, parce que l'objet qu'on voit dépasse la capacité du regard si l'on veut voir tout au lieu de se contenter de ce que la prudence permet de voir[3].

11. Tu entends parler de naissance? Ne te mêle pas inconsidérément de savoir de quelle manière cela se passe[4]. Tu entends dire que l'être qui procède du Père est l'Esprit?

3. Thème développé dans PLATON, *République*, VII, 2 : 515 e - 516 b (éd. E. Chambry, p. 147) ; se rencontre aussi dans *D.* 27, 3 (*PG* 36, col. 13 C 14 - 16 A 1) ; KERTSCH, *Bildersprache*, p. 204-205, et p. 205, n. 1 et 5.

4. La diatribe qui s'engage ici conclut l'exposé doctrinal qui constitue la deuxième partie de l'œuvre.

πραγμόνει. Εἰ δὲ πολυπραγμονεῖς Υἱοῦ γέννησιν καὶ Πνεύματος πρόοδον κἀγώ σου πολυπραγμονῶ τὸ κρᾶμα
5 ψυχῆς καὶ σώματος · Πῶς εἶ χοῦς καὶ εἰκὼν Θεοῦ ; Τί τὸ κινοῦν σε ἢ τί τὸ κινούμενον ; Πῶς τὸ αὐτὸ καὶ κινεῖ καὶ κινεῖται ; Πῶς ἡ αἴσθησις ἐν τῷ αὐτῷ μένει καὶ τὸ ἐκτὸς ἐπισπᾶται ; Πῶς ὁ νοῦς ἐν σοὶ μένει καὶ γεννᾷ λόγον ἐν ἄλλῳ νοΐ ; Πῶς λόγῳ νόημα διαδίδοται ; Καὶ οὔπω
10 τὰ μείζονα λέγω · Τίς οὐρανοῦ περιφορά ; Τίς ἀστέρων κίνησις ἢ τάξις ἢ μέτρα ἢ σύνοδος ἢ ἀπόστασις ; Τίνες δὲ ὅροι θαλάσσης ; Πόθεν δὲ ἀνέμων ῥεύματα ἢ ὡρῶν περιτροπαὶ ἢ
D ὄμβρων ἐπιχύσεις ; Εἰ τούτων μηδὲν κατενόησας, ὦ ἄνθρωπε
1080 A — κατανοήσεις δὲ ἴσως ποτὲ ὅταν ἀπολάβῃς τὸ τέλειον ·
15 «Ὄψομαι γάρ, φησί, τοὺς οὐρανούς, ἔργα τῶν δακτύλων σου[a] · » ὡς ὑπονοεῖσθαι τὰ νῦν ὁρώμενα μὴ εἶναι τὴν ἀλήθειαν ἀλλὰ τῆς ἀληθείας ἰνδάλματα —, εἰ σαυτὸν οὐκ ἔγνως ὅστις εἶ ὁ περὶ τούτων διαλεγόμενος, εἰ ταῦτα οὐ κατέλαβες ὧν καὶ ἡ αἴσθησις μάρτυς, πῶς Θεὸν ἀκριβῶς, ὅπερ τε καὶ
20 ὅσον ἐστίν, εἰδέναι ὑπολαμβάνεις ; Πολλῆς τοῦτο τῆς ἀλογίας.

12. Ἀλλ' εἴ τι ἐμοὶ πείθῃ, τῷ μὴ θρασεῖ θεολόγῳ, τὸ μὲν κατέλαβες, τὸ δὲ καταλαβεῖν δεήθητι. Τὸ μὲν ἀγάπησον
B ἐν σοὶ μένον, τὸ δὲ ἐν τοῖς ἄνω θησαυροῖς μεινάτω.
25 Διὰ πολιτείας ἄνελθε · διὰ καθάρσεως κτῆσαι τὸ καθαρόν.

11, 6 τί > C ‖ 7 καὶ[1] > S_1 rest. S_2 ‖ 9 δίδοται AQWC ‖ 10 μείζω S_1 corr. S_2 ‖ λέγω : ante τά S_1 et $_2$ ‖ φορά C ‖ 11 δὲ : δ' DPC Maur. ‖ 12 δὲ : δ' C ‖ 13 ὦ > T_1 rest. T_2 ‖ 20 τῆς > S_1 rest. S_2
12, 2 καταλαμβάνειν DPC Maur.

11. a. Ps. 8,4.

1. Voir les notes au ch. 9 et au ch. 10, sur la diatribe comme système de réfutation des objections du partenaire fictif. La péroraison du *Discours* 27 (*PG* 36, col. 25 A 1-15) développe les mêmes thèmes d'une manière plus succincte, mais suivant la même méthode. Dans D. 22, 11, l'auteur traite le même sujet : savoir quelles questions on peut ou non discuter.

N'attache pas d'importance à la manière dont cela se passe. Si tu attaches de l'importance à une naissance d'un Fils et à une procession d'un Esprit, à mon tour j'attache de l'importance au mélange d'âme et de corps en toi. Comment es-tu poussière et image de Dieu ? Quelle est la nature de l'élément moteur en toi et de l'élément mû ? De quelle manière y a-t-il identité entre ce qui est moteur et ce qui est mû ? De quelle manière la perception a-t-elle son siège dans l'être même et saisit-elle ce qui est au-dehors ? De quelle manière l'intelligence a-t-elle son siège en toi et engendre-t-elle un discours dans l'intelligence d'autrui ? De quelle manière le concept est-il communiqué par le discours ? Et je ne parle pas encore des sujets majeurs !

Qu'est-ce que la rotation du ciel ? Qu'est-ce que le mouvement des astres ou leur ordre, leur dimension, leur conjonction ou leur disjonction ? Quelles sont les bornes de la mer ? Quelle est l'origine des vents qui soufflent ou du cycle des saisons ou des chutes de pluie ? Homme, si ton intelligence n'a rien compris à cela — mais, tu comprendras sans doute un jour lorsque tu concevras l'être parfait, car il est dit : « Je verrai les cieux, œuvres de tes doigts[a] », comme pour suggérer que les choses que l'on voit maintenant ne sont pas la réalité, mais des émanations de la réalité —, si tu ne te connais pas toi-même, qui que tu sois, toi qui raisonnes sur ces questions, et si tu n'as pas compris ces choses dont même la perception des sens témoigne, comment te mets-tu en tête de savoir exactement la nature et la grandeur de Dieu ? Cela dénote beaucoup de sottise[1] !

12. Mais si tu me fais confiance à moi qui suis un théologien sans témérité, tu as déjà compris quelque chose ; prie pour comprendre le reste. Attache-toi à ce qui a son siège en toi-même et que le reste demeure dans les trésors d'en-haut. Élève-toi par ta conduite ; acquiers la pureté

5 Βούλει θεολόγος γενέσθαι ποτὲ καὶ τῆς θεότητος ἄξιος ; Τὰς ἐντολὰς φύλασσε · διὰ τῶν προσταγμάτων ὅδευσον · πρᾶξις γὰρ ἐπίβασις θεωρίας · ἐκ τοῦ σώματος τῇ ψυχῇ φιλοπόνησον. Ἆρά τίς ἐστιν ἀνθρώπων ὃς ἀρθῆναι τοσοῦτον δύναται ὥστε εἰς τὸ Παύλου[a] μέτρον ἐλθεῖν ; Ἀλλ' ὅμως
10 φησὶ βλέπειν δι' ἐσόπτρου καὶ αἰνίγματος καὶ εἶναι καιρὸν ὅτε ὄψεται πρόσωπον πρὸς πρόσωπον.

Ἄλλου μὲν εἶ φιλοσοφώτερος ἐν λόγοις ; Θεοῦ δὲ πάντως κατώτερος. Ἄλλου μὲν τυχὸν συνετώτερος ; Τῆς δὲ ἀληθείας τοσοῦτον λείπῃ ὅσον τὸ εἶναί σου δεύτερον τοῦ εἶναι Θεοῦ.
15 Ἔχομεν ἐπαγγελίαν γνώσεσθαί ποτε ὅσον ἐγνώσμεθα. Εἰ
C μὴ δυνατὸν ἐνταῦθα ἔχειν τελείαν τὴν τῶν ὅλων γνῶσιν, τί μοι τὸ λειπόμενον ; Τί τὸ ἐλπιζόμενον ; Βασιλείαν οὐρανῶν, ἴσως ἐρεῖς. Ἡγοῦμαι δὲ μὴ ἄλλο τι τοῦτο εἶναι ἢ τὸ τυχεῖν τοῦ καθαρωτάτου τε καὶ τελεωτάτου · τελεώτατον δὲ τῶν
20 ὄντων, γνῶσις Θεοῦ. Ἀλλὰ τὸ μὲν κατάσχωμεν τὸ δὲ

12, 6 προσταγμάτων : πραγμάτων Q_1 corr. Q_2 || 7 γὰρ > S_1 rest. S_2 || 8 φιλοσόφησον C || 10 βλέπειν φησὶ S || 10-11 αἰνίγματος — ὄψεται cod. : erasum in S_1 αἴνιγμα ὄψεται S_2 mg. || 13 ἄλλου — συνετώτερος > W || τῆς : τό SP Maur. || δ' DC || 16 ἔχειν ταῦθα S || ὅλων : ὄντων PC D_1 corr. D_2 Maur. || 17 τί μοι : τί μα n D_2 || 18 ἴσως : πάντως DPC Maur. || μὴ : μ' S_1 corr. S_2 || τοῦτ' S || 19 τε > AQBT

12. a. Cf. I Cor. 13, 12.

1. L'idée d'une purification allant de pair avec le progrès de la connaissance métaphysique est développée aussi dans Platon et dans des traités platoniciens tels que ceux de Plotin : GRONAU, *De Platonis imitatoribus*, p. 32-34 ; et GOTTWALD, *De Gregorio platonico*, p. 41-43.

2. Une étude sur les rapports que Grégoire conçoit entre la pratique et la vie contemplative, dans PLAGNIEUX, *Grégoire théologien*, p. 141-160. On reconnaît l'idée, ici développée par Grégoire, dans

par la purification[1]. Tu veux devenir un jour théologien et digne de la divinité ? Garde les commandements, progresse par l'observance des préceptes, car la pratique sert de marche-pied à la contemplation : à partir du corps occupe-toi de ton âme avec prédilection[2]. Y a-t-il un des humains qui pourrait se hausser au point d'arriver au niveau de Paul[a] ? Mais celui-ci dit pourtant qu'il voit par miroir et énigme et qu'un jour il aura l'occasion de voir face à face.

L'emportes-tu sur autrui par la sagesse de tes discours ? Tu es de toute façon inférieur à Dieu. Es-tu peut-être plus malin qu'autrui ? La vérité te dépasse dans la mesure où ton être est surpassé par l'être de Dieu. Il nous est annoncé que nous connaîtrons un jour dans la mesure où nous sommes connus. S'il n'est pas possible de posséder ici-bas une connaissance de toutes choses qui soit parfaite, qu'est-ce qui me manque ? Qu'est-ce que j'espère ? Le royaume des cieux, diras-tu sans doute. Je pense que celui-ci n'est rien d'autre que la rencontre avec la pureté et la perfection suprêmes[3]. Et la suprême perfection des êtres, c'est la connaissance de Dieu. Mais qu'une part soit à notre

PLATON, *Phèdre* 255 D (éd. L. Robin, p. 53) ; *Timée* 71 B (éd. A. Rivaud, p. 198), etc. ; GOTTWALD, *De Gregorio platonico*, p. 38 ; on peut trouver d'autres références analogues dans É. des PLACES, *Lexique*, I, p. 285, s.v. κάτοπτρον.

3. Maintes expressions de Grégoire relatives à la connaissance, à la purification et à l'illumination trouvent leurs parallèles dans Platon, Plotin et d'autres ; plusieurs érudits en ont fait des relevés (notamment une esquisse d'analyse dans GOTTWALD, *De Gregorio platonico*, p. 41-48). Les scolies d'Élie de Crète dénotent que les lettrés byzantins du temps des Comnènes étaient attentifs à cette « osmose » entre les courants idéalistes et la théologie de Grégoire (*PG* 36, col. 802 C 11 - 803 A 15 : cinq scolies sur la question).

καταλάβωμεν ἕως ἐσμὲν ὑπὲρ γῆς· τὸ δὲ ἐκεῖθεν ταμιευσώμεθα ἵνα ταύτην σχῶμεν τῆς φιλοπονίας τὴν ἐπικαρπίαν, ὅλην τῆς ἁγίας Τριάδος τὴν ἔλλαμψιν, ἥτις ἐστὶ καὶ οἵα καὶ ὅση, εἰ θέμις τοῦτο εἰπεῖν, ἐν αὐτῷ Χριστῷ τῷ Κυρίῳ
25 ἡμῶν, ᾧ ἡ δόξα καὶ τὸ κράτος εἰς τοὺς αἰῶνας τῶν αἰώνων. Ἀμήν.

Περὶ θεολογίας καὶ καταστάσεως ἐπισκόπων.

12, 21 δ' S ‖ ταμιευσόμεθα S ‖ 23 ἥτις : ἥτι τε S ‖ 25 **καὶ τὸ κράτος** > n

Titulus posterior > BVT ‖ θεολογίας AWDPC : δόγματος Q (S legi nequit) ‖ καὶ καταστάσεως ἐπισκόπων QDPC > AW Maur. + σχεδιασθείς AQW (legi nequit S) add. stichometriam (= st. 301) P

disposition, que nous puissions en acquérir une autre tant que nous sommes sur terre; et, le reste, gardons-le en réserve pour l'autre monde afin que nous ayons cela comme bénéfice de nos efforts assidus : l'illumination de la sainte Trinité, ce qu'elle est, telle et aussi grande qu'elle est[1], s'il est permis de dire cela, dans le Christ lui-même Notre Seigneur à qui soient la gloire et la puissance pour les siècles des siècles. Amen.

Sur la théologie c'est-à-dire sur l'installation d'évêques

1. La péroraison à rapprocher de celle du *D.* 27, est une réplique de l'entrée en matière (cf. ch. 1) ; elle dénote la composition rigoureuse de l'œuvre considérée dans son ensemble.

DISCOURS 21

INTRODUCTION

Les principes exposés dans l'Introduction générale de ce volume sont appliqués dans l'édition du Sermon sur Athanase évêque d'Alexandrie, comme ils l'ont été dans l'édition du *Discours* 20. Les prolégomènes propres au *Discours* 21 vont donc pouvoir se limiter aux particularités de cette œuvre ; en effet, quelques observations s'imposent en ce qui concerne son contenu et son genre littéraire (ch. II) ainsi que l'édition elle-même (ch. III). Nous commencerons par rappeler les grandes lignes, bien connues, de la carrière du personnage historique auquel la pièce est consacrée (ch. I).

I. Athanase évêque d'Alexandrie

Les détails sur les sources de l'histoire d'Athanase et sur sa carrière sont fournis par l'article de G. Bardy, sur Athanase d'Alexandrie, dans le *Dictionnaire d'histoire et de géographie ecclésiastiques* (IV, 1930, col. 1313-1340), que complètent utilement les recherches fondamentales de A. Schwartz[1], ainsi que des articles plus récents, notamment celui du P. P.-Th. Camelot[2], et l'Introduction du P. Ch. Kannengiesser à l'édition du traité *Sur l'Incarnation du Verbe*, dans la collection des *Sources chrétiennes*[3].

1. Schwartz, *Athanasius*.
2. Camelot, art. *Athanasios*, dans *LThK*, I, 1957, col. 976-981.,
3. Athanase d'Alexandrie, *Traité de l'Incarnation du Verbe*, *SC* 199, Paris 1973, p. 11-19.

Comme homme d'Église, comme écrivain et comme personnage historique, Athanase a sa place dans tous les manuels d'histoire de l'antiquité chrétienne, d'histoire de la littérature grecque d'époque protobyzantine et d'histoire générale de la période constantinienne à laquelle il appartient[1]. « Saint Athanase, qui succéda en 328 à Alexandre, est une des plus imposantes personnalités de toute l'histoire ecclésiastique, et le plus admirable des évêques d'Alexandrie », lit-on dans l'*Initiation aux Pères de l'Église*, de J. Quasten[2]. Nous nous bornerons donc ici à un tableau succinct des repères chronologiques principaux de la carrière du personnage, dressé d'après l'article du P. P.-Th. Camelot :

Vers 295 : naissance à Alexandrie.

En 325 : participation au Concile de Nicée.

Le 8 juin 328 : élection au siège de métropolite d'Alexandrie.

Le 7 nov. 335 ou le 5 fév. 336 : bannissement par Constantin et résidence à Trèves.

Le 23 nov. 337 : rentrée à Alexandrie.

Le 16 avr. 339 : bannissement.

A la fin de 339 : arrivée à Rome.

En 342-343 : présence au Concile de Sardique.

Le 21 oct. 346 : retour à Alexandrie, après sept ans et demi d'absence.

La nuit du 8 au 9 fév. 356 : bannissement, puis séjour chez les moines d'Égypte.

Le 21 fév. 362 : retour à Alexandrie.

1. Notamment Quasten, *Initiation*, III, p. 46-125 ; G. Bardy et autres, *La crise arienne*, dans A. Fliche et V. Martin, *Histoire de l'Église*, III, p. 69-176, *passim* ; A. Puech, *Littérature*, III, p. 70-130 ; (W. Schmid et) O. Staehlin, *Geschichte der griechischen Literatur*, II, 2, p. 1374-1380 ; Stein, *Bas-Empire*, I, p. 108-110, et 134-136 ; Duchesne, *Histoire ancienne*, II, p. 158-271, etc.

2. Quasten, *Initiation*, III, p. 46.

Le 23 oct. 362 : nouveau séjour chez les moines d'Égypte.
Entre le 14 et le 20 fév. 364 : retour à Alexandrie.
Le 5 oct. 365 : séjour dans un refuge proche d'Alexandrie.
Le 1er fév. 366 : retour définitif à Alexandrie.
Le 2 mai 373 : mort à Alexandrie, dans l'exercice de sa charge patriarcale.

On a calculé qu'Athanase avait passé dix-sept ans et demi en exil; ces circonstances l'avaient mis en relation directe avec les milieux ecclésiastiques les plus divers et aussi les plus qualifiés de Rome, des Gaules, de Germanie et d'ailleurs, et lui avaient fourni l'occasion de contacts prolongés avec les milieux monastiques de Rome et d'Égypte.

Son œuvre littéraire est fort vaste. La plupart de ses écrits se rattachent à des épisodes de sa lutte pour la défense de la foi de Nicée et s'imposent surtout par le dynamisme des controverses et la ferveur des convictions. Le manuel de J. Quasten en fait l'analyse et les répartit en écrits « apologétiques et dogmatiques », « historico-polémiques », « exégétiques », « ascétiques », et « lettres »[1]. Les éditions les plus complètes de ces œuvres sont celle de B. de Montfaucon (Paris 1698), reproduite et complétée dans la *Patrologie grecque* de J.-P. Migne (vol. 25-28), et celle de la *Bibliothèque des Pères et des écrivains ecclésiastiques*, publiée par la Diaconie Apostolique de l'Église de Grèce (vol. 30-37), qui reproduit la *Patrologie grecque* de Migne ou des éditions plus récentes quand il y en a, notamment celle de H. G. Opitz[2]. Un état de la situation parfaitement à jour a été récemment dressé par le Dr M. Geerard dans la *Clavis Patrum graecorum*[3].

1. *Ibid.*, p. 49-106.

2. Opitz, *Athanasius Werke*. Au sujet de cette édition, entreprise sous les auspices de l'Académie de Berlin par H. G. Opitz et ses continuateurs, voir Quasten, *Initiation*, III, p. 50 ; et Geerard, *Clavis*, II, p. 12.

3. Geerard, *Clavis*, II, p. 12-60, no 2090 à 2309.

II. Le Discours 21

Des indications précises relatives au genre littéraire et même les informations les plus solides au sujet des circonstances dans lesquelles le texte fut composé, sont tirées de l'œuvre elle-même, que nous résumons ci-dessous.

1. **Analyse**

Athanase rassemble dans sa personne toutes les vertus (ch. 1). Il est bon de se tourner vers Dieu et de s'élever ainsi au-dessus des contingences de ce bas monde ; il ne faut pas s'abandonner à l'emprise des choses terrestres et se priver de la lumière divine (ch. 2). Ceux qui ont réalisé cet idéal sont peu nombreux, tant dans l'Ancien que dans le Nouveau Testament (ch. 3). Athanase fut leur émule (ch. 4). Grégoire va résumer les traits édifiants de l'histoire d'Athanase, sous forme d'un panégyrique (ch. 5).

L'éducation d'Athanase, principalement ecclésiastique et religieuse, a fait une grande place à l'étude de la Bible (ch. 6) ; devenu prêtre, il gravit les degrés de la hiérarchie (ch. 7) avant d'être élu par le peuple évêque d'Alexandrie (ch. 8). Il exerce son autorité d'une manière paternelle (ch. 9) et est loué par tout le monde comme un modèle d'évêque (ch. 10).

Ses vertus sont exemplaires (ch. 11). Les hérésies provoquaient une certaine confusion dans les esprits (ch. 12) ; Arius et Sabellius avaient déclenché le mouvement (ch. 13). Après le Concile de Nicée, dans lequel Athanase était intervenu, les réactions hostiles des hérétiques se tournent constamment contre Athanase (ch. 14). Un certain Grégoire le calomnia (ch. 15). Georges de Cappadoce, homme peu recommandable (ch. 16), s'en prit aussi à Athanase et toutes sortes de contrariétés mirent l'archevêque à rude épreuve (ch. 17).

L'action menée par Athanase se développe sous le signe perpétuel de l'affrontement entre le bien et le mal (ch. 18); sous le coup des calomnies, il est proscrit et se rend chez les ermites et les cénobites d'Égypte (ch. 19). La profession monastique tient à un style de vie plutôt qu'à des conditions extérieures d'existence; les moines mettent Athanase à l'abri (ch. 20). L'exil d'Athanase permet à son rival, Georges de Cappadoce, de ravager l'Église avec l'appui de l'empereur Constance, et grâce à la vénalité des eunuques de la cour et de l'un ou l'autre dignitaire ecclésiastique (ch. 21); sous l'impulsion de cet intrus les synodes de Séleucie et de Constantinople condamnent le terme « consubstantiel » (ch. 22); après des décisions douteuses, une profession de foi ambiguë fut proposée à la signature des évêques en place (ch. 23). Les évêques qui cédèrent à cette exigence avec plus ou moins de sincérité n'ont pas à invoquer l'excuse de leur ignorance de la foi (ch. 24). Les croyants du monde entier furent ébranlés (ch. 25). L'exil d'Athanase encourage la propagande des adversaires, mais la mort de l'empereur Constance ranime le courage des orthodoxes : Constance regrette ses erreurs avant de mourir et Georges de Cappadoce est brutalement liquidé (ch. 26). Athanase revient d'exil en triomphe (ch. 27). Alors que Philagrios est gouverneur civil d'Égypte (ch. 28), Athanase fait une joyeuse entrée qui ressemble à l'entrée de Jésus à Jérusalem (ch. 29).

Les activités épiscopales d'Athanase sont aussi admirables que sa conduite à l'égard de l'hérésie (ch. 30); il restaure l'orthodoxie et la concorde (ch. 31). L'empereur Julien prend ombrage des succès d'Athanase; il imagine une persécution sans martyrs et proscrit Athanase pour la seconde fois (ch. 32). Après l'avènement de Jovien, Athanase revient à Alexandrie et met par écrit la doctrine trinitaire fondée sur l'unité essentielle du Père, du Fils et de l'Esprit Saint (ch. 33); l'Orient et l'Occident s'accordent sur cette doctrine (ch. 34). Les divergences entre l'Orient et l'Occident étaient plus verbales que doctrinales : Athanase l'ayant démontré réconcilie tout le monde par un compromis laissant de côté les questions de mots (ch. 35).

Les mérites d'Athanase comme pacificateur des orthodoxes sont plus grands que les mérites de son ascétisme; il est en tout point un modèle accompli (ch. 36). Sa carrière et sa doctrine doivent servir de règles aux évêques et à l'Église (ch. 37).

2. Doctrine

La bibliographie générale qui se trouve à la fin de ce volume (p. 313) fournit d'excellents exposés d'initiation à la théologie de saint Athanase d'Alexandrie. Celui-ci passait à juste titre pour le champion, le promoteur et le défenseur de l'orthodoxie rigoureusement fidèle au Concile de 325 (Nicée I). Mais ce qui est en cause ici, dans le *D.* 21, est moins la doctrine d'Athanase que l'orthodoxie de Grégoire lui-même. Il faut insister sur ce point avant de dégager les thèmes doctrinaux développés dans le texte.

On est à Constantinople, en 380; peut-être en 379. Grégoire, récemment arrivé de sa Cappadoce natale, est encore un nouveau-venu, un *homo novus* pas encore compromis dans toutes les controverses qui sont à l'ordre du jour. En contrepartie, son orthodoxie n'est pas encore évidente pour tout le monde. De la part du public caustique de la capitale, il ne bénéficie pas nécessairement du préjugé favorable (ch. 5). Au contraire. Cet ecclésiastique doit gagner la confiance populaire et assurer son autorité. Il va faire l'éloge d'Athanase. C'est habile. C'est une forme de *captatio benevolentiae*, un moyen de se faire valoir aux yeux des orthodoxes en général et pas seulement à l'égard des milieux égyptiens qui jouaient un rôle non négligeable dans l'Église métropolitaine[1]. Manière de se recommander d'autant mieux indiquée qu'un décret impérial du 28 janvier 380 impose pour règle de l'orthodoxie le *credo* du pape Damase, de Rome, et celui du « pape » Pierre, d'Alexandrie, le propre frère et le successeur d'Athanase[2]. Un panégyrique d'Athanase donne à Grégoire l'occasion d'affirmer ses positions orthodoxes dans les matières qui polarisaient l'attention des milieux ecclésiastiques et religieux. Le sujet permet à Grégoire de mettre son orthodoxie en lumière.

Il faut ajouter que le *D.* 21 indique à l'historien des idées quelques-unes des questions qui préoccupaient les hommes d'Église et les autres milieux auxquels il s'adresse. Quels sont donc les principaux thèmes abordés ? Dans leurs grandes lignes, on peut les ramener à trois points essentiels, le clergé, les moines et la foi.

Concernant le premier de ces trois thèmes, Grégoire s'attache surtout au problème posé par le recrutement, la formation et les fonctions des évêques. M. Gaudemet a souligné « l'importance des fonctions épiscopales » à ce moment précis de l'histoire, et il met l'accent sur la « complexité des intérêts en jeu », ajoutant qu'il « faut surtout marquer, à côté de la loi, la pratique effective, plus variable encore[3]... ». Ici Grégoire présente Athanase comme un modèle « éduqué et instruit comme devraient l'être, de nos jours, ceux que Dieu... destine à prendre la direction du peuple et à tenir entre leurs mains le corps du Christ... » (ch. 7 ; cf. aussi ch. 1, 3-4 et 35). Sa formation chrétienne va de pair avec une solide instruction profane et théologique (ch. 6). Il est un évêque exemplaire, tant par les circonstances de son accession au trône épiscopal

1. Bernardi, *Prédication*, p. 168-177.

2. *Cod. theodos.*, XVI, 1, 2 (éd. Th. Mommsen, Berlin 1905, II, p. 833).

3. Gaudemet, *L'Église dans l'Empire*, p. 330-331, et *passim* p. 322-368 ; Duchesne, *Histoire ancienne*, III, p. 24-25.

que par la manière d'exercer son ministère : « il est élevé au trône de S. Marc par les suffrages du peuple unanime. On n'avait pas adopté la méthode malhonnête qui s'est imposée plus tard. Tout se passa sans recours au crime ni aux abus de pouvoir, d'une manière apostolique et spirituelle » (ch. 8). Il fait preuve de modestie, de réserve et d'autorité (ch. 9) : « sa carrière, les leçons qu'il suivit et celles qu'il donna furent telles que son genre de vie était la règle de l'épiscopat » (ch. 37).

L'institution monastique fournit un deuxième thème doctrinal. Les moines sont, pour beaucoup d'Églises du IVe siècle, le problème numéro un, dont Mgr L. Duchesne a mis en relief l'importance et la complexité : « tant que les moines restaient dans les déserts et ne s'occupaient que de leur perfectionnement individuel, on pouvait encore s'arranger. Mais bientôt on les vit partout, et en grand nombre... se mêlant au populaire et à sa vie religieuse, épousant ses querelles, excitant ses passions, même et surtout quand elles le soulevaient contre les autorités. De temps à autre ils rendaient des services, comme personnel de coups de force ou même d'émeute. Ils aidaient à démolir les temples, à rosser les hérétiques, à faire la vie dure aux fonctionnaires dont on avait à se plaindre. En temps ordinaire, évêques et préfets se seraient volontiers passés de ces gens remuants[1] »... « Avec ces gens excités, groupés pour l'émeute, toute discussion était impossible[2] »... « Ces excès sont particuliers à l'Orient, où les circonstances avaient donné à l'institution monacale un développement énorme, excessif. Les autorités, tant ecclésiastiques que civiles, auraient dû s'en préoccuper plus tôt[3] ». A Constantinople aussi bien qu'en Cappadoce, Grégoire fut plus d'une fois en mesure de le constater à ses dépens[4]. Ici,

1. Duchesne, *Histoire ancienne*, III, p. 32.
2. *Ibid.*, p. 33.
3. *Ibid.*, p. 34.
4. Bernardi, *Prédication*, p. 102-103 ; et p. 145-146.

par le truchement du héros alexandrin dont il fait l'éloge, il renvoie dos à dos les partisans du cénobitisme et ceux de l'érémitisme (ch. 19). S'il ne prend pas parti entre les tendances opposées, il fait néanmoins appel à la bonne entente et à la tolérance réciproque qui s'impose entre « contemplatifs » et « actifs » (ch. 20). Dans la pratique, il propose un compromis positif entre deux types d'ascèse harmonieusement associés dans l'image qu'il donne de son héros « réussissant à convaincre tout le monde que l'essentiel de la profession monastique consiste dans la fidélité constante à un genre de vie plutôt que dans le fait matériel de vivre retiré du monde... » (ch. 20).

La théologie trinitaire était, bien entendu, un autre sujet de préoccupation. Grégoire évoque longuement le désarroi provoqué — ou du moins concrétisé — par Sabellius, Arius (ch. 12-13) ou d'autres hérésiarques moins illustres (ch. 14-17), et renforcé par les formules de compromis élaborées à Séleucie et à Rimini (ch. 22-24). Bonne occasion de préciser les erreurs de langage à éviter (ch. 22) et les dogmes à professer (ch. 22-24). En matière de dogmatique, l'éloge d'Athanase fournit un raccourci des doctrines trinitaires analysées par M. Jourjon, dans l'introduction aux *Discours théologiques* édités par P. Gallay[1]. L'originalité du *D.* 21 apparaît surtout dans les chapitres 34 et 35. L'écrivain élève alors les controverses au niveau des problèmes de la chrétienté universelle. Il note les difficultés connexes à la formulation des nuances de la théologie, de la théodicée et de la métaphysique chrétiennes dans les langues respectives de l'Orient et de l'Occident : « En effet, nous parlons conformément à la doctrine orthodoxe d'une seule essence et de ' trois hypostases '; la première formule exprime la nature de la divinité, la seconde les propriétés de chacun des trois.

1. JOURJON, *Introduction doctrinale*, dans GALLAY, *Discours théologiques*, *SC* 250, p. 29-65.

Les Italiens comprennent aussi les choses comme nous, encore que leur langue dispose de moyens d'expression trop limités et d'un vocabulaire trop pauvre pour leur permettre de distinguer l'hypostase de l'essence. C'est la raison pour laquelle leur langue substitue les ' personnes ' aux hypostases pour éviter d'admettre trois essences » (ch. 35). Et de conclure par une leçon de choses en faisant d'Athanase, « qui était véritablement homme de Dieu », un modèle de tolérance, de compréhension et d'œcuménisme avant la lettre : « Avec sa douceur et sa bonté coutumières, il invite les deux partis, examine en détail le sens de chaque expression et, après les avoir trouvés tous d'accord sans la moindre divergence doctrinale, ayant mis de côté les questions de mots, il les réconcilie sur le fond » (ch. 35).

3. **Genre littéraire**

L'auteur lui-même s'est chargé de préciser que le *D.* 21 est un type de panégyrique propre à l'éloquence ecclésiastique et spécialement adapté aux cérémonies solennelles en l'honneur d'Athanase; trois passages concernent explicitement le genre littéraire :

1. Dans les premières phrases du premier chapitre de l'entrée en matière, l'écrivain donne le ton général de l'œuvre en annonçant un « éloge » : « Cet éloge d'Athanase sera un éloge de la vertu; en effet, le louer c'est louer la vertu... » Ἀθανάσιον ἐπαινῶν... Une formule analogue se lit encore dans une périphrase littéraire du ch. 10 désignant Athanase comme « celui dont nous faisons ici l'éloge » τῷ ταῦτα ἐπαινουμένῳ. L'éloge ἔπαινος est une espèce distincte dans plusieurs genres littéraires, tels que l'encomion ou le panégyrique[1]; les rhéteurs le confondent

1. Cf. Nicolas le Sophiste, *Progymnasmata*, éd. L. Spengel, dans *Rhet. gr.*, III, p. 478, 10-27 ; et Martin, *Rhetorik*, p. 10 (références à Aristote, *Rhetor.* I, 3, 1358 b).

aussi avec l'encomion et c'est ce dernier mot qu'ils emploient pour désigner une forme propre à une espèce de discours de louange, ἐγκώμιον appartenant au genre de l'éloquence démonstrative[1].

Ce genre littéraire oblige l'auteur à traiter plusieurs lieux communs, dont les critiques n'ont pas manqué de relever la présence dans la composition de l'éloge d'Athanase. Les annotations en rendront compte au passage; pour une analyse systématique, on doit se rapporter à la thèse de M. Guignet, où l'on peut lire : « Voilà, certes, un discours assez touffu, n'offrant de prime abord aucun rapport avec l'encomion grec »... « Malgré la dispersion de la matière, il est possible de colliger quelques traits dénotant l'influence de la rhétorique »... Suit l'énumération des lieux communs de l'éloge (tels que éducation, instruction, vertus, actions « capricieusement agencées ») et des procédés obligatoires dans ce type de composition (tels que l'amplification et les mises en parallèle ou syncrisis). Et de conclure : « Mais le pur schéma des rhéteurs est encombré d'éléments assez disparates[2] ».

2. A la fin du ch. 4 et au commencement du ch. 5, l'auteur emploie deux fois le mot εὐφημία, que nous traduisons par « des louanges ». Le mot signifie le contraire de βλασφημία, et, à ma connaissance, n'appartient pas au vocabulaire technique de la rhétorique grecque[3]. Ce mot n'est pas sans rappeler la formule du début du ch. 1 examinée plus haut. Ici le contexte spécifie que l'auteur a conçu le *D.* 21 comme un panégyrique. Premièrement

1. Payr, *Enkomion*, col. 332-343 et, concernant notre texte, col. 342 spécialement ; et Martin, *Rhetorik*, p. 180-190, notamment.

2. Guignet, *Rhétorique*, p. 280 ; cf. p. 278-280.

3. Lampe, *Lexicon*, p. 578, s.v. Grégoire lui-même désigne le *D.* 43, qui est un éloge de Basile, par le mot εὐφημία dans l'entrée en matière et dans la péroraison de l'œuvre elle-même : ch. 1 (*PG* 36, col. 495 A 14) et ch. 81 (col. 604 B 5).

l'œuvre n'est pas une biographie du héros : « Proposer tous les détails de sa vie à l'admiration du lecteur dépasserait sans doute les limites de ce que j'entreprends ici; ce serait un ouvrage historique plutôt que des louanges ἱστορίας ἔργον οὐκ εὐφημίας » (ch. 5 commencement). Ce n'est pas davantage un récit hagiographique : « Si l'on écrivait tout cela, ce serait un livre instructif et agréable pour la postérité et je souhaiterais le faire comme lui-même écrivit la *Vie du divin Antoine* en guise de règle monastique présentée sous forme de récit » (ch. 5 suite). L'intention édifiante est clairement affirmée et l'auteur aurait pu adopter le genre narratif : le sujet s'y prête et son héros lui-même a fourni un modèle. En effet, il est l'auteur d'une *Vita Antonii*, et le prologue de celle-ci expose l'intention d'édifier le lecteur tout en donnant à l'ouvrage la forme narrative[1]. Mais Grégoire spécifie que notre texte appartient bien au genre oratoire : « Mais, afin de satisfaire votre désir et de remplir les devoirs qui s'imposent à l'occasion de cette fête solennelle, nous ne vous exposerons que quelques souvenirs, en nous limitant à ceux que notre mémoire a retenus comme plus dignes d'attention (ch. 5 suite du texte) Les circonstancess évoquées ici par le mot « panégyrie » τῇ πανηγύρει que nous traduisons « à l'occasion de cette fête solennelle », sont encore mentionnées au ch. 10; elles appellent un « panégyrique » au sens technique du terme.

Dans notre langue — faisons là-dessus confiance au Robert —, « panégyrique » signifie d'abord « Discours d'apparat composé à la mémoire d'une personne illustre... », spécialement « Sermon, morceau d'éloquence qui a pour sujet l'éloge d'un saint »; par extension, il s'applique aussi aux « paroles, écrits et ouvrages à la louange de quelqu'un[2] ». Dans l'histoire littéraire, le mot désigne un genre

1. ATHANASE, *Vita Antonii*, Prologue (*PG* 26, col. 837 B 1-5).
2. ROBERT, IV, p. 846, Paris 1976.

particulier à mi-chemin entre les narrations hagiographiques et l'éloquence religieuse d'apparat; ce sont des « compositions oratoires qui, par les lois mêmes de la rhétorique auxquelles elles sont astreintes, appellent de la part de qui veut les utiliser comme sources d'histoire une attention et un traitement particuliers[1] ».

3. Il faut encore relever une indication de genre littéraire que l'on trouve dans la péroraison du Discours et qui a été mentionnée dans les titres initiaux de trois de nos témoins (B, P et C). On lit au ch. 37 : « Pour faire brièvement son éloge funèbre, <disons que> le faste de ses obsèques surpasse celui de ses retours d'exil... » (ch. 37). Nos mss B, P et C qualifient explicitement l'œuvre de « discours funèbre » ou « éloge funèbre » ἐπιτάφιος (λόγος). Le mot employé au ch. 37 est effectivement le terme technique par lequel les traités de rhétorique distinguent dans le genre des éloges, l'espèce qui concerne les défunts : ἐπιτάφιος « oraison funèbre »[2]. Mais, en réalité, le passage du ch. 37 ne vise pas l'ensemble de l'œuvre. Cela s'explique. Les oraisons funèbres prononcées ou composées pas Grégoire de Nazianze ont fait l'objet d'analyses détaillées dans la thèse de X. Huerth, ainsi que dans l'introduction de l'édition des *D.* 7 et 43 publiée par F. Boulenger[3]. On a remarqué que la structure de l'oraison funèbre se distingue de celle des autres types d'éloges par deux topiques propres : le thrène et la paramythie c'est-à-dire les paroles de consolation adressées aux proches du défunt; ces dernières sont parfois remplacées par une prière qui s'adresse directement au défunt lorsque celui-ci s'est

1. Aigrain, *Hagiographie,* p. 121 ; pour l'analyse des procédés de composition typiques du genre : p. 122-124.

2. Ménandre le Rhéteur, *De genere demonstrativo,* éd. L. Spengel, dans *Rhet. gr.,* III, p. 418-422.

3. Huerth, *De orationibus, passim* ; Boulenger, *Discours funèbres,* IX-XLII.

distingué par sa piété. L'allusion aux obsèques glorieuses, puis l'épilogue adressé en forme de prière et d'apostrophe à Athanase lui-même sont justement les deux parties constitutives de la péroraison du *D.* 21 et l'expression ἐπιτάφιος, employée ici, introduit manifestement les deux thèmes de la péroraison et se rapporte seulement au ch. 37. Quant à la mention ἐπιτάφιος (λόγος) dans le texte du titre initial du *Discours*, il n'a d'autre appui que l'interprétation abusive de la formule du ch. 37[1]. L'état actuel de notre documentation ne permet pas d'en préciser l'origine.

4. Circonstances

Il existe des rapports entre les contenus des *D.* 26, sur Maxime, rival de Grégoire, 25, sur Héron, un philosophe, et 33, sur l'arrivée à Constantinople d'un groupe d'Égyptiens; grâce au *Carmen de vita sua*, le vaste poème autobiographique composé par Grégoire, des recoupements pertinents sont possibles. Ceux-ci donnent une certaine vraisemblance à l'hypothèse de Th. Sinko selon laquelle Grégoire avait à garantir sa propre orthodoxie en la faisant approuver par Pierre d'Alexandrie, qui n'était autre que le propre frère et le successeur d'Athanase; d'où on conclut que l'œuvre doit avoir été composée à Constantinople, en l'an 379. Plus précisément le 2 mai 379. Car on déduit d'un passage du ch. 5 analysé ci-dessus et mentionnant une commémoration solennelle d'Athanase que le *D.* 21 servit de panégyrique ce jour-là[2]. Disons tout

1. Guignet, *Rhétorique*, p. 280, semble accorder à la formule une portée qu'elle n'a pas ; plusieurs questions posées par les critiques au sujet de « l'évolution du genre littéraire de l'oraison funèbre » sont sans objet dans la mesure où elles s'appuient sur une exégèse abusive de ce passage du *D.* 21, 37. — Cf. Bernardi, *Prédication*, p. 155.

2. Sinko, *De traditione*, p. 78-80. Le 28 février 380, un décret des empereurs Gratien, Valentinien et Théodose faisait à tous les sujets

de suite que Th. Sinko trouve des confirmations de ses vues dans l'analyse de plusieurs détails littéraires et les historiens ont accepté ses conclusions apparemment sans réticences[1].

Néanmoins plusieurs points appellent des réserves qu'il faut signaler ici.

1. Le jour du 2 mai ne paraît pas du tout assuré. L'autorité de S. Lenain de Tillemont, invoquée par Th. Sinko, ne peut l'être sur ce point, mais seulement en ce qui concerne l'année 379. Au contraire, le savant historien s'abstient de s'avancer et ne précise ni le mois ni le jour[2].

L'argument tiré du fait que la saint-Athanase se célèbre le 2 mai, chez les Grecs, comme chez les Latins, n'a quelque pertinence que dans la mesure où l'usage actuel reflète une tradition primitive. On a cru trouver la confirmation de ce dernier point dans le *Synaxaire de la Grande Église de Constantinople*, édité par le P. H. Delehaye. Voici le texte :

« Le 2 du même mois (de mai). Mémoire de notre Père saint Athanase : des ouvrages d'histoire et d'autres livres ont fait connaître d'une façon plus détaillée et Grégoire le Théologien expose, dans l'oraisonf unèbre qu'il lui a consacrée, sa vie angélique, les persécutions qu'il a subies pour la foi orthodoxe, les assauts qu'il a portés contre les déviations doctrinales, les proscriptions injustes et répétées et les dénonciations calomnieuses dont il fut victime. Raconter encore une fois ce qu'on en a dit serait sans doute superflu et inopportun. L'office qui a lieu habituellement en son honneur (ἡ δὲ συνήθως γινομένη

de l'empire l'obligation d'accepter la doctrine de Nicée telle qu'elle était proposée par le pape Damase et par Pierre d'Alexandrie : *Cod. theodos.*, XVI, 1, 2.

1. Gallay, *Vie*, p. 149 ; Bernardi, *Prédication*, p. 155.

2. Tillemont, *Mémoires*, IX, p. 438-439.

ἐπ' αὐτῷ ἀκολουθία) a été décrit plus haut au 18 janvier[1]. »
A la date du 18 janvier, on lit dans le même *Synaxaire* qu'on fête conjointement les saints Athanase et Cyrille d'Alexandrie, ce jour-là[2].

A quel moment et dans quelles circonstances s'est organisée à Constantinople la double célébration liturgique de l'un des deux coryphées de l'orthodoxie en même temps que de la métropole rivale ? On voudrait le savoir. Le texte du *Synaxaire de la Grande Église* reste, en attendant, un argument de très faible poids dans cette question d'histoire des traditions ecclésiastiques. Les Bollandistes indiquent les deux dates, 18 janvier et 2 mai, pour la fête de saint Athanase, dans la *Bibliotheca hagiographica graeca*[3].

Une tradition attestée par une partie des témoins du texte réservait la lecture du *D.* 21, sur Athanase, à la cérémonie du 18 janvier. Nous devons parler ici d'une famille de témoins qui a été systématiquement laissée de côté par Th. Sinko et que nous négligeons dans cette édition pour des raisons qui ont été exposées plus haut; il s'agit des collections « des 16 Discours liturgiques ». A. Ehrhard en a étudié une série, et R. Devreesse en a analysé un exemplaire appartenant au fonds Coislin de la Nationale de Paris; tous réservent notre *D.* 21 au 18 janvier[4].

En conclusion, si le ch. 5 de notre texte implique que celui-ci a été prononcé à l'occasion d'une cérémonie solennelle célébrée en l'honneur de l'archevêque, il reste impossible de prouver que cette cérémonie avait effective-

1. Delehaye, *Synaxarium*, p. 647.
2. *Ibid.*, p. 399.
3. *BHG*, I, p. 68.
4. Ehrhard, *Ueberlieferung*, II, p. 210-212 ; Devreesse, *Fonds Coislin*, p. 219-220. Cf. aussi Mioni, *Indici*, p. 144-147 : le *Cod. Marc. gr. App. II, 43 (collocatione 1056) olim Nanianus LXIV* indique aussi le 18 janv. comme jour liturgique de la lecture du *D.* 21.

ment lieu le 2 mai. En attendant une étude approfondie et des collections liturgiques des *Discours* de notre auteur et de la tradition manuscrite des plus anciens synaxaires grecs, il faut avouer nos incertitudes. La date du 18 janvier ne peut en tout cas pas être exclue. Et si elle devait être admise, on pourrait difficilement supposer, comme le fait S. Lenain de Tillemont et tout le monde avec lui, que le *D.* 21 ait pu être composé à Constantinople en 379.

2. Les arguments par lesquels on arrive à placer la composition de l'œuvre en 379, appellent aussi des réserves, et plus sérieuses encore. L'argumentation fait état d'une situation de tension que l'analyse du texte laisse deviner, des conflits latents entre des membres de l'épiscopat, des incertitudes au sujet du *credo* trinitaire et la nécessité de s'assurer l'appui ou la faveur du siège d'Alexandrie[1]. Cela paraît patent et manifeste. Ce qui l'est moins, c'est la nécessité de dater une telle situation de 379 (éventuellement de janvier 379 !).

Tout bien considéré, cette situation tendue dont on tire argument empira sur tous ces points en 380 et en 381 ; la tension atteint son paroxysme au Concile de 381 et se dénoue, comme on sait, par le départ de l'auteur en même temps que par des décisions conciliaires, dogmatiques et disciplinaires, qui passent à juste titre comme un triomphe des idées de notre Grégoire. Nous partageons là-dessus les vues de L. Duchesne. « Le premier de ces canons », écrit-il, « proclame à nouveau la foi de Nicée et porte anathème contre toutes les hérésies, ... Le second interdit aux prélats de se mêler des affaires d'autres 'diocèses' civils que les leurs ; l'évêque d'Alexandrie bornera sa sollicitude à l'Égypte ; ... Enfin le dernier canon règle l'affaire de Maxime le Cynique : il n'est pas reconnu comme évêque

1. Sinko, *De traditione*, p. 78-80 ; Bernardi, *Prédication*, p. 155-157.

et tous ses actes, surtout ses ordinations, sont frappés de nullité. Pour qui sait lire, ces décisions conciliaires représentent autant d'actes d'hostilité contre l'Église d'Alexandrie et ses prétentions à l'hégémonie[1]. »

Les circonstances évoquées pour dater l'œuvre de Grégoire de 379, ne paraissent pas avoir été particulières à cette année-là. Quant aux confirmations tirées des recoupements avec d'autres œuvres de Grégoire, il est prématuré d'en faire état, vu le caractère limité de notre heuristique dans le domaine de l'histoire des textes de Grégoire.

3. Il reste la note que deux de nos mss ont insérée dans le titre initial du *D.* 21 : ἐρρέθη (ou λεχθεὶς) ἐν Κωνσταντινουπόλει « il fut prononcé à Constantinople ». En indiquant le lieu, elle marque aussi l'époque de la composition, puisque l'écrivain était à Constantinople en 379, 380 et 381. Ces indications concordent avec tous les indices tirés de l'analyse du texte. Selon toute vraisemblance, le *D.* 21 fut composé à Constantinople, en 379, 380 ou 381, pour une fête solennelle d'Athanase d'Alexandrie.

III. L'Édition

Le texte du *Discours* 21 est établi sur dix témoins de la tradition directe et sur une version copte, utilisée dans sa traduction latine littérale, faite par T. Orlandi. Nous avons à situer le texte dans ces témoins.

A = *Ambrosianus gr. E 49-50 inf. (gr. 1014)*. Du IXe s.

Le *D.* 21 se lit aux p. 315 à 341. Des restaurations sont visibles aux p. 319-320 (où elles entraînent des lacunes légères dans le texte des ch. 8, 9 et 10), aux p. 331-332, 333-334, et 337-338 (où elles ne

1. Duchesne, *Histoire ancienne*, II, p. 437-438.

prêtent pas à conséquence en ce qui concerne le texte), et enfin p. 335-336 (où quelques mots des ch. 30, 31 et 32 ont disparu).

Les titres (initial et final) sont en majuscules droites de style simple, sans ornementation particulière.

En général, l'ornementation des pages concernées ici consiste dans une enluminure, qui se voit à la p. 318 dans la marge extérieure gauche à hauteur du dessus de la colonne et qui représente S. Athanase en pied revêtu des ornements sacerdotaux et la tête auréolée, et dans deux bandeaux fort simples entre lesquels se trouve le titre terminal[1].

Outre les sigles traditionnels attirant l'attention sur tel ou tel passage, quelques gloses et quelques scolies se lisent par-ci par-là dans les marges.

Q = *Palmiacus gr. 43*. Du xe s.

Le *D.* 21 se trouve intégralement du f. 236v au f. 256. Le titre initial est en majuscules droites de type biblique, de style élégant, encadrées dans un portique ; le titre terminal (f. 256 b, ligne 27) est en majuscules de type contrasté ressemblant au type bacchylidien, très élégantes.

L'ornementation se limite au portique encadrant le titre initial, aux lettrines marquant le début des alinéas[2] et au simple bandeau séparant le texte du titre terminal[3].

A hauteur du titre, dans la marge de gauche, le numéro d'ordre du texte est indiqué en petites majuscules (no 18) ; dans la marge supérieure, en écriture minuscule apparemment récente, et en chiffres arabes, le nombre de feuillets du discours, soit 20.

Il n'y a pas de scolies ; outre les annotations par symboles marginaux, qui se rencontrent en petit nombre cependant, on relève plusieurs additions très brèves dans les marges : notes tardives (f. 241), leçons variantes (f. 241, 243, 249 verso, 251, 255 verso), ou simples corrections qui pourraient être de première main ou d'une main contemporaine.

1. Ces bandeaux sont formés d'une ligne de motifs en forme de pointes de flèches avec le sommet de l'angle vers la droite. Cf. Grabar, *Miniatures.*

2. Le catalogue de Sakkélion remarque qu'il en va de même dans tous les textes du codex.

3. Ce bandeau est formé par quatre petites rosaces séparées par trois séries de trois pointes de flèches.

B = *Parisin. gr. 510.* Du IXe s. (illustré entre 880 et 883).

Notre texte se lit intégralement du f. 319v au f. 332, où la fin du texte occupe 17 lignes de la première colonne, le reste de la page demeurant blanc. Comme on l'a lu plus haut, l'écriture est disposée sur deux colonnes de 40 lignes.

Pour ce qui regarde l'ornementation de la partie du codex concernée ici, on peut relever le cadre dans lequel se trouve le titre initial, les lettrines de style recherché, mais peu élégantes, qui marquent le début de chaque alinéa, ainsi que le simple bandeau formé par une ligne de 9 pointes de flèches tournant le sommet de l'angle vers la droite, qui marquent la fin du texte. On ne voit pas de titre terminal.

A part les signes symboliques étudiés notamment par Ch. Astruc[1], on ne relève aucune scolie, mais une petite glose (f. 330) indiquant au lecteur le nom du personnage mentionné par une périphrase obscure au ch. 33.

Ce codex est représenté par le sigle *bm* dans les notes critiques des Mauristes reproduites par la Patrologie grecque[2].

W = *Mosquensis Synod. 64* (Vladimir *142*). Du IXe s.[3].

Le *Discours* sur Athanase se trouve tout entier du f. 136v au f. 147 ; chaque feuillet étant écrit sur une seule colonne de 37 lignes.

L'ornementation se limite au portique surmontant le titre initial, qui est décoré de fleurs de lys stylisées, à des lettrines discrètes, mais élégantes, et au bandeau marquant la fin du texte, une simple ligne ondulée ornée de boucles et de petits points.

Le titre initial est en majuscules droites de style baroque et inélégant à cause de son irrégularité. Les marges extérieures de chaque page, c'est-à-dire celles du haut et du bas ainsi que la marge latérale du côté opposé à la reliure, ont été entièrement recouvertes de scolies écrites dans une minuscule plus récente ; les espaces restés libres ont été à leur tour occupés par des annotations en minuscules plus récentes encore ; on y remarque quelquefois plusieurs mains

1. ASTRUC, *Signes marginaux.*

2. Au sujet de ce codex voir ce que les Mauristes en disent en parlant du *cod. parisin. gr. 525* (éd. Paris 1778, I, p. XI-XIII de la préface *(in fine libri)*).

3. VLADIMIR, *Sistematičeskoe (Description systématique)*, p. 148-149, où l'on est renvoyé aux p. 142-147, en fait p. 146, nº 39.

d'époque différentes (notamment f. 139 verso, 142 verso, 144, et 146 verso). Il est même arrivé que les notes envahissent les interlignes (f. 143).

V = *Vindobonensis theol. gr. 126*. Du XIe s.

Notre œuvre occupe les f. 117 à 126v. Le titre initial est en petites majuscules droites d'un type analogue à celles qui se rencontrent dans le texte mêlées aux minuscules.

L'ornementation est sobre : un bandeau formé d'une série de losanges dans un rectangle allongé sépare le *Discours* du texte précédent ; les lettrines sont réduites à la forme de majuscules légèrement plus grandes que la moyenne, sauf la première lettrine, qui est discrète et élégante ; un bandeau sépare le texte du suivant : il est formé d'entrelacs.

Outre les signes marginaux symboliques marquant les passages recommandés à l'attention, les marges portent des gloses et des scolies ; les gloses brèves et peu nombreuses sont en petites majuscules d'un genre analogue à celles des scolies d'Aréthas (f. 120r et v, 122r et v, 123r et v, 124, 125r et v, 126r et v) ; les scolies sont écrites dans une minuscule plus petite, mais présentant les traits typiques d'une écriture plus récente et de style plus tachygraphique que le texte ; gloses et scolies sont marquées par un appel de note. On ne voit pas de titre final.

T = *Mosquensis Synod. gr. 53* (Vladimir *147*). Du Xe s.

Nous trouvons le *D.* 21 en entier aux f. 270v-284[1]. Deux bandeaux constitués par des lignes de motifs réguliers (ondulations et petites boucles) séparent le texte du précédent et du suivant ; l'ornementation se réduit à cela ; les débuts des alinéas sont simplement marqués par le décalage d'une lettre minuscule dans la marge de gauche.

Le titre initial en petites majuscules de type analogue à celles qui se rencontrent parfois dans le texte, droites et de style soigné, de format légèrement plus grand que les minuscules du texte ; à sa hauteur, on lit dans la marge gauche le numéro d'ordre du texte, no 32, correspondant sans doute à sa place dans un corpus, mais ne correspondant pas exactement aux indications du catalogue de l'archimandrite Vladimir[2]. Il n'y a pas de titre terminal.

1. *Ibid.*, p. 152, avec renvoi à p. 148 et p. 143-147.
2. *Ibid.*, p. 146.

Les marges extérieures, marges du haut et du bas, marge latérale du côté opposé à la reliure, sont généralement couvertes de scolies écrites dans une minuscule très petite de type plus récent et de style régulier. Par-ci par-là des sigles marginaux[1] et quelquefois des variantes de lecture introduites par l'abréviation ΓΡ (f. 274 verso, 275 verso, 280 verso, 282) ou des additions répondant à un appel de note : il est difficile, voire impossible, de distinguer sur le microfilm si ces notes marginales sont de la même main que le texte.

S = *Mosquensis Synod. gr. 57* (Vladimir *139*). Du IXe s.

Du f. 287v au f. 301 : *D.* 21 en entier, sur deux colonnes de 35 lignes chacune. Le microfilm permet de distinguer parfois nettement la réglure (f. 295 notamment) ; des ratures, additions interlinéaires, grattages avec surcharges, peu nombreuses, sont apparemment de la même écriture ; la photographie ne permet pas de préciser si elles sont de la même main.

L'ornementation se réduit à une seule lettrine très sobre, l'initiale du premier mot du Sermon, et à deux bandeaux faits chacun d'une ligne de petites boucles placées au-dessus et au-dessous du titre terminal.

Le titre initial est en petites majuscules de type légèrement contrasté ; le nom de la ville d'Alexandrie a été biffé dans ce titre et on lit dans la marge supérieure une addition d'une main plus récente[2] présentée comme un titre, si l'on en juge par la croix qui précède et par le motif des trois points, qui suit : 'Αθανάσιος πύργος ὀρθοδοξίας « Athanase, donjon de l'orthodoxie ». A hauteur du titre original, un numéro d'ordre est indiqué en marge (nº 14) ; il ne correspond pas à la place que ce texte occupe dans la table des matières du codex telle qu'elle est détaillée par l'archimandrite Vladimir[3].

Les scolies des marges sont en petites majuscules, de même que quelques gloses parfois écrites verticalement et d'autres traces de révision du texte apparaissent dans les marges sous forme d'additions parfois dans la même écriture, mais plus fine, que le texte (f. 289 verso, et 291 verso), parfois aussi dans une écriture plus récente (f. 291 verso) ou en petites majuscules. Il faut relever la présentation d'une scolie en petites majuscules, dont le texte forme quatre losanges dans la marge du f. 298 verso. Le titre terminal en petites majuscules a été raturé.

1. Astruc, *Signes marginaux*, voir plus haut p. 105.
2. Elle pourrait être du XIIIe ou du XIVe s.
3. Vladimir, *Sistematičeskoe (Description systématique)*, p. 146, nº 39.

D = *Marcianus gr. 70.* Du xe s.

Les f. 320^{v} à 332^{v}, écrits comme le reste du codex sur deux colonnes de 30 lignes chacune, portent le *D.* 21 tout entier ; le bas du f. 332 a été coupé juste au-dessous du texte, qui est resté intact.

L'ornementation consiste dans la lettrine initiale du premier mot du texte[1] et dans les deux bandeaux (une ligne ondulée avec un cœur à chaque bout et quelques fioritures) placés au début et à la fin du texte.

Le titre initial est en majuscules élégantes (apex, pleins et déliés bien marqués). A hauteur du commencement du texte, se trouve le numéro d'ordre qui est reproduit comme un titre courant en haut du recto de chaque feuillet. Les scolies sont en petites majuscules, comme les gloses et un certain nombre de corrections ; un petit nombre d'autres corrections faites en marge sont de la même écriture que le texte ; on serait tenté de croire qu'elles sont aussi de la même main si le microfilm n'interdisait cette conclusion à cause de l'imprécision inévitable du noir et blanc. Le titre final est en petites majuscules.

P = *Palmiacus gr. 33.* D'octobre 941.

Le *D.* 21 s'y trouve en entier du f. 133 au f. 139 a, soit de la page 265 à la page 277 (pagination indiquée en chiffres arabes).

L'écriture est disposée sur trois colonnes de 50 lignes chacune à l'exception de la dernière qui en a 52 (f. 139 a). Douze lignes ont été récrites dans une minuscule récente très déjetée (f. 133, milieu de la deuxième colonne) ; dans un autre passage, six lignes semblent avoir été repassées à l'encre en respectant maladroitement l'écriture de la première main (f. 137 verso b). Les alinéas sont marqués par de grandes lettrines majuscules très simples dans la marge de gauche. En fait d'ornementation, un fronton rectangulaire orné de motifs géométriques, surmonté d'une rosace en son milieu et de bouquets stylisés à ses deux extrémités, qui se trouve au-dessus du titre initial, les lettrines marquant chaque alinéa, et spécialement la première initiale au début du texte, ainsi que deux bandeaux très simples placés au-dessus et au-dessous du titre terminal[2].

1. L'analogie de type et de style de cette lettrine avec l'initiale du même *D*. 21 dans le codex S, décrit plus haut, mérite d'être signalée à l'attention.

2. Ces bandeaux sont formés par des lignes de petites pointes de lance.

Le titre initial est en majuscule de type droit et anguleux et de style décoratif (apex et contraste marqué entre les pleins et les déliés). A hauteur du titre un numéro d'ordre (nº 39) qui correspond au pinax décrit par Sakkelion[1].

Des scolies en petites majuscules de style régulier se lisent dans les marges ainsi que des notes qui sont soit des gloses soit des appels à l'intérêt du lecteur, complétant les signes marginaux traditionnels, dont on trouve d'ailleurs une explication systématique dans le même codex (f. 3)[2]. Ces notes marginales sont parfois écrites verticalement. D'autres notes beaucoup plus rares sont des corrections du texte, écrites en minuscules plus récentes.

Le titre terminal est en majuscules de type décoratif, haut et étroit, de style très ornemental ; il a été ajouté dans la marge inférieure du f. 139 et au-dessous se trouve encore l'indication stichométrique : 1161, ce qui ne correspond pas à la réalité telle qu'elle se présente dans ce codex P.

C = *Parisinus Coislin. gr. 51.* (xe-xie s.).

Tout le *D.* 21 se lit dans les f. 334-349, soit les cahiers 42-43. L'écriture a été décrite ; par endroits elle paraît plus grasse.

L'ornementation consiste dans le bandeau qui surmonte le titre (entrelacs dans un cadre rectangulaire), la lettrine initiale légèrement baroque, et une ligne de petits motifs symétriques formant le bandeau placé entre la fin du texte et le titre terminal.

Outre les sigles marginaux marquant l'intérêt de plusieurs passages, on trouve dans les marges quelques notes (gloses et scolies) généralement brèves, en petites majuscules, à l'exception du f. 342, où l'on remarque une glose en minuscule récente. Le titre terminal est en majuscules de type contrasté et d'un style qui recherche l'élégance[3].

1. Sakkelion, *Patmiaki*, p. 21.
2. *Ibid.*, p. 19 ; Astruc, *Signes marginaux*, p. 293 ; et Lambros, *Les signes*, p. 255-259.
3. Devreesse, *Fonds Coislin*, p. 47-48.

1081 A

Εἰς Ἀθανάσιον ἐπίσκοπον Ἀλεξανδρείας

1. Ἀθανάσιον ἐπαινῶν ἀρετὴν ἐπαινέσομαι· ταὐτὸν γὰρ ἐκεῖνόν τε ἐπαινεῖν καὶ ἀρετὴν ὅτι πᾶσαν ἐν ἑαυτῷ συλλαβὼν εἶχε τὴν ἀρετὴν ἤ, τό γε ἀληθέστερον εἰπεῖν, ἔχει· Θεῷ
4 γὰρ ζῶσι πάντες[a] οἱ κατὰ Θεὸν ζήσαντες[b] κἂν ἐνθένδε
1084 A ἀπαλλαγῶσι[c] καθ' ὃ καὶ Ἀβραὰμ καὶ Ἰσαὰκ καὶ Ἰακὼβ ἀκούει Θεός, ὁ Θεός, ὡς οὐ νεκρῶν Θεὸς ἀλλὰ ζώντων[d]. Ἀρετὴν δὲ ἐπαινῶν Θεὸν ἐπαινέσομαι παρ' οὗ τοῖς ἀνθρώποις ἡ ἀρετὴ καὶ τὸ πρὸς αὐτὸν ἀνάγεσθαι ἢ ἐπανάγεσθαι διὰ τῆς συγγενοῦς ἡμῖν ἐλλάμψεως. Πολλῶν γὰρ ὄντων ἡμῖν
10 καὶ μεγάλων οὐ μὲν οὖν εἴποι τις ἂν ἡλίκων καὶ ὅσων ὧν ἐκ Θεοῦ ἔχομέν τε καὶ ἕξομεν, τοῦτο μέγιστον καὶ

Titulus εἰς AVSPC : ἐπιτάφιος λόγος εἰς B εἰς τὸν μέγαν Q Maur. εἰς τὸν ἅγιον WTD copt. *encomium quod pronuntiavit*, etc. ‖ ἀρχιεπίσκοπον SDC et copt. ‖ Ἀλεξανδρείας AWVSD : τῶν Ἀλεξανδρείων B > T + ἐπιτάφιος PC + λεχθεὶς ἐν Κωνσταντινουπόλει Q + ἐρρέθη ἐν Κωνσταντινουπόλει P

1, 2 ἐπαινεῖν : εἰπεῖν nP copt. sic se habet : *ille enim et virtus una res sunt* ‖ ἀρετὴν nos et copt. : + ἐπαινέσαι cod. ‖ 4 κατὰ θεόν : κατ' ἀρετὴν S ‖ ἐνθένδε : ἐντεῦθεν S ‖ 6 ὡς οὐ : οὐχί S ‖ 7 δ' C ‖ 9 τῆς > D ‖ ἡμῖν¹ > n

---

1. a. Gal. 2, 19. b. Éphés. 2, 5-6. c. Rom. 14, 8. d. Matth. 22, 32 ; Lc 20, 38.

---

1. L'éloge (ἔπαινος) est une espèce distincte de plusieurs genres littéraires, tels que l'encomion ou le panégyrique : cf. NICOLAS LE SOPHISTE, *Progymnasmata*, éd. L. Spengel, *Rhet. gr.*, III, p. 478, 10-27 ; MARTIN, *Rhetorik*, p. 177. Cf. KERTSCH, *Bildersprache*, p. 173, n. 4 ; et *D.* 43, 66.

DISCOURS 21

En l'honneur d'Athanase, évêque d'Alexandrie

1. Cet éloge d'Athanase sera un éloge de la vertu[1]; en effet, le louer c'est louer la vertu, parce qu'il avait réuni toutes les vertus dans sa personne — il serait assurément plus exact de dire qu'il les réunit encore, car ils restent toujours vivants[a] pour Dieu, tous ceux qui ont vécu selon Dieu[b], même s'ils ne sont plus de ce monde[c]; c'est ainsi que Dieu est dit le Dieu d'Abraham, d'Isaac et de Jacob, lui qui n'est pas le Dieu des morts, mais celui des vivants[d]. Et cet éloge de la vertu sera aussi un éloge de Dieu, qui est la source de la vertu des hommes et le principe de leur conversion ou plutôt de leur retour à lui grâce à l'illumination innée en nous[2]. Dieu nous accorde et nous accordera encore de nombreux et grands bienfaits dont nul ne

2. Sur l'illumination innée et son rôle dans l'épistémologie de Grégoire de Nazianze, voir la suite du même chapitre. Sur le mot ἔλλαμψις : H. Estienne, *Thesaurus*, III, 1885, col. 757, s.v. ἐλλάμπω ; et la Souda, s.v. ἐνθουσιασμός (« enthousiasme : lorsque l'âme est totalement illuminée ἐλλάμπεται par le dieu »). Sur le caractère inné, voir plus loin le chap. 2, et aussi Platon, *République*, X, 11, 611 e (éd. E. Chambry, VII, 2, p. 109) ; R. Gottwald, *De Gregorio platonico*, p. 39 et 44 (références à Plotin). Le thème est familier aux auteurs formés comme Grégoire par les maîtres athéniens : en 363, l'empereur Julien, dans les préceptes ascétiques qu'il donne aux prêtres païens, écrit : « Puisque toute âme, et principalement l'âme humaine a, plus que la pierre et la roche, de l'affinité et de la parenté avec les dieux, il est naturel qu'elle soit d'autant plus facilement et plus efficacement pénétrée par leur regard » (*Lettre* 89 [300 a], trad. J. Bidez, p. 167).

φιλανθρωπότατον ἡ πρὸς αὐτὸν νεῦσίς τε καὶ οἰκείωσις. Ὅπερ γάρ ἐστι τοῖς αἰσθητοῖς ἥλιος τοῦτο τοῖς νοητοῖς Θεός. Ὁ μὲν γὰρ τὸν ὁρώμενον φωτίζει κόσμον, ὁ δὲ τὸν
15 ἀόρατον · καὶ ὁ μὲν τὰς σωματικὰς ὄψεις ἡλιοειδεῖς, ὁ δὲ τὰς νοερὰς φύσεις θεοειδεῖς ἀπεργάζεται. Καὶ ὥσπερ οὗτος τοῖς τε ὁρῶσι καὶ τοῖς ὁρωμένοις τοῖς μὲν τὴν τοῦ ὁρᾶν
B τοῖς δὲ τὴν τοῦ ὁρᾶσθαι παρέχων δύναμιν, αὐτὸς τῶν ὁρωμένων ἐστὶ τὸ κάλλιστον · οὕτω Θεὸς τοῖς νοοῦσι καὶ
20 τοῖς νοουμένοις τοῖς μὲν τὸ νοεῖν τοῖς δὲ τὸ νοεῖσθαι δημιουργῶν αὐτὸς τῶν νοουμένων ἐστὶ τὸ ἀκρότατον εἰς ὃν πᾶσα ἔφεσις ἵσταται καὶ ὑπὲρ ὃν οὐδαμοῦ φέρεται. Οὐδὲ γὰρ ἔχει τι ὑψηλότερον ἢ ὅλως ἕξει οὐδὲ ὁ φιλοσοφώτατος νοῦς καὶ διαβατικώτατος ἢ πολυπραγμονέστατος.
25 Τοῦτο γάρ ἐστι τὸ τῶν ὀρεκτῶν ἔσχατον καὶ οὗ γενομένοις πάσης θεωρίας ἀνάπαυσις.

C **2.** Ὥτινι μὲν ἐξεγένετο διὰ λόγου καὶ θεωρίας διασχόντι τὴν ὕλην καὶ τὸ σαρκικὸν τοῦτο, εἴτε νέφος χρὴ λέγειν

1, 12 τε > S rest. S_2 mg. + *quae nostra est copt.* || 13 αἰσθητοῖς + *quae sunt res terrestres, sive sine anima sive anima praeditae* (quod videtur esse glossa) copt. || νοητοῖς + *quod sunt res spirituales* (quod videtur esse glossa) copt. || 16 add. copt. post φύσεις : *id est spiritus* (fortasse glossa inserta in versione) || 17 τοῖς² > SC || 19 post κάλλιστον lacuna copt. perierunt undecim folia, prope usque ad finem cap. XIV¹ || οὕτω > S || θεός > + καὶ S rest. S_2 || 23 ἔχει ABW || οὐδ' Qm || 24 καὶ + οὐδ' ὁ PC || 26 ἀνάπαυσιν S_2

---

1. Voir l'apparat crit. l. 12, la glose copte : « c'est-à-dire les êtres spirituels ». KERTSCH, *Bildersprache*, p. 139, n. 5 ; et références à MORESCHINI, *Platonismo*, p. 1369, etc.

2. Voir l'apparat crit. l. 16 : « c'est-à-dire les êtres terrestres inanimés ou vivants ». Cf. PLATON, *République*, VI, 19 : 508 c (éd. E. Chambry, Paris 1933, p. 137).

3. Application des principes qui rappellent l'allégorie « de la caverne » de PLATON, *République*, VI, 19, 508 a-e (éd. E. Chambry,

pourrait dresser l'inventaire ni faire le compte; or le plus important de ses bienfaits et celui qui manifeste le mieux sa bienveillance à l'égard des humains, c'est de nous attirer et de nous unir à lui.

Oui. Dieu joue dans le domaine des choses intelligibles[1] le rôle que le soleil joue dans le domaine des choses sensibles[2] : ce dernier éclaire le monde visible, Dieu, lui, le monde invisible; celui-là donne un aspect ensoleillé aux choses corporelles que l'on voit, celui-ci donne une perfection qui est une marque divine aux natures spirituelles[3]. Et comme le (soleil) est lui-même la suprême beauté de l'univers visible du fait qu'il procure à ceux qui voient la puissance de voir, et aux choses visibles la possibilité d'être vues, ainsi, dans l'univers intelligible, en donnant à ceux qui sont doués d'intelligence la puissance de l'esprit, et aux choses intelligibles la possibilité d'être saisies par l'esprit, Dieu se trouve lui-même au sommet de la catégorie des intelligibles; toute chose a sa finalité en Lui, sans le dépasser d'aucune manière, car l'esprit, même le plus savant et le plus sublime ou le plus ouvert, ne s'élève pas et ne s'élèvera d'aucune façon plus haut. Voilà, en effet, le terme suprême que l'on peut atteindre et ceux qui y sont arrivés y trouvent le repos d'une contemplation totale.

2. Heureux donc celui qui grâce à la raison et à la contemplation a pu renoncer à ce monde de la matière et de la chair — ce brouillard ou ce voile, peu importe

VII, 1, p. 137-138) ; Grégoire développe la même idée quasiment mot pour mot dans le *Discours* 28, 30 en se référant à « un auteur païen » (ἔφη τις τῶν ἀλλοτρίων *PG* 36, col. 69 A 9). Voir aussi R. Gottwald, *De Gregorio platonico*, p. 40-41, et les conclusions p. 48, où est souligné le caractère rhétorique des emprunts faits par Grégoire. Thèmes parallèles dans *Jn* 8, 12. Analyse dans Kertsch, *Bildersprache*, p. 125, et n. 3.

εἴτε προκάλυμμα, Θεῷ συγγενέσθαι καὶ τῷ ἀκραιφνεστάτῳ φωτὶ κραθῆναι καθόσον ἐφικτὸν ἀνθρωπίνῃ φύσει, μακάριος
5 οὗτος τῆς τε ἐντεῦθεν ἀναβάσεως καὶ τῆς ἐκεῖσε θεώσεως, ἣν τὸ γνησίως φιλοσοφῆσαι χαρίζεται καὶ τὸ ὑπὲρ τὴν ὑλικὴν δυάδα γενέσθαι διὰ τὴν ἐν τῇ Τριάδι νοουμένην ἑνότητα.

Ὅστις δὲ ὑπὸ τῆς συζυγίας χείρων ἐγένετο καὶ τοσοῦτον
10 τῷ πηλῷ συνεσχέθη ὡς μὴ δυνηθῆναι ἐμβλέψαι πρὸς τὰς τῆς ἀληθείας αὐγὰς μηδὲ ὑπὲρ τὰ κάτω γενέσθαι, γεγονὼς ἄνωθεν καὶ πρὸς τὰ ἄνω καλούμενος, ἄθλιος οὗτος ἐμοὶ τῆς τυφλώσεως κἂν εὐροῇ τοῖς ἐνταῦθα καὶ τοσούτῳ πλέον
D ὅσῳπερ ἂν μᾶλλον ὑπὸ τῆς εὐροίας παίζηται καὶ πείθηται
15 ἄλλο τι καλὸν εἶναι πρὸ τοῦ ὄντως καλοῦ, πονηρὸν πονηρᾶς δόξης καρπὸν δρεπόμενος ἢ ζόφον κατακριθῆναι ἢ ὡς πῦρ ἰδεῖν ὃν ὡς φῶς οὐκ ἐγνώρισεν.

1085 A **3.** Ταῦτα ὀλίγοις μὲν ἐφιλοσοφήθη, καὶ τῶν νῦν, καὶ τῶν πάλαι — ὀλίγοι γὰρ οἱ τοῦ Θεοῦ καὶ εἰ πάντες πλάσματα —, νομοθέταις, στρατηγοῖς, ἱερεῦσι, προφήταις, εὐαγγελισταῖς, ἀποστόλοις, ποιμέσι καὶ διδασκάλοις, παντὶ πνευματικῷ

2, 3 Θεῷ : διαπτύσαντι Θεῷ m || 4 καθ' ὅσον AQBWV || 5 ἐκεῖσε : notant Maur. nonnullos cod. habere ἐκεῖθεν || 9 δ' m || 10 βλέψαι m || 11 μηδ' ὑπὲρ Qm || 15 εἶναι : νομίζειν m || ὄντος WSDC

3, 2 εἰ καὶ Maur. || 3 ἱερεῦσι καὶ W || 4 καὶ > Maur.

---

1. Au sujet de l'idée de « s'unir à la lumière », il faut se souvenir que le mot grec συγγίγνομαι prend dans les Pères grecs un sens mystique qu'il a ici : cf. LAMPE, *Lexicon,* p. 1266, où la référence à Grégoire ne doit cependant pas être prise en considération. Se reporter aussi p. 111, n. 2. Cf. KERTSCH, *Bildersprache,* p. 190 ; et MORESCHINI, *Luce, passim.*

2. Lorsque la philosophie est conçue comme une ascèse et une perfection morale, ce qui est généralement le cas dans ce sermon et en général dans les Pères du IVe siècle, nous écrivons « philosophie », « philosophe » ou « philosophique » entre guillemets ; voir là-dessus l'étude de A.-M. MALINGREY, « *Philosophia* ». *Étude d'un groupe de mots dans la littérature grecque des Présocratiques au IVe siècle après J.-C.,* th., Paris 1961, p. 225-260 ; KERTSCH, *Bildersprache,* p. 47 ; p. 205, n. 5.

3. Sur les conceptions métaphysiques combinant les notions de

comme il faut l'appeler —, rencontrer Dieu et s'unir à la lumière absolument sans mélange, dans la mesure où celle-ci est accessible à la nature humaine[1] ! Heureux est-il de s'élever au-dessus de ce monde et de s'unir à Dieu dans l'autre monde! Cette grâce peut s'obtenir en menant une vie véritablement « philosophique »[2] et en arrivant à dépasser l'antagonisme propre à la nature matérielle grâce à l'unification que la Trinité permet de bien comprendre[3].

Mais quiconque, sous l'emprise de l'élément auquel il est uni, est devenu moins bon et s'est laissé enliser par le limon au point de ne plus pouvoir tourner ses regards vers les rayons lumineux de la vérité, ni s'élever au-dessus du niveau des choses inférieures, alors qu'il vient d'en-haut et qu'il est appelé à y retourner, malheureux est-il celui-là, à mon avis, à cause de son aveuglement, même s'il réussit dans les affaires de ce monde et d'autant plus qu'il est davantage le jouet du cours heureux des choses et qu'il est plus fermement convaincu qu'il existe un autre bien que le bien véritable! Pénible résultat d'une pénible erreur, il est condamné aux ténèbres ou à voir, sous forme de feu, celui qu'il n'aura pas reconnu comme lumière.

3. Un petit nombre parmi nos contemporains ainsi que parmi les Anciens se sont appliqués à la recherche de ces vérités — les hommes de Dieu restent, en effet, le petit nombre bien que tous soient ses créatures —, des hommes de loi, des hommes de guerre, des prêtres, des prophètes, des évangélistes, des apôtres, des pasteurs, des docteurs,

« l'unité », de la « dualité » et de la « trinité », spécialement dans les spéculations néoplatoniciennes et dans Grégoire de Nazianze, voir I. Draeseke, « Neuplatonisches in der Gregorios von Nazianz Trinitätslehre », dans *BZ* 15 (1906), p. 141-160 ; il y est fait état des commentaires de Maxime le Confesseur et de Jean Scot Érigène, notamment, sur le passage de Grégoire de Nazianze, *D.* 23, 8 (*PG* 35, col. 1160 C 9-11). Grégoire touche la même question notamment dans *D.* 29, 2 (*PG* 36, col. 76 A 9 - C 11), où il se réfère à ce propos aux théories philosophiques des écoles païennes.

5 πληρώματι καὶ συστήματι, ἐν δὲ τοῖς πᾶσι καὶ τῷ νῦν ἐπαινουμένῳ. Τίνας δὴ λέγω τούτους ; Οἷον τὸν Ἐνὼχ ἐκεῖνον, τὸν Νῶε, τὸν Ἀβραάμ, τὸν Ἰσαάκ, τὸν Ἰακώϐ, τοὺς δώδεκα Πατριάρχας, τὸν Μωσέα, τὸν Ἀαρών, τὸν Ἰησοῦν, τοὺς Κριτάς, τὸν Σαμουήλ, τὸν Δαϐίδ, τὸν
10 Σολομῶντα μέχρι τινός, τὸν Ἡλίαν, τὸν Ἐλισσαῖον, τοὺς πρὸ τῆς αἰχμαλωσίας Προφήτας, τοὺς μετὰ τὴν αἰχμαλωσίαν καὶ τὰ τελευταῖα δὴ ταῦτα τῇ τάξει, καὶ πρῶτα τῇ ἀληθείᾳ, ὅσα περὶ τὴν Χριστοῦ σάρκωσιν ἤτοι πρόσληψιν, τὸν πρὸ
B τοῦ φωτὸς λύχνον, τὴν πρὸ τοῦ Λόγου φωνήν, τὸν πρὸ
15 τοῦ Μεσίτου μεσίτην, μεσίτην Παλαιᾶς Διαθήκης καὶ Νέας, Ἰωάννην τὸν πάνυ, τοὺς Χριστοῦ Μαθητάς, τοὺς μετὰ Χριστὸν ἢ λαοῦ προκαθεσθέντας ἢ διὰ σημείων γνωρισθέντας ἢ διὰ λόγου φανερωθέντας ἢ τελειωθέντας δι' αἵματος.

4. Τούτων Ἀθανάσιος, τοῖς μὲν ἡμιλλήθη, τῶν δὲ μικρὸν ἀπελείφθη, ἔστι δὲ οὓς καὶ ὑπερέσχεν, εἰ μὴ τολμηρὸν εἰπεῖν · καὶ τῶν μὲν τὸν λόγον, τῶν δὲ τὴν πρᾶξιν, τῶν δὲ τὸ πρᾶον, τῶν δὲ τὸν ζῆλον, τῶν δὲ τοὺς κινδύνους, τῶν
5 δὲ τὰ πλείω, τῶν δὲ ἅπαντα μιμησάμενος καὶ ἄλλο ἀπ' ἄλλου
C κάλλος λαϐὼν ὥσπερ οἱ τὰς μορφὰς μεθ' ὑπερϐολῆς γράφοντες καὶ εἰς μίαν τὴν ἑαυτοῦ ψυχὴν συναγαγών, ἓν ἀρετῆς εἶδος ἐκ πάντων ἀπηκριϐώσατο, τοὺς μὲν ἐν λόγῳ δεινοὺς τῇ πράξει, τοὺς πρακτικοὺς δὲ τῷ λόγῳ νικήσας · εἰ βούλει
10 δέ, λόγῳ μὲν τοὺς εὐδοκίμους ἐν λόγῳ, πράξει δὲ τοὺς πρακτικωτάτους ὑπερϐαλών · καὶ τοὺς μὲν κατ' ἀμφότερα μέσως ἔχοντας, τῷ περὶ τὸ ἕτερον ὑπερϐάλλοντι · τοὺς δὲ

3, 8 Μωϋσέα CP[1] || 18 ἢ — φανερωθέντας > S rest. S_2 ante ἢ διὰ ... Maur.

4, 2 δὲ : δ' m || 5 δὲ[2] + τὰ Maur. || 9 καὶ εἰ SD_1C || 10 δὲ > SC || 12 ἕτερον : ἑκάτερον QC

1. Josué, fils de Nun : le grec dit « Jésus », cf. *La Septante*, éd. A. Rahlfs, Stuttgart 1965, I, p. 354-405, spécialement, *Jos.*, 1, 1 : « le Seigneur dit à Josué, fils de Nun... »

2. La traduction latine du P. J. de Billy (*PG* 35, col. 1085 B 7 :

l'ensemble des auteurs spirituels en général et surtout celui qui est le sujet de cet éloge. Qui sont donc ces personnages que j'évoque ? Il y a notamment le fameux Énoch, Noé, Abraham, Isaac, Jacob, les XII Patriarches, Moïse, Aaron, Josué[1], les Juges, Samuel, David, Salomon dans une certaine mesure, Élie, Élisée, les Prophètes antérieurs à l'Exil et ceux d'après l'Exil, et en fin de liste, mais en tête pour la vérité, ce qui a rapport avec la naissance du Christ fait chair, c'est-à-dire son incarnation, le luminaire précurseur de la lumière, la voix annonciatrice du Verbe, le médiateur qui précéda le Médiateur, médiateur entre l'Ancien et le Nouveau Testament, Jean, bien sûr, et puis les Disciples du Christ, ceux qui sont venus plus tard que le Christ, qui ont siégé à la tête du peuple, dont on a gardé le souvenir à cause de leurs miracles, qui se sont illustrés par leur doctrine[2] ou qui ont versé leur sang.

4. Athanase est de la classe de quelques-uns de ces personnages et il n'est que légèrement dépassé par quelques autres; si je l'osais, je dirais qu'il en a aussi dépassé quelques-uns. Il fut l'émule de la science des uns et de l'activité des autres, de la bonté de ceux-ci, du zèle de ceux-là et du martyre des autres. Imitant les uns pour le principal et totalement les autres, il prit à chacun ce qu'il avait de bon et en ayant fait la synthèse dans son âme, de la même manière que les dessinateurs insistent sur certains traits des figures représentées, il fixa dans un seul type de vertu tous les traits épars et surclassa les intellectuels par ses activités et les hommes d'action par sa science. Si l'on veut, il l'emportait dans le domaine théorique sur ceux qui étaient réputés dans ce domaine, dans le domaine pratique, sur ceux qui avaient le plus de sens pratique, et il se montrait supérieur par ses aptitudes dans l'un comme dans l'autre domaine à ceux qui tenaient le juste milieu dans chacun

qui ... per sermonem et doctrinam in conspicuum venerunt) rend compte de la richesse du sens de λόγου (parole, discours, écrit, doctrine, raison).

καθ' ἕτερον ἄκρους, τοῖς ἀμφοτέροις παραδραμών. Καὶ εἰ
μέγα τοῖς προλαβοῦσι, τὸ παράδειγμα τούτῳ γενέσθαι τῆς
15 ἀρετῆς, οὐχ ἧττον εἰς εὐφημίαν τῷ ἡμετέρῳ καλῷ τὸ τοῖς
μετ' αὐτὸν γενέσθαι παράδειγμα.

D **5.** Πάντα μὲν δὴ τὰ ἐκείνου λέγειν τε καὶ θαυμάζειν
μακρότερον ἂν εἴη τυχὸν ἢ κατὰ τὴν παροῦσαν ὁρμὴν τοῦ
λόγου καὶ ἱστορίας ἔργον, οὐκ εὐφημίας · ἃ καὶ ἰδίᾳ παρα-
4 δοῦναι γραφῇ παίδευμά τε καὶ ἥδυσμα τοῖς εἰς ὕστερον,
1088 A εὐχῆς ἔργον ἐμοί, ὥσπερ ὃν ἐκεῖνος Ἀντωνίου τοῦ θείου
βίον συνέγραψε, τοῦ μοναδικοῦ βίου νομοθεσίαν, ἐν πλάσματι
διηγήσεως. Ὀλίγα δὲ ἐκ πολλῶν τῶν ἐκείνου διεξελθόντες
καὶ ὅσα σχεδιάζει ἡμῖν ἡ μνήμη ὡς γνωριμώτερα, ἵνα τόν
τε ὑμέτερον ἀφοσιωσώμεθα πόθον καὶ τῇ πανηγύρει τὸ
10 εἰκὸς ἐκπληρώσωμεν, τὰ πλείω τοῖς εἰδόσι παρήσομεν. Οὐδὲ
γὰρ ἄλλως ὅσιον, οὐδὲ ἀσφαλές, ἀσεβῶν μὲν βίους τιμᾶσθαι
ταῖς μνήμαις, τοὺς δὲ εὐσεβείᾳ διενεγκόντας, σιωπῇ παρα-
πέμψασθαι · καὶ ταῦτα ἐν πόλει ἣν μόλις ἂν καὶ πολλὰ

5, 1 δὴ > T || 2 εἴη > S || 4 εἰς > VC || 8 ἡμῖν : νῦν ἡμῖν QVm ἡμῖν νῦν Maur. || 9 ἡμέτερον S_1 Maur. || 10 παρήσωμεν C || 11 οὐδὲ : οὐδ' m || 12 δ' PC || παραπέμπεσθαι m || 13 ἐν πόλει nSP_1 : εἰς πόλιν DP_2C

1. Grégoire recourt ici à un procédé familier de la seconde sophistique, la syncrisis ou mise en parallèle, qui se prête à divers développements, notamment ici à l'éloge hyperbolique ; sous cette forme, il est un lieu commun des panégyriques, où l'on met volontiers son héros en parallèle avec d'autres personnages dont l'exemple fait autorité dans le milieu auquel on s'adresse, et l'on dit ensuite que la personne dont on fait l'éloge les dépassait tous : dans l'éloge de Basile, *D.* 43, 70-76 (éd. F. Boulenger, p. 208-220), on trouve un pendant des chap. 3 et 4 du *D.* 21 ; on en trouve d'analogues dans l'éloge de Grégoire le père : *D.* 18, 14 et 15 (*PG* 35, col. 1001 B 13 -

des deux domaines à la fois; quant à ceux qui étaient des sommités dans un seul des deux domaines, il les dépassait des deux côtés à la fois. Si ses devanciers ont eu le grand mérite de lui servir d'exemple de vertu, il sert à son tour d'exemple aux générations qui le suivent et ce fait n'est pas un moindre titre de notre héros à mériter nos louanges[1].

5. Aussi proposer tous les détails de sa vie à l'admiration dépasserait sans doute les limites de ce que j'entreprends ici; ce serait un ouvrage historique plutôt que des louanges. Si l'on écrivait tout cela, ce serait un livre instructif et agréable pour la postérité et je souhaiterais le faire comme lui-même écrivit la vie du divin Antoine en guise de règle monastique présentée sous forme de récit[2]. Mais, afin de satisfaire votre désir et de remplir les devoirs qui s'imposent à l'occasion de cette fête solennelle, nous ne vous exposerons que quelques souvenirs choisis parmi le grand nombre de ceux qu'on a gardés de lui, en nous limitant à ceux que notre mémoire a retenus comme plus dignes d'attention. Nous laisserons le reste à ceux qui le connaissent. D'autre part, il ne serait ni pieux ni prudent d'ensevelir dans le silence ceux qui ont vécu chrétiennement alors que la vie des païens est honorée par des festivités organisées à leur mémoire, spécialement dans la Ville que des exemples de vertu même nombreux pourraient à peine

1004 B 5). Toutes ces syncrisis ne sont pas aussi hyperboliques et aussi outrancières que celle que nous lisons ici ; mais, il semble que le public à qui Grégoire s'adresse supportait les amplifications de ce genre : cf. Alexandre le Sophiste, *De figuris*, éd. L. Spengel, *Rhetores graeci*, III, p. 37, 15-29 ; et R. Volkmann, *Die Rhetorik der Griechen und Römer...*, Leipzig, 2e éd., 1885, p. 480.

2. Athanase en fait lui-même la remarque dans le prologue de la *Vie d'Antoine* (*PG* 26, col. 837 A 1 - B 12). Voir l'exégèse de ce passage dans l'introduction.

τῆς ἀρετῆς ὑποδείγματα σώσειεν, ὥσπερ τοὺς ἱππικοὺς καὶ
15 τὰ θέατρα, οὕτω δὴ καὶ τὰ θεῖα παίζουσαν.

B **6.** Ἐκεῖνος ἐτράφη μὲν εὐθὺς ἐν τοῖς θείοις ἤθεσι καὶ
παιδεύμασιν, ὀλίγα τῶν ἐγκυκλίων φιλοσοφήσας τοῦ μὴ
δοκεῖν παντάπασι τῶν τοιούτων ἀπείρως ἔχειν μηδὲ ἀγνοεῖν
ὧν ὑπεριδεῖν ἐδοκίμασεν. Οὐδὲ γὰρ ἠνέσχετο τὸ τῆς ψυχῆς
5 εὐγενὲς καὶ φιλότιμον ἐν τοῖς ματαίοις ἀσχοληθῆναι, οὐδὲ
ταὐτὸν παθεῖν τῶν ἀθλητῶν τοῖς ἀπείροις, οἳ τὸν ἀέρα
πλείω παίοντες ἢ τὰ σώματα, τῶν ἄθλων ἀποτυγχάνουσι.
Καὶ πᾶσαν μὲν Παλαιὰν Βίβλον, πᾶσαν δὲ Νέαν ἐκμελετήσας,
ὡς οὐδὲ μίαν ἕτερος, πλουτεῖ μὲν θεωρίαν, πλουτεῖ δὲ βίου
10 λαμπρότητα καὶ πλέκει θαυμασίως ἀμφότερα, τὴν χρυσῆν
ὄντως σειρὰν καὶ τοῖς πολλοῖς ἄπλοκον, βίῳ μὲν ὁδηγῷ
θεωρίας, θεωρίᾳ δὲ σφραγῖδι βίου χρησάμενος. Ἀρχή τε
γὰρ σοφίας φόβος Κυρίου[a], οἷόν τι πρῶτον σπάργανον·

5, 15 δὴ : δέ ABWVT
6, 3 μηδὲ : μηδ' m || 10 λαμπρότητα : τερπνότητα D

---

6. a. Cf. Prov. 1, 7 ; 4, 7 ; Eccl. 1, 16 ; Ps. 110, 10.

---

1. L'esprit caustique n'épargnait pas la religion dans les œuvres de Lucien de Samosate, qui, au deuxième siècle déjà, exerçait sa verve contre toutes les formes de croyances et de crédulité, sur un ton tantôt gai tantôt amer, selon l'humeur toujours moqueuse de son inspiration ; le christianisme n'est pas négligé dans cette littérature humoristique, cf. Lucien, *La mort de Pérégrinus*, etc. A l'époque de Grégoire de Nazianze, Libanius atteste le goût de ses contemporains pour les mises en question, et l'inquiétude d'esprit des intellectuels païens. Il semble que l'on prenait conscience d'une profonde transformation religieuse qui s'opérait. Cf. Libanius, *Oratio* 53, *De festorum invitationibus, passim.*

2. Il semble qu'Athanase possédait un tempérament radical de propagandiste. L'intransigeance de son caractère doit-elle aussi quelque chose à son éducation ? Basile de Césarée met les chrétiens en garde contre les dangers d'une éducation « profane » : « C'est une honte, en effet, que parmi les aliments, on repousse ceux qui nous sont nuisibles, et qu'on ne tienne aucun compte des sciences qui sont les aliments de l'âme... » : *Aux jeunes gens*, 8 (éd. F. Boulenger,

sauver et qui, comme on sait, fait même des choses de la religion un objet de divertissement comme celles du cirque ou des théâtres[1].

6. La première éducation que reçut notre héros le forma à la morale et aux sciences religieuses; il avait étudié les éléments des sciences profanes juste assez pour éviter d'avoir l'air tout à fait perdu et même ignorant dans les matières qu'il avait résolu de mépriser[2]. En effet, il trouvait même intolérable d'amuser son esprit noble et hautain à de vaines études et de subir le même sort que les athlètes peu expérimentés qui frappent l'air plus qu'ils ne frappent leurs adversaires et qui voient la victoire leur échapper. Il avait étudié l'ensemble de l'Ancien et du Nouveau Testament aussi sérieusement qu'aucun autre n'en a même étudié un seul[3]. Aussi richement doué du point de vue intellectuel que brillant dans la vie pratique, il combine étonnamment ces deux domaines ensemble comme les deux brins entrelacés d'un véritable câble d'or, ce qui n'est pas à la portée du grand nombre : la vie pratique guidait sa contemplation et la contemplation marquait sa vie pratique de son empreinte. Le principe de la sagesse et comme son premier berceau est, en effet, la crainte du Seigneur[a]; et la sagesse,

Paris 1952, p. 52, 1-5). L'empereur Julien, de son côté, prône une méfiance analogue vis-à-vis de la culture profane et de ses « frivolités », contre lesquelles il met en garde ceux qui remplissent des fonctions religieuses dans les cultes païens : *Lettre* 89 (éd. J. Bidez, Paris 1924, p. 168, 10 - 169, 24). Grégoire de Nazianze avait fréquenté les hautes écoles d'Alexandrie et, avec Basile, avait étudié ensuite à Athènes : *D.* 43, 14-24 (*PG* 36, col. 513 A 1 - 529 B 14) ; il se flatte d'y avoir acquis « une pleine cargaison de science du moins dans la mesure accessible à la nature humaine ». Cf. Kertsch, *Bildersprache*, p. 207, et n. 5 : passages parallèles dans Galien et dans Aristote, et bibliographie.

3. Les œuvres d'Athanase consacrées à l'exégèse biblique sont connues par des fragments repérés dans des chaînes : Geerard, *Clavis*, III, n° 2140 et 2141, p. 28-31.

C καὶ σοφία τὸν φόβον ὑπερβᾶσα καὶ εἰς τὴν ἀγάπην ἀναβι-
15 βάσασα, Θεοῦ φίλους ἡμᾶς καὶ υἱοὺς ἀντὶ δούλων[b] ἐργάζεται.

7. Τραφεὶς δὲ οὕτω καὶ παιδευθείς, ὡς ἔδει γε καὶ νῦν τοὺς λαοῦ προστήσεσθαι μέλλοντας καὶ τὸ μέγα Χριστοῦ σῶμα μεταχειρίζεσθαι κατὰ τὴν μεγάλην τοῦ Θεοῦ βουλήν τε καὶ πρόγνωσιν ἣ πόρρωθεν καταβάλλεται τῶν μεγάλων
5 πραγμάτων τὰς ὑποθέσεις, τῷ μεγάλῳ βήματι τούτῳ ἐγκαταλέγεται καὶ τῶν ἐγγιζόντων εἷς τῷ ἐγγίζοντι Θεῷ γίνεται καὶ τῆς ἱερᾶς ἀξιοῦται στάσεώς τε καὶ τάξεως
D καὶ πᾶσαν τὴν τῶν βαθμῶν ἀκολουθίαν διεξελθών, ἵνα τὰ ἐν μέσῳ συντέμω, τὴν τοῦ λαοῦ προεδρίαν πιστεύεται,
10 ταυτὸν δὲ εἰπεῖν, τῆς οἰκουμένης πάσης ἐπιστασίαν.

Καὶ οὐκ ἔχω λέγειν πότερον ἀρετῆς ἆθλον ἢ τῆς Ἐκκλησίας πηγὴν καὶ ζωήν, τὴν ἱερωσύνην λαμβάνει. Ἔδει γὰρ ἐκλείπουσαν ταύτην τῷ δίψει τῆς ἀληθείας, ὥσπερ τὸν Ἰσμαήλ[a],
1089 A ποτισθῆναι ἤ, ὥσπερ Ἡλίαν[b], ἐκ τοῦ χειμάρρου, κατεψυγμέ-
15 νης ἀνομβρίᾳ τῆς γῆς ἀναψύξαι καὶ μικρὰ πνέουσαν ἀναζωοποιηθῆναι καὶ σπέρμα τῷ Ἰσραὴλ ὑπολειφθῆναι, ἵνα μὴ γενώμεθα ὡς Σόδομα καὶ Γόμορρα ὧν περιβόητος

7, 1 δ' m ‖ 2 τοὺς : τοῦ S_1 ‖ μέλλοντος S ‖ 10 ταυτὸν QBV DPC : ταὐτὸν WAT τ' αὐτὸν S ‖ δ' m ‖ ἁπάσης m ‖ 14 ὥσπερ + τὸν m Maur. ‖ 14 κατεψυγμένην SC ‖ 15 τὴν γὴν SC ‖ πνέουσα C ‖ 17 Γόμορρα : τὰ γόμορρας πάθωμεν SDP_2C ὅς (quod videtur scribi pro ὡς) γόμορρα (πάθωμεν, ut suspicari potest) P_1

6. b. Cf. Rom. 8, 15-23 ; Gal. 4, 5-7 ; Jn 15, 15.
7. a. Cf. Gen. 21, 14-21. b. Cf. III Rois 17, 1-10.

1. Note des Mauristes : « Le corps du Christ », soit l'Église dont le Christ est comme la tête, soit l'eucharistie. Le thème des exigences de la théologie et des aptitudes du théologien fait l'objet du *D.* 20.
2. L'allusion à l'Église universelle se rapporte peut-être au décret

quand elle a dépassé la crainte et qu'elle s'est élevée jusqu'à l'amour, fait de nous les amis et les fils de Dieu au lieu des esclaves que nous étions[b].

7. On l'avait éduqué et instruit comme devraient l'être, de nos jours encore, ceux que Dieu, dans la grandeur de sa volonté et de sa prescience qui préparent à l'avance les fondements des grandes choses, destine à prendre la direction du peuple et à tenir entre leurs mains le corps du Christ dans sa grandeur[1]. Il est choisi pour servir ce grand autel, il devient l'un de ceux qui s'approchent du Dieu qui s'approche de nous et on l'élève à la dignité du rang et de l'ordre sacerdotal. Bref il gravit l'un après l'autre tous les degrés de la hiérarchie et se voit confier la préséance sur le peuple, c'est-à-dire la responsabilité de l'Église universelle[2].

Reçoit-il le sacerdoce comme une récompense de sa vertu plutôt que comme une source qui vivifie l'Église ? Il m'est impossible de le dire. Il fallait désaltérer, comme Ismaël, cette Église altérée par la soif de la vérité[a], la réconforter, comme Élie, avec l'eau d'un torrent au moment où la terre avait été épuisée par une sécheresse[b], la ranimer au moment où elle était à bout de souffle et laisser un germe à Israël pour éviter que nous n'ayons le sort de Sodome ou celui de Gomorrhe, dont la malice fut célèbre et plus

des empereurs Gratien, Valentinien et Théodose prescrivant à tous les sujets de l'empire d'accepter la doctrine de Nicée telle qu'elle était enseignée par les papes Damase, de Rome, et Pierre, d'Alexandrie : 28 février 380 (*Cod. theodos.*, XVI, 1, 2 : éd. Th. Mommsen, Berlin 1904, II, p. 833). On ne connaît pas d'acte officiel du même genre sur lequel Athanase aurait pu asseoir des prétentions ou des « responsabilités » universelles dans le domaine ecclésiastique. L'anachronisme est une manière de *captatio benevolentiae* à l'égard des Alexandrins (voir notre Introduction, p. 91).

μὲν ἡ κακία, περιβοητοτέρα δὲ ἡ ἀπώλεια, πυρὶ καὶ θείῳ κατακλυσθέντων[c]. Διὰ τοῦτο ἠγέρθη κέρας σωτηρίας[d] ἡμῖν
20 ἤδη κειμένοις καὶ λίθος ἀκρογωνιαῖος[e], συνδέων ἑαυτῷ τε καὶ ἀλλήλοις ἡμᾶς, ἐνεβλήθη κατὰ καιρόν, ἢ πῦρ καθαρτήριον τῆς φαύλης ὕλης καὶ μοχθηρᾶς[f], ἢ πτύον γεωργικόν[g], ᾧ τὸ κοῦφον τῶν δογμάτων καὶ τὸ βαρὺ διακρίνεται, ἢ μάχαιρα[h] τὰς τῆς κακίας ῥίζας ἐκτέμνουσα · καὶ ὁ Λόγος εὑρίσκει
25 τὸν ἑαυτοῦ σύμμαχον καὶ τὸ Πνεῦμα καταλαμβάνει τὸν ὑπὲρ αὐτοῦ πνεύσοντα.

B **8.** Οὕτω μὲν οὖν καὶ διὰ ταῦτα, ψήφῳ τοῦ λαοῦ παντός, οὐ κατὰ τὸν ὕστερον νικήσαντα πονηρὸν τύπον, οὐδὲ φονικῶς τε καὶ τυραννικῶς ἀλλ' ἀποστολικῶς τε καὶ πνευματικῶς ἐπὶ τὸν Μάρκου θρόνον ἀνάγεται, οὐχ ἧττον τῆς εὐσεβείας
5 ἢ τῆς προεδρίας διάδοχος · τῇ μὲν γὰρ πολλοστὸς ἀπ' ἐκείνου, τῇ δὲ εὐθὺς μετ' ἐκεῖνον εὑρίσκεται · ἣν δὴ καὶ κυρίως ὑποληπτέον διαδοχήν. Τὸ μὲν γὰρ ὁμόγνωμον καὶ ὁμόθρονον, τὸ δὲ ἀντίδοξον καὶ ἀντίθρονον · καὶ ἡ μὲν προσηγορίαν, ἡ δὲ ἀλήθειαν ἔχει διαδοχῆς.

10 Οὐ γὰρ ὁ βιασάμενος, ἀλλ' ὁ βιασθεὶς διάδοχος · οὐδὲ ὁ παρανομήσας, ἀλλ' ὁ προβληθεὶς ἐννόμως · οὐδὲ ὁ τἀναντία
C δοξάζων, ἀλλ' ὁ τῆς αὐτῆς πίστεως · εἰ μὴ οὕτω τις λέγοι

7, 18 δ' m ‖ 19 κατακλυσθέντων : notant Maur. κατακαυσθέντων legi in nonnullis cod. ‖ 20 ἤδη κειμένοις : ἠδικημένοις Q ‖ συνδήσων SP_1C

8, 2 οὐδέ : οὔτε ABW ‖ 6 δέ : δ' D ‖ 7 ὑπολειπτέον S ‖ 8 δ' m ‖ 8-9 προσηγορίαν... ἀλήθειαν : προσηγορία... ἀλήθεια notant Maur. legi in *cod. Paris. gr.* 512 ‖ 9 δ' D ‖ ἔχῃ A ‖ 10 οὐδὲ : οὐδ' m ‖ 11 οὐδ' m ‖ 12 τις λέγοι n : λέγοι τις $SDPC_2$ λέγει τις C_1

---

7. c. Cf. Deut. 29, 22. d. Ps. 17, 3 ; Lc 1, 69. e. Éphes. 2, 20 ; I Pierre 2, 6. f. Mal. 3, 2-3. g. Matth. 3, 12 ; Lc 3, 17. h. Hébr. 4, 12.

---

1. Kertsch, *Bildersprache*, p. 1-149 : analyse la manière de traiter l'image de l'eau, de la source et du torrent dans les œuvres de Grégoire ; le thème du « torrent spirituel » : p. 99-100 (avec analyse de ce ch. 7) et p. 147.

célèbre encore la destruction dans les torrents de feu et de soufre qui les avaient ensevelies[c][1].

C'est pourquoi il se dressa comme une corne de salut[d], alors que nous gisions déjà à terre; il prit sa place au moment opportun comme une clé de voûte[e] qui nous unissait les uns aux autres et à lui-même; comme un feu, il purifiait la matière malsaine et perverse[f]; comme la pelle à vanner[g] d'un cultivateur, il séparait la bale du bon grain des doctrines, ou, comme une épée[h], il tranchait les racines du vice. Le Verbe trouve en lui son allié et l'Esprit vient l'inspirer : il ne respirera plus que pour lui.

8. Voilà comment et pour quelles raisons il est élevé au trône de S. Marc par les suffrages du peuple unanime[2], non selon la méthode malhonnête qui s'est imposée plus tard sans recours au crime ni aux abus de pouvoir, d'une manière apostolique et spirituelle. Il fut l'héritier de la piété autant que de la dignité de S. Marc, car en ce qui concerne celle-ci, on peut dire que beaucoup de temps les sépare ; mais, pour la piété, il a été son successeur immédiat. Et c'est, bien sûr, ce qu'il faut considérer comme une véritable succession. Pour être un légitime successeur, il faut défendre la même doctrine. Ceux qui soutiennent des dogmes opposés s'opposent à leurs prédécesseurs : dans ce cas, on n'hérite que du titre de son prédécesseur tandis que dans l'autre, on lui succède réellement.

Le successeur n'est pas celui qui s'impose de force, mais celui qui souffre violence ; ce n'est pas celui qui viole les lois, mais celui qui est légalement promu ; ce n'est pas l'adepte de doctrines contraires, mais celui qui partage la même foi. A moins qu'on ne veuille

2. Le 17 juin 328. Dans la *Lettre* 79, 6 (éd. et trad. P. Gallay, I, Paris 1964, p. 101), le suffrage populaire intervient dans une autre promotion épiscopale.

διάδοχον, ὡς νόσον ὑγιείας καὶ φωτὸς σκότος καὶ ζάλην γαλήνης καὶ συνέσεως ἔκστασιν.

9. Ἐπεὶ δὲ οὕτω προβάλλεται, οὕτω καὶ τὴν ἀρχὴν διατίθεται. Οὐ γὰρ ὁμοῦ τε καταλαμβάνει τὸν θρόνον, ὥσπερ οἱ τυραννίδα τινὰ ἢ κληρονομίαν παρὰ δόξαν ἁρπάσαντες, καὶ ὑβρίζει διὰ τὸν κόρον. Ταῦτα γὰρ τῶν νόθων 5 καὶ παρεγγράπτων ἱερέων ἐστὶ καὶ τοῦ ἐπαγγέλματος ἀναξίων, οἳ μηδὲν τῇ ἱερωσύνῃ προεισενεγκόντες, μηδὲ τοῦ καλοῦ προταλαιπωρήσαντες, ὁμοῦ τε μαθηταὶ καὶ διδάσκαλοι τῆς εὐσεβείας ἀναδείκνυνται καὶ πρὶν καθαρθῆναι καθαίρουσι· χθὲς ἱερόσυλοι, καὶ σήμερον ἱερεῖς· χθὲς τῶν 10 ἁγίων ἔξω, καὶ μυσταγωγοὶ σήμερον· παλαιοὶ τὴν κακίαν, 1092 A καὶ σχέδιοι τὴν εὐσέβειαν· ὃ ἔργον χάριτος ἀνθρωπίνης, οὐ τῆς τοῦ Πνεύματος.

Οἵ, ὅταν πάντα διεξέλθωσι βιαζόμενοι, τελευταῖον τυραννοῦσι καὶ τὴν εὐσέβειαν· ὧν οὐχ ὁ τρόπος τὸν βαθμόν, 15 ὁ βαθμὸς δὲ τὸν τρόπον πιστεύεται, παρὰ πολὺ τῆς τάξεως ἐναλλαττομένης· οἳ πλείους ὑπὲρ ἑαυτῶν ἢ τῶν τοῦ λαοῦ ἀγνοημάτων τὰς θυσίας ὀφείλουσι[a]· καὶ πάντως τῶν δύο τὸ ἕτερον ἁμαρτάνουσιν ἢ τῷ δεῖσθαι συγγνώμης, ἄμετρα συγγινώσκοντες, ὡς ἂν μήτε ἀνακόπτοιτο κακία, ἀλλὰ καὶ 20 διδάσκοιτο, ἢ τῇ τραχύτητι τῆς ἀρχῆς τὰ ἑαυτῶν συγκαλύπτοντες.

8, 13 διαδοχήν SPC ‖ ὑγεῖας ABWVT
9, 6 τῇ > W ‖ προεισενεγκάντες SPC ‖ 6-7 μηδὲ — προταλαιπωρήσαντες > S rest. S_2 ‖ 10 σήμερον μυσταγωγοί m ‖ 11 αὐτοσχέδιοι C et vid. S_1P_1 ‖ ὃ > C ‖ 12 τῆς > DC ‖ 15 παρὰ : καὶ παρὰ TS ‖ 16 ἐλλατομένης (sic) S ‖ 17 δύω QC ‖ 18 τῷ : τὸ SD ‖ 19 ἀλλὰ > SP_1C_1 ‖ 20 ἀποδιδάσκοιτο SP_1C_1

9. a. Cf. Hébr. 9, 7 ; et 7, 1 - 10, 18 : *passim*.

1. Sur les antinomies familières au style de la seconde sophistique, et notamment sur ce passage, cf. KERTSCH, *Bildersprache*, p. 153.
2. Lieux communs des reproches de Grégoire à ses collègues :

peut-être parler de succession comme nous disons que la maladie succède à la santé, les ténèbres à la lumière, la tempête au calme et la folie à la sagesse[1].

9. Il va exercer son autorité de la même manière qu'il l'a reçue. Dès l'instant où il est parvenu sur le trône, il ne fait pas comme ceux qui ont réussi contre toute attente à s'emparer du pouvoir ou à mettre la main sur un héritage : il ne se laisse pas aller à l'arrogance à cause de l'opulence qui l'entoure. Cette conduite est celle des prêtres illégitimes et usurpateurs, indignes de leur vocation. Sans s'être préparés au sacerdoce ni même avoir rien fait pour la bonne cause, ils se découvrent d'un seul coup disciples et maîtres de piété; ils ont à corriger les autres avant de s'être corrigés eux-mêmes; ils étaient hier encore sacrilèges et aujourd'hui ils sont prêtres; ils étaient hier exclus des saints mystères et aujourd'hui ils y initient les autres; ils ont vieilli dans le vice et sont novices dans la piété[2]. C'est là l'effet de la faveur humaine, non de la grâce de l'Esprit.

Ces gens-là, après s'être imposés partout par la force, finissent par traiter même la religion en despotes. Leur conduite ne fait pas honneur à leur rang, mais leur rang sert de caution à leur conduite. C'est presque le monde à l'envers! Ils ont plus de sacrifices à offrir pour eux-mêmes que pour les fautes d'ignorance du peuple[a] et, tout compte fait, ils n'échappent pas à ce dilemme : ou bien ils manifestent une indulgence sans mesure à l'égard d'autrui parce qu'ils ont besoin qu'on les traite eux-mêmes avec indulgence, de sorte qu'ils enseignent le vice au lieu de le réprimer, ou bien, au contraire, ils masquent leur propre conduite derrière la rigueur de leur autorité.

cf. *De vita sua*, v. 1703-1718 (éd. Ch. Jungck, p. 137-138) ; *D.* 42, 18 (*PG* 36, col. 480 B 5-8) ; *Carmina*, II, 1, 12, v. 393-395 (*PG* 37, col. 1194), et 396-452 (*id.*, col. 1195-1198) ; 13, v. 5-11 (*PG* 37, col. 1227-1228).

Ὧν οὐδέτερον ἐκεῖνος · ἀλλ' ἦν ὑψηλὸς μὲν τοῖς ἔργοις, ταπεινὸς δὲ τῷ φρονήματι · καὶ τὴν μὲν ἀρετὴν ἀπρόσιτος, τὴν ἐντυχίαν δὲ καὶ λίαν εὐπρόσιτος, πρᾶος, ἀόργητος,
25 συμπαθής, ἡδὺς τὸν λόγον, ἡδίων τὸν τρόπον, ἀγγελικὸς
B τὸ εἶδος, ἀγγελικώτερος τὴν διάνοιαν, ἐπιτιμῆσαι γαληνῶς, ἐπαινέσαι παιδευτικῶς, καὶ μηδέτερον τῶν καλῶν τῇ ἀμετρίᾳ λυμήνασθαι ἀλλὰ ποιῆσαι καὶ τὴν ἐπιτίμησιν πατρικὴν καὶ τὸν ἔπαινον ἀρχικόν, μήτε τὸ ἁπαλὸν ἔκλυτον,
30 μήτε στυφὸν τὸ αὐστηρόν, ἀλλὰ τὸ μὲν ἐπιείκειαν, τὸ δὲ φρόνησιν, καὶ φιλοσοφίαν ἀμφότερα · ἐλάχιστα μὲν λόγου διὰ τὸν τρόπον δεόμενος ἀρκοῦντα πρὸς παιδαγωγίαν · ἐλάχιστα δὲ ῥάβδου διὰ τὸν λόγον · ἔτι δὲ ἐλάττω τομῆς διὰ τὴν ῥάβδον μετρίως πλήττουσαν[b].

C **10.** Τί ἂν ὑμῖν ἀναζωγραφοίην τὸν ἄνδρα ; Παῦλος προλαβὼν ἔγραψε · τοῦτο μὲν ἐν οἷς τὸν ἀρχιερέα τὸν μέγαν, τὸν διεληλυθότα τοὺς οὐρανοὺς ἀνυμνεῖ — τολμήσει γάρ μοι καὶ μέχρι τούτων ὁ λόγος, ἐπειδὴ Χριστοὺς οἶδε
5 τοὺς ζῶντας κατὰ Χριστόν — · τοῦτο δὲ ἐν οἷς Τιμοθέῳ πρὸς αὐτὸν γράφων νομοθετεῖ[a], τυπῶν τῷ λόγῳ τὸν ἐπισκοπῆς προστησόμενον. Εἰ γὰρ ὡς κανόνα τὸν νόμον παραθείης τῷ ταῦτα ἐπαινουμένῳ, γνώσῃ σαφῶς τὴν εὐθύτητα.

9, 22 ὑψηλὸς : ψηλός V ‖ 24 ἐντυχίαν QBWVTD : συντυχίαν SPC (periit propter lacunam in A) ‖ 25-26 ἀγγελικὸς τὸ εἶδος AQBVTS DC : > W_1, rest. W_2 ἀγγελικῶς P_1 ἀγγελικά P_2 ‖ 26 γαληνός Q_1TSD_1 Maur. ‖ 27 παιδευτικός Q_1TSD_1 Maur. ‖ 30 στυφόν Maur. : στῦφον AQWVTDPC στύφον BS

10, 1 ἄνδρα n PC : ἄνδρα ὧν S ἄνδρα ὃν D ‖ 3 μέγα S ‖ ἐληλυθότα S_1 ‖ 4 οἶδε+ καλεῖν ἡ γραφή Maur.

9. b. Cf. I Cor. 4, 21.

10. a. Cf. Hébr. 4, 14 ; etc. I Tim. 3, 1-7 ; et 4-6 : *passim.*

1. Grégoire, respectant en cela une habitude de la rhétorique du temps, désigne souvent les personnes et les lieux par des périphrases, plutôt que par des noms propres ; ce trait typique de la seconde

Athanase évitait cette alternative : lui s'élevait haut par ses actes, mais était modeste par ses pensées ; personne ne pouvait arriver au niveau de sa vertu, mais il était d'abord très facile, posé, calme, compréhensif; il avait un langage agréable et des manières plus agréables encore ; il avait l'air d'un ange et il était encore plus angélique dans ses pensées ; il réprimandait avec sérénité et félicitait pour corriger. Sans gâter l'une ou l'autre de ces deux bonnes choses par aucun excès, il faisait de la réprimande un geste paternel et de l'éloge un geste d'autorité. Sa douceur n'était pas du laisser-aller, mais de la sagesse; sa sévérité n'était pas acerbe, mais modérée; l'une et l'autre étaient de la « philosophie ». Sa manière de vivre était une leçon suffisante pour lui permettre de se contenter d'un minimum de paroles; ses paroles permettaient de ne pas faire fréquemment usage du bâton et, comme il n'y recourait que modérément, cela le dispensait plus souvent de trancher dans le vif[b].

10. Pourquoi vous ferais-je le portrait du personnage? Paul l'a fait d'avance par écrit. D'abord, dans les passages où il chante les louanges du Grand Prêtre qui a traversé les cieux — car je me permettrai cette audace de langage puisque l'Écriture regarde comme des Christ ceux qui vivent selon Jésus-Christ —, d'autre part, dans les passages de l'épître dans laquelle il donne ses instructions à Timothée en décrivant le modèle idéal du futur évêque[a]. En effet, si l'on compare les règles fixées ainsi (par S. Paul) avec celui dont nous faisons l'éloge, on verra clairement qu'il est en conformité avec elles[1].

sophistique dépare particulièrement le style des panégyriques : DELEHAYE, *Les Passions des martyrs et les genres littéraires*, Bruxelles 1921, p. 208-210. Un autre exemple, au début de ce ch. 10 : « le portrait du personnage » au lieu de « le portrait d'Athanase ».

Δεῦρο δὴ συμπανηγυρίσατέ μοι περὶ τὸν λόγον κάμνοντι
10 καὶ τὰ πλείω μὲν παρατρέχειν ἐθέλοντι, ἄλλοτε δὲ ὑπ' ἄλλου
κατεχομένῳ καὶ οὐκ ἔχοντι τὸ νικῶν εὑρεῖν, ὥσπερ ἐν
σώματι πανταχόθεν ἴσῳ τε καὶ καλῷ · ἀεὶ γάρ μοι τὸ
προσπεσὸν κάλλιον φαίνεται καὶ τοῦτο συναρπάζει τὸν
D λόγον. Δεῦρο οὖν μοι διέλεσθε τὰ ἐκείνου καλά, ὅσοι τῶν
15 ἐκείνου ἐπαινέται καὶ μάρτυρες καὶ ἀγῶνα καλὸν ἀγωνίσασθε
πρὸς ἀλλήλους, ἄνδρες ὁμοῦ καὶ γυναῖκες, νεανίσκοι καὶ
παρθένοι, πρεσβῦται μετὰ νεωτέρων, ἱερεῖς καὶ λαός, οἱ
μοναδικοὶ καὶ μιγάδες, οἱ τῆς ἁπλότητος καὶ τῆς ἀκριβείας,
1093 A ὅσοι τῆς θεωρίας καὶ ὅσοι τῆς πράξεως.
20 Ὁ μὲν ἐπαινείτω τὸ ἐν νηστείαις καὶ προσευχαῖς, οἷον
ἀσώματόν τε καὶ ἄϋλον · ὁ δὲ τὸ ἐν ἀγρυπνίαις καὶ ψαλμῳδίαις
εὔτονον καὶ ἀήττητον · ἄλλος τὸ ἐν προστασίᾳ τῶν δεομένων,
ἄλλος τὴν πρὸς τὸ ὑπερέχον ἀντιτυπίαν ἢ πρὸς τὸ ταπεινὸν
συγκατάβασιν. Αἱ παρθένοι, τὸν νυμφαγωγόν · αἱ ὑπὸ ζυγόν,
25 τὸν σωφρονιστήν · οἱ τῆς ἐρημίας, τὸν πτερωτήν · οἱ τῆς
ἐπιμιξίας, τὸν νομοθέτην · οἱ τῆς ἁπλότητος, τὸν ὁδηγόν ·
οἱ τῆς θεωρίας, τὸν θεολόγον · οἱ ἐν εὐθυμίαις, τὸν χαλινόν ·
οἱ ἐν συμφοραῖς, τὴν παράκλησιν · τὴν βακτηρίαν, ἡ πολιά ·

10, 10 μὲν πλείω Maur. || δ' DPC || 13 προσπεσών S || 14 διέλεσθαι SP || 17 πρεσβῦται : πρεσβύτεροι S_2PCQ, habet Q πρεσβῦται sicut variam lectionem mg || ἱερεῖς : οἱ ἱερεῖς DC || 22 προστασίαις P || 27 εὐθυμίᾳ m || 28 συμφορᾷ m

1. Suivant le *Synaxaire de Constantinople* (Delehaye, *Synaxarium*, col. 647-648, et col. 399), la tradition byzantine connaît deux fêtes solennisées d'Athanase, celle du 18 janvier et celle du 2 mai. Si l'on s'en rapporte aux synaxaires plus anciens dont il est fait état dans l'apparat critique de l'édition, la fête du 2 mai paraît avoir moins de chance d'être primitive (voir mss H et P de l'apparat). Suivant les collections des Seize sermons liturgiques de Grégoire, la fête du 18 janvier était apparemment seule célébrée au moment de la constitution de l'archétype des « collections de seize » (voir notre Introduction). De toute façon, comment et quand se sont fixées les

En avant donc, pour célébrer sa fête, secondez-moi car l'exposé que j'entreprends est difficile[1]; je voudrais abréger en omettant la plus grande partie, mais je reste indécis et il n'est pas possible de découvrir ce qui l'emporte sur le reste. Cela se passe comme lorsqu'il s'agit d'une beauté physique également parfaite sous tous rapports : à tout moment ce qui frappe mon attention paraît dépasser le reste et ce détail entraîne mon discours[2]. En avant donc, faites avec moi le tour de ses mérites, vous tous qui louez ses vertus, dont vous fûtes les témoins et qui rivalisez entre vous pour le bien! Hommes et femmes, jeunes gens et jeunes filles, gens âgés en compagnie des plus jeunes, prêtres et laïques, les solitaires et ceux qui vivent en communauté, ceux qui vivent simplement et ceux qui recherchent la perfection, les contemplatifs comme les gens d'action.

Que l'un vante le caractère quasiment incorporel et immatériel de ses jeûnes et prières; l'autre son endurance et sa ténacité dans les veillées et les psalmodies; un autre sa façon de s'occuper des indigents; un autre encore sa résistance au pouvoir ou sa condescendance à l'égard des petites gens. Que les vierges vénèrent leur guide, les femmes mariées celui qui leur enseigne la chasteté! Les ermites, celui qui leur donne les ailes de l'énergie! Ceux qui vivent en communauté, leur législateur! Les gens simples, leur guide, les spéculatifs, leur théologien! Ceux qui sont agités par les passions, le frein qui les modère! Ceux qui

fêtes liturgiques et autres des églises d'Orient, restent des problèmes difficiles aussi longtemps que l'on ne dispose pas d'une étude exhaustive et d'éditions critiques des plus anciennes collections d'homélies et des anciens synaxaires. On voudrait d'abord savoir quand se sont constituées ces collections et les traditions synaxariales. Quant à savoir quand notre écrivain fêtait la Saint-Athanase, on est loin de compte !

2. Analyse des procédés stylistiques dans Kertsch, *Bildersprache*, p. 55-56.

τὴν παιδαγωγίαν, ἡ νεότης · ἡ πενία, τὸν ποριστήν · ἡ
30 εὐπορία, τὸν οἰκονόμον. Δοκοῦσί μοι καὶ χῆραι τὸν προστάτην
B ἐπαινέσεσθαι · καὶ ὀρφανοί, τὸν πατέρα · καὶ πτωχοί, τὸν
φιλόπτωχον · καὶ τὸν φιλόξενον, οἱ ξένοι · καὶ ἀδελφοί,
τὸν φιλάδελφον · οἱ νοσοῦντες, τὸν ἰατρόν, ἣν βούλει νόσον
καὶ ἰατρείαν · οἱ ὑγιαίνοντες, τὸν φύλακα τῆς ὑγιείας · οἱ
35 πάντες, τὸν πᾶσι πάντα[b] γενόμενον ἵνα κερδάνῃ τοὺς πάντας
ἢ πλείονας.

11. Ταῦτα μὲν οὖν, ὅπερ εἶπον, ἄλλοι θαυμαζέτωσάν
τε καὶ ἀνυμνείτωσαν, οἷς σχολὴ τὰ μικρὰ τῶν ἐκείνου
θαυμάζειν. Μικρὰ δὲ ὅταν εἴπω, αὐτὸν ἑαυτῷ συγκρίνων
λέγω καὶ τὰ ἐκείνου τοῖς ἐκείνου παρεξετάζων — οὐ γὰρ
5 δεδόξασται τὸ δεδοξασμένον, κἂν ᾖ λίαν λαμπρόν, εἵνεκεν
τῆς ὑπερβαλλούσης δόξης, ὥσπερ ἠκούσαμεν[a] —, ἐπεὶ καὶ
C ὀλίγα τῶν τούτου, ἑτέροις αὐτάρκη πρὸς εὐδοκίμησιν.
Ἡμῖν δὲ — οὐ γὰρ ἀνεκτὸν καταλείπουσι τὸν λόγον, διακονεῖν
τοῖς ἐλάττοσιν —, ἐπ' αὐτὸ τὸ κυριώτατον τῶν ἐκείνου
10 τρεπτέον. Θεοῦ δὲ ἔργον, ὑπὲρ οὗ καὶ ὁ λόγος, εἰπεῖν τι
τῆς ἐκείνου μεγαληγορίας καὶ ψυχῆς ἄξιον.

12. Ἦν ὅτε ἤκμαζε τὰ ἡμέτερα καὶ καλῶς εἶχεν, ἡνίκα
τὸ μὲν περιττὸν τοῦτο καὶ κατεγλωττισμένον τῆς θεολογίας
καὶ ἔντεχνον οὐδὲ πάροδον εἶχεν εἰς τὰς θείας αὐλάς,

10, 31 ἐπαινέσασθαι C || 34 ὑγείας QBW || 35 πᾶσι πάντα AQBWTSC : πάντα πᾶσι VD πᾶσι τὰ πάντα P || γινόμενον Maur.

11, 1 ὅπερ : ἅπερ SDP || 3 δ' D || 5 κἂν ᾖ : καὶ εἰ C || ἕνεκεν S Maur. || 7 αὐτάρκη > S || post εὐδοκίμησιν + ἤρκεσεν S || 8 δ' D || οὐ γὰρ : οὐδὲ T || καταλιποῦσι ASDC et vid. QVT || 9 καιριώτατον SD_1PC || τῶν > DC || 10 δ' DPC

---

10. b. Cf. I Cor. 9, 2 ; 15, 28.

11. a. II Cor. 3, 10.

---

1. Apories, hyperboles et énumérations, dont on trouve ici des exemples, sont des procédés typiques de la seconde sophistique et particulièrement des genres dits « démonstratifs ». En outre, une allusion littéraire (« ...tout à tous »... *I Cor.*, 9, 22) est une autre

ont des ennuis, leur consolation! La vieillesse, son bâton; la jeunesse, son instruction; la pauvreté, son bienfaiteur; la fortune, son administrateur! Il me semble que les veuves ont à louer leur défenseur; les orphelins, leur père; les pauvres, leur ami compatissant; les étrangers, leur hôte accueillant; les frères, le modèle de la fraternité; les malades, leur médecin, quel que soit leur mal et son remède; les bien portants, le gardien de leur santé; tous, celui qui s'est fait tout à tous[b] afin de les gagner tous, ou du moins le plus grand nombre[1].

11. Comme je viens de le dire, laissons le soin d'admirer et de célébrer ces mérites à d'autres qui ont assez de loisirs pour admirer ses moindres vertus. Et lorsque je dis « ses moindres vertus », je parle par rapport à lui-même, en comparant ses vertus les unes aux autres puisque quelques-unes de ses vertus suffiraient à la renommée des autres — comme le dit l'Écriture, ce qui a été glorifié ne l'a pas été, en comparaison de la gloire qui est infiniment supérieure[a]. Quant à nous il nous serait insupportable de nous écarter de notre propos en nous occupant de détails de moindre importance, il nous faut aller à l'essentiel; mais, dire de lui une chose qui réponde à sa haute éloquence et qui soit digne de son âme, c'est l'œuvre de Dieu, qui est aussi le sujet de notre exposé.

12. Nous avons connu une période de développement et de prospérité où la théologie ne recourait pas à une vaine rhétorique verbaliste et sophistiquée comme aujourd'hui. Ces abus n'avaient même pas accès dans les cours ecclé-

coquetterie de style, ici empruntée à l'Écriture. Une amplification oratoire du même type que celle qui se lit ici dans le ch. 10, se trouve dans la péroraison du panégyrique de Basile : *D.* 43, 81 (*PG* 36, col. 604 B 2 - C 8). Lieu commun du genre littéraire, qui n'exclut en aucune manière un zèle vraiment sincère. Au contraire. Grégoire possède les techniques de la rhétorique traditionnelle au point que les modes d'expression de la seconde sophistique sont pour lui comme une seconde nature.

ἀλλὰ ταὐτὸν ἦν ψήφοις τε παίζειν τὴν ὄψιν κλεπτούσαις
5 τῷ τάχει τῆς μεταθέσεως ἢ κατορχεῖσθαι τῶν θεατῶν
παντοίοις καὶ ἀνδρογύνοις λυγίσμασι, καὶ περὶ Θεοῦ λέγειν
D τι καὶ ἀκούειν περίεργον · τὸ δὲ ἁπλοῦν τε καὶ εὐγενὲς
1096 A τοῦ λόγου εὐσέβεια ἐνομίζετο. Ἀφ' οὗ δὲ Σέξτοι καὶ
Πύρρωνες καὶ ἡ ἀντίθετος γλῶσσα, ὥσπερ τι νόσημα
10 δεινὸν καὶ κακόηθες, ταῖς Ἐκκλησίαις ἡμῶν εἰσεφθάρη ·
καὶ ἡ φλυαρία παίδευσις ἔδοξε καί, ὅ φησι περὶ Ἀθηναίων
ἡ βίβλος τῶν Πράξεων, εἰς οὐδὲν ἄλλο εὐκαιροῦμεν ἢ
λέγειν τι καὶ ἀκούειν καινότερον[a]. Ὢ τίς Ἱερεμίας ὀδυρεῖται
τὴν ἡμετέραν σύγχυσιν καὶ σκοτόμαιναν, ὁ μόνος εἰδὼς
15 ἐξισοῦν θρήνους πάθεσι[b] !

13. Ταύτης τῆς λύσσης ἤρξατο μὲν Ἄρειος, ὁ τῆς
μανίας ἐπώνυμος, ὃς καὶ δίκην ἔδωκεν ἀκολάστου γλώσσης,
τὴν ἐν βεβήλοις τόποις κατάλυσιν, εὐχῆς ἔργον, οὐ νόσου
B γενόμενος, καὶ τὴν Ἰούδα ῥῆξιν ὑποστὰς ἐπ' ἴσῃ προδοσίᾳ

12, 4 τ' αὐτόν ATS || 7 post ἀκούειν add. καινότερον καὶ Maur. || δ' D || τε > Q || 11 ὃ : ἃ PC || 12 ηὐκαίρουν S || 13 καινότερον : κενὸν καὶ ἀνώνητον C || ὢ τίς : ὅστις W || ὀδυρεῖται AQBWVm : ὀδύρεται T_1 ὀδύρηται T_2 sup. l. || 14 σκοτομήνην C

13, 1 Ἄρειος > S || 2 ἐπώνυμος + Ἄρειος S || γλώττης S

---

12. a. I Cor. 9, 22 ; cf. Act. 17, 21. b. Lam. 1 à 5.

---

1. L'écrivain fait les mêmes reproches au milieu de Constantinople, trop porté aux spéculations profanes, dans le *D.* 42, 18 (*PG* 36, col. 480 A 7 - C 3) : ainsi au moment de prendre congé de la capitale, au milieu de l'année 381, il déplore, comme ici, qu'on s'écarte inconsidérément de la doctrine traditionnelle fondée sur les textes clairs de l'Écriture Sainte.

2. Sextus appartenait à la secte médicale des « Empiriques » (d'où son nom Sextus Empiricus) ; il représente la philosophie sceptique et éclectique de la fin du IIe siècle. Ses œuvres — *Esquisses* (ou *Hypotyposes*) *pyrrhoniennes,* et *Commentaires sceptiques* —

siastiques : au contraire, dire et écouter des propos originaux au sujet de Dieu faisait le même effet que le jeu qui consiste à faire passer des pions d'une place à l'autre si vite que l'œil ne peut en suivre les mouvements, ou que des pirouettes destinées à mystifier le public par des contorsions aussi variées qu'ambiguës[1]. La simplicité et la distinction des propos passaient pour des marques de piété. Mais, depuis le moment où des Sextus, des Pyrrhon[2] et la langue contestataire infectèrent nos églises comme une sorte d'épidémie dangereuse et chronique, on prit des radotages pour un enseignement véritable et, comme le Livre des Actes le dit à propos des Athéniens, nous n'avons pas d'autre passe-temps que dire et entendre quelque nouveauté[a]. Oh! Quel Jérémie composera des lamentations sur la confusion qui aveugle nos esprits? Il n'y a que lui qui sache comment déplorer la situation avec assez de pathétique[b3].

13. Arius fut à l'origine de cette fureur démentielle. Il donna son nom à cette folie et fut puni de ses intempérances de langage par sa mort survenue dans des lieux d'aisances. Ce ne fut pas l'effet d'une maladie, mais celui des prières : il avait encouru le châtiment de Judas pour

présentent la philosophie de Pyrrhon comme une sorte d'incrédulité systématique : Croiset, *Litt. gr.*, V, p. 701-703 ; Lesky, *Literatur*, p. 977, et p. 989. Des penseurs païens n'étaient pas moins sévères que Grégoire envers le pyrrhonisme, notamment l'empereur Julien : *Lettre* 89, 301 c (éd. J. Bidez, p. 169, 15-16). A d'autres époques (la nôtre peut-être, et celle de notre Montaigne sans doute), plusieurs ont répondu par un certain scepticisme aux philosophies dogmatiques dont les affirmations péremptoires se contredisent.

3. Athanase, *Lettre à Jean et Antiochos* (*Bibl. des Pères*, t. 33, p. 88, 12-13) : ... μηδὲν ἕτερον ζητοῦσιν ἢ λέγειν τι καινὸν καὶ ἀκούειν.

5 τοῦ Λόγουᵃ. Διαδεξάμενοι δὲ ἄλλοι τὴν νόσον, τέχνην ἀσεβείας ἐδημιούργησαν · οἵ, τῷ ἀγεννήτῳ τὴν θεότητα περιγράψαντες, τὸ γεννητόν, οὐ μόνον δέ, ἀλλὰ καὶ τὸ ἐκπορευτὸν ἐξώρισαν τῆς θεότητος, ὀνόματος κοινωνίᾳ μόνον τὴν Τριάδα τιμήσαντες ἢ μηδὲ τοῦτο αὐτῇ τηρήσαντες.

10 Ἀλλ' οὐχ ὁ μακάριος ἐκεῖνος καὶ ὄντως ἄνθρωπος τοῦ Θεοῦ καὶ μεγάλη σάλπιγξ τῆς ἀληθείας. Ἀλλ' εἰδὼς τὸ μὲν εἰς ἀριθμὸν ἕνα τὰ τρία συστέλλειν ἀθεότητος ὂν καὶ τῆς Σαβελλίου καινοτομίας, ὃς πρῶτος θεότητος συστολὴν ἐπενόησε · τὸ δὲ τὰ τρία διαιρεῖν φύσεσι, κατατομὴν 15 θεότητος ἔκφυλον · καὶ τὸ ἓν καλῶς ἐτήρησε, θεότητι γάρ · καὶ τὰ τρία εὐσεβῶς ἐδίδαξεν, ἰδιότησι γάρ · οὔτε τῷ C ἑνὶ συγχέας, οὔτε τοῖς τρισὶ διαστήσας, ἀλλ' ἐν ὅροις μείνας τῆς εὐσεβείας, τῷ φυγεῖν τὴν ἄμετρον ἐπὶ θάτερα κλίσιν τε καὶ ἀντίθεσιν.

13, 5 ἄλλοι post νόσον m ‖ τὴν : τὸν S ‖ 7 τὸ¹ : τὸ μὲν S ‖ 8 κοινωνίᾳ : κοινωνίαν S post μόνον DPC ‖ 10 ἀκάριος V ‖ 13 καινοτομίας n : κενοτομίας m + ἴδιον SDC ‖ ὃς : ὃς καὶ m ‖ συστολὴν θεότητος PC ‖ 14 φύσει S ‖ 15 ἐτήρησε : ἐτίμησεν C ‖ 16 ἰδιότησι S ‖ 18 τῷ : τὸ SC

13. a. Cf. Act. 1, 18.

1. Allusion à la mort de Judas, et à ATHANASE, *Lettre à Sérapion. Sur la mort d'Arius* (éd. H. G. Opitz, Berlin et Leipzig 1935, II, p. 178-180 = Athènes 1963, XXXIII, p. 177-179), rapportant d'après une source orale, la mort subite d'Arius, survenue après sa réhabilitation et la veille de la cérémonie officielle de réconciliation religieuse, à Constantinople : pris d'un malaise soudain alors qu'il se trouvait en ville, il se serait retiré dans des latrines publiques, où il serait mort inopinément. Cf. LEROY - MOLINGHEN, *Arius*, p. 105-111. Il n'est pas nécessaire que l'anecdote soit totalement légendaire pour expliquer que les adversaires d'Arius en tirent argument pour ternir sa mémoire. Le texte de la lettre d'Athanase, historique ou non, était populaire puisqu'il est repris presqu'intégralement par les historiens ecclésiastiques, notamment par THÉODORET, *Hist. eccl.*, I, 14, 3-10 (éd. L. Parmentier, Leipzig 1911, p. 56, 10 - 58, 12). L'allusion aux *A.A.*, I, 18, concernant Judas se trouve dans la *Lettre à Sérapion*, de même que plusieurs allusions aux partisans de « la folie d'Arius ».

avoir trahi le Verbe comme lui[a][1]. D'autres avaient contracté la maladie. Ils se firent un art de soutenir l'impiété en réservant le caractère divin à l'Inengendré seul, à l'exclusion non seulement de l'Engendré, mais aussi de Celui-qui-procède, et en se contentant d'honorer la Trinité comme un nom collectif ou en ne lui conservant même pas cet honneur-là.

Mais ce n'était pas le cas de notre Bienheureux, véritable homme de Dieu et trompette sonnant hautement la vérité. Au contraire, il savait que réduire les Trois au nombre un constitue une impiété et une invention de Sabellius qui le premier imagina de réduire la divinité à cela ; il savait aussi que distinguer les natures particulières des Trois n'est qu'un découpage monstrueux de la divinité. Il sauvegarda l'unicité, car il s'agissait de la divinité, et il enseigna pieusement la doctrine des Trois car il s'agissait de propriétés distinctes, en évitant de les fondre dans l'unicité comme de les diviser en trois êtres distincts, il se tenait dans les limites de la piété et il évitait tout excès et toute déviation dans un sens ou dans l'autre[2].

Le jeu de mots sur la « folie d'Arius » appelle des réminiscences littéraires et rhétoriques (« folie d'Arès » ou passion belliqueuse) déjà signalées dans l'analyse de la rhétorique de Plutarque : G. Kowalski, *De Plutarchi scriptorum iuvenilium colore rhetorico* (Archiwum filologiczne Akad. umiejętnošci w Krakowie, 2), Cracovie 1918, p. 67.

2. La modération dans les relations sociales et le juste milieu dans le domaine doctrinal passent pour des traits caractéristiques de la mentalité de l'écrivain : Plagnieux, *Grégoire théologien*, p. 213-244. Ayant à présenter son héros comme modèle d'évêque orthodoxe, Grégoire place Athanase à mi-chemin entre les partis sabellien et arien, qui divisaient les chrétiens d'Alexandrie. L'empereur Constantin et une partie de son entourage cherchaient à tenir la balance égale entre tous les partis et à s'en tenir aux vérités essentielles sans s'attacher aux points sur lesquels les théologiens se divisaient : Socrate, *Hist. eccl.*, I, 7 (*PG* 67, col. 56 A 10 - 60 C 4), et les commentaires de R. Aigrain (art. *Arius*, col. 211-213).

14. Καὶ διὰ τοῦτο πρῶτον μὲν ἐν τῇ κατὰ Νίκαιαν ταύτῃ συνόδῳ καὶ τῷ τῶν τριακοσίων ὀκτὼ καὶ δέκα ἀριθμῷ ἀνδρῶν λογάδων, οὓς τὸ Πνεῦμα τὸ ἅγιον εἰς ἓν ἤγαγεν, ὅσον ἦν ἐπ' αὐτῷ, τὴν νόσον ἔστησεν · οὔπω μὲν
5 τεταγμένος ἐν ἐπισκόποις, τὰ πρῶτα δὲ τεταγμένος τῶν συνεληλυθότων · καὶ γὰρ ἦν ἀρετῆς οὐχ ἧττον ἢ βαθμῶν ἡ προτίμησις. Ἔπειτα τοῦ κακοῦ ῥιπισθέντος ἤδη ταῖς αὔραις τοῦ πονηροῦ καὶ τὸ πλεῖον ἐπιλαμβάνοντος — ἐνταῦθά μοι καὶ τὰ δράματα ὧν πᾶσα μικροῦ πλήρης γῆ τε καὶ
10 θάλασσα —, πολὺς μὲν περὶ αὐτὸν ὁ πόλεμος, ὡς γενναῖον
1097 A προστάτην τοῦ Λόγου · πρὸς γὰρ τὸ ἀντιτεῖνον μάλιστα ἡ παράταξις, καὶ ἄλλοθεν ἄλλο τι τῶν δεινῶν ἐπιρρέον · εὑρέτις γὰρ κακῶν ἡ ἀσέβεια καὶ λίαν τολμηρὸν εἰς ἐγχείρησιν. Πῶς δὲ ἀνθρώπων ἔμελλον φείδεσθαι, οἱ θεότητος μὴ
15 φεισάμενοι ;

Μία δὲ προσβολῶν ἡ χαλεπωτάτη. Συνεισφέρω τι καὶ αὐτὸς τῷ δράματι · ἀλλά μοι παρῃτήσθω τὸ φίλον ἔδαφος ἡ πατρίς · οὐ γὰρ τῆς ἐνεγκούσης ἀλλὰ τῶν προελομένων ἡ πονηρία. Ἡ μὲν γὰρ ἱερά τε καὶ πᾶσιν ἐπ' εὐσεβείᾳ
20 γνώριμος · οἱ δὲ ἀνάξιοι τῆς τεκούσης αὐτοὺς Ἐκκλησίας.

14, 1 Νίκαιαν + ἁγίᾳ D_2mg Maur. || 2 τῶν — δέκα > AQBVT || 3 ἀριθμῷ ἀνδρῶν λογάδων WSPC : τῶν λογάδων ἀριθμῷ AQBVT ἀριθμῷ λογάδων D || 4 συνήγαγεν DPC || 5 δ' DP || τεταγμένος : ἔχων SP || 10 μὲν : μὲν ἦν m || 12 περιρρέον m Maur. || 13 εὑρετικόν m || κακόν SP_1 || 14 δ' DPC || 16 ἡ : καὶ ἡ m καὶ Maur. || συνεισφέρον S || 17 παραιτείσθω D || 18 προενεγκούσης V || 20 δ' D || αὐτοῖς S_1

1. Grégoire de Nazianze est le premier à attribuer à Athanase un rôle important dans le déroulement du concile de Nicée. En réalité l'influence d'Athanase, encore diacre, doit avoir été sans doute assez limitée, note G. Bardy en se référant aux études de F. Cavallera : « Aucun document contemporain ne parle de ce rôle éminent... Saint Athanase lui-même ne fait aucune allusion à cela, quand il

14. Pour cette raison, il enraya l'épidémie autant qu'il put. D'abord à notre concile de Nicée, où il fut du nombre des trois cent dix-huit délégués rassemblés par l'action du Saint-Esprit. Il n'avait pas encore le rang d'évêque, mais il était au premier rang de l'assemblée car l'honneur attaché à la vertu n'était pas moindre que celui qui s'attache au grade[1]. Ensuite, comme le mal déjà attisé par les souffles du Malin prenait de l'extension — ici j'en arrive aussi aux tragédies dont la terre et la mer étaient quasiment pleines —, la guerre sévissait sous des formes multiples autour de sa personne comme autour d'un défenseur attitré du Verbe, car l'attaque s'acharne principalement contre le centre de résistance d'un front de bataille et les dangers de toutes sortes confluent de toutes parts vers lui. L'impiété s'ingénie à inventer des maux et ses actions sont très hardies : comment iraient-ils épargner les gens, ceux qui n'avaient pas épargné la divinité ?

Un de leurs assauts fut particulièrement pénible. Moi aussi, dans une certaine mesure, je me trouve personnellement intéressé à cette tragédie; mais, je demande que le sol sacré de ma patrie soit à l'abri des reproches : la méchanceté n'affecte pas la mère-patrie, mais les méchants qui en sont issus. Ce pays est sacré et il s'est signalé à l'attention universelle par sa piété, tandis que ceux-là sont indignes de l'Église qui les a engendrés. On lit (dans

écrit sur Nicée... Il paraît difficile pourtant qu'une fois ou l'autre, il n'ait point eu l'occasion, si réellement les faits s'y prêtaient, de montrer comment sur tel ou tel point il avait réfuté l'adversaire ou fait accepter ses vues. Eusthate et Eusèbe sur ce point sont d'accord avec lui : la discussion eut lieu entre les évêques ; on ne voit pas que d'autres membres du clergé y soient intervenus » (Bardy, *Athanase*, col. 1318, référence à F. Cavallera).

Φύεσθαι δὲ καὶ ἐν ἀμπέλῳ βάτον ἠκούσατε · καὶ Ἰούδας, τῶν μαθητῶν εἷς, ὁ προδότης.

B 15. Εἰσὶ μὲν οὖν οἳ μηδὲ τὸν ὁμώνυμον ἐμοὶ τῆς αἰτίας ἀφιᾶσιν · ὃς κατὰ παιδεύσεως ἔρωτα, τῇ Ἀλεξανδρέων ἐπιδημῶν τότε πόλει καὶ πάσης παρ' αὐτοῦ τυχὼν δεξιώσεως, ἴσα καὶ παίδων ὁ τιμιώτατος καὶ τῶν τὰ μέγιστα πιστευομέ-
5 νων εἷς ὤν, ἐπανάστασιν, ὥς φασι, βουλεύεται τῷ πατρὶ καὶ προστάτῃ. Καὶ ἦν τὸ μὲν δρᾶμα ἑτέρων, ἡ δὲ χεὶρ Ἀβεσσαλὼμ μετ' αὐτῶν[a], ὡς ὁ λόγος. Εἴ τις ὑμῶν οἶδε τὴν χεῖρα ἣν ὁ ἅγιος κατεψεύσθη καὶ τὸν ζῶντα νεκρὸν καὶ τὴν ἄδικον ἐξορίαν, οἶδεν ὃ λέγω. Πλὴν τοῦτο μὲν
10 ἑκὼν ἐπιλήσομαι. Καὶ γὰρ οὕτως ἔχω ἐν τοῖς ἀμφιβόλοις,

14, 21 ἀμπέλῳ : hic resumitur copt. ἀμπελῶνι m || βάτον nSD : > C ante καὶ ἐν ἀμπελῶνι P_1 et copt. rest. in loco in P_2 manus valde recentior || 22 τῶν μαθητῶν εἷς : εἷς ἦν τῶν μαθητῶν S_1 et copt.

15, 1 μήτε DC et fortasse P_1 || 3 τυχόν S || 4 πεπιστευμένων Q in textu et πιστευομένων tamquam varia lectio mg || 5 ὤν : ὢν S || 6 ἕτερον S_1 || 7 Ἀβεσαλών S_1 || 9 καὶ — ἐξορίαν deficit in copt. || 10 post ἐπιλήσομαι add. copt. *tamquam de eo incertarum (obliviscar rerum)*

---

15. a. Cf. II Sam. 13, 1 - 20, 26.

---

1. Plusieurs Cappadociens furent des adversaires actifs d'Athanase ; il en sera question plus loin : Grégoire (ch. 15), Georges (ch. 16-19, et 26-27), et même Philagrios (ch. 28). Il en résultait une certaine animosité à l'égard des Cappadociens, taxés d'être chicaniers : *Vita Gregorii*, dans *PG* 35, col. 149, qui se réfère à Isidore de Péluse. L'écrivain a ici de bonnes raisons, qui ne sont pas de pur chauvinisme, de corriger les préjugés défavorables à sa région d'origine (cf. plus loin, ch. 28). Ici allusions à *Prov.*, 26, 9 *(sic Mauristae)* ou à *Matth.*, 7, 16 (les ronces dans le vignoble) ? Rappel de *Luc* 6, 12-16.

2. Grégoire de Cappadoce, évêque intrus d'Alexandrie, choisi par une assemblée d'évêques réunie à Antioche, pendant l'hiver 338-339, après que les évêques de l'église « catholique » l'eussent anathématisé ; son installation à la place d'Athanase et l'expulsion de celui-ci, le 16 avril 339, n'allèrent pas sans difficultés : Bardy,

l'Écriture) que la ronce pousse aussi dans le vignoble et que Judas, le traître, était l'un des disciples[1].

15. Il y en a qui ne déchargent même pas mon homonyme de cette accusation[2]. A cette époque, celui-ci, poussé par le goût des études, se rend à Alexandrie, où il est accueilli (par Athanase) comme le plus méritant des enfants. Bien qu'il soit l'un de ceux à qui des responsabilités très importantes avaient été confiées, il se met à intriguer, comme on dit, contre son père et protecteur. D'autres furent les acteurs du drame, mais, comme dit l'Écriture, la main d'Absalon[a] les soutenait[3]. Si l'un de vous connaît l'histoire de cette main à propos de laquelle on fit courir des calomnies sur le saint homme, celle du mort bien vivant et de l'exil inique, il sait de quoi je parle[4]. Mais,

Athanase, col. 1325, d'après SCHWARTZ, *Athanasius*. Un autre Cappadocien, Philagrios (voir plus loin ch. 28), aurait été mêlé à l'affaire comme représentant du « bras séculier » ; ATHANASE parle de ces événements : *Epist. Encyclica*, 6, 1-2 (éd. H. G. Opitz, Berlin et Leipzig 1935, II, 1, p. 175, 7-16 = Athènes, II (vol. 31), 1962, p. 199, 12-20).

3. Absalon, troisième fils de David ; devenu premier héritier présomptif, il usurpa le trône de son père et périt au cours de la guerre intestine qui s'ensuivit : *II Sam.*, 13, 1 - 20, 26.

4. Le « mort bien vivant » désigne Arsène, évêque d'Hypsele. En 332, éclata une curieuse affaire de dénonciation et de calomnies à l'encontre d'Athanase : des enquêtes, menées notamment par Dalmace, frère de Constantin, et par Philagrios, haut fonctionnaire d'origine cappadocienne, et un concile (Tyr, 333) furent nécessaires pour tirer les choses au clair : ATHANASE, *Apologia secunda* ou *Apologie contre les Ariens*, 65-69 (éd. H. G. Opitz, Berlin et Leipzig, II, 1, p. 144, 3 - 148, 8 = Athènes, II (vol. 31), 1962, p. 101, 21 - 105, 11). Athanase était notamment accusé du meurtre d'Arsène d'Hypsele, qui avait effectivement disparu, semble-t-il, mais que l'on retrouva et qui comparut « bien vivant » devant le concile de Tyr ; une main, qu'on disait être celle de la victime, aurait été jointe à l'acte d'accusation comme pièce à conviction : elle n'est pas mentionnée par Athanase, mais ce détail, auquel notre texte fait allusion, est dans RUFIN, *Hist.*, X, 17, et dans SOCRATE, *Hist. eccl.*, I, 29. Grégoire ne considérait pas l'affaire comme fort claire.

νεύειν χρῆναι πρὸς τὸ φιλάνθρωπον καὶ ἀπογινώσκειν μᾶλλον ἢ καταγινώσκειν τῶν ὑπαιτίων. Ὁ μὲν γὰρ κακὸς
C τάχιστα ἂν καταγνοίη καὶ τοῦ ἀγαθοῦ · ὁ ἀγαθὸς δὲ οὐδὲ τοῦ κακοῦ ῥᾳδίως. Τὸ γὰρ εἰς κακίαν οὐχ ἕτοιμον, οὐδὲ
15 εἰς ὑπόνοιαν εὐχερές. Ὃ δὲ οὐκ ἔτι λόγος ἀλλ' ἔργον ἐστὶν οὐδὲ ὑπόνοιά τις ἀνεξέταστος ἀλλὰ πίστις κεκηρυγμένη.

16. Τέρας τι Καππαδόκιον, ἐκ τῶν ἐσχατιῶν τῶν ἡμετέρων ὁρμώμενον, πονηρὸν τὸ γένος, πονηρότερον τὴν διάνοιαν, οὐδὲ παντελῶς ἐλεύθερον ἀλλ' ἐπίμικτον, οἷον
1100 A τὸ τῶν ἡμιόνων γινώσκομεν · τὰ μὲν πρῶτα τραπέζης
5 ἀλλοτρίας δοῦλον καὶ μάζης ὤνιον, πάντα καὶ ποιεῖν καὶ λέγειν ἐπὶ τῇ γαστρὶ μεμαθηκός · τὰ τελευταῖα δὲ καὶ πολιτείᾳ παρεισφθαρὲν καὶ πιστευθὲν ταύτης τὰ ἔσχατα, ὅσον ὑείων κρεῶν ὑποδοχέα γενέσθαι οἷς τὸ στρατιωτικὸν τρέφεται · εἶτα κακὸν περὶ τὴν πίστιν γενόμενον καὶ τῇ
10 γαστρὶ πολιτευσάμενον, ἐπειδὴ τὸ σῶμα ὑπελείπετο μόνον, δρασμὸν ἐννοεῖ καὶ ἄλλην ἐξ ἄλλης ἀμεῖβον χώραν καὶ πόλιν, οἷα τὰ τῶν φυγάδων, τέλος ἐπὶ κακῷ τοῦ κοινοῦ τῆς Ἐκκλησίας, οἷόν τις Αἰγυπτιακὴ πληγή, τὴν Ἀλεξανδρέων καταλαμβάνει. Ἐνταῦθα τῆς ἄλης ἵσταται καὶ τῆς κακουργίας

15, 13 καταγνοιεῖ S ‖ ἀγαθὸς δὲ : δ' ἀγαθός DPC ‖ οὐδ' DPC ‖ 15 δ' DP ‖ λόγος + ἐστίν P_1C ‖ 16 οὐδ' DPC ‖ κεκηρυγμένη : κεκρυμμένη C

16, 1-2 ἐκ — ὁρμώμενον deficit in copt. ‖ 2 πονηρῶν S ‖ 4 γινώσκωμεν S ‖ 6 μεμαθηκώς P ‖ 10 πολιτευόμενον V ‖ ἐπεὶ δὲ SC ‖ 11 ἀμείβων P Maur.

---

1. Georges, clerc lettré et influent, originaire de Cappadoce, qui usurpa le siège d'Athanase, le 24 février 357 : Bardy, *Athanase*, col. 1331, d'après Schwartz, *Athanasius*. Cf. Athanase, *Apologie à Constance*, 31 (éd. J.-M. Szymusiak, Paris 1958, p. 125, 15) ; il déclencha une campagne de violences contre les partisans d'Athanase : Athanase, *Apologie pour sa fuite*, 6-7 (éd. J.-M. Szymusiak, Paris 1958, p. 139-141). Au sujet des antécédents du personnage, l'écrivain semble se référer à la rumeur publique ; mais, Athanase en parle dans son *Histoire des Ariens*, 48, 3 ; 51, 1 ; 75, 1 ; etc. (éd. H. G. Opitz, Berlin et Leipzig 1935 = Athènes 1962, II, vol. 31, p. 268, 40 - 269, 2 ;

je passerai volontiers cela sous silence, car dans les causes douteuses, je suis porté à admettre qu'il vaut mieux pencher vers l'indulgence et pardonner plutôt que de condamner les accusés. En effet, le méchant serait très prompt à condamner même l'innocent tandis que l'homme de bien ne condamnerait pas aisément même le méchant, car ce qui n'a pas de dispositions pour le vice n'est pas non plus enclin au soupçon. Pourtant ceci n'est pas encore l'objet de mon propos; celui-ci est un fait bien réel, et non pas quelque soupçon mal vérifié, mais une chose certaine et publique.

16. Il s'agit d'un monstre cappadocien originaire du fin fond de nos régions. Il était naturellement méchant, délibérément plus méchant encore, pas encore totalement affranchi, et d'un genre bâtard analogue à celui des mulets, que nous connaissons. Il avait commencé au service d'une table étrangère comme un esclave instruit à tout faire et tout dire pour satisfaire ses instincts et qui s'achète au prix d'un plat de bouillie. Il avait été finalement compromis dans des fonctions publiques dont on lui avait confié les plus viles, à savoir l'intendance des viandes de porc destinées au ravitaillement militaire. Plus tard, à la suite de certains abus de confiance commis pour satisfaire ses instincts, il n'avait eu que la vie sauve; il imagine un moyen de s'éclipser, se met à errer de région en région et de ville en ville comme font les fugitifs et finit par arriver à Alexandrie comme une nouvelle plaie d'Égypte pour le malheur général de l'Église[1]. Ici il met fin à ses vagabondages et commence à se livrer à ses méchancetés.

p. 269, 30-37 ; p. 283, 9-12 ; etc.). Ammien Marcellin, XXII, 11, présente l'affaire de ce Georges sous un jour différent. L'empereur Julien écrit de lui : « Georges avait une très vaste et importante bibliothèque »... : *Lettre* 106 (éd. J. Bidez, p. 184, 10-12 ; etc.) ; *id.* 107 (p. 185-186).

15 ἄρχεται. Καὶ ἦν τἄλλα μὲν οὐδενὸς ἄξιος, οὐ λόγων ἐλευθερίων μετεσχηκώς, οὐ τὴν συνουσίαν στωμύλος, οὐκ
B εὐλαβείας σχῆμα γοῦν τι καὶ πλάσμα κενὸν περικείμενος, κακουργῆσαι δὲ καὶ συγχέαι πράγματα πάντων δεινότατος.

17. Ἴστε καὶ διηγεῖσθε πάντες οἷα κατὰ τοῦ ἁγίου νεανιεύεται. Παραδίδονται γὰρ καὶ δίκαιοι πολλάκις εἰς χεῖρας ἀσεβῶν, οὐχ ἵν' ἐκεῖνοι τιμηθῶσιν ἀλλ' ἵν' οὗτοι δοκιμασθῶσι · καὶ φαῦλοι μὲν ἐν θανάτῳ ἐξαισίῳ, κατὰ
5 τὸ γεγραμμένον, καταγελῶνται δὲ ὅμως πρὸς τὸ παρὸν εὐσεβεῖς, ἕως ἡ χρηστότης τοῦ Θεοῦ κρύπτεται καὶ τὰ μεγάλα ταμιεῖα τῶν ὕστερον ἑκατέροις ἀποκειμένων ἡνίκα καὶ λόγος καὶ πρᾶξις καὶ διανόημα τοῖς δικαίοις σταθμοῖς
C τοῦ Θεοῦ ταλαντεύηται · ὅταν ἀναστῇ κρῖναι τὴν γῆν, τὴν
10 βουλὴν καὶ τὰ ἔργα συνάγων καὶ γυμνῶν τὰ ἐσφραγισμένα παρ' αὐτῷ καὶ σωζόμενα.

Ταῦτα πειθέτω σε καὶ λέγων καὶ πάσχων Ἰώβ[a] · ὃς ἦν μὲν ἄνθρωπος ἀληθινός, ἄμεμπτος, δίκαιος, θεοσεβὴς καὶ ὅσα μεμαρτύρηται · τοσαύταις δὲ πλήσσεται παρὰ
15 τοῦ ἐξῃτηκότος ταῖς προσβολαῖς καὶ οὕτως ἀλλεπαλλήλοις καὶ φιλοτίμοις, ὥστε πολλῶν πολλάκις ἐκ τοῦ παντὸς αἰῶνος κακοπαθησάντων, τῶν δὲ ὡς εἰκὸς καὶ ταλαιπωρησάντων, μηδένα εἶναι ταῖς ἐκείνου παραβαλεῖν συμφοραῖς. Οὐ γὰρ μόνον χρήματα, κτήματα, εὐτεκνίαν, πολυτεκνίαν,
20 ἃ πᾶσιν ἀνθρώποις ἐστὶ περισπούδαστα · οὐ ταῦτα ζημιοῦται

16, 17 κενὸν QBVTD : > S_1P_1C καινόν AWS_2P_2

17, 3 ἵνα[1] QSPC ‖ ἵνα[2] QS ‖ 5 δ' DPC ‖ 6 κρύπτηται $AQ_2WV_1T_2$ DC ‖ 8 καὶ λόγος post πρᾶξις C et copt. ‖ σταθμοῖς post θεοῦ VT ‖ 9 ταλαντεύεται Q_2TS Maur. ‖ 13 μὲν > S ‖ 15 προσβολοῖς S ‖ ἐπαλλήλοις SC ‖ 17 δ' D ‖ 19 πολυτεκνίαν : > WS rest. W_2S_2 ‖ 20 ἐστὶ : εἰσὶ S

---

17. a. Cf. Job 1-31, *passim* ; Ps. 34 (33), 20-22.

---

1. Quelques mots de ce passage évoquent *Job* 9, 24 (les justes livrés aux méchants), ou 12, 4 (le juste risée de ses amis), ou 2, 7 (le juste livré à l'emprise de Satan) ; tout le contexte de *Job* 1-31

Pour le reste, il était un bon à rien, dépourvu de culture libérale, incapable de relations aimables avec le prochain, et affectant un air qui n'était pas de la réserve mais plutôt une sorte de vaine simulation; mais, pour mal faire et pour embrouiller les affaires, il dépassait tout le monde en habileté.

17. Vous connaissez et vous racontez tous quels mauvais tours il joue au saint. En effet, les saints eux aussi sont souvent livrés aux mains des impies, non pour l'honneur de ces derniers, mais pour éprouver la vertu de ceux-là. Et si l'Écriture dit que les méchants s'exposent à une mort funeste, néanmoins des gens pieux sont exposés aux railleries en ce monde aussi longtemps que le mystère enveloppe la bonté de Dieu et les grandes rétributions réservées aux uns et aux autres pour le temps à venir où nos paroles, nos actes et nos pensées seront pesés dans les justes balances de Dieu : alors Il se dressera pour juger la terre, comparer l'intention et les œuvres et pour mettre au grand jour les secrets scellés et conservés auprès de Lui[1].

Ce que Job dit et supporte doit t'en convaincre[a]. Lui, qui était un homme sincère, irréprochable, juste, religieux et tout ce qu'on a témoigné à son sujet, il se trouve, de la part de celui qui avait demandé d'en faire sa victime, en butte à des vexations si nombreuses, si tenaces et si acharnées que parmi ceux qui au cours des âges ont été en grand nombre et souvent victimes de vexations et qui, c'est naturel, ont connu la misère, personne ne pourrait comparer ses malheurs à ceux de cet homme. Ce n'est pas seulement son argent, ses biens, ses enfants, pourtant heureux et nombreux, qu'il perd — et ce sont des choses capables de mobiliser les désirs de tous les hommes —;

(Prologue et discussions de Job et de ses trois amis) est évoqué par allusions ; de même *Ps.*, 34 (*Vulg.* 33), 20-22 ; et aussi le jugement dernier de *Apoc.*, 5, 1-2, et tout le contexte.

μόνον, ὡς μηδὲ θρήνοις γενέσθαι χώραν διὰ τὸ συνεχὲς
D τῶν κακῶν, ἀλλὰ καὶ αὐτὸ τὸ σῶμα τελευταῖον πληγεὶς
πληγὴν ἀνίατόν τε καὶ δυσθεώρητον, εἶχε μὲν προσθήκην
1101 A τῆς συμφορᾶς τὴν γυναῖκα παραμυθουμένην τοῖς χείροσι
25 — πληγῆναι γὰρ ἐφιλονείκει καὶ τὴν ψυχὴν πρὸς τῷ σώματι — · εἶχε δὲ καὶ τῶν φίλων τοὺς γνησιωτάτους παρακλήτορας κακῶν, ὡς αὐτός φησιν, οὐ θεραπευτάς, οἳ τὸ μὲν πάθος ἑώρων, τὸ δὲ τοῦ πάθους ἀγνοοῦντες μυστήριον, οὐ βάσανον ἀρετῆς ἀλλὰ κακίας εἴσπραξιν τὴν πληγὴν ὑπελάμβανον.
30 Καὶ οὐκ ἐνόμιζον μόνον, ἀλλ' οὐδὲ ᾐσχύνοντο τὸ δεινὸν ὀνειδίζοντες, ὁπότε καὶ εἰ διὰ κακίαν ἔπασχε, σοφίζεσθαι τὸ λυποῦν ἔδει παραμυθίας ῥήμασιν.

B **18.** Οὕτω μὲν οὖν ὁ Ἰὼϐ καὶ τὰ πρῶτα τῆς περὶ αὐτὸν πραγματείας. Ἀγὼν γὰρ ἦν ἀρετῆς καὶ φθόνου · τοῦ μὲν ὅπως τοῦ καλοῦ κρατήσῃ, φιλονεικοῦντος · τῆς δὲ ὅπως ἀήττητος διαμείνῃ, πάντα φερούσης · καὶ τοῦ μὲν ὅπως
5 εὐοδώσῃ κακίαν, ἀγωνιζομένου, διὰ τῆς τῶν κατορθούντων κολάσεως · τῆς δὲ ὅπως κατάσχῃ τοὺς ἀγαθούς, κἂν ταῖς συμφοραῖς τὸ πλέον ἔχοντας. Τί δὲ ὁ πρὸς αὐτὸν χρηματίζων διὰ λαίλαπος καὶ νεφῶν, ὁ βραδὺς εἰς κόλασιν καὶ ταχὺς εἰς ἀντίληψιν, ὁ μὴ παντελῶς ἐπαφιεὶς ῥάϐδον ἁμαρτωλῶν
10 κλήρῳ δικαίων ἵνα μὴ κακίαν δίκαιοι μάθωσιν ; Ἐπὶ τέλει τῶν ἄθλων ἀναγορεύει τὸν ἀθλητὴν λαμπρῷ τῷ κηρύγματι καὶ γυμνοῖ τῆς πληγῆς τὸ ἀπόρρητον, « Οἴει με ἄλλως σοι
C κεχρηματικέναι, λέγων, ἢ ἵνα δίκαιος ἀναφανῇς ; » Τοῦτο τῶν τραυμάτων τὸ φάρμακον, οὗτος τῆς ἀγωνίας ὁ στέφανος,
15 αὕτη τῆς ὑπομονῆς ἡ ἀντίδοσις. Τὰ γὰρ ἑξῆς ἴσως μικρά,

17, 27 ὡς — φησιν deficit in copt. ‖ 30 οὐδὲ : οὐδ' DPC ‖ 31 σοφίζεσθαι cod. : *qui ab eis solacium acciperet* copt. (= κουφίζεσθαι quod non consonat cum graeco, cf. LAMPE, *Lexicon*, p. 1246, s.v. B2).

18, 3 κρατήσῃ n S : κρατήσει DP κρατήσειε C ‖ δ' DPC ‖ 6 δ' DPC ‖ 7 δὲ : δαὶ QVTC Maur. ‖ 8 νεφῶν nSP : νέφους C et D_1 in textu sed D_2 mg addit νεφῶν tamquam variam lectionem ‖ 9 ἐπαφείς SC ‖ 11 ἄθλων : ἀγώνων S (copt. post *certamen*) ‖ 13 δίκαιος ἀναφανῇς m copt. : ἀναφανῇς δίκαιος n Maur., sicut *LXX* (*Job* 40, 8) ‖ 15 ἴσως : ἴσως καὶ Maur.

il perd non seulement cela au point de n'avoir même plus le temps de pleurer à cause des malheurs qui surviennent sans cesse, mais à la fin le voilà physiquement atteint par un mal incurable et repoussant. Pour comble de misère il avait son épouse dont les consolations étaient pires que le mal et qui s'ingéniait à ajouter des souffrances morales à ses misères physiques. Il avait aussi les plus sérieux des amis pour lui dispenser leurs conseils au lieu de remèdes à ces maux, comme il le dit lui-même. Voyant ce qu'il souffrait sans connaître le secret de sa souffrance, ils interprétaient son malheur comme un châtiment de ses vices et non comme une épreuve imposée à sa vertu. Et ils ne se contentaient pas de le penser. Au contraire! Ils ne se gênaient même pas pour lui reprocher sa détresse à un moment où il aurait fallu calmer sa tristesse par des paroles de réconfort, même si le vice avait été à l'origine de sa souffrance.

18. Voilà donc Job dans la première période de son histoire. Un combat était engagé entre la vertu et l'envie : cette dernière faisait tous ses efforts pour vaincre le bien, l'autre supportait tout pour demeurer invincible; l'une cherche à ouvrir la voie du vice par le tourment de ceux qui sont dans le droit chemin, l'autre, à assurer la persévérance des bons malgré les malheurs qui les accablent. Que va faire Celui qui lui révèle ses oracles à travers un tourbillon et des nuées, qui est lent à punir et prompt à secourir, qui n'abandonne pas totalement le sort des justes aux coups des pécheurs de peur qu'ils n'apprennent leurs vices ? A la fin du tournoi, il proclame solennellement la victoire du champion et dévoile le secret de son mal en disant : « Crois-tu que les révélations que je t'ai faites ont un autre but que de manifester ta justice ? » Voilà le remède à ses blessures, la couronne remportée par son combat, la récompense de sa persévérance. La suite du récit, même si le héros y retrouve le double de ce qu'il

κἂν μεγάλα τισὶ δοκῇ, καὶ μικρῶν ἕνεκεν οἰκονομηθέντα καὶ εἰ διπλασίῳ τῶν ἀφῃρημένων ἀντιλαμβάνει.

19. Οὐκοῦν οὐδὲ ἐνταῦθα θαυμαστὸν εἰ Ἀθανασίου πλέον ἔσχε Γεώργιος · ἀλλ' ἐκεῖνο θαυμασιώτερον, εἰ μὴ ἐπυρώθη ταῖς ἐπηρείαις ὁ δίκαιος. Οὐδὲ τοῦτο θαυμαστὸν ἄγαν, ἀλλ' εἰ ἐπὶ πλεῖον αἱ φλόγες ἤρκεσαν. Ἐντεῦθεν ὁ μὲν
5 ἦν ἐκ ποδῶν καὶ τὴν φυγαδείαν ὡς κάλλιστα διατίθεται.
D Τοῖς γὰρ ἱεροῖς καὶ θείοις τῶν κατ' Αἴγυπτον φροντιστηρίοις φέρων ἑαυτὸν δίδωσιν · οἳ κόσμου χωρίζοντες ἑαυτοὺς καὶ τὴν ἔρημον ἀσπαζόμενοι, ζῶσι Θεῷ πάντων μᾶλλον τῶν
1104 A στρεφομένων ἐν σώματι · οἱ μὲν τὸν πάντῃ μοναδικόν τε
10 καὶ ἄμικτον διαθλοῦντες βίον ἑαυτοῖς μόνοις προσλαλοῦντες καὶ τῷ Θεῷ καὶ τοῦτο μόνον κόσμον εἰδότες, ὅσον ἐν τῇ ἐρημίᾳ γνωρίζουσιν · οἱ δὲ νόμον ἀγάπης τῇ κοινωνίᾳ στέργοντες, ἐρημικοί τε ὁμοῦ καὶ μιγάδες, τοῖς μὲν ἄλλοις τεθνηκότες ἀνθρώποις καὶ πράγμασιν, ὅσα ἐν μέσῳ περι-
15 φέρεται στροβοῦντά τε καὶ στροβούμενα καὶ παίζοντα ἡμᾶς ταῖς ἀγχιστρόφοις μεταβολαῖς, ἀλλήλοις δὲ κόσμος ὄντες καὶ τῇ παραθέσει τὴν ἀρετὴν θήγοντες. Τούτοις ὁμιλήσας ὁ μέγας Ἀθανάσιος, ὥσπερ τῶν ἄλλων ἁπάντων μεσίτης καὶ διαλλακτὴς ἦν, τὸν εἰρηνοποιήσαντα τῷ αἵματι τὰ
20 διεστῶτα μιμούμενος · οὕτω καὶ τὸν ἐρημικὸν βίον τῷ

18, 16 τισὶ n : τισὶν εἶναι m || δοκῇ : δοκεῖ P
19, 1 οὐκοῦν : οὐκ οὖν VT οὔκουν S || οὐδ' DPC || 4 πλέον SPC Maur. || 8 ἐρημίαν SD || 9 τε > S || 11 τῷ > S || 12 τὴν κοινωνίαν m || 13 ἐρημικοί — μιγάδες desunt in copt. || 14 περιφθείρεται B || 17 καὶ > D || ὁμιλήσας > P_1 || 18 Ἀθανάσιος > n || 19 τῷ αἵματι post διεστῶτα DPC et copt.

---

1. Les ch. 17 et 18 développent une amplification rhétorique apparemment sans rapport direct avec le sujet traité, selon le procédé de la *syncrisis*, qui fait partie des techniques du genre, et s'explique ici, sans doute, par le désir qu'a Grégoire de donner un enseignement moral et religieux.

2. Les sources — tant païennes que chrétiennes — ne permettent

avait perdu, a sans doute été destinée à faire du bien aux humbles et elle n'a peut-être pas d'importance, encore que d'autres pensent le contraire[1].

19. Il n'y a donc pas lieu de s'étonner que Georges ait eu plus de succès qu'Athanase. Il faudrait être plus surpris si cet homme juste n'avait pas été purifié par le feu des outrages. Et cela n'aurait même pas été trop surprenant; mais, si les flammes avaient eu le dessus (voilà ce qui aurait étonné[2]). A la suite de ces incidents, il avait été écarté et il tire le meilleur parti possible de son bannissement. Il se rend dans les monastères saints et vénérables des moines d'Égypte qui ne vivent que pour Dieu, en solitaires détachés du monde, d'une manière plus parfaite que tous ceux qui restent exposés aux vicissitudes du corps; les uns pratiquent la vie parfaitement monastique en ermites, ne conversant qu'avec leur conscience et avec Dieu seul et ne connaissant du monde que leur solitude; les autres s'attachent aux devoirs de la charité mutuelle en vivant en communauté et unissent la vie érémitique et la vie commune : ils sont morts au reste de l'humanité et aux affaires qui sont au centre de nos préoccupations et qui se jouent de nous en nous emportant dans leurs tourbillons incessants, mais ils se tiennent lieu d'univers les uns pour les autres et ils s'encouragent mutuellement à la vertu par les exemples qu'ils se donnent. Au cours de son séjour dans ces milieux, Athanase le grand y joua comme partout un rôle de médiateur et de conciliateur à l'exemple de Celui qui apaisa les différends par son sang. Il concilie ainsi

pas de douter que les succès populaires de Georges étaient fondés sur d'autres atouts que ceux que notre texte indique ; ATHANASE le dit : *Apologie pour sa fuite*, 6 (éd. Szymusiak, p. 139, 7-12) ; *Apologie contre les Ariens*, 75, 1 (éd. H. G. Opitz, Athènes, p. 283, 9-12). AMMIEN MARCELLIN, XXII, 11, et l'empereur JULIEN, *Lettres* 106 et 107, le confirment.

κοινωνικῷ καταλλάττει· δεικνὺς ὅτι ἔστι καὶ ἱερωσύνη
B φιλόσοφος καὶ φιλοσοφία δεομένη μυσταγωγίας.

20. Οὕτω γὰρ ἀμφότερα συνηρμόσατο καὶ εἰς ἓν ἤγαγε, καὶ πρᾶξιν ἡσύχιον καὶ ἡσυχίαν ἔμπρακτον, ὥστε πεῖσαι τὸ μονάζειν ἐν τῇ εὐσταθείᾳ τοῦ τρόπου μᾶλλον ἢ τῇ τοῦ σώματος ἀναχωρήσει χαρακτηρίζεσθαι καθ' ὃ καὶ Δαβὶδ ὁ
5 μέγας πρακτικώτατός τε ἦν ὁ αὐτὸς καὶ μονώτατος· εἴ τῳ τό, «Καταμόνας εἰμὶ ἐγώ, ἕως ἂν παρέλθω[a]», μέγα πρὸς
C ἀπόδειξιν τοῦ λόγου καὶ ἀξιόπιστον. Διὰ τοῦτο, τῶν ἄλλων ἀρετῇ κρατοῦντες, τῆς ἐκείνου διανοίας πλέον ἡττῶντο ἢ ὅσον ἐκράτουν τῶν ἄλλων· καὶ ὀλίγα πρὸς ἱερωσύνης
10 τελείωσιν συνεισφέροντες, πλείω πρὸς φιλοσοφίας συντέλειαν ἀντελάμβανον· καὶ τοῦτο ἦν νόμος αὐτοῖς, ὅ τι ἐκείνῳ ἐδόκει· καὶ τοῦτο ἀπώμοτον πάλιν, ὃ μὴ ἐδόκει, καὶ πλάκες Μωσέως αὐτοῖς τὰ ἐκείνου δόγματα, καὶ πλεῖον τὸ σέβας ἢ παρὰ ἀνθρώπων τοῖς ἁγίοις ὀφείλεται.

15 Οἵ γε καὶ ἡνίκα παρῆσάν τινες, ὥσπερ θῆρα τὸν ἅγιον ἀνιχνεύοντες, ἐπειδὴ πανταχοῦ τοῦτον ἀναζητοῦντες οὐχ εὕρισκον, λόγου μὲν οὐδενὸς τοὺς πεμφθέντας ἠξίωσαν· προὔτεινον δὲ τοῖς ξίφεσι τοὺς αὐχένας, ὡς ὑπὲρ Χριστοῦ κινδυνεύοντες, καὶ τὸ παθεῖν τι τῶν ἀνηκέστων ὑπὲρ ἐκείνου
D μεγίστην μοῖραν εἰς φιλοσοφίαν νομίζοντες, καὶ πολὺ τῶν μακρῶν νηστειῶν καὶ χαμευνιῶν καὶ τῆς ἄλλης κακοπα-

19, 21 κοινῷ P_1C ‖ ἔστι post ἱεροσύνη S_1PC ‖ 22 φιλόσοφος καὶ nPC > S_1D_1

20, 3 μᾶλλον : πλέον SD_1 ‖ 6 ἂν : οὗ SPC sicut *LXX* (*Ps.* 130, 10 b) ‖ παρέλθω + καὶ ὅτι σύ Κ(ύρι)ε κατὰ μόνας ἐπ' ἐλπίδι κατῴκισάς με S (secundum *Ps.* 4, 9 b) ‖ 7 καὶ > W_1 ‖ 8 πλείων S ‖ 11 ἐκεῖνο S ‖ 12 ἀνωμώτατον (sic) (= ἀνομώτατον) C ‖ 13 Μωϋσέως m Maur. ‖ δόγματα : διδάγματα S ‖ πλέον S ‖ 14 ἀνθρώποις S ‖ 15 θῆρα n : θήρατον P_1 θῆρες D_1C et copt. θηραταὶ S ‖ 16-17 ἐπειδὴ — εὕρισκον desunt in copt. ‖ 17 ηὕρισκον AQWVS ‖ 21 νηστειῶν + τε SDP

20. a. Ps. 140, 10 b.

l'érémitisme et le cénobitisme en montrant qu'il y a un sacerdoce qui est une sorte de « philosophie » et une « philosophie » qui a besoin aussi du ministère sacerdotal.

20. Il harmonisa de cette manière les deux genres de vie et les associa sous forme d'activités compatibles avec la retraite, et de retraite compatible avec la vie active, de façon à convaincre tout le monde que l'essentiel de la profession monastique consiste dans la fidélité constante à un genre de vie plutôt que dans le fait matériel de vivre retiré du monde, suivant le principe qui faisait de David le grand un homme d'action extrêmement occupé en même temps qu'un parfait solitaire en admettant comme la plus sûre confirmation de ce que je viens d'énoncer, le verset du Psaume : « Moi, je suis solitaire et je le serai jusqu'au bout[a]. »

Aussi des hommes dont la vertu était supérieure à celle des autres se voyaient dépassés par sa raison plus encore qu'ils ne surpassaient les autres; contribuant un peu à rehausser la perfection du sacerdoce, ils obtenaient en échange de plus grands avantages pour la réalisation de leur idéal « philosophique » : son avis leur servait de loi et en retour ils regardaient comme choses défendues celles qu'il n'approuvait pas ; ses décisions étaient pour eux des Tables mosaïques et leur vénération pour lui dépassait celle que les hommes doivent aux saints.

Lorsque des émissaires qui traquaient le saint comme un gibier se présentèrent, ils le manquèrent malgré leurs minutieuses perquisitions : les moines n'avaient pas daigné leur dire un seul mot; ils avaient tendu la gorge aux glaives comme s'ils s'étaient exposés pour le Christ, persuadés que subir l'une ou l'autre cruauté pour lui était la meilleure occasion de pratiquer la « philosophie » et que c'était beaucoup plus édifiant et plus sublime que les abstinences

θείας, ἣν ἐκεῖνοι τρυφῶσιν ἀεί, ἐνθεώτερόν τε καὶ ὑψηλότερον[b].

1105 A **21.** Ὁ μὲν οὖν ἐν τούτοις ἦν καὶ τὸ τοῦ Σολομῶντος ἐπῄνει, καιρὸν εἶναι παντὶ πράγματι φιλοσοφήσαντος[a]. Καὶ διὰ τοῦτο ἀπεκρύπτετο μικρόν, ὅσον τὸν τοῦ πολέμου καιρὸν διαφεύγων, ἵνα συναναφανῇ τῷ τῆς εἰρήνης ἥκοντι · ὅπερ
5 οὖν καὶ γίνεται μικρὸν ὕστερον. Ὁ δὲ κατὰ πολλὴν ἤδη τοῦ κωλύσοντος ἐρημίαν, κατατρέχει μὲν Αἴγυπτον, ληΐζεται δὲ Συρίαν τῷ κράτει τῆς ἀσεβείας · ἐπιλαμβάνεται δὲ τῆς ἑῴας ὅσον ἐδύνατο, τὸ ἀρρωστοῦν ἀεὶ προσλαμβάνων καὶ τοῖς κουφοτέροις ἢ δειλοτέροις ἐπιφυόμενος. Οἰκειοῦται δὲ
10 τὴν βασιλέως ἁπλότητα · οὕτω γὰρ ἐγὼ καλῶ τὴν κουφότητα, αἰδούμενος τὴν εὐλάβειαν.

Καὶ γὰρ ἦν, εἰ δεῖ τἀληθὲς εἰπεῖν, ζῆλον μὲν ἔχων,
B ἀλλ' οὐ κατ' ἐπίγνωσιν. Ἐξωνεῖται δὲ τῶν ἐν τέλει τοὺς φιλοχρύσους μᾶλλον ἢ φιλοχρίστους — εὐπορία γὰρ ἦν αὐτῷ
15 τὰ τῶν πενήτων, κακῶς δαπανώμενα —, καὶ τούτων μάλιστα τοὺς γυναικώδεις τε καὶ ἐν ἀνδράσιν ἀνάνδρους καὶ ἀμφιβόλους μὲν τὸ γένος, προδήλους δὲ τὴν ἀσέβειαν · οἷς οὐκ

20, 22 ἀεὶ > PC et copt. *(quae omnia ipsi faciebant in ascesi)*

21, 3 ὅσον + ὅσον SDP$_1$C ‖ 4 διαφεύγων WVm : διαφέρων B διαφεύγων in textu cum διαφέρων mg tamquam varia lectione Q διεφέρων in textu cum διαφεύγων mg tamquam varia lectione AT > copt. ‖ 6 κωλύοντος S ‖ 8 ἠδύνατο m ‖ προσλαμβάνων n m copt. : + ὥσπερ οἱ χείμαρροι τὰ συρρέοντα AQ$_2$VT DPC Maur. hic desinit copt. ‖ 9 ἐπιφυόμενος + ὥσπερ οἱ χείμαρροι τὰ συρρέοντα S ‖ 14 ἢ > Q ‖ 16 τε > P

20. b. Cf. Eccl. 3, 1 b et 8 b.

21. a. Cf. Rom. 10, 1-4 ; spécialement 10, 2.

1. Cf. *AS Mai.*, III, col. 330. Dans la mesure où elles reflètent l'imagination populaire, les amplifications légendaires de l'histoire de cette période de la carrière d'Athanase dénotent la sympathie et la connivence des milieux où le proscrit trouvait refuge.

2. Cf. app. crit. : plusieurs mss ajoutent ici : « comme les torrents (entraînent avec eux) tout ce qu'ils recueillent dans leur cours ».

et jeûnes prolongés, le sommeil sur la dure et les autres mortifications, objets constants de leur volupté[b1].

21. Il se trouvait donc parmi eux et appliquait la maxime de Salomon qu'il faut faire chaque chose en son temps[a]; pour cette raison, il demeura caché peu de temps, juste le temps de se soustraire aux hasards de la guerre, afin de reparaître au retour de la paix ; ce qui arrive peu après. Son rival profite de l'absence déjà longue de celui qui allait lui résister ; il parcourt l'Égypte et ravage la Syrie grâce à l'appui de l'impiété qui était au pouvoir; il s'empare de la plus grande partie possible de l'Orient en entraînant toujours les éléments moins vigoureux à sa suite et en attirant dans son parti les plus légers et les plus lâches[2]. Il gagne à sa cause l'esprit simple de l'empereur; en effet, c'est ainsi que j'appelle la légèreté de celui-ci par respect pour sa piété, car s'il faut être objectif, on admettra qu'il était plein de bonne volonté quoique dépourvu d'esprit critique[3].

Comme il disposait des biens des pauvres, qu'il dilapidait, il achète la faveur de gens influents qui tenaient plus à l'argent qu'à Jésus-Christ et notamment surtout des gens efféminés et émasculés dont le sexe est douteux mais l'impiété incontestable, qui sont préposés aux gynécées

L'image apparaît sous une autre forme dans notre auteur (*Lettre* 48, 9, éd. P. Gallay, Paris 1964, p. 63). Il s'agit d'un thème assez commun de la sophistique, étudié (d'après le texte de *PG* 35, col. 1105 A 10-11), dans Kertsch, *Bildersprache*, p. 98-99. Cette étude confirme que l'image se prête, dans la forme que lui donne une partie de la tradition manuscrite, à servir d'interpolation ou de glose ultérieurement insérée dans le texte original. Une investigation plus complète de la tradition manuscrite est indispensable pour tirer la chose au clair.

3. L'empereur Constance. Grégoire témoigne ailleurs de la sympathie pour cet empereur : *D.* 5, 16 (*PG* 35, col. 684 B 6 - 685 A 6), où il trouve des excuses aux déviations doctrinales que les orthodoxes reprochent à cet empereur. Ici l'argumentation se réfère à *Rom.*, 10, 1-4.

οἶδ' ὅπως καὶ ὅθεν οἱ Ῥωμαίων βασιλεῖς, τὰ γυναικῶν πιστευομένοις, τὰ τῶν ἀνδρῶν ἐγχειρίζουσι.

20 Καὶ ταῦτα ἴσχυσεν ὁ τοῦ πονηροῦ θεράπων, ὁ τῶν ζιζανίων σπορεύς, ὁ τοῦ Ἀντιχρίστου πρόδρομος· χρώμενος μὲν ὅσα γλώσσῃ τῶν τότε λογίων ἐν ἐπισκόποις τῷ πρώτῳ — εἴ τῳ λόγιον φίλον καλεῖν τὸν οὐχ οὕτως ἀσεβῆ δογματιστήν, ὅσον ἐχθρὸν καὶ φιλόνεικον· τὸ γὰρ ὄνομα ἑκὼν 25 ὑπερβήσομαι — · αὐτὸς δὲ ἀντὶ χειρὸς ὢν τῷ συστήματι C καὶ παρασύρων τῷ χρυσῷ τὴν ἀλήθειαν, ὃν δι' εὐσέβειαν συναγόμενον, ὄργανον ἀσεβείας οἱ πονηροὶ πεποίηνται.

22. Ταύτης ἀποτέλεσμα τῆς δυναστείας, ἡ πρότερον μὲν τὴν τῆς ἁγίας καὶ καλλιπαρθένου Θέκλης Σελεύκειαν, μετὰ δὲ τοῦτο τὴν μεγαλόπολιν ταύτην καταλαβοῦσα σύνοδος ἃς ἐπὶ τοῖς καλλίστοις τέως γνωριζομένας, ἐπὶ τοῖς αἰσχίστοις 5 ὀνομαστὰς πεποίηκεν· εἴτε τὸν Χαλάνης πύργον, ὃς καλῶς τὰς γλώσσας ἐμέρισεν — ὡς ὤφελόν γε κἀκείνας· ἐπὶ κακῷ

21, 18 τὰ + τῶν Maur. ‖ 25 δ' D

22, 2 Σελευκίαν S ‖ 3 ταύτην > S ‖ ἃς : τὰς C ‖ 5 Χαλάννης AQ_2W VTC ‖ 5-6 καλῶς nSD > P_1 + ὡς C post γλώσσας S ‖ 6 ὄφελον QV TDPC

1. Allusion aux eunuques et aux chambellans du palais impérial, où le premier chambellan occupait l'un des postes d'influence les plus importants de l'empire : Jones, *The Later Roman Empire*, p. 851-852, et 1355-1356, p. 568-572, et 1232-1234.

2. Commentant ce passage et le suivant, S. Lenain de Tillemont (*Mémoires*, VI, p. 466) attribue le rôle prépondérant à Acace de Césarée. Des scoliastes ont pensé à Eusèbe de Nicomédie ou à Eusèbe de Césarée ; et les Mauristes se demandent si le personnage visé ne serait pas Acace de Césarée : *PG* 35, col. 1106, note 39. Athanase lui-même insistait sur l'influence exercée par Acace de Césarée à Séleucie : *Traité sur les Synodes de Rimini et de Séleucie*, XII, 2 et 4, et *passim* (éd. H. G. Opitz, Berlin et Leipzig 1935 = Athènes 1962, II, vol. 31, p. 298, 31 et 299, 7, etc.).

3. Tour de Chalanes ou Tour de Babel : *Gen.*, 11, 1-9. Le synode de Séleucie eut des conséquences analogues à celles que la Bible prête

et dont je ne comprends pas comment ni pourquoi les empereurs romains leur confient des affaires masculines[1].

Le serviteur du Malin, semeur de zizanie et précurseur de l'Antéchrist, trouva le moyen de réaliser ce programme grâce à la collaboration de quelqu'un qui, grâce à sa langue, s'était élevé au premier rang de l'épiscopat éloquent de cette époque — si du moins on tient à appeler éloquent un théologien, dont je tairai volontiers le nom, plus passionné par la dispute et les rancunes personnelles qu'il n'est attaché aux dogmes impies qu'il défend. Lui-même était le bras de la secte et il employait à combattre la vérité l'argent recueilli à des fins pieuses et dont des gens malhonnêtes avaient fait l'instrument de l'impiété[2].

22. Le résultat pratique de l'influence qu'il exerçait fut le synode qui se réunit d'abord à Séleucie, la cité de Sainte Thècle, vierge, et qui vint ensuite s'installer ici dans la Capitale, deux villes qui étaient connues jusque-là par les titres les plus honorables et dont il a associé les noms aux souvenirs les plus déshonorants, quel que soit le nom qu'il faut donner — soit Tour de Chalanes[3], où les langues parlées se différencièrent parfaitement, et plût à Dieu que les langues de ceux-là aussi qui ne s'entendaient que pour mal faire eussent le même sort,

à la Tour de Babel ; d'une part, dans l'immédiat, il développa la confusion dans l'empire chrétien, d'autre part, à plus long terme, il contribua à séparer des traditions orthodoxes les peuples convertis par des missionnaires fidèles aux tendances ariennes, notamment les Goths convertis par Ulfila : J. Daniélou et H. I. Marrou, *Des origines à S. Grégoire le Grand*, I, Paris 1963, p. 303 et 466. Sur Ste Thècle, vierge et martyre, compagne de S. Paul selon de pieuses traditions, voir F. Halkin, *BHG*, II, p. 267. Sur le thème de la Tour de Babel, image des discordes doctrinales au sein des communautés chrétiennes : *D.* 23, 4 ; et sur le séjour de Grégoire à Séleucie, en 375-379 : *De vita sua* ,v. 547-549. Cf. G. Dagron, *Vie et miracles de sainte Thècle* (Subsid. hag., 62), Bruxelles 1978, spécialement p. 55-79, et p. 96-100.

γὰρ ἡ συμφωνία —, εἴτε τὸ Καϊάφα συνέδριον[a], ᾧ Χριστὸς κατακρίνεται, εἴτε τι ἄλλο τοιοῦτο τὴν σύνοδον ἐκείνην ὀνομαστέον ἣ πάντα ἀνέτρεψε καὶ συνέχεεν. Τὸ μὲν εὐσεβὲς
1108 A δόγμα καὶ παλαιὸν καὶ τῆς Τριάδος συνήγορον καταλύσασα, τῷ βαλεῖν χάρακα καὶ μηχανήμασι κατασεῖσαι τὸ ὁμοούσιον· τῇ δὲ ἀσεβείᾳ θύραν ἀνοίξασα διὰ τῆς τῶν γεγραμμένων μεσότητος, πρόφασιν μὲν αἰδοῖ τῆς Γραφῆς καὶ τῆς τῶν ἐγκρίτων ὀνομάτων χρήσεως, τὸ δὲ ἀληθές,
15 τὸν ἄγραφον Ἀρειανισμὸν ἀντεισάγουσα.

Τὸ γάρ, «Ὅμοιον κατὰ τὰς Γραφάς», τοῖς ἁπλουστέροις δέλεαρ ἦν τῷ τῆς ἀσεβείας χαλκῷ περικείμενον, ἡ πρὸς πάντας ὁρῶσα τοὺς παριόντας εἰκών, ὁ κοινὸς τῶν ἀμφοτέρων ποδῶν κόθορνος, ἡ κατὰ πάντα ἄνεμον λίκμησις[b], ἐξουσίαν
20 λαβοῦσα τὴν νεόγραφον κακουργίαν καὶ τὴν κατὰ τῆς ἀληθείας ἐπίνοιαν. Σοφοὶ γὰρ ἐγένοντο εἰς τὸ κακοποιῆσαι· τὸ δὲ καλὸν ποιῆσαι οὐκ ἔγνωσαν[c].

B **23.** Ἐντεῦθεν ἡ σοφιστικὴ τῶν αἱρετικῶν κατάκρισις οὓς λόγῳ μὲν ἀπεκήρυξαν ἵν' ᾖ πιθανὸν αὐτοῖς τὸ ἐπιχείρημα, ἔργῳ δὲ προήγαγον εἰς τὸ ἔμπροσθεν· οὐδὲ ἀσέβειαν ἄμετρον ἀλλὰ συγγραφὴν ἄπληστον ἐγκαλέσαντες. Ἐντεῦθεν
5 οἱ βέβηλοι τῶν ὁσίων κριταὶ καὶ ἡ καινὴ μίξις, ὄψις δημοσία

22, 7 τὸ : τῷ DP || ᾧ : ἐν ᾧ m || 8 κρίνεται W_1 || 12 δ' DPC || 13 προφάσει S || 14 ἐγκρίτων AQ_1BWm : ἐκκρίτων VT ἐγκρίτων ἐκκρίτων Q_2 || δ' DPC || 15 τὸν : τὸ S_1 || 22 καλὸ S

23, 2 ἀπεκήρυξε S_1 || ἐγχείρημα SD || 3 προσήγαγον S || οὐδ' DPC || 5 κενή C

---

22. a. Cf. Matth. 26, 57-68 ; Mc 14, 53-65 ; Lc 22, 54-55 ; Jn 11, 47-53 ; et 18, 24. b. Cf. Sir. 5, 9. c. Jér. 4, 22 b.

---

1. Cf. ATHANASE, *Traité sur les Synodes de Rimini et de Séleucie* I, 3 (éd. H. G. Opitz = Athènes, II, vol. 31, p. 290, 15-16).

2. Le « cothurne qui va aux deux pieds », expression proverbiale traditionnelle (Zénobe, le paroimographe : référence dans LIDDELL et SCOTT, *Lexicon*, p. 966, s.v.) : catholiques et ariens pouvaient à leur gré interpréter la formule selon leurs convictions respectives, d'où la métaphore du cothurne qui va aux deux pieds. Cette formule de

soit le Sanhédrin réuni chez Caïphe[a] pour condamner Jésus-Christ[1], soit un autre nom du même genre — ce synode qui mit sens dessous dessus et bouleversa toutes choses. Il détruisit le dogme de la piété traditionnelle garant de la Trinité, donna l'assaut avec tranchées et machines de siège au terme « consubstantiel » et ouvrit la porte à l'impiété en recourant au compromis des formules ; en réalité, sous prétexte de respecter l'Écriture et d'employer des expressions consacrées, il y avait substitué l'arianisme sans l'écrire.

En effet, l'expression « semblable selon les Écritures » était l'appât qui dissimulait pour les simples l'hameçon de l'impiété; c'était l'image peinte, dont les yeux sont tournés vers ceux qui la regardent de tous les côtés à la fois, le cothurne qui va aussi bien au pied gauche qu'au pied droit, la dispersion[b] à tout vent[2]. La manière nouvelle dont on formulait l'imposture ainsi que l'intention contestataire lui tenait lieu d'autorité, car ils furent habiles à mal faire, mais ne surent pas comment faire quelque chose de bon[c].

23. De là vient la condamnation sophistiquée portée contre les hérétiques, qu'ils désapprouvaient verbalement afin de donner plus de crédibilité à leur entreprise, mais dont ils favorisaient en fait les progrès puisqu'ils ne censuraient que des abus d'ordre littéraire sans même mettre en cause leur incommensurable impiété. De là vient que des laïques s'érigent en juges des matières sacrées; de là ce nouveau mélange de spectacle offert au public et de discussions à

compromis est jugée destructrice et source de dispersion par Grégoire, d'où l'allusion à *Sir.* 5, 9 (les méchants dispersés comme la bale au vent), ou à *Lc,* 20, 18 (l'infidèle accidentellement éliminé sans qu'il s'en rende compte). ATHANASE déplore l'ambiguïté des formules dogmatiques en question dans : *Traité sur les Synodes de Rimini et de Séleucie,* IX, 1-2, et XXXVI, 1 (éd. H. G. Opitz = Athènes, II, vol. 31, p. 295, 18-34, et p. 323, 6-8).

καὶ μυστικὰ προβλήματα καὶ ἡ παράνομος τῶν βεβιωμένων ἐξέτασις καὶ οἱ μισθούμενοι συκοφάνται καὶ ἡ ἐπὶ ῥητοῖς κρίσις. Καὶ οἱ μὲν ἐξωθούμενοι τῶν θρόνων ἀδίκως · οἱ δὲ ἀντεισαγόμενοι καὶ τὰ χειρόγραφα τῆς ἀσεβείας ἀπαιτού-
10 μενοι, ὥσπερ τι ἄλλο τῶν ἀναγκαίων · καὶ τὸ μέλαν ἕτοιμον καὶ ὁ συκοφάντης ἐγγύς.

C "Ο δὴ καὶ ἡμῶν τῶν ἀηττήτων οἱ πλεῖστοι πεπόνθασι, διανοίᾳ μὲν οὐ πεσόντες, γράμματι δὲ παραχθέντες καὶ εἰς ἓν ἐλθόντες τοῖς πονηροῖς κατ' ἀμφότερα καὶ τοῦ καπνοῦ
15 γε, εἰ καὶ μὴ τοῦ πυρός, μετασχόντες. "Ο πολλάκις ἐδάκρυσα ὁρῶν τὴν τότε χύσιν τῆς ἀσεβείας καὶ τὸν νῦν ἐπαναστάντα διωγμὸν τῷ ὀρθῷ λόγῳ παρὰ τῶν προστατῶν τοῦ Λόγου.

24. Τῷ ὄντι γάρ, « Ποιμένες ἠφρονεύσαντο », κατὰ τὸ γεγραμμένον, καὶ « Ποιμένες πολλοὶ διέφθειραν τὸν ἀμπελῶνά μου, ἤσχυναν μερίδα ἐπιθυμητήν[a] », τὴν Ἐκκλησίαν τοῦ
1109 A Θεοῦ λέγω, πολλοῖς ἱδρῶσι καὶ σφαγίοις συνειλεγμένην,
5 τοῖς πρὸ Χριστοῦ τε καὶ μετὰ Χριστὸν καὶ αὐτοῖς τοῖς μεγάλοις τοῦ Θεοῦ περὶ ἡμῶν πάθεσι. Πλὴν γὰρ ὀλίγων ἄγαν, καὶ τούτων ὅσοι διὰ σμικρότητα παρερρίφησαν ἢ δι' ἀρετὴν ἀντέβησαν, οὓς ἔδει σπέρμα καὶ ῥίζαν ὑπολειφθῆναι τῷ Ἰσραὴλ ἵνα ἀναθάλῃ πάλιν καὶ ἀναβιώσῃ ταῖς ἐπιρροίαις
10 τοῦ Πνεύματος[b], πάντες τοῦ καιροῦ γεγόνασι, τοσοῦτον

23, 6 βεβαιομένων S ‖ 7 ἡ nP > S αἱ D_1C ‖ 8 κρίσεις C ‖ τῶν θρόνων > C ‖ 9 δ' D ‖ 13 πεσόντες : κλαπέντες P ‖ γράμμασι VT ‖ 14 συνελθόντες T ‖ 16 χύσιν : σύγχυσιν QP_1C

24, 5 τε > C ante Χριστοῦ n ‖ 7 περιερρίφησαν V ‖ 8 διὰ B ‖ 9 ἀναβιώσει S ‖ 10 τοσούτων P

24. a. Cf. Jér. 10, 21 ; 12, 10. b. Cf. Is. 1, 9.

1. Ces griefs sont développés dans le *Traité sur les Synodes de Rimini et de Séleucie*, d'Athanase.

2. L'auteur peut se souvenir du cas de son propre père, Grégoire l'ancien, évêque de Nazianze, qui se laissa abuser par des formules apparemment innocentes et qui eut beaucoup à le regretter : sur l'affaire, voir GALLAY, *Vie*, p. 81-84 ; et l'allusion dans le *D.* 18, 18 (*PG* 35, col. 1005 C 3 - 1008 A 9). On rapporte le *D.* 6 à ce genre de faiblesse commise par Grégoire le père : BERNARDI, *Prédication*,

propos des mystères, ainsi que l'enquête inique sur le passé des gens, les dénonciateurs à gages et les sentences arrangées d'avance. De là vient que les uns sont illégalement expulsés de leurs sièges et qu'on en met d'autres à leur place en leur réclamant comme des pièces indispensables des professions écrites d'impiété : l'encre était toujours prête à l'emploi et le dénonciateur à proximité[1].

Oui, bien sûr, la plupart d'entre nous, qui sommes pourtant les irréductibles, y ont succombé sans se rendre compte qu'ils tombaient; mais abusés par la formule verbale, ils rejoignaient les rangs de ceux qui commettaient la faute tant de cœur que verbalement; et s'ils n'ont pas été atteints par le même feu, ils l'ont du moins été par la même fumée. Je l'ai bien souvent déploré en voyant l'impiété se répandre comme elle le fit à cette époque et la persécution déclenchée par les défenseurs du Verbe sévir de nos jours contre la doctrine orthodoxe[2].

24. De fait, comme le dit l'Écriture, des pasteurs ont perdu la raison, des pasteurs en grand nombre ont ruiné ma vigne, dévasté la part convoitée[a], je veux dire l'Église de Dieu rassemblée au prix de bien des peines et des sacrifices subis avant le Christ et après le Christ et au prix des grandes souffrances que Dieu même a endurées pour nous. Il y eut quelques trop rares exceptions; parmi celles-ci, tous ceux qu'on laissa de côté à cause de leur peu d'importance ou ceux qui tinrent bon à cause de leur vertu, et qui devaient être sauvegardés comme un germe et une racine pour servir à rendre vie et vigueur à Israël grâce à l'infusion de l'Esprit[b]; mais, à part ceux-là, tous se sont

p. 102-104. Les images littéraires tirées de l'opposition du feu et de la fumée se rencontrent ailleurs dans Grégoire de Nazianze, notamment cf. *D.* 22, 7 ; 4, 30 ; ou *Carmina* II, 1, 60, v. 2 (*PG* 37, col. 1403). Kertsch, *Bildersprache*, p. 42, n. 1, y voit une inspiration biblique possible (*Ps.* 104, 32).

ἀλλήλων διενεγκόντες, ὅσον τοὺς μὲν πρότερον, τοὺς δὲ ὕστερον τοῦτο παθεῖν· καὶ τοὺς μὲν προαγωνιστὰς καὶ προστάτας γενέσθαι τῆς ἀσεβείας, τοὺς δὲ ταχθῆναι τὰ δεύτερα ἢ φόβῳ κατασεισθέντας ἢ χρείᾳ δουλωθέντας ἢ
15 κολακείᾳ δελεασθέντας ἢ ἀγνοίᾳ κλαπέντας, τὸ μετριώτατον· εἴ τῳ καὶ τοῦτο αὔταρκες εἰς ἀπολογίαν τῶν λαοῦ προεστάναι πεπιστευμένων.

B Ὥσπερ γὰρ οὐχ αἱ αὐταὶ λεόντων τε καὶ τῶν ἄλλων ζῴων ὁρμαί, οὐδὲ ἀνδρῶν ἢ γυναικῶν, ἢ πρεσβυτέρων ἢ
20 νεωτέρων, ἀλλ' ἔστι καὶ ἡλικιῶν καὶ γενῶν οὐ μικρὸν τὸ διάφορον, οὕτως οὐδὲ ἀρχόντων ἢ ἀρχομένων. Τοῖς μὲν γὰρ τοῦ λαοῦ τάχα ἂν καὶ συγγινώσκοιμεν τοῦτο πάσχουσιν, οὓς σώζει πολλάκις τὸ ἀβασάνιστον· διδασκάλῳ δὲ πῶς τοῦτο δώσομεν, ὃς καὶ τὰς τῶν ἄλλων ἀγνοίας ἐπανορθοῖ,
25 ἄνπερ μὴ ψευδώνυμος ᾖ; Πῶς γὰρ οὐκ ἄτοπον, Ῥωμαίων μὲν νόμον μηδενὶ ἀγνοεῖν ἐξεῖναι, μηδ' ἂν σφόδρα ᾖ τις ἀγροικίας καὶ ἀμαθέστατος, μηδὲ εἶναι νόμον τὸν βοηθοῦντα τοῖς πραττομένοις δι' ἄγνοιαν, τοὺς δὲ τῆς σωτηρίας
C μυσταγωγοὺς ἀγνοεῖν τὰς τῆς σωτηρίας ἀρχάς, κἂν τἄλλα
30 τυγχάνωσι τῶν ἁπλουστέρων ὄντες καὶ μὴ βαθεῖς τὴν διάνοιαν; Πλὴν ἔστω συγγνώμη τοῖς δι' ἄγνοιαν κατακολουθήσασι. Τί δ' ἂν εἴποις περὶ τῶν ἄλλων, ὅσοι καὶ ἀγχινοίας μεταποιούμενοι, δι' ἃς εἶπον αἰτίας, τῶν κρατούντων ἡττήθησαν καὶ τὴν τῆς εὐσεβείας σκηνὴν ἐπὶ πολὺ
35 παίξαντες, ὡς ἐφάνη τι τῶν ἐλεγχόντων καὶ κατηνέχθησαν;

D **25.** Ἔτι μὲν ἅπαξ σεισθήσεσθαι τὸν οὐρανὸν καὶ τὴν γῆν, τῆς Γραφῆς[a] ἀκούω λεγούσης, ὡς δὴ τοῦτο παθόντων

24, 11 δ' D ‖ 13-14 τοὺς — κατασεισθέντας > S_1 rest S_2 — κατασχεθέντες W ‖ 14-15 ἢ κολακείᾳ δελεασθέντας > S_1 rest. S_2 ‖ 18 αἱ αὐταὶ : ἑαυταὶ S ‖ 19 οὐδ' DPC ‖ 20 ἡλικιῶν ... γενῶν ~ DPC ‖ 21 οὐδ' DPC ‖ ἢ nDC : οὐδὲ S οὐδ' P_1 ‖ 24 δώσωμεν SP ‖ 25 μὴ + ᾖ SDC ‖ ᾖ > SDP Maur. ‖ 26 τις : τῆς A ‖ 27 ἀγροικίας : ἀγροικός D ‖ μηδ' m ‖ 29 μυσταγωγοὺς ἀγνοεῖν ~ Maur. ‖ 30 τυγχάνουσι C

25, 1 ἔτι : ὅτι V ‖ σεισθήσεσθαι post οὐρανόν S post γῆν Maur.

25. a. Cf. Hébr. 12, 25-29.

laissé entraîner par le courant du moment, à cette différence près que les uns ont subi cela plus tôt, les autres plus tard et que les uns ont été les protagonistes et les chefs de l'impiété tandis que les autres jouaient les seconds rôles après s'être laissé ébranler par la crainte, asservir par la nécessité, séduire par l'appât des flatteries ou berner par leur ignorance, ce qui est le cas le plus bénin, si toutefois on peut y voir une excuse suffisante pour ceux à qui avait été confiée la fonction de diriger le peuple.

En effet, de même que l'allure des lions diffère de celle des autres animaux, celle des hommes de celle des femmes, celle des plus âgés de celle des plus jeunes et que l'âge et l'espèce mettent entre elles une grande variété, ainsi la conduite de ceux qui exercent le pouvoir n'est pas celle des subordonnés. Nous excuserions sans doute les gens du peuple d'être victimes de telles bévues; leur manque d'expérience est souvent leur salut. Mais, comment accorder cela à un maître, qui, à moins d'être indigne de son titre, est aussi chargé de rectifier les erreurs éventuelles des autres. Alors que personne n'a le droit d'ignorer la loi romaine, pas même le plus rustique ou le plus ignorant, et qu'aucune loi n'excuse même les crimes ou délits commis par ignorance, comment ne serait-il pas absurde que les responsables des mystères du salut ignorent les principes du salut, même s'ils ont au demeurant l'esprit simple et superficiel ? Mais, soit! Qu'on se montre indulgent à l'égard de ceux qui ont suivi le mouvement par ignorance. Que faut-il dire des autres, de tous ceux-là qui revendiquent des qualités intellectuelles et qui se sont néanmoins soumis aux autorités pour les raisons que j'ai dites et succombèrent aussi dès que se présenta une situation compromettante, après avoir longtemps joué la comédie de la piété ?

25. L'Écriture nous apprend que le ciel et la terre seront ébranlés encore une fois[a], comme si cet accident leur était

καὶ πρότερον · οὕτω δηλουμένης, οἶμαι, τῆς ἐπιφανοῦς τῶν πραγμάτων καινοτομίας. Καὶ τὸν τελευταῖον σεισμὸν Παύλῳ
5 πιστευτέον λέγοντι, μὴ ἄλλον εἶναι ἢ τὴν δευτέραν Χριστοῦ παρουσίαν, καὶ τὴν τοῦδε τοῦ παντὸς μεταποίησιν καὶ μετάθεσιν εἰς τὸ ἀκίνητον καὶ ἀσάλευτον. Τὸν δὲ νῦν
1112 A τοῦτον σεισμὸν οὐδενὸς ἐλάττω τῶν προγεγενημένων ὑπολαμβάνω, καθ' ὃν κινεῖται μὲν ἀφ' ἡμῶν ὅσον φιλόσοφον
10 καὶ φιλόθεον καὶ πρὸ καιροῦ τοῖς ἄνω πολιτευόμενον. Οἵ, κἂν τἆλλα ὦσιν εἰρηνικοί τε καὶ μέτριοι, τοῦτό γε οὐ φέρουσιν ἐπιεικεῖς εἶναι, Θεὸν προδιδόναι διὰ τῆς ἡσυχίας · ἀλλὰ καὶ λίαν εἰσὶν ἐνταῦθα πολεμικοί τε καὶ δύσμαχοι · τοιοῦτον γὰρ ἡ τοῦ ζήλου θερμότης, καὶ θᾶττον ἄν τι
15 μὴ δέον παρακινήσαιεν ἢ δέον παραλίποιεν. Συναπορρήγνυται δὲ καὶ τῶν λαῶν οὐκ ἐλάχιστον, ὥσπερ ἐν ὀρνίθων ἀγέλῃ τοῖς προαναπτᾶσι συναναπτὰν καὶ οὐδὲ νῦν ἔτι λήγει συνανιπτάμενον.

25, 5 Χριστοῦ : τοῦ Χριστοῦ S Maur. ante δευτέραν S ‖ 6 τοῦδε : τῆδε C ‖ 8 προγεγενημένων : -γεννημένων S_1 ‖ 10 πολιτευόμενον : -μένοις C ‖ 14 τοιοῦτο DP ‖ 15 παραλείποιεν BSDC ‖ 17 προαναπ .... καὶ aliquot litterae excisae A ‖ συναναπτὰν QWVTDP_2 C : συναπτᾶν S συναναπτᾶν BS_2P_1 Maur. ‖ 18 συνανιπτάμενον : συνανιστάμενον ABD

1. Les moines ou ascètes, « attachés à la philosophie » ou « citoyens de la Jérusalem céleste » : *D.* 19, 16 (*PG* 35, col. 1062 C 15 - 1064 A 14). On ne peut dire si le conflit entre les moines de Nazianze et leur évêque était provoqué par le fait que celui-ci avait signé la déclaration de Rimini-Séleucie-Constantinople, dont il est question ici ; selon *D.* 6, 11 (*PG* 35, col. 736 A 8 - C 11), il est probable qu'il s'agissait d'une formule semi-arienne du même genre. Le *D.* 22, 5 (*PG* 35, col. 1136 C 1 - 1137 A 15) expose très clairement des dissensions existant parmi les chrétiens de Constantinople et décrit la combativité des milieux monastiques ; de même, *D.* 22, 16 (*PG* 35, col. 1149 B 5 - 1152 A 5).

déjà arrivé; elle veut indiquer, je crois, l'instauration éclatante d'un nouvel état de choses. Il faut croire Paul quand il dit que le tremblement de terre final ne sera rien d'autre que le second avènement du Christ et que l'univers actuel sera transformé et cédera la place à un autre, définitif et immuable.

Je suppose que le séisme qui nous secoue à l'heure actuelle n'est pas moins violent qu'aucun de ceux du passé; il écarte de nous tous ceux qui s'attachent à la « philosophie » et à Dieu et qui vivent par anticipation en citoyens du ciel[1]. Ceux-ci, bien qu'ils soient généralement paisibles et modérés, ne supportent cependant pas ceci : de rester passifs, de trahir la cause de Dieu par le silence. Au contraire, sur ce point, ils manifestent même beaucoup d'agressivité et de combativité; l'ardeur de leur zèle va, en effet, jusque là, et ils seraient plus prompts à faire ce qu'il ne faut pas qu'à ne pas faire ce qu'il faut!

Une partie du peuple et non la plus petite se trouve entraînée dans la même rupture; cela se passe comme dans une compagnie d'oiseaux : chaque volatile prend son envol à la suite des chefs de file, et il n'est pas près de cesser de voler avec eux[2].

2. Le *De vita sua*, v. 665, fait état des pierres lancées à l'auteur par des ariens et sa *Lettre* 77, 1-3 (éd. P. Gallay, Berlin 1969, p. 66, 10-11 ; éd. de Paris 1964, I, p. 95) dit clairement que des moines, des pauvres (§ 1) et des personnes religieuses de toutes sortes (§ 3) prirent part à des actions violentes à l'encontre de Grégoire ; commentaires dans GALLAY, *Vie*, p. 140-143 ; BERNARDI, *Prédication*, p. 144-146. Dans un Discours prononcé à l'occasion de l'installation d'un évêque à Doara, Grégoire rappelle qu'un ecclésiastique a porté la main sur lui; c'est en Cappadoce qu'il aurait reçu ces coups : *D.* 13, 3 (*PG* 35, col. 856 A 2), et les Mauristes voient dans les mots κινεῖται μὲν ἀφ' ἡμῶν une allusion à la sécession des moines de Nazianze : cf. *PG* 35, col. 1111, note 59.

B **26.** Τοῦτο Ἀθανάσιος ἡμῖν, ἕως παρῆν, ὁ στύλος τῆς Ἐκκλησίας · καὶ τοῦτο, ἐπειδή γε ταῖς ἐπηρείαις τῶν πονηρῶν ὑπεχώρησεν. Ὥσπερ γὰρ οἱ φρούριόν τι τῶν καρτερῶν ἐξελεῖν βουλευθέντες, ἐπειδὰν ἄλλως ἴδωσι δυσπρό-
5 σιτον καὶ δυσάλωτον, ἐπὶ τὴν τέχνην χωροῦσιν. Εἶτα τί ; Χρήμασιν ἢ δόλῳ τὸν φρούραρχον ὑποσπάσαντες, οὕτως ἤδη σὺν οὐδενὶ πόνῳ καὶ τῆς φρουρᾶς ἐκράτησαν · εἰ βούλει δέ, ὥσπερ οἱ τῷ Σαμψὼν ἐπιϐουλεύσαντες, τὴν κόμην πρότερον, ἐν ᾗ τὸ ἰσχυρὸν εἶχε, περιελόντες τηνικαῦτα ὑπὸ
10 χεῖρα τὸν Κριτὴν ἔλαϐον, εἶτα ἐνέπαιζον ὅσα βουλομένοις ἦν, τῆς πρὶν τοῦ ἀνδρὸς δυναστείας ἀντίρροπα[a] · οὕτω καὶ οἱ καθ' ἡμᾶς ἀλλόφυλοι, τὸ ἡμέτερον κράτος ἐκποδὼν ποιησάμενοι καὶ τὴν δόξαν τῆς Ἐκκλησίας ἀποκείραντες,
C οὕτως ἤδη τοῖς τῆς ἀσεϐείας ἐνετρύφων δόγμασί τε καὶ
15 πράγμασι.

Ταύτῃ καὶ μεταλλάττει μὲν τὸν βίον ὁ τοῦ ἀντιθέου ποιμένος βεϐαιωτὴς καὶ προστάτης, κακὸν οὐ κακῇ βασιλείᾳ τὸ κεφάλαιον ἐπιθεὶς καὶ ἀνόνητα μεταγνούς, ὥς φασιν, ἐπὶ ταῖς τελευταίαις ἀναπνοαῖς, ἡνίκα εὐγνώμων ἕκαστος
20 τῶν ἑαυτοῦ κριτὴς διὰ τὸ ἐκεῖ δικαστήριον. Τρία γὰρ ταῦτα οἱ συνεγνωκέναι κακὰ καὶ τῆς ἑαυτοῦ βασιλείας ἀνάξια, τὸν τοῦ γένους φόνον καὶ τὴν ἀνάρρησιν τοῦ Ἀποστάτου καὶ τὴν καινοτομίαν τῆς πίστεως · καὶ ταύταις συναπελθεῖν λέγεται ταῖς φωναῖς · « Ἐξουσίαν δὲ αὖθις ὁ

26, 1 τοῦτο + δ' DC ‖ 4 βουληθέντες SPC ‖ ἐπειδὰν C : ἐπειδ' ἂν cet. ‖ εἴδωσι C ‖ 8 δ' D ‖ τῷ : τὸν T_1 τῶν T_2 ‖ Σαμψόν S ‖ 9 τὸ ἰσχυρὸν : τὴν ἰσχύν Q Maur. ‖ τηνικαῦτα > S_1C ‖ 11 οὕτως S ‖ 13 τὴν δόξαν post Ἐκκλησίας S ‖ 16 μὲν > C ‖ ἀντιθέου ABDC : ἀντιθέτου WVSP Maur. ἀντιθέου in textu + ἀντιθέτου tamquam varia lectio mg Q ἀντιθέτου in textu + ἀντιθέου tamquam varia lectio mg T ‖ 20 ἐκεῖ : ἐκεῖθεν SP_1C ‖ 21 οἱ + αὐτὸν S ‖ 22 καὶ > W ‖ 23 κενοτομίαν SP

26. a. Cf. Jug. 16, 4-21.

1. Littéralement : « en rasant la chevelure qui était la gloire de l'Église » ; sous cette forme succincte la métaphore serait obscure.

26. Voilà ce qu'Athanase a été pour nous aussi longtemps qu'il était parmi nous, lui, le pilier de l'Église; et ce qu'il fut, bien sûr, encore après que les machinations des gens pervers l'eurent forcé à se mettre à l'écart. On fit comme ceux qui cherchent à s'emparer d'une forteresse défendue par des forces supérieures; s'ils voient qu'elle est inaccessible et imprenable par d'autres méthodes, ils recourent à la ruse. Que font-ils ensuite? Ils cherchent d'abord à gagner à leur cause le commandant de la place en le soudoyant ou en le dupant, et, par ce stratagème, les voilà déjà maîtres en même temps et sans aucune peine de la fortification! Ou si l'on veut, on fit comme ceux qui voulaient la perte de Samson : ils commencèrent par lui raser sa chevelure dans laquelle résidait sa force; alors ils se saisirent de lui, ensuite quand ils l'eurent entre leurs mains, ils se jouaient de lui et disposaient à leur gré de forces égales à celles que cet homme possédait auparavant[a]. Les étrangers agirent de même contre nous : ils commencèrent par éliminer notre force en privant l'église de celui qui était sa gloire (comme s'ils rasaient la chevelure de Samson) et ainsi ils se mirent à s'adonner désormais avec volupté à l'impiété qu'ils enseignaient et pratiquaient[1].

A ce moment, celui qui avait établi et soutenu le pasteur athée passe de vie à trépas après avoir terminé de façon malheureuse un règne qui n'avait pas été mauvais et après s'en être vainement repenti, dit-on, au moment de ses derniers soupirs, moment où la perspective du tribunal de l'au-delà fait de chacun un juge impartial de sa propre conduite. Car on dit qu'il avait conscience d'avoir commis trois mauvaises actions indignes de son règne : d'avoir massacré sa parenté, d'avoir favorisé l'ascension de l'Apostat, d'avoir innové en matière de foi. On dit aussi qu'en expirant il aurait prononcé ces mots : « La doctrine de la vérité reprend de nouveau ses droits et les victimes

25 τῆς ἀληθείας λόγος λαμβάνει καὶ παρρησίαν οἱ βιασθέντες αὐτόνομον, τοῦ ζήλου τὸν θυμὸν θήγοντος». Ὃ δὴ καὶ ὁ
D τῶν Ἀλεξανδρέων ἔπαθε δῆμος, οἷος ἐκεῖνος περὶ τοὺς ὑβριστάς, οὐκ ἐνεγκόντες τοῦ ἀνδρὸς τὴν ἀμετρίαν καὶ διὰ τοῦτο ξένῳ μὲν θανάτῳ τὴν πονηρίαν, ξένῃ δὲ ὕβρει τὸν
1113 A θάνατον στηλιτεύσαντες. Ἴστε τὴν κάμηλον ἐκείνην καὶ τὸν ξένον φόρτον καὶ τὸ καινὸν ὕψος καὶ τὴν πρώτην περίοδον, οἶμαι δὲ καὶ μόνην, τὰ μέχρι καὶ νῦν τοῖς ὑβρισταῖς ἀπειλούμενα.

27. Ἐπεὶ δὲ ὁ τυφῶν τῆς ἀδικίας, ὁ τῆς εὐσεβείας φθορεύς, ὁ τοῦ πονηροῦ πρόδρομος, ταύτην εἰσπράττεται τὴν δίκην, ἐμοὶ μὲν οὐκ ἐπαινετήν, οὐ γὰρ ἃ παθεῖν ἐκεῖνον ἐχρῆν, ἀλλ' ἃ ποιεῖν ἡμᾶς ἔδει σκοπεῖν, εἰσπράττεται
5 δ' οὖν, ὀργῆς πανδήμου καὶ φορᾶς ἔργον γενόμενος · ἐπάνεισι μὲν ἐκ τῆς καλῆς ἐκδημίας ὁ ἀθλητὴς — οὕτω γὰρ ἐγὼ καλῶ
B τὴν ἐκείνου διὰ τὴν Τριάδα καὶ μετὰ τῆς Τριάδος φυγήν —, οὕτω δὲ ἀσμένοις προσπίπτει τοῖς ἐν τῇ πόλει καὶ μικροῦ τῇ Αἰγύπτῳ πάσῃ καὶ πανταχόθεν εἰς ταυτὸ συνδραμούσῃ
10 καὶ ἀπ' ἄκρου παντός, ἵν' οἱ μὲν φωνῆς Ἀθανασίου μόνης,

26, 26 θήγοντες D_1 ‖ 27 οἷος nDP : οἷον S οἷς C ‖ 28 τὴν τοῦ ἀνδρὸς S ‖ 29 δ' DPC ‖ 31 τὸ > C ‖ κενὸν PC ‖ 32 καὶ nPC : τοῦ S > D
27, 1 δ' D ‖ 5 φορᾶς : φθορᾶς S_1DP_1C ‖ 7 καὶ > A ‖ 8 οὕτως S ‖ ἀσμένοις QBVTm : ἀσμένως A ἀσμένως ἀσμένοις W ‖ 9 και > SPC ‖ ταυτὸν DP_1C

1. L'empereur Constance, mort le 3 nov. 361.

2. Ammien Marcellin, XXII, 11, raconte la mort tragique de Georges de Cappadoce et de deux fonctionnaires, le préposé à la monnaie, Dragonce, et le comte Diodore ; les trois hommes furent sauvagement massacrés par la foule au cours d'une émeute à Alexandrie, le 24 décembre 361 : Jones, *Prosopography*, I, p. 271. «Non contente de cette barbarie», écrit Ammien Marcellin, «la populace chargea sur des chameaux les cadavres mutilés et les transporta sur le rivage, où après les avoir brûlés, on jeta leurs cendres à la mer.» L'historien attribue la responsabilité de ces sauvageries aux païens excédés par le sectarisme des personnages. L'empereur Julien fait

de la persécution leur totale liberté d'expression alors que le fanatisme augmente leur colère[1]. » Telle fut assurément la réaction populaire à Alexandrie, où le peuple réagit ainsi contre ceux qui le traitent avec insolence. Ils n'ont pas toléré l'extravagance de l'homme dont nous avons parlé et c'en fut assez pour flétrir sa méchanceté par une mort insolite et sa mort par un déchaînement de fureur exceptionnel. Vous connaissez le fameux chameau, son étrange chargement, l'élévation d'un genre nouveau et le cortège à travers la ville, le premier et, je crois, l'unique[2] ; voilà ce qui menace encore aujourd'hui les insolents.

27. Le cyclone d'injustice, corrupteur de la piété et précurseur du Malin, expie ses crimes de cette manière — à mon sens répréhensible[3], car il aurait fallu considérer ce que nous avions à faire plutôt que ce qu'il méritait de subir —, ainsi donc il expie, victime d'un mouvement unanime de colère populaire. Ensuite l'Athlète revient de son glorieux voyage[4], car c'est ainsi que j'appelle un exil subi à cause de la Trinité et en même temps qu'elle. Ainsi il est accueilli par les citadins en liesse et à peu près par tous les Égyptiens rassemblés de toutes parts, accourus même des coins les plus reculés, les uns pour se rassasier ne fût-ce que d'entendre ou de voir Athanase, les autres,

des reproches à ce sujet à la population d'Alexandrie dans la *Lettre* 60 (éd. J. Bidez, Paris 1924, p. 69-72) ; dans sa *Lettre* 107, 378 bc (p. 185-186), il charge le préfet Ecdicius d'acquérir la bibliothèque du prélat défunt.

3. Même appréciation dans Julien, *Lettre* 60, 380 ab (éd. J. Bidez, Paris 1924, p. 71, 2-10).

4. Le 21 février 362. Voir la correspondance de l'empereur Julien sur cette question, notamment la *Lettre* 110 (éd. J. Bidez, p. 187-188, et le commentaire, p. 121-123). C'était le troisième retour public et officiel d'Athanase à Alexandrie. S'il faut en croire Pallade, *Hist. laus.*, 136 (*PG* 34, col. 1235 A 13 - D 11), Athanase n'aurait pas été absent de la ville d'Alexandrie pendant les années de sa proscription ; mais il aurait profité d'une cachette dans une maison particulière.

οἱ δὲ τοῦ εἴδους ἐμφορηθῶσιν, οἱ δέ, ὃ περὶ τῶν ἀποστόλων ἠκούσαμεν, τῇ σκιᾷ γοῦν ἁγιασθῶσι μόνῃ[a] καὶ τῷ καινῷ τύπῳ τοῦ σώματος · ὥστε πολλῶν πολλάκις καὶ πολλοῖς ἤδη γεγενημένων ἐκ τοῦ παντὸς χρόνου τιμῶν τε καὶ
15 ὑπαντήσεων, οὐκ ἄρχουσι μόνον δημοσίοις καὶ ἱερεῦσιν, ἀλλὰ καὶ τῶν οἰκείων τοῖς ἐπιφανεστάτοις, μηδὲ μίαν ταύτης μνημονεύεσθαι πολυανθρωποτέραν καὶ λαμπροτέραν. Ἓν δὲ εἶναι ταύτῃ μόνον παραβάλλειν αὐτὸν Ἀθανάσιον
C καὶ τὴν αὐτῷ προτέραν συντεθεῖσαν ἐπὶ τῇ προτέρᾳ ταύτης
20 εἰσόδῳ τιμὴν ἡνίκα ἐκ τῆς αὐτῆς καὶ ἐπὶ τοῖς αὐτοῖς ἐπανῄει φυγῆς.

28. Φέρεται καὶ τοιοῦτός τις ἐπ' ἐκείνῃ τῇ τιμῇ λόγος · λεγέσθω γάρ, εἰ καὶ περιττότερος, οἷον ἥδυσμά τι τῷ λόγῳ, καὶ ἄνθος εἰσόδιον. Εἰσήλαυνέ τις τῶν δισυπάρχων μετ' ἐκείνην τὴν εἴσοδον. Ἡμέτερος οὗτος ἦν · Καππαδόκης γάρ,
5 καὶ τῶν πάνυ. Τὸν Φιλάγριον ἐκεῖνον οἶδ' ὅτι πάντες ἀκούετε. Καὶ τὸ φίλτρον, οἷον οὐκ ἄλλο καὶ περὶ ἄλλον, καὶ ἡ τιμὴ κατὰ τὸ φίλτρον, ἵνα μικρῷ λόγῳ παραστήσω τὸ πᾶν γνώρισμα · ᾧ καὶ ἡ ἀρχή, πρεσβείᾳ τε τῆς πόλεως καὶ ψήφῳ τοῦ βασιλέως, αὖθις ἐγχειρισθεῖσα.

1116 A Τούτων οὖν τινα τοῦ δήμου, ᾧ φανῆναι τὸ πλῆθος ἄπειρον καὶ οἷόν τι πέλαγος οὐχ ὁρίζον τοῖς ὀφθαλμοῖς,

27, 11 δ' S ‖ 12 κενῷ Maur. ‖ 13 πολλοῖς : ἐπάλλοις S ‖ 16 οἰκείων : οἰκιστῶν m ‖ 17 καὶ λαμπροτέραν > C ‖ 18 δὲ : δὴ DC ‖ 19 προτέραν n : προτέρα Qmg πρότερον m ‖ προτέρᾳ nSC et D_2mg : πρεσβυτέρᾳ D_1P ‖ ταύτης : ταύτῃ AB

28, 2 καὶ εἰ S ‖ 4 γὰρ > P_1 ‖ 7 τὸ > Q ‖ 8 γνώρισμα + τούτου S ‖ ᾧ : οὗ DC ‖ 9 αὖθις eras. P_2 ‖ 10 τούτων nD : τοῦτον S τῶν PC ‖ δήμου + ἐπειδή S

27. a. Cf. Act. 5, 15.

1. S. Athanase fut exilé par Constantin I, du 7 nov. 335 au 23 novembre 337 ; par Constance, du 16 avril 339 au 21 oct. 346, et du 10 juin 356 au 21 février 362 : Bardy, *Athanase*, col. 1323-1324, 1325 et 1328, 1331-1335.

comme l'Écriture le raconte aussi, on le sait, au sujet des Apôtres, uniquement pour être sanctifiés par son ombre[a] et même par l'imagerie qui représente de nouveau son portrait. De sorte que, de mémoire d'homme, parmi les nombreuses manifestations et réceptions organisées bien souvent déjà dans tous les temps en l'honneur non seulement de beaucoup d'autorités publiques ou religieuses mais encore en l'honneur de beaucoup de particuliers très distingués, pas une seule n'attira une foule plus nombreuse et plus brillante. Une seule manifestation peut se comparer à celle-là : celle qui concerne Athanase lui-même, et les honneurs qui lui furent rendus antérieurement à l'occasion d'une entrée qui précéda celle-là, quand il revenait du même exil subi pour les mêmes raisons[1].

28. On rapporte au sujet de cette manifestation une anecdote du genre de celle-ci — elle mérite d'être racontée ne fût-ce que pour le plaisir bien que ce soit une digression, comme on cueille une fleur offerte pour cette entrée —. Derrière ce cortège d'entrée, la voiture d'une personnalité qui portait le titre de « gouverneur pour la seconde fois » entrait à son tour en ville; l'homme était l'un des nôtres puisqu'il était un Cappadocien et l'un des plus en vue. Vous avez compris, je m'en doute, que je veux parler de l'illustre Philagrios[2]. Pour résumer brièvement toute ma pensée, on lui manifestait comme à aucun autre une sympathie sans égale et un respect en rapport avec celle-ci. La charge de gouverneur lui avait été confiée une seconde fois sur décision prise par l'empereur à la requête des délégués de la ville.

A l'un d'eux qui appartenait au milieu populaire la foule avait paru immense comme une mer qui s'étend à perte de vue et, comme cela se produit couramment dans de telles

2. Fl. Philagrios, cappadocien, préfet d'Égypte de 335 à 337 et de 338 à 340 : Jones, *Prosopography*, I, p. 694.

πρός τινα λέγεται τῶν ἑαυτοῦ συνήθων καὶ φίλων, ὃ φιλεῖ συμβαίνειν ἐν τοῖς τοιούτοις, εἰπεῖν · « Εἰπέ μοι, ὦ βέλτιστε · ἤδη ποτὲ τεθέασαι δῆμον τοσοῦτον καὶ οὕτως ἔμψυχον
15 ἐφ' ἑνὸς ἀνθρώπου τιμῇ χυθέντα ; » — « Οὔ », φάναι τὸν νεανίαν · « ἀλλ' ἐμοὶ μὲν δόξαι, μηδ' ἂν αὐτὸς ταύτης τυχεῖν Κωνστάντιος · » ὡς τοῦ ἀκροτάτου τῆς τιμῆς δηλουμένου διὰ τοῦ βασιλέως. Καὶ τὸν γελάσαντα μάλα κομψὸν καὶ ἡδύ · « Τί τοῦτο ἔφης », εἰπεῖν, « ὡς δή τι
20 μέγα λέγων καὶ θαυμαστόν ; Μόλις ἂν οἶμαι καὶ Ἀθανάσιον οὕτως εἰσαχθῆναι τὸν μέγαν · » καὶ ἅμα ὅρκον τινὰ προσθεῖναι τῶν ἐπιχωρίων εἰς τὴν τοῦ λόγου βεβαίωσιν. Ἐβούλετο δὲ ὁ λόγος αὐτῷ, ὃ καὶ ὑμῖν οἶμαι δῆλον, καὶ
B βασιλέως αὐτοῦ ἔμπροσθεν ἄγειν τὸν νῦν εὐφημούμενον.

29. Τοσοῦτον ἦν παρὰ πᾶσι τὸ τοῦ ἀνδρὸς τούτου σέβας καὶ τοσαύτη τῆς μνημονευομένης εἰσόδου νῦν ἡ κατάπληξις. Κατὰ γὰρ γένη καὶ ἡλικίας καὶ τέχνας διαιρεθέντες · φιλοῦσι γὰρ μάλιστα ἡ πόλις αὕτη οὕτω διασκευάζεσθαι,
5 ὅταν τινὶ πλέκωσι τιμὴν δημοσίαν. Πῶς ἂν παραστήσαιμι τῷ λόγῳ τὸ μέγα ἐκεῖνο θέαμα ; Ποταμὸς ἦσαν εἷς, ποιητοῦ δὲ ἦν ἄρα καὶ τὸν Νεῖλον εἰπεῖν, τὸν χρυσορόαν ὄντως
C καὶ εὔσταχυν, ἔμπαλιν ἀπὸ τῆς πόλεως ἐπὶ τὴν Χαιρέου ῥέοντα, ἡμερησίαν ὁδὸν οἶμαι, καὶ περαιτέρω. Δότε μοι
10 μικρὸν ἔτι ἐντρυφῆσαι τῷ διηγήματι. Ἐκεῖσε γὰρ εἶμι καὶ

28, 12 τῶν : τῷ S_1 ‖ 14 ἔμψυχον : εὔψυχον SC ‖ 16 αὐτὸς αὐτὸν Q_2 ‖ 17 Κωνστάντιος : -τιον Q_2 ‖ 20 λέγων μέγα Maur. ‖ οἶμαι > S_1 ‖ 22 προσθεῖναι nDP : προσθῆναί τινα S προσθῆναι C ‖ 23 δ' DPC ‖ 24 ἄγειν : λέγειν D

29, 1 τούτου > PC ‖ 7 δ' DPC ‖ τὸν[1] : + τοῦτον mg D($_2$?) fortasse ut secunda lectio ‖ χρυσορόαν : χρυσορρόαν Maur. + ἐκεῖνον SC ‖ ὄντως + ἐκεῖνον P ‖ 8 ἀπὸ : ἐκ SDC ‖ Χεραίου S ‖ 9 ῥέοντος C ‖ ἡμερησίαν Tm : ἡμερίαν ABWV ἡμερίαν in textu ἡμερησίαν mg tamquam varia lectio Q ‖ μοι > P_1C ‖ 10 ἔτι > D ‖ ἐντρυφῆσαι : ἐντρυφήσω -σαι sup. lin. C

1. S'il faut en croire Libanius, *Lettre* 372, 2 (éd. R. Foerster, Leipzig 1921, p. 359, 10-13), Fl. Philagrios était mort avant 358. Il doit y avoir un peu de confusion dans la chronologie des anecdotes rapportées ici. On sait par ailleurs que le personnage avait eu des

circonstances, il se serait, dit-on, adressé à l'un de ses camarades en ces termes : « Dis-moi, cher ami, as-tu jamais vu un flot d'autant de gens assemblés avec autant d'enthousiasme en l'honneur d'un seul homme ? » — « Non », dit le jeune homme, « au contraire, il me semble qu'on n'en ferait même pas autant en l'honneur de Constance en personne ». Dans son esprit, l'empereur représentait le plus haut sommet des honneurs. Et le premier de reprendre avec un sourire entendu et satisfait : « Pourquoi », dit-il, « dire cela comme une chose importante et surprenante ? J'ai peine à croire que même Athanase le grand ait pu recevoir pareil accueil ! » Et il ajouta un juron local pour corroborer ses propos ; ceux-ci exprimaient l'intention — évidente pour vous aussi, je crois — de faire passer avant l'empereur lui-même celui qui était l'objet de la présente manifestation[1].

29. Telle était la vénération manifestée par tout le monde à cet homme. Tel fut l'effet produit sur les imaginations par l'entrée dont nous rappelons le souvenir. La ville s'était spontanément groupée par sexe, âge et métier, comme ils aiment à le faire, surtout chaque fois qu'ils organisent une manifestation publique en l'honneur de quelqu'un. En quels termes traduire la grandeur de ce spectacle ? Ils ne formaient qu'un fleuve, qu'un poète pourrait bien comparer au Nil charriant vraiment la richesse et la fertilité et remontant vers l'amont, de la ville vers Le Caire, sur une distance, je crois, d'une journée de marche au moins ! Accordez-moi le plaisir de m'attarder

rapports très désagréables avec ATHANASE, qui dit beaucoup de mal de lui dans *Histoire des Ariens adressée aux moines*, VII, 5 ; IX, 3 ; XII, 1 (éd. H. G. Opitz, Berlin et Leipzig 1935 = Athènes 1962, II, vol. 31, p. 245, 6-14 ; p. 246, 22-26 ; p. 247, 16-19 ; et *passim*), et ailleurs, notamment dans *Apologie pour sa fuite*, 3 (éd. J.-M. Szymusiak, p. 137, 26). Voir aussi le commentaire de HAUSER-MEURY, *Prosopographie*, p. 145, note 293. Au prix de quelques entorses faites à l'histoire, Grégoire tire argument du témoignage d'un adversaire en faveur de celui dont il fait l'éloge.

οὐδὲ ἀπαχθῆναι τὸν λόγον τῆς τελετῆς ἐκείνης ῥᾴδιον. Πῶλος μὲν ἦγεν αὐτὸν καὶ μή μοι τῆς ἀπονοίας μέμψησθε, ὡς μικροῦ τὸν ἐμὸν Ἰησοῦν ὁ πῶλος ἐκεῖνος — εἴτ' οὖν ὁ ἐξ ἐθνῶν λαός, ὃν εὖ ποιῶν ἐπιβαίνει, τῶν τῆς ἀγνοίας
15 δεσμῶν λυόμενον, εἴτε τι ἄλλο βούλεται παραδηλοῦν ὁ
1117 A λόγος — · κλάδοι δὲ αὐτὸν ὑποδέχονται, καὶ στρώσεις ἱματίων πολυανθῶν καὶ ποικίλων προρριπτουμένων τε καὶ ὑπορριπτουμένων · ἐνταῦθα μόνον ἀτιμασθέντος τοῦ ὑψηλοῦ καὶ πολυτελοῦς καὶ τὸ ἴσον μὴ ἔχοντος.

20 Εἰκὼν καὶ αὕτη τῆς ἐπιδημίας Χριστοῦ[a] καὶ οἱ προβοῶντες καὶ οἱ προχορεύοντες · πλὴν ὅσον οὐ παίδων ὅμιλος μόνον τὸ εὐφημοῦν ἦν, ἀλλὰ καὶ πᾶσα γλῶσσα σύμφωνος καὶ ἀντίθετος, νικᾶν ἀλλήλους ἐπειγομένων. Ἐῶ γὰρ λέγειν κρότους πανδήμους καὶ μύρων ἐκχύσεις καὶ παννυχίδας καὶ
25 πᾶσαν φωτὶ καταστραπτομένην τὴν πόλιν καὶ δημοσίας ἑστιάσεις καὶ οἰκιδίας καὶ ὅσοις αἱ πόλεις τὸ φαιδρὸν ἐπισημαίνουσιν · ἃ τότε μεθ' ὑπερβολῆς ἐκείνῳ καὶ παρὰ τὸ εἰκὸς ἐχαρίζοντο. Οὕτω τὴν ἑαυτοῦ πόλιν ὁ θαυμάσιος ἐκεῖνος καὶ μετὰ τοιαύτης καταλαμβάνει τῆς πανηγύρεως.

B **30.** Ἆρ' οὖν ἐβίω μὲν ὥσπερ εἰκὸς τοὺς λαοῦ τοσούτου προστησομένους ; Ἐδίδαξε δὲ οὐχ ὡς βεβίωκεν ; Ἠγώνισται δὲ οὐχ ὡς ἐδίδαξεν ; Ἐκινδύνευσε δὲ τῶν ὑπὲρ τοῦ λόγου τινὸς ἠγωνισμένων ἐλάττω ; Τετίμηται δὲ ὧν ἠγώνισται

29, 11 οὐδ' DPC ‖ 12 μέμψοισθε SC ‖ 13 ὁ² > S ‖ 15 λυόμενον : -μενος DC ‖ 16 δ' DPC ‖ στρῶσις DPC ‖ 17 πολυανθῶν καὶ ποικίλων : πολυτελῶν V ‖ 19 μὴ > P_1C ‖ 21 οἱ > DPC (scrib. ὁ S) ‖ 22 εὐφημοῦν : -μούμενον $AW_1VD_2P_1C$ ‖ 27 ἐκείνῳ : -νο D ‖ 28 ἐχαρίζοντο nDPC : -ζετο S ἐχαρίζοντο in textu ἠρανίζοντο mgT tamquam varia lectio ‖ 29 τοσαύτης S

30, 1 ἐβίου AWV ‖ 2 δ' DC ‖ ἠγώνισται : ἠγων[ί]σατο S ‖ 2-3 ἠγώνισται — ἐδίδαξεν > C ‖ 4 ἐλάττω : ἔλαττον C ‖ δ' DPC ‖ ὧν : ὡς DC

---

29. a. Lc 19, 30-36.

---

1. Ce récit est un type de narration descriptive répondant à la définition que les rhéteurs donnent de l'ecphrase complexe, par

encore un peu à ce récit : en effet, me voilà sur les lieux et mes paroles ont de la peine à se détacher des cérémonies qui s'y déroulent[1]. Un ânon lui servait de monture et — ne soyez pas choqués par mon extravagance — il ressemblait à mon Jésus montant le fameux ânon dont l'Écriture fait un symbole des nations païennes, que dans sa bonté, il libère des entraves de leur ignorance en les prenant pour monture, soit le symbole d'autre chose. On agite des rameaux en signe de bienvenue, on étale devant lui et jusque sous ses pieds des vêtements brodés de toutes les couleurs, ici on n'a négligé que ce qui est hautain, précieux et inadéquat.

C'était l'image même de l'entrée du Christ à Jérusalem[a] précédé d'une escorte qui acclamait et qui dansait des farandoles. A ceci près que les ovations ne lui étaient pas seulement adressées par un groupe d'enfants, mais les langues de tous rivalisaient entre elles, s'élevaient à l'unisson ou alternaient. Et j'omets de parler des applaudissements populaires unanimes, des effluves de parfums, des fêtes nocturnes, de l'illumination générale de la ville, des banquets publics et privés, enfin de toutes les marques de la liesse urbaine, qui défiaient alors toute description et toute imagination en son honneur. Voilà comment cet homme admirable rentre dans sa ville au milieu de telles réjouissances populaires.

30. N'avait-il donc pas vécu comme il convient que le fassent ceux qui seront un jour à la tête d'un peuple si important? Son enseignement ne refléta-t-il pas sa vie? Ses luttes n'ont-elles pas été à la mesure de sa doctrine? Fut-il moins persécuté qu'aucun de ceux qui ont lutté pour

laquelle on s'efforce « de transformer les auditeurs en spectateurs » des événements rapportés : Nicolas le Sophiste, *Progymnasmata* (éd. L. Spengel, *Rhet. gr.*, III, p. 491, 29-30) ; cette forme littéraire se prête particulièrement à la description de vastes mouvements de foule (*id.* p. 491, 30-31).

5 μεῖον ; Κατήσχυνε δέ τι τῶν τῆς εἰσόδου μετὰ τὴν εἴσοδον ; Οὐδαμῶς. Πάντα δὲ ἀλλήλων ἐχόμενα, ὥσπερ ἐν λύρᾳ μιᾷ καὶ τῆς αὐτῆς ἁρμονίας, ὁ βίος, ὁ λόγος, οἱ ἀγῶνες, οἱ κίνδυνοι, τὰ τῆς ἐπανόδου, τὰ μετὰ τὴν ἐπάνοδον.

Ὁμοῦ τε γὰρ τὴν Ἐκκλησίαν καταλαμβάνει καὶ οὐ
10 πάσχει ταυτὸν τοῖς δι' ἀμετρίαν ὀργῆς τυφλώττουσι καὶ ὅ τι ἂν παραπέσῃ, τοῦτο πρῶτον περιωθοῦσιν ἢ παίουσι, κἄν τι τῶν φειδοῦς ἀξίων ὂν τύχῃ, τοῦ θυμοῦ δυναστεύοντος. Ἀλλὰ τοῦτον μάλιστα εὐδοκιμήσεως αὐτῷ καιρὸν εἶναι
C νομίσας (ἐπειδὴ τὸ μὲν πάσχον κακῶς, ἀεὶ μετριώτερον · τὸ
15 δὲ ἐν ἐξουσίᾳ τοῦ ἀντιδρᾶν, ἀκρατέστερον), οὕτω πράως καὶ ἠπίως τὰ τῶν λελυπηκότων μεταχειρίζεται, ὡς μηδὲ αὐτοῖς ἐκείνοις, εἰ οἷόν τε τοῦτο εἰπεῖν, ἀηδῆ γενέσθαι τοῦ ἀνδρὸς τὴν ἐπάνοδον.

31. Καθαίρει μέν γε τὸ ἱερὸν τῶν θεοκαπήλων καὶ χριστεμπόρων, ἵνα καὶ τοῦτο τῶν Χριστοῦ μιμήσηται · πλὴν ὅσον οὐ φραγελλίῳ πλεκτῷ[a], λόγῳ δὲ πιθανῷ τοῦτο
1120 A ἐργάζεται · καταλλάττει δὲ τὸ στασιάζον πρός τε ἑαυτὸ
5 καὶ ἑαυτόν, οὐδενός τῶν συναγόντων προσδεηθείς · λύει δὲ τοῖς ἠδικημένοις τὰς τυραννίδας, οὐδὲν διελὼν τοὺς τῆς ἑαυτοῦ μερίδος καὶ τῆς ἐναντίας · ἀνίστησι δὲ πεπτωκότα τὸν λόγον · παρρησιάζεται δὲ ἡ Τριὰς πάλιν, ἐπὶ τὴν λυχνίαν τεθεῖσα καὶ λαμπρῷ τῷ φωτὶ τῆς μιᾶς θεότητος
10 ταῖς πάντων ψυχαῖς ἐναστράπτουσα[b].

30, 5 μεῖον nP : μεῖζον SD πλεῖον C ‖ 6 δ' DPC ‖ 9 τε > S_1 ‖ 12 τύχῃ : -χοι W Maur. ‖ 13 αὐτῷ > Q ‖ 15 δ' D ‖ οὕτως S ‖ 16 μηδ' m

31, 1 γε > S ‖ τῶν : τῷ S_1 ‖ 4 ἑαυτὸ nSDP_2 : αὐτὸ P_1C Maur. ‖ 5 ἑαυτὸν nD : αὐτὸν S αὑτὸν PC ‖ δεηθείς V ‖ 8 δ' DPC ‖ πάλιν ἡ Τριάς n ‖ 8-9 ἐπὶ — μιᾶς > W ‖ 9 τῷ > SC ‖ μιᾶς > T_1 rest. T_2

---

31. a. Cf. Jn 2, 14-16. b. Cf. Lc 8, 16 ; 11, 33 ; Mc 4, 21-22 ; Matth. 5, 15.

la doctrine ? Les honneurs qu'il a reçus n'ont-ils pas été à la hauteur de ses combats ? A-t-il discrédité après son retour les honneurs reçus à l'occasion de son entrée ? Pas du tout ! Mais tout s'harmonise comme dans une lyre bien accordée, sa vie, sa doctrine, ses combats, les persécutions subies, ce qui se passa lors de son retour et après.

En effet, il prend aussitôt possession de son église sans se laisser aller aux passions de ceux que l'excès de la rancune aveugle et qui, sous l'empire du ressentiment, commencent par éliminer et bousculer tout ce qui n'est pas en ordre, même ce qui mériterait des ménagements. Au contraire, il se dit que cette occasion s'offrait à lui d'assurer sa popularité, puisque la victime montre généralement plus de modération, tandis que celui qui a le moyen de se venger du mal qu'on lui a fait se domine moins facilement ; il traite avec tant de douceur et de compréhension les affaires de ceux dont il avait eu à souffrir que même ces gens-là n'éprouvèrent, si l'on peut dire, aucune amertume de son retour[1].

31. Bien sûr, il purifie le sanctuaire des tartuffes qui y trafiquaient et faisaient du Christ un article commercial, afin de suivre encore l'exemple du Christ sur ce point à ce détail près qu'il n'emploie pas le fouet[a], mais la persuasion. Sans l'aide d'aucun conciliateur, il obtient un revirement complet des gens qui se dressaient les uns contre les autres et contre lui-même. Sans faire de distinction entre ses partisans et ses adversaires, il délivre de l'oppression ceux qui en avaient été injustement victimes. Il remet en honneur la doctrine déchue : on se remet à prêcher ouvertement la Trinité ; cette doctrine reprend sa place sur son lampadaire et l'éclatante lumière de la divinité unique illumine de nouveau toutes les âmes de ses rayons.

1. Pour sa part, l'empereur Julien protesta vivement contre la réintégration d'Athanase : *Lettres* 110, 111 et 112 (éd. J. Bidez, p. 187-192).

Νομοθετεῖ δὲ τῇ οἰκουμένῃ πάλιν · ἐπιστρέφει δὲ πρὸς ἑαυτὸν πᾶσαν διάνοιαν, τοῖς μὲν ἐπιστέλλων, τοὺς δὲ καλῶν · ἔστι δὲ οὓς καὶ ἀκλήτους προσιόντας σοφίζων, πᾶσι δὲ νόμον ἕνα προθεὶς τὸ βούλεσθαι · καὶ γὰρ τοῦτο μόνον 15 ἐξήρκει πρὸς ὁδηγίαν τοῦ κρείττονος. Ἐν κεφαλαίῳ δὲ εἰπεῖν, δύο λίθων μιμεῖται φύσεις ἐπαινουμένων. Γίνεται γὰρ τοῖς μὲν παίουσιν ἀδάμας, τοῖς δὲ στασιάζουσι μαγνῆτις, B ἀρρήτῳ φύσεως βίᾳ τὸν σίδηρον ἕλκουσα καὶ τὸ στερρότατον ἐν ὕλαις οἰκειουμένη.

32. Ἀλλ' οὐ γὰρ ἔμελλε ταῦτα οἴσειν ὁ φθόνος, οὐδὲ τὴν Ἐκκλησίαν ὁρῶν ἀνέξεσθαι πάλιν ἐπὶ τῆς αὐτῆς δόξης καὶ τῆς παλαιᾶς ὑγιείας, τάχιστα τοῦ διεστῶτος συνουλωθέντος ὥσπερ ἐν σώματι. Διὰ τοῦτο ἐπανίστησιν αὐτῷ τὸν 5 συναποστάτην ἑαυτῷ βασιλέα καὶ τὴν κακίαν ὁμότιμον, χρόνῳ μόνῳ λειπόμενον · ὃς πρῶτος χριστιανῶν βασιλέων κατὰ Χριστοῦ μανεὶς καὶ ὃν ὤδινε πόρρωθεν ἐν ἑαυτῷ C βασιλίσκον τῆς ἀσεβείας ἀναρρήξας ἀθρόως, ἐπειδὴ καιρὸν

31, 11 πάλιν : πάσῃ SPC || 13 δ' οὓς m || ἀκλήτους : -τως SD || 15 ἐν κεφαλαίῳ : hic resumitur copt. || δ' DPC || 18 καὶ τὸ : καὶ τὸν nSD_2 || 19 ἐν > D_1.

32, 4 σώματι QBTC : -μασι AWVSD σώματι/σώμασι P || 6 μόνον PC || 7 ἐν ἑαυτῷ πόρρωθεν VT || ἐν > S || 8 εὐσεβείας S || ἐπειδή + γε DPC

---

1. Sur les *Lettres* d'Athanase, cf. Quasten, *Initiation*, III, p. 88-106.

2. L'apparat critique permet de constater que deux leçons concurrentes σώματι/σώμασι « un corps »/« des corps » se lisent ensemble dans le texte d'un ms (P). Détail peu important, mais qui permet d'illustrer les contaminations des témoins utilisés, qui sont généralement des copies critiques.

3. Nous traduisons par les mots « ce démon », qui ne sont pas textuellement dans Grégoire, l'idée de « l'Envie », personnifiée et assimilée à Satan dans son hostilité envers l'Église ; une personnification analogue se lisait plus haut au ch. 18, et un peu plus bas,

Il recommence à jouer son rôle de législateur universel et attire sur lui l'attention générale par les lettres qu'il écrit aux uns et les appels qu'il adresse aux autres. Il y en a qui viennent le trouver spontanément; il leur enseigne la sagesse et propose à tous comme règle unique de savoir ce qu'ils veulent : en effet, Celui-qui-est-le-plus-fort n'avait besoin que de cela pour diriger notre conduite[1]. En résumé, il imite simultanément les propriétés de deux pierres bien connues : il est comme un diamant à l'égard de ceux qui lui portent des coups; mais, à l'égard de ceux qui prennent parti contre lui, il est comme la magnétite qui attire le fer et s'attache le plus résistant des matériaux par l'effet d'une force naturelle inexplicable.

32. Mais l'Envie n'allait pas supporter cela ni même tolérer de voir l'Église retrouver sa gloire et sa vigueur d'antan comme un corps[2] dont les profondes blessures se sont très rapidement cicatrisées. C'est pourquoi <ce démon>[3] provoque contre lui l'hostilité de l'empereur complice de son apostasie qui ne lui cède pas en perversité et ne vient après lui que dans l'ordre chronologique, celui qui fut le premier des empereurs chrétiens à exercer sa folie furieuse contre le Christ; dès l'instant qu'il est proclamé empereur, il saisit l'occasion et laisse aussitôt libre cours à un basilic de l'impiété qu'il couvait depuis

dans le ch. 32, l'écrivain l'appelle « le Malin » : au sujet des allusions scripturaires plus ou moins implicites qui se devinent ici : LESÊTRE, *Satan*, col. 1496 ; et surtout la synthèse de J. de FRAINE, *Satan*, dans *Dictionnaire Encyclopédique de la Bible*, Turnhout et Paris 1960, col. 1689-1691.

Le rôle attribué aux diableries dans les « Tentations de S. Antoine » fait en sorte que la vie morale y est présentée comme un conflit dramatique entre Antoine et le Démon : ATHANASE, *Vie d'Antoine*, 5, 7, et *passim* (éd. B. de Montfaucon, reproduite à Athènes 1963, IV, vol. 33, p. 14, 3 ; 15, 19 ; etc.).

ἔλαβεν, ὁμοῦ τε αὐτοκράτωρ ἀναδείκνυται καὶ κακὸς μὲν
10 περὶ τὸν πιστεύσαντα βασιλέα γίνεται, κακίων δὲ περὶ τὸν
σεσωκότα Θεόν · καὶ διωγμὸν ἐννοεῖ τῶν πώποτε γενομένων
ἀπανθρωπότατον, ὅσῳ τὸ πιθανὸν τῇ τυραννίδι μίξας —
ἐφθόνει γὰρ τοῖς πάσχουσι καὶ τῆς ἐπὶ τοῖς ἄθλοις τιμῆς —,
ἀμφίβολον ἐποίει καὶ τὸ τῆς ἀνδρείας φιλότιμον · τὰς ἐν
15 τοῖς λόγοις στροφὰς καὶ πλοκὰς ἐπὶ τὸν τρόπον μετενεγκών,
ἤ, τό γε ἀληθέστερον εἰπεῖν, ἀπὸ τοῦ τρόπου καὶ περὶ
ἐκεῖνα σπουδάσας καὶ τὸν ἔνοικον αὐτῷ πονηρὸν τῆς
πολυτεχνίας μιμούμενος.

Οὗτος μικρὸν μὲν ἔργον ἐνόμισεν εἶναι τὸ πᾶν τῶν
20 χριστιανῶν παραστήσεσθαι γένος · μέγα δὲ τὸ Ἀθανασίου
κρατῆσαι καὶ τῆς ἐκείνου περὶ τὸν λόγον ἡμῶν δυνάμεως.
D Καὶ γὰρ ἑώρα μηδὲν ὂν αὐτῷ πλέον τῆς καθ' ἡμῶν ἐπινοίας,
διὰ τὴν τοῦ ἀνδρὸς ἀντιπαράταξιν καὶ ἀντίθεσιν · ἀεὶ τοῦ
κενουμένου χριστιανῶν ἀναπληρουμένου διὰ τῆς ἑλληνικῆς
25 προσθήκης καὶ τῆς ἐκείνου συνέσεως, ὃ καὶ παράδοξον.
1121 A Ταῦτ' οὖν ἐννοῶν καὶ ὁρῶν ὁ δεινὸς ἐκεῖνος παραλογιστὴς
καὶ διώκτης, οὐδὲ ἐπὶ τοῦ πλάσματος ἔτι μένει καὶ τῆς
σοφιστικῆς ἀνελευθερίας, ἀλλὰ τὴν πονηρίαν γυμνώσας,
φανερῶς ὑπερορίζει τὸν ἄνδρα τῆς πόλεως. Ἔδει γὰρ τρισὶ

32, 9 τε + γὰρ P ‖ κακῶς S ‖ 10 βασιλέα + τὰ βασίλεια Maur. referentes ad Nicetam in PG 35, col. 1120, n. 14 = ed. Paris., I, 1778, p. 407 ‖ 12 ὅσον AVT ‖ 13 ἐφθόνει — τιμῆς > S rest. S_2 ‖ 13 γὰρ + καὶ PC ‖ 14-15 τὰς ... στροφὰς ... πλοκὰς : ταῖς ... στροφαῖς ... πλοκαῖς S ‖ 19 ἔργον > C ‖ 20 παραστήσεσθαι : -σασθαι QBC Maur. ‖ 22 Καὶ γὰρ ἑώρα : hic desinit copt. ‖ μηδὲν ὂν : μηθὲν ὂν S ‖ 24 ἀναπληρουμένου > P_1 rest. P_2 ‖ 25 προσθήκης > P_1 rest. P_2 ‖ 26 ταῦτ' : ταῦτα S ‖ 27 οὐδ' m ‖ μένει ἔτι D

---

1. Des intrigues de cour avaient coûté la vie à tous les membres de la parenté de l'empereur Constance, à part Julien : Stein, *Bas-Empire,* I, p. 131, et p. 142 ; l'hostilité de ce dernier à l'égard des chrétiens se manifesta notamment par les mesures prises à l'encontre

longtemps au fond de lui-même : s'il se montre ingrat envers l'empereur qui lui avait confié l'empire, il se montre pire encore envers Dieu, qui l'a sauvé[1]. Il imagine la persécution la plus inhumaine de toutes celles qui ont jamais eu lieu dans la mesure où il combine la persuasion et la violence, car, jalousant jusqu'au mérite que ses victimes tiraient de leur martyre, il faisait planer le doute même sur l'honneur que méritait leur courage. Il présenta ses arguties et ses subtilités doctrinales, qu'il tourna à sa manière ou plutôt qu'il tira de son cru, et il se mit à étudier ces matières à l'exemple du Malin plein d'astuce qui l'habitait[2].

Il se dit que mettre l'ensemble de la communauté chrétienne de son côté était une œuvre négligeable, mais que ce serait un grand triomphe de surpasser Athanase et de se montrer plus fort que lui en matière de doctrine chrétienne. En effet, il voyait échouer à cause de la résistance et de l'opposition de cet homme, tous les plans qu'il faisait contre nous. Chose surprenante, la science d'Athanase comblait, par les conversions de païens, les vides causés dans les rangs des chrétiens. Ce terrible imposteur et persécuteur le devine et le voit; il ne peut même plus s'en tenir aux hypocrisies et aux sophismes captieux, mais ayant dévoilé sa perversité, il bannit ouvertement Athanase de la ville. Le généreux champion

d'Athanase : JULIEN, *Lettre* 112 (éd. J. Bidez, p. 192) ; STEIN, *Bas-Empire*, p. 162-167. Sur l'image du « basilic », voir ECKSTEIN, *Basilisk*, col. 1261, et *D.* 23, 14 ; et 7, 11 ; 4, 57 ; etc. PINAULT, *Platonisme*, p. 102, voit dans certaines images telles que l'*enfantement* du mal, etc. des formes du « langage de Plotin ». Nous devons bien distinguer langage, style et fond de la pensée ; les sophistes ont banalisé beaucoup de formules. Voir aussi KERTSCH, *Bildersprache*, p. 104-105, et les notes.

2. Grégoire développe les mêmes griefs dans les *Discours* 4 et 5, *Contre Julien*.

30 παλαίσμασι τὸν γεννάδαν νικήσαντα τελείας τυχεῖν καὶ τῆς ἀναρρήσεως.

33. Μικρὸν τὸ ἐν μέσῳ, καὶ Πέρσαις μὲν ἡ δίκη δοῦσα τὸν ἀλιτήριον ἐκεῖ δικάζει · καὶ βασιλέα φιλότιμον παραπέμψασα νεκρὸν ἐπανάγει, μηδὲ ἐλεούμενον · ὡς δὲ ἐγώ
B τινος ἤκουσα, μηδὲ τῷ τάφῳ προσλαμβανόμενον, ἀλλ' ὑπὸ
5 τῆς σεισθείσης δι' αὐτὸν γῆς ἀποσειόμενον καὶ ἀναβρασσόμενον · προοίμιον, οἶμαι, τῆς ἐκεῖθεν κολάσεως[a]. Ἀνίσταται δὲ βασιλεὺς ἕτερος, οὐκ ἀναιδὴς τῷ προσώπῳ κατὰ τὸν προειρημένον οὐδὲ τοῖς πονηροῖς ἔργοις καὶ ἐπιστάταις ἐκθλίβων τὸν Ἰσραήλ, ἀλλὰ καὶ λίαν εὐσεβής τε καὶ ἥμερος ·
10 ὅς, ἵνα ἀρίστην ἑαυτῷ καταστήσηται τὴν τῆς βασιλείας κρηπῖδα καὶ ὅθεν δεῖ τῆς εὐνομίας ἄρξηται, λύει μὲν τοῖς ἐπισκόποις τὴν ἐξορίαν, τοῖς τε ἄλλοις ἅπασι καὶ πρὸ πάντων τῷ πρὸ πάντων τὴν ἀρετὴν καὶ προδήλως ὑπὲρ τῆς εὐσεβείας πολεμηθέντι. Ζητεῖ δὲ τῆς καθ' ἡμᾶς πίστεως
15 τὴν ἀλήθειαν, ὑπὸ πολλῶν διασπασθεῖσαν καὶ συγχυθεῖσαν καὶ εἰς πολλὰς δόξας καὶ μοίρας νενεμημένην · ὥστε μάλιστα
C μὲν τὸν κόσμον ὅλον, εἰ οἷόν τε, συμφρονῆσαι καὶ εἰς ἓν

33, 3 μηδ' S_2DPC ‖ 10 καταστήσηται : -στήσεται S_2 ‖ 11 δεῖ : δὴ BVSD ‖ 13 πρὸ : πρό γε D ‖ πάντων² : ἁπάντων D ‖ 17 τε + ἣν PC ‖ συμφρονῆσαι : -φωνῆσαι Maur. συμφωνῆσαι in textu et -φρονῆσαι mg tamquam varia lectio T

33. a. Cf. Matth. 25, 41 ; Mc 9, 42.

1. Les « trois combats », ne sont pas à comprendre comme trois « exils » : l'explication des Mauristes fait sur ce point une légère entorse à la réalité historique : *PG* 35, col. 1121, note 18. En fait, l'exil qu'Athanase subit sous le règne de Julien est le quatrième ; mais, ici l'écrivain présente les choses comme s'il s'agissait de « trois combats singuliers » : en effet, en 362, Athanase rencontre son « troisième adversaire » dans la personne de Julien ; auparavant il avait déjà été proscrit par Constantin, puis deux fois par Constance : voir l'Introduction.

2. Grégoire donne libre cours à des préjugés hostiles lorsqu'il présente les circonstances controversées de la mort de Julien et celles de sa sépulture à Tarse : *D.* 5, 15 et 18 (*PG* 35, col. 681 B 11 - 684 B 2 ; et 688 A 3 - B 1) ; par contre le récit que fait Ammien

devait, en effet, sortir vainqueur de trois combats pour voir aussi proclamer son succès complet[1].

33. Peu de temps après, la Dikê livre le scélérat aux Perses pour expier là-bas ses crimes. Après l'avoir escorté triomphalement à l'aller, elle le ramène à l'état de cadavre au retour sans même qu'on ait pitié de lui. On m'a rapporté que même son tombeau refuse de le recevoir et que la terre, qu'il avait lui-même fait trembler, est ébranlée par un tremblement de terre et le rejette avec violence : prélude, je crois, du châtiment[a] de l'autre monde[2]. L'empereur qui lui succède ne portait pas l'impudence sur son visage comme celui dont il vient d'être question; il évite même de faire peser sur Israël la méchanceté de ses actes ou celle de ses subordonnés; au contraire, il est chrétien et tolérant[3]. Pour fonder son règne sur les meilleures bases et prendre pour commencer les mesures qui s'imposaient dans l'intérêt public, il rappelle d'exil tous les évêques et, en particulier, celui qui était avant tous les autres par sa vertu et qui avait manifestement subi la guerre à cause de sa piété. Notre foi était victime des discordes nombreuses et de la confusion, divisée en un grand nombre d'opinions et de sectes; il cherche à en connaître la vérité de façon à réaliser au mieux l'unanimité

MARCELLIN (XXV, 3) est inspiré par le point de vue opposé. Le jugement de l'historien moderne dans E. STEIN, *Bas-Empire*, I, p. 170 : Au cours d'une campagne victorieuse contre la Perse, dans la région de l'Euphrate, « ... le 26 juin 363, l'empereur fut blessé mortellement par un coup de javelot ; il expira doucement dans la nuit suivante, après avoir, fort de la pureté de sa conscience et certain de l'immortalité de son âme, cherché à consoler son entourage rempli de douleur et s'être complu jusqu'au bout dans des entretiens philosophiques. Ainsi mourut dans sa trente-deuxième année le grand empereur Julien, qui fut, en dépit de ses erreurs, l'un des hommes les plus nobles et les plus doués de l'histoire universelle, et peut-être le plus digne d'être aimé. » Sur les récits de trépas, voir MOSSAY, *La mort*, p. 21-48.

3. L'empereur Jovien, proclamé Auguste, le 27 juin 363, mort le 17 février 364 : JONES, *Prosopography*, I, p. 461.

ἐλθεῖν τῇ συνεργίᾳ τοῦ Πνεύματος· εἰ δ' οὖν, ἀλλ' αὐτός γε μετὰ τῆς βελτίστης γενέσθαι κἀκείνη παρασχεῖν τὸ
20 κράτος καὶ παρ' ἐκείνης ἀντιλαβεῖν, λίαν ὑψηλῶς τε καὶ μεγαλοπρεπῶς περὶ τῶν μεγίστων διανοούμενος.

"Ενθα δὴ καὶ μάλιστα διεδείχθη τοῦ ἀνδρὸς ἡ καθαρότης καὶ τὸ στερέωμα τῆς εἰς Χριστὸν πίστεως. Τῶν γὰρ ἄλλων ἁπάντων, ὅσοι τοῦ καθ' ἡμᾶς λόγου, τριχῇ νενεμημένων
25 καὶ πολλῶν μὲν ὄντων τῶν περὶ τὸν Υἱὸν ἀρρωστούντων, πλειόνων δὲ τῶν περὶ τὸ Πνεῦμα τὸ ἅγιον, ἔνθα καὶ τὸ ἧττον ἀσεβεῖν εὐσέβεια ἐνομίσθη, ὀλίγων δὲ τῶν κατ' ἀμφότερα ὑγιαινόντων, πρῶτος καὶ μόνος ἢ κομιδῇ σὺν ὀλίγοις ἀποτολμᾷ τὴν ἀλήθειαν σαφῶς οὑτωσὶ καὶ διαρρήδην, τῶν
D 30 τριῶν μίαν θεότητα καὶ οὐσίαν ἐγγράφως ὁμολογήσας· καὶ ὃ τῷ πολλῷ τῶν Πατέρων ἀριθμῷ περὶ τὸν Υἱὸν
1124 A ἐχαρίσθη πρότερον, τοῦτο περὶ τοῦ ἁγίου Πνεύματος αὐτὸς ἐμπνευσθεὶς ὕστερον καὶ δῶρον βασιλικὸν ὄντως καὶ μεγαλοπρεπὲς τῷ βασιλεῖ προσενεγκών, ἔγγραφον τὴν
35 εὐσέβειαν κατὰ τῆς ἀγράφου καινοτομίας, ἵνα βασιλεῖ μὲν βασιλεύς, λόγῳ δὲ λόγος, γράμματι δὲ γράμμα καταπαλαίηται.

34. Ταύτην μοι δοκοῦσιν αἰδούμενοι τὴν ὁμολογίαν, οἵ τε τῆς ἑσπερίας, καὶ τῆς ἑῴας ὅσον βιώσιμον· οἱ μὲν μέχρι διανοίας ἄγειν τὸ εὐσεβές, εἴ τι λέγουσιν αὐτοῖς πιστευτέον, περαιτέρω δὲ μὴ προάγειν, ὥσπερ τι νεκρὸν
5 κύημα ταῖς μητράσιν ἐναποθνῇσκον· οἱ δέ τι μικρὸν

33, 18 δ' οὖν : δ' οὗ AW δὲ οὐ Maur. || ἀλλ' > C || 19 γε : τε S || 25 τῶν > S_1 rest. S_2 || τὸν : τῶν P || 27 ὀλίγων : -γου AQBW$_1$VT Maur. || τῶν W$_2$m : τοῦ AQW$_1$VT > B || 28 ὑγιαινόντων : -αίνοντος AQBW$_1$VT Maur. || 29-30 τῶν τριῶν post θεότητα m || 31 τῷ πολλῷ : τῶν πολλῶν C || 35 κενοτομίας SP
34, 4 προσάγειν S || 5 τι > Maur.

1. Allusion au traité d'Athanase, *Sur la foi. A l'empereur Jovien* (éd. B. de Montfaucon : *PG* 26, col. 813-820 = Athènes 1962, II, vol. 31, p. 130-132) ; cf. Geerard, *Clavis*, II, n° 2136, p. 28 : *Lettre à Jovien sur la foi.*

et l'unité du monde entier par l'action de l'Esprit, et du moins pour se mettre en tout cas personnellement du côté des meilleurs et leur apporter son appui en échange du leur ; il avait une idée très haute et très juste des choses les plus importantes.

A cette occasion aussi l'intégrité de notre héros et la fermeté de sa foi dans le Christ furent assurément mises en évidence de la manière la plus manifeste. Tous les autres adeptes de notre doctrine chrétienne étaient divisés en trois sectes : ceux qui n'avaient pas des idées saines au sujet du Fils étaient nombreux; plus nombreux ceux qui n'en avaient pas au sujet de l'Esprit-Saint — en ce domaine une impiété moins grave passait même généralement pour de la piété — ; ceux qui avaient des idées saines dans les deux domaines à la fois étaient le petit nombre. Tout seul ou appuyé par vraiment peu de monde, il fut le premier qui osât proclamer aussi clairement et aussi explicitement la vérité en confessant par écrit l'unité de divinité et d'essence des Trois. Sous l'effet de l'inspiration, il accorde ultérieurement au sujet du Saint-Esprit ce que les Pères assemblés en grand nombre avaient accordé antérieurement au sujet du Fils ; il oppose à l'hérésie professée oralement une profession écrite de foi orthodoxe, qu'il offre à l'empereur comme un magnifique présent vraiment impérial, afin qu'un empereur pût répliquer à un autre, une doctrine à une autre et un texte à un autre[1].

34. A mon avis, les Occidentaux et tout ce qui a de la vitalité en Orient respectent cette déclaration de foi. Certains, s'il faut les croire sur parole, limitent leur piété à une conviction intérieure sans aller au-delà : cela ressemble à un fœtus mort dans le sein maternel[2].

2. L'image se lit ailleurs dans Grégoire : cf. *D.* 33, 17 ; et ci-dessus ch. 32 ; etc. Voir à ce sujet Kertsch, *Bildersprache,* p. 105 ; et Mossay, *La mort,* p. 15.

B ἐξάπτειν, ὥσπερ σπινθῆρας, ὅσον ἀφοσιοῦσθαι τὸν καιρόν,
ἢ τῶν ὀρθοδόξων τοὺς θερμοτέρους ἢ τῶν λαῶν τὸ φιλόθεον·
οἱ δὲ καὶ παρρησιάζεσθαι τὴν ἀλήθειαν, ἧς ἂν εἴην ἐγὼ
μερίδος — οὐ γὰρ τολμῶ τι πλέον καυχήσασθαι — μηκέτι τὴν
10 ἐμὴν δειλίαν οἰκονομῶν, ὡς δὴ τὴν τῶν σαθροτέρων διάνοιαν
— ἱκανῶς γὰρ ᾠκονομήσαμεν, μήτε τὸ ἀλλότριον προσλαμβά-
νοντες καὶ τὸ ἡμέτερον φθείροντες, ὃ κακῶν ὄντως ἐστὶν
οἰκονόμων) — · ἀλλ' εἰς φῶς ἄγων τὸν τόκον καὶ μετὰ σπουδῆς
ἐκτρέφων καὶ ταῖς ἁπάντων ὄψεσι προτιθείς, ἀεὶ τελειούμε-
15 νον.

C **35.** Τοῦτο μὲν οὖν ἧττον τῶν ἐκείνου θαυμάζειν ἄξιον.
Ὁ γὰρ ἔργῳ τῆς ἀληθείας προκινδυνεύσας, τί θαυμαστὸν
εἰ γράμματι ταύτην καθωμολόγησεν ; Ὃ δέ μοι μάλιστα
τοῦ ἀνδρὸς θαυμάζειν ἔπεισι — καὶ ζημία τὸ σιωπᾶν, διὰ
5 τὸν καιρὸν μάλιστα, πολλὰς φύοντα τὰς διαστάσεις —, τοῦτο
ἔτι προσθήσω τοῖς εἰρημένοις · γένοιτο γὰρ ἄν τι παίδευμα
καὶ τοῖς νῦν ἡ πρᾶξις, εἰ πρὸς ἐκεῖνον βλέποιμεν.

Ὡς γὰρ ὕδατος ἑνὸς τέμνεται οὐ τοῦτο μόνον ὅσον ἡ
χεὶρ ἀφῆκεν ἀρυομένη, ἀλλὰ καὶ ὅσον τῇ χειρὶ περιεσχέθη
10 τῶν δακτύλων ἐκρέον · οὕτω καὶ ἡμῶν οὐχ ὅσον ἀσεβὲς
σχίζεται μόνον, ἀλλὰ καὶ ὅσον εὐσεβέστερον οὐ περὶ δογμάτων
μικρῶν μόνον καὶ παροράσθαι ἀξίων — ἧττον γὰρ ἂν ἦν
τοῦτο δεινὸν — ἀλλ' ἤδη καὶ περὶ ῥημάτων εἰς τὴν αὐτὴν
D φερόντων διάνοιαν. Τῆς γὰρ μιᾶς οὐσίας καὶ τῶν τριῶν
15 ὑποστάσεω νλεγομένων μὲν ὑφ' ἡμῶν εὐσεβῶς — τὸ μὲν γὰρ

34, 6 σπινθῆρας : -ρα SDP_1C corr. sup. lin. P_2 || 8 ἂν nS_2 : > S_1PC εἴην ἂν D || ἐγὼ εἴην Q || 9 πλεῖον n || 11 μηδέ S || 12 κακόν S || ἐστιν ὄντως S

35, 3-4 μάλιστα post θαυμάζειν S || 4 θαυμάζειν : -μάσαι DP_1C || 5 φύοντα : ποιοῦντα S || 7 εἰ + γε καὶ PC || 8 οὐ > B || 9 ἀλλ' ὅσον καὶ S_1 || 11 εὐσεβέστερον : ἀσεβέστερον P_1 || 12 μόνον μικρῶν Maur. || ἂν > Q || 13 δεινόν : -νῶν AV

---

1. Kertsch, *Bildersprache*, p. 59, et 69-73, signale un curieux rapprochement entre cette image et l'interprétation donnée par Plutarque aux trois branches de la lettre E gravée à Delphes :

D'autres font, pour ainsi dire, des étincelles : ils se joignent quelquefois aux plus ardents des orthodoxes ou à la partie la plus fervente du peuple, pour autant que l'occasion s'y prête. D'autres enfin proclament la vérité sans réserve : plaise au ciel que je fasse partie de ceux-là — car il n'y a rien dont j'ose me vanter davantage —; fini désormais de ménager ma propre faiblesse comme s'il s'agissait de ménager l'opinion des sots, car nous l'avons assez fait sans attirer d'autres à nous et en y perdant des nôtres, ce qui est vraiment le propre de ceux qui ménagent mal leurs affaires. Au contraire, produisant au grand jour ce que j'ai engendré, je mets tous mes soins à l'élever et je l'expose, toujours plus parfait, aux regards de tout le monde.

35. Ceci ne mérite donc pas plus d'admiration que sa conduite. Qu'y a-t-il d'admirable, en effet, si un homme professa sa foi par écrit après avoir défendu la vérité par l'action à ses risques et périls ? Mais, voici encore un nouveau trait, à ajouter à ce qui précède, qui provoque ma plus vive admiration et qu'il serait regrettable de passer sous silence, surtout dans les circonstances actuelles où les dissensions se multiplient, car sa manière d'agir pourrait servir de leçon même à nos contemporains si nous prenions exemple sur lui.

En effet, de la masse d'un liquide ne se sépare pas seulement la quantité contenue dans le creux de la main qui l'a puisée, mais encore celle qui a été retenue autour de la main qu'elle mouille en ruisselant entre les doigts[1] ; de même aussi, ce n'est pas seulement tout ce qui est impie qui s'écarte de nous, mais encore l'élite de la piété ; et pas seulement à cause de dogmes secondaires et négligeables — en effet, ce serait moins étrange —, mais déjà même à cause de mots qui sont de simples synonymes. En effet, nous parlons conformément à la doctrine orthodoxe de

PLUTARQUE, *De EI apud Delphos*, 18-19 (*Moralia*, I, éd. Didot, p. 478-479 = 392 A-F).

τὴν φύσιν δηλοῖ τῆς θεότητος, τὸ δὲ τὰς τῶν τριῶν ἰδιότητας —, νοουμένων δὲ καὶ παρὰ τοῖς Ἰταλοῖς ὁμοίως, ἀλλ' οὐ
1125 A δυναμένοις διὰ στενότητα τῆς παρ' αὐτοῖς γλώττης καὶ ὀνομάτων πενίαν, διελεῖν ἀπὸ τῆς οὐσίας τὴν ὑπόστασιν
20 καὶ διὰ τοῦτο ἀντεισαγούσης τὰ πρόσωπα, ἵνα μὴ τρεῖς οὐσίαι παραδεχθῶσι, τί γίνεται ; Ὡς λίαν γελοῖον ἢ ἐλεινόν.

Πίστεως ἔδοξε διαφορὰ ἡ περὶ τὸν ἦχον σμικρολογία. Εἶτα σαβελλισμὸς ἐνταῦθα ἐπενοήθη τοῖς τρισὶ προσώποις καὶ ἀρειανισμὸς ταῖς τρισὶν ὑποστάσεσι, τὰ τῆς φιλονεικίας
25 ἀναπλάσματα. Εἶτα τί ; Προστιθεμένου μικροῦ τινος ἀεὶ τοῦ λυποῦντος — ὃ λυπηρὸν ἡ φιλονεικία ποιεῖ —, κινδυνεύει συναπορραγῆναι ταῖς συλλαβαῖς τὰ πέρατα.

Ταῦτα οὖν ὁρῶν καὶ ἀκούων ὁ μακάριος ἐκεῖνος καὶ ὡς ἀληθῶς ἄνθρωπος τοῦ Θεοῦ καὶ μέγας τῶν ψυχῶν οἰκονόμος,
30 οὐκ ᾠήθη δεῖν παριδεῖν τὴν ἄτοπον οὕτω καὶ ἄλογον τοῦ
B Λόγου κατατομήν · τὸ δὲ παρ' ἑαυτοῦ φάρμακον ἐπάγει τῷ ἀρρωστήματι. Πῶς οὖν τοῦτο ποιεῖ ; Προσκαλεσάμενος ἀμφότερα τὰ μέρη οὑτωσὶ πράως καὶ φιλανθρώπως καὶ τὸν νοῦν τῶν λεγομένων ἀκριβῶς ἐξετάσας, ἐπειδὴ συμφρο-
35 νοῦντας εὗρε καὶ οὐδὲν διεστῶτας κατὰ τὸν λόγον, τὰ ὀνόματα συγχωρήσας, συνδεῖ τοῖς πράγμασι.

35, 16 δηλοῖ τὴν φύσιν S || τὸ — ἰδιότητας > S || 18 δυναμένοις nS : -μένων DPC -μένων in textu et -μένοις mg tamquam varia lectio D_2 -μένοις -μένων in textu P_2 || 21 οὐσίαι QBWVT SPC : οὐσίας A οὐσίας in textu et οὐσίαι mg D || ἢ nC : καὶ SP ἢ in textu et καὶ mg tamquam varia lectio D || 22 μικρολογία SP_2C || 28 ταῦτ' Maur. || 34 τὸν : τῶν B

1. A propos du vocabulaire théologique analysé ici par Grégoire, voir Plagnieux, *Grégoire théologien*, p. 449-452 ; sur les notions de « prosopon » et de « hypostasis », M. Richard « L'introduction du mot hypostase dans la théologie de l'incarnation », dans *Mélanges de Sciences religieuses*, 2 (1945), p. 5-32, et 243-270 (= *Scripta minora*, Turnhout et Leuven 1977, II, n° 42), spécialement p. 17-21 ; et sur la pauvreté relative de la langue latine de l'époque : Puech, *Littérature*, III, p. 358-359 ; M. Salamon, *Środowisko kultury łacińskiej w Konstantynopolu w IV wieku*, Katowice 1977 (*Cadre et*

l'unique « essence » et des trois « hypostases » ; la première formule exprime la nature de la divinité, la seconde les propriétés de chacun des trois. Les Italiens comprennent aussi les choses comme nous, encore que leur langue dispose de moyens d'expression trop limités et d'un vocabulaire trop pauvre pour leur permettre de distinguer l'hypostase de l'essence. C'est la raison pour laquelle leur langue substitue les « personnes » aux hypostases pour éviter d'admettre trois essences[1]. Et qu'arrive-t-il ? Comble du ridicule ou plutôt du lamentable!

On a pris pour une divergence de foi cette insignifiante question de mots. Ensuite ici chez nous, on taxa la doctrine des trois Personnes de sabellianisme, celle des trois hypostases passa à son tour pour de l'arianisme. Inventions chimériques de l'esprit de polémique! Et ensuite? Il s'ajoute à tout bout de champ quelque petit incident désagréable : l'esprit de chicane provoque cet incident désagréable et l'on risque de voir les extrémités de la terre se dresser l'une contre l'autre à l'instar des syllabes.

Cela donc, notre bienheureux, qui était véritablement homme de Dieu et grand directeur des âmes, le voyait et l'entendait. Il crut qu'il ne fallait pas laisser passer le découpage si absurde et stupide du Verbe et il remédie lui-même au mal. Comment s'y prend-il ? Avec sa douceur et sa bonté coutumières, il invite les deux partis, examine en détail le sens de chaque expression et, après les avoir trouvés tous d'accord sans la moindre divergence doctrinale, ayant mis de côté les questions de mots, il les réconcilie sur le fond[2].

*milieu de la culture latine à Constantinople, au IV*e *siècle,* en polonais), néglige cet important chapitre : cf. p. 114-115 et 119.

2. Les différends opposant l'Orient et l'Occident ne sont pas aplanis lorsque l'écrivain prend congé de Constantinople (été 381) : *D.* 42, 27 (*PG* 36, col. 492 B 7-9) ; son autobiographie fait plusieurs allusions claires à ces conflits : *De vita sua,* v. 562-582, 1635-1640 (éd. Ch. Jungck, Heidelberg 1974, p. 80-82, et 132-134). Les diver-

C **36.** Τοῦτο τῶν μακρῶν πόνων καὶ λόγων λυσιτελέστερον, οὓς πάντες ἤδη λογογραφοῦσιν · οἷς τι καὶ φιλοτιμίας συνέζευκται καὶ διὰ τοῦτο ἴσως τι καὶ καινοτομεῖται περὶ τὸν λόγον. Τοῦτο τῶν πολλῶν ἀγρυπνιῶν καὶ χαμευνιῶν
5 προτιμότερον, ὧν μέχρι τῶν κατορθούντων τὸ κέρδος. Τοῦτο τῶν ἀοιδίμων ἐξοριῶν καὶ φυγῶν τοῦ ἀνδρὸς ἐπάξιον · ὑπὲρ γὰρ ὧν εἵλετο πάσχειν ἐκεῖνα, ταῦτα καὶ μετὰ τὸ παθεῖν ἐσπουδάζετο. Τὸ δ' αὐτὸ κἂν τοῖς ἄλλοις ποιῶν διετέλει · τοὺς μὲν ἐπαινῶν, τοὺς δὲ πλήττων μετρίως · καὶ
10 τῶν μὲν τὸ νωθρὸν διεγείρων, τῶν δὲ τὸ θερμὸν κατείργων · καὶ τῶν μὲν ὅπως μὴ πταίσωσι, προμηθούμενος · τοὺς δὲ ὅπως διορθωθεῖεν πταίσαντες, μηχανώμενος · ἁπλοῦς τὸν τρόπον, πολυειδὴς τὴν κυβέρνησιν · σοφὸς τὸν λόγον,
D σοφώτερος τὴν διάνοιαν · πεζὸς τοῖς ταπεινοτέροις, ὑψηλό-
1128 A τερος τοῖς μετεωροτέροις · φιλόξενος, ἱκέσιος, ἀποτρόπαιος, πάντα εἷς ἀληθῶς, ὅσα μεμερισμένως τοῖς ἑαυτῶν θεοῖς Ἑλλήνων παῖδες ἐπιφημίζουσι. Προσθήσω δὲ καὶ ζύγιον καὶ παρθένιον καὶ εἰρηναῖον καὶ διαλλακτήριον καὶ πομπαῖον τοῖς ἐντεῦθεν ἐπειγομένοις. Ὦ πόσας μοι ποιεῖ κλήσεις ἡ
20 τοῦ ἀνδρὸς ἀρετὴ πανταχόθεν καλεῖν ἐθέλοντι.

36, 2 ἤδη πάντες S || φιλοτιμίας : -μία SP_1 || 3 καί[2] > P || κενοτομεῖται BS || 4 τοῦτο : τούτῳ W || 7 καὶ > S || 11 προμηθούμενος : -θυμούμενος C || 12 δ' DPC || 12 πταίσαντες : -τας D || 15 φιλόξενος ABWVT : φίλιος ξένιος m φιλόξενος in textu et φίλιος ξένιος mg tamquam varia lectio Q || 16 ἅπαντα S || 17-18 ζύγειον ... παρθένειον P || 18 πομπαῖον nSD_2P : πομπίον D_1 πομπεῖον C || 19 τοῖς > n || ποιεῖ + τὰς S

---

gences commencent sous Constantin ; s'amplifient sous Constance, qui défend les ariens contre Rome ; s'enveniment lors du schisme d'Antioche : Rome a paru l'emporter à Antioche en 379 ; et le Concile de Constantinople fait triompher les thèses orientales en 381 : analyse de ces courants historiques dans GAUDEMET, *L'Église dans*

36. Ceci est plus utile que les grands travaux et traités qu'ont déjà écrits tous ceux qui altèrent légèrement la doctrine, sans doute parce qu'ils sont sujets à un brin de vanité. Ceci a plus de valeur que les veillées fréquentes et les nuits passées sur la dure, bonnes œuvres qui ne sont utiles qu'à ceux qui les accomplissent. Ceci est bien digne des illustres bannissements et des exils de cet homme, car après les avoir soufferts pour la cause qu'il avait choisie, il continuait à se consacrer ensuite à celle-ci. Il passait sa vie à agir de la sorte à l'égard du prochain : il louait les uns, corrigeait les autres avec mesure, réveillait ceux-ci de leur torpeur, modérait l'ardeur de ceux-là ; il s'inquiétait d'empêcher la chute des uns et cherchait à aider d'autres à se corriger après la chute. Ses manières étaient simples, ses méthodes variées ; il était sage dans ses propos et plus sage encore dans ses opinions, sans façons avec les gens modestes et distingué avec les grands, il savait recevoir, écouter les requêtes et tirer les gens d'embarras, il cumulait dans sa seule personne tous les titres flatteurs que les enfants des Hellènes répartissent entre leurs dieux. Et j'ajouterai qu'il était le protecteur des ménages et du célibat, de la paix et de la réconciliation et celui qui assiste ceux qui étaient sur le point de quitter ce monde. Quelle litanie me fournit la vertu de cet homme lorsque je veux énumérer tous ses titres !

l'Empire, p. 5. Au sujet du sabellianisme et de l'arianisme, et des principales options doctrinales de ces deux courants, Grégoire est plus explicite dans le *D.* 20, 5-12 ; et ci-dessus ch. 13. Au sujet de la politique de pacification religieuse menée par Constantin et par une partie de son entourage, voir Socrate, *Hist. eccl.*, I, 7 (*PG* 67, col. 53 C 8 - 60 C 4), notamment la *Lettre de Constantin à Alexandre et Arius.*

37. Ζήσας δὲ οὕτω καὶ παιδευθεὶς καὶ παιδεύσας, ὥστε ὅρον μὲν ἐπισκοπῆς εἶναι τὸν ἐκείνου βίον καὶ τρόπον, νόμον δὲ ὀρθοδοξίας τὰ ἐκείνου δόγματα, τίνα μισθὸν τῆς εὐσεβείας κομίζεται ; Οὐδὲ γὰρ τοῦτο παριδεῖν ἄξιον. Ἐν
B 5 γήρᾳ καλῷ καταλύει τὸν βίον καὶ προστίθεται τοῖς πατράσιν αὐτοῦ, πατριάρχαις καὶ προφήταις καὶ ἀποστόλοις καὶ μάρτυσι, τοῖς ὑπὲρ τῆς ἀληθείας ἠγωνισμένοις. Καί, ἵνα εἴπω τινὰ βραχὺν ἐπιτάφιον, τιμᾶται τῶν εἰσοδίων τιμῶν τὴν ἐξόδιον πολυτελεστέραν · πολλὰ μὲν κινήσας δάκρυα,
10 μείζονα δὲ τῶν ὁρωμένων τὴν περὶ αὐτοῦ δόξαν ταῖς ἁπάντων διανοίαις ἐναποθέμενος.

Ἀλλ', ὦ φίλη καὶ ἱερὰ κεφαλή, ὁ καὶ λόγου καὶ σιωπῆς μέτρα, μετὰ τῶν ἄλλων σου καλῶν, διαφερόντως τιμήσας, ἡμῖν μὲν ἐνταῦθα στήσαις τὸν λόγον, εἰ καὶ τῆς ἀληθείας
15 ἐνδεέστερον, ἀλλὰ τοῦ γε πρὸς δύναμιν οὐ λειπόμενον · αὐτὸς δὲ ἄνωθεν ἡμᾶς ἐποπτεύοις ἵλεως καὶ τὸν λαὸν

37, 1 δ' DPC ‖ οὕτως S ‖ 3 δ' PC ‖ 6 καὶ¹ > T ‖ 8 βραχύν τινα S ‖ 9 πολλοῖς S ‖ 10 αὐτὸν DC ‖ 12 καὶ ἱερὰ > Q_1 rest. mg ‖ ὁ : ὦ BPCD_2 ‖ καὶ² > C ‖ 13 μέτρα > S_1 rest. S_2 mg ‖ 16 δ' DPC

---

1. Au sujet de ce passage et du genre littéraire de ce développement, voir l'Introduction, p. 98-99. Une conclusion analogue composée d'un « protreptique », c'est-à-dire d'un encouragement à suivre les leçons de vertu données par le héros de l'éloge, et d'un « épitaphios » en forme d'invocation adressée au défunt, se rencontre aussi dans la péroraison de l'éloge de S. Basile : *D.* 43, 81-82 (éd. F. Boulenger, p. 228 et 230).

2. Littéralement : « ... disons qu'il est honoré d'obsèques plus fastueuses que les honneurs qu'il reçut à l'occasion de ses (r)entrées ». Allusion aux chap. 27 à 29, cf. ci-dessus.

3. Une formule analogue se lit dans la péroraison de l'éloge de Césaire : *D.* 7, 17 (*PG* 35, col. 776 C 7-8 ; éd. F. Boulenger, p. 36 : « ô tête sainte et sacrée ! »), ainsi que dans les *Lettres* 32, 13 (à Philagrios), et 43 (à Basile), éd. P. Gallay, Berlin 1969, p. 30, 8, et p. 42, 3. Voir J. Mossay, *La mort*, p. 74. Les apostrophes introduisant le thème des séjours célestes réservés au héros, dans les

37. Sa carrière, les leçons qu'il suivit et celles qu'il donna furent telles que son genre de vie était la règle de l'épiscopat et sa foi la loi de l'orthodoxie. Quelle fut la récompense de sa piété ? En effet, ceci mérite aussi de ne pas être laissé de côté. Il meurt à un âge avancé et prend place parmi ses pères, patriarches, prophètes, apôtres et martyrs qui ont combattu pour la vérité. Pour faire brièvement son éloge funèbre[1], <disons que> le faste de ses obsèques surpasse les honneurs qu'il reçut à l'occasion de ses retours d'exil[2]; malgré les flots de larmes qu'il provoque, l'idée qu'il laissa de lui-même dans l'esprit de tous dépasse les manifestations extérieures.

Tête chère et sacrée[3]! Toi qui possédais outre tes autres qualités un respect hors pair de la mesure à garder quand on parle et quand on se tait, permets-nous de terminer ici notre discours! Même s'il n'est pas à la hauteur de la réalité, il n'est pourtant pas au-dessous de nos possibilités. Quant à toi, jette sur nous de là-haut un regard favorable[4]! Sois le guide du peuple que voici, parfait

éloges posthumes composés par Grégoire de Naz. semblent répondre en ce qui regarde la forme à une habitude propre au genre littéraire et codifiée par Ménandre le rhéteur, *De genere demonstrativo*, (éd. L. Spengel, *Rhet. gr.*, III, p. 414, 21). Les règles, souvent conventionnelles, de la rhétorique classique et néo-classique, que Grégoire manie avec aisance, affectent l'expression et n'entravent généralement ni la spontanéité ni l'originalité de la pensée.

4. La formule « Quant à toi, ... regard favorable » se lit aussi dans la péroraison de l'éloge de S. Cyprien : *D.* 24, 19 (*PG* 35, col. 1193 B 2), dans un contexte présentant plus d'un point de rapprochement avec la fin du panégyrique d'Athanase : invocation finale, déclaration trinitaire, allusion aux polémiques ecclésiastiques. Les mêmes termes se lisent encore dans la péroraison de l'éloge de S. Basile : *D.* 43, 82 (*PG* 36, col. 604 D 2 et 6 ; éd. F. Boulenger, p. 230), ainsi que dans l'épilogue de la *Vie de S. Athanase l'Athonite* : *Vita B* = *BHG*, n° 188, éd. J. Noret, Louvain 1976, thèse dactylographiée, III, p. 87, 19-23 ; et éd. L. Petit, dans *Anal. Boll.*, 25 (1906), p. 87.

τόνδε διεξάγοις τέλειον τελείας τῆς Τριάδος προσκυνητήν,
C τῆς ἐν Πατρὶ καὶ Υἱῷ καὶ ἁγίῳ Πνεύματι θεωρουμένης
καὶ σεβομένης · καὶ ἡμᾶς, εἰ μὲν εἰρηνικῶς, κατέχοις καὶ
20 συμποιμαίνοις · εἰ δὲ πολεμικῶς, ἐπανάγοις ἢ προσλαμβάνοις
καὶ στήσαις μετὰ σεαυτοῦ καὶ τῶν οἷος σύ, κἂν μέγα ᾖ
τὸ αἰτούμενον, ἐν αὐτῷ Χριστῷ τῷ Κυρίῳ ἡμῶν · ᾧ πᾶσα
δόξα, τιμή, κράτος εἰς τοὺς αἰῶνας. Ἀμήν.

37, 17 τῆς > SPC ‖ 18 θεωρουμένης + τε P ‖ 21 σαυτοῦ n ‖ 22 Χριστῷ + Ἰησοῦ DPC ‖ 23 τιμή + καὶ AQBWT ‖ κράτος + μεγαλοπρέπεια PC

adorateur de la Trinité parfaite que l'on contemple et que l'on vénère dans le Père, le Fils et le Saint-Esprit. Nous souhaitons, si la paix règne, que tu nous gardes et que tu sois à nos côtés dans notre ministère pastoral ou, si la guerre sévit, que tu nous retires d'ici-bas ou que tu nous appelles à toi et que tu nous établisses avec toi et avec les tiens, même si la faveur sollicitée est grande, dans le Christ lui-même Notre-Seigneur, à qui soit toute gloire, honneur, puissance pour les siècles. Amen.

KERTSCH, *Bildersprache*, p. 117, n. 1, note aussi que l'emploi du mot «favorable», indique ici un « topique »; il appuie la remarque par plusieurs références à Maxime de Tyr, Marc Aurèle, l'empereur Julien (*Discours*. 8, 9 = 169 d : éd. G. Rochefort, Paris 1963, II, 1, p. 117), Thémistius, etc. Sur l'idée de la sérénité des espérances chrétiennes qui inspire ici Grégoire de Nazianze, voir MOSSAY, *La mort*, p. 172-173.

DISCOURS 22

INTRODUCTION

Tous nos témoins groupent, sous le titre générique de *Discours iréniques*, trois œuvres traitant de réconciliation entre des partis ecclésiastiques, auxquelles l'édition des Mauristes a donné respectivement les numéros d'ordre suivants : 6 *(Premier discours irénique)*, 22 *(Troisième discours irénique)* et 23 (= *Deuxième discours irénique*)[1]. Pour des raisons pratiques, qui sont évidentes, il convient de s'en tenir au classement traditionnel, qui est celui des Mauristes, aujourd'hui universellement adopté par l'usage depuis plus d'un siècle. Le fait de nous conformer ainsi à la tradition n'implique pas, comme nous l'avons déjà fait remarquer dans l'Introduction générale de ce volume, que nous pensions pouvoir vérifier les hypothèses sur lesquelles les Mauristes ont fondé leur classement des *Discours* de notre écrivain. Au contraire, avant d'aborder les prolégomènes proprement dits de l'édition du *D.* 22, qui constitueront le second paragraphe de cette introduction, nous aurons à faire un rapide état des questions relatives au contenu, au genre littéraire, au titre, à la date et aux circonstances de la composition de l'œuvre, en portant notre attention particulière sur les points qui peuvent concerner l'interprétation du contenu.

1. Dans les anciennes éditions, les *Discours* 6, 22, 23 portent respectivement les n°s 12, 14, 13, conformément à l'ordre dans lequel on les trouve dans les sources. Les Mauristes notent en outre qu'un ms. donne au *D.* 22 le premier rang dans la série des *Discours iréniques* (*PG* 35, col. 1131, note 69 ; et *PG* 36, col. 1257-1258).

I. Le Discours 22 (Troisième discours irénique)

Une analyse rapide de l'œuvre permet de constater quelle place y tiennent la théologie, d'une part, les situations concrètes, d'autre part.

1. **Analyse**

La paix est plus chère à l'auteur que Joseph n'était cher à Jacob ou Absalon à David (ch. 1); la perte de la paix et les dissensions intestines font plus de mal que les invasions étrangères (ch. 2).

L'exemple de la paix et de la concorde est donné par des gens de toutes sortes, honnêtes et malhonnêtes (ch. 3); la mésentente des chrétiens est d'autant plus regrettable que la charité mutuelle est le caractère distinctif de leur religion (ch. 4).

La cause des discordes est le caractère inconstant et subjectif de nos jugements (ch. 5); nous extrapolons nos impressions subjectives à la manière des gens qui ont le vertige ou le tournis et qui pensent que tout tourne autour d'eux alors que rien ne bouge; et nous en voulons à ceux qui ne partagent pas nos illusions (ch. 6). Il faut en finir avec les mésententes parce qu'elles sont nuisibles (ch. 7) et parce qu'elles sont ridicules (ch. 8). L'auteur se tient au-dessus du débat, mais il déplore que les disputes ruinent l'influence chrétienne (ch. 9).

Les critiques bienveillantes aident à nous corriger, tandis que les critiques amères et malveillantes font du tort (ch. 10); il faut distinguer ce qui est et ce qui n'est pas discutable, et mettre fin aux disputes (ch. 11). Étant d'accord sur l'essentiel de la foi (la doctrine du Père, du Fils et du Saint-Esprit), laissons aux hérésies les exagérations en sens divers (ch. 12); le sabellianisme est à rejeter à cause du tort que les discussions excessives font à l'Église (ch. 13). Quiconque se tient à l'écart des débats risque de servir de cible à tous les partis extrémistes; mais Dieu est garant de la concorde (ch. 14).

La bonne entente sert les particuliers comme les collectivités et Dieu ordonne de pardonner à ses adversaires (ch. 15). La récompense des pacifiques sera grande; les discordes sont déplorables (ch. 16).

2. Doctrine

Dans son ensemble, l'argumentation du *Troisième Discours irénique* s'inspire des règles de l'art de persuader ou de convaincre plutôt que des principes de la philosophie ou de la théologie morales. Grégoire y prêche la réconciliation, montre que la mésentente est nuisible et que les avantages de la concorde sont considérables. Les raisons qu'il fait valoir sont tirées d'exemples bibliques (ch. 1), de l'expérience (ch. 2-4), de la psychologie (ch. 5-6), de l'intérêt du particulier (ch. 6-7) et de celui de l'Église (ch. 8-9, et 10).

La place accordée à la théologie dogmatique dans le développement n'est pas tout à fait celle d'une digression. Elle se justifie parce que quelques points de doctrine sont à la racine des désaccords visés par l'auteur (ch. 13) et aussi parce que l'unité des orthodoxes sur l'essentiel des doctrines qu'ils professent est un gage de bonne entente entre eux (ch. 12). Bien entendu, Grégoire saisit l'occasion de rappeler que « l'unique définition de la piété est d'adorer un Père, un Fils et un Saint-Esprit, la divinité et la puissance unique des trois... » (ch. 12) et d'exhorter chacun à laisser de côté les « excroissances et surgeons superflus et inutiles qui font l'objet des questions discutées actuellement » (ch. 12). C'est une mise en garde contre les risques d'hérésie en matière de théologie trinitaire. L'esquisse des positions orthodoxes telles qu'elles sont résumées en quelques lignes au chapitre 12, peut être mise en parallèle avec la synthèse publiée sous forme d'introduction doctrinale au volume, déjà paru, des *Discours théologiques*, par M. Jourjon. Nous y renvoyons une fois de plus[1].

Autant que les controverses relatives au dogme de la trinité, la doctrine christologique alimente les désaccords évoqués ici. Grégoire le dit clairement en parlant de la mésentente fraternelle qui vient de se déclarer récemment entre nous, et qui est à l'origine d'un manque d'égards envers Dieu et envers ' l'homme ' : si ce dernier n'est pas né et n'a pas été cloué à la croix tout entier pour nous, il est évident qu'il n'a pas non plus été enseveli et qu'il n'est pas ressuscité (tout entier pour nous)... » (ch. 13). On ne peut citer le chapitre 13 *in extenso* ici. J. Plagnieux, y voit une page typique de la méthode de Grégoire et de sa doctrine christologique. « Ce texte nous révèle toute la méthode du Nazianzène. Celui-ci ne veut atteindre l'erreur d'Apollinaire qu'en l'appréciant dans la perspective générale de la christologie : d'abord la christologie d'Apollinaire; puis celle de l'erreur opposée; et enfin la christologie orthodoxe[2]. » Quant à la doctrine proprement dite, elle est conforme à celle que sanctionnera le second concile œcuménique, celui de 381, que Grégoire présidera à Constantinople. « Tout en soulignant habituellement l'unité de personne, Grégoire ne compromet jamais l'intégrité des deux natures. Aussi quand ses amis, les défenseurs de l'unité, se muent en partisans de l'unitarisme, notre docteur, sans innocenter les hérétiques qu'ils combattent, rappelle à tous la doctrine du juste milieu. Ce passage

1. JOURJON, *La doctrine*, dans GALLAY, *Discours théologiques*, *SC* 250, p. 29-65.

2. PLAGNIEUX, *Grégoire théologien*, p. 250-251.

est un de ceux où il pressent les grandes hérésies, dont il n'a guère connu que les précurseurs[1]. »

Les doctrines exposées ici, de même que les mises en garde contre le danger d'hérésie (ch. 13) ou les déviations théologiques (ch. 14), sont présentées assez brièvement et en fonction de situations concrètes, sûrement connues de l'auditoire, qu'on devine à peine entre les lignes. Avant d'aborder le détail de ces situations, il est indispensable d'être attentif à quelques aspects littéraires du texte lui-même.

3. **Genre littéraire**

Si l'idée générale est nette et claire, le plan du développement apparaît néanmoins assez décousu. D'un bout à l'autre les développements combinent démonstration et exhortation suivant les préceptes exposés par les traités de rhétorique ancienne pour la composition des « dissertations » ou λαλιαί. Les rhéteurs ont détaillé les règles de ce genre littéraire. Dans l'ensemble la composition doit paraître libre et spontanée; c'est pourquoi aucun plan fixe ne lui est imposé : au contraire, la fantaisie est une qualité du genre. La brièveté et surtout « l'agrément » ou « charme » du style ne sont pas moins caractéristiques des dissertations[2]. Les ouvrages de rhétorique donnent parfois les noms de « méditations » ou de « débats » à des compositions analogues destinées à la publication[3]. Dans

1. *Ibid.*, p. 250. A propos du mot « précurseurs », qui se lit dans la citation de J. Plagnieux, celui-ci ajoute dans une note (*op. cit.*, p. 250, n. 121) : « à moins pourtant qu'il ne faille dire : les véritables pères. ...Les noms dont on se sert pour étiqueter l'hérésie ne sont pas toujours choisis avec rigueur ».

2. Volkmann, *Rhetorik*, p. 360 ; et surtout Ménandre, *De genere demonstrativo* (éd. L. Spengel, *Rhet. gr.*, III, p. 388, 16 - 394, 31; surtout p. 391, 19-32).

3. Chaignet, *Rhétorique*, p. 307, et note 2.

son ensemble, le *D.* 22 se présente comme une composition de ce genre; les parties démonstratives (ἐπιδεικτικὸς λόγος) s'entremêlent avec les exhortations édifiantes (προτρεπτικὸς λόγος), comme il est de règle dans les dissertations proprement dites définies notamment par Ménandre le rhéteur.

Les parties s'agencent et s'appellent en raison d'une situation évoquée à tout bout de champ, mais à demi-mot, et qui reste plus ou moins imprécise pour le lecteur moderne. On devine cependant que l'auditoire saisissait les allusions puisqu'elles concernent directement une situation concrète et actuelle : on en a la preuve dans l'emploi de la première personne *(passim)* et particulièrement pour spécifier ce qui se passe « chez nous » (ch. 3 et 4, etc.), l'insistance sur les événements récents (ch. 8 et 13) ou actuels (ch. 3), l'emploi répété des adverbes tels que « aujourd'hui » (ch. 5, 8, 12, 14) ou « maintenant » (ch. 1, 2 deux fois, 6, 9). Ces indices confirment le caractère pratique propre aux exhortations, qui tiennent une grande place dans l'œuvre. En théorie, les rhéteurs rangent l'exhortation ou « protreptique » (προτρεπτικὸς λόγος) dans les catégories de l'éloquence délibérative, *genus deliberativum*; la « dissertation », qui appartient plutôt au genre démonstratif, *genus demonstrativum*, comme nous l'avons indiqué plus haut, emprunte donc des parties essentielles de son développement à un autre genre littéraire; mais, elle en respecte assez méticuleusement les caractères propres. Ceux-ci sont précisés par les théoriciens et notamment le rhéteur Syrianos, et consistent 1° à s'adresser à une collectivité, 2° à tirer d'une situation antérieure des leçons pour l'avenir, 3° à conclure en conseillant de faire ou de ne pas faire quelque chose[1].

1. Volkmann, *Rhetorik*, p. 17, et p. 294 ; la note 1 renvoie à Syrianos qui introduit ici des distinctions subtiles entre les espèces purement délibératives συμβουλή, exhortatives προτροπή et parené-

Le genre du protreptique fut illustré par Clément d'Alexandrie dans son *Exhortation aux Grecs* ou *Protreptique*[1]. Le genre s'adapte parfaitement aux exigences d'une homélie chrétienne de tour plus familier et plus direct (ch. 7 et 11 : les diatribes introduites par les formules « vous, que voici »...), comme c'est le cas dans le *D.* 22; mais il ne faut pas s'y tromper, l'œuvre répond d'assez près à la rhétorique du temps de la seconde sophistique et notamment aux indications fournies par Anaximène, le commentateur de la *Rhétorique* d'Aristote, au sujet des procédés et du style qui conviennent à ce genre littéraire[2]. L'écrivain y met en œuvre des figures qui sont les plus courantes dans ce genre de composition, diatribes (ch. 7 et 11), interrogations oratoires (ch. 11 et 7), apostrophes (ch. 16), hyperboles (ch. 8, lamentations), aphorisme (ch. 9), proverbes (ch. 10 : les noirs, et 6 : le vertige), citation (ch. 15, Salomon), sentences (ch. 1 et 15), comparaisons (ch. 16 et 6), allusions savantes (ch. 1), antithèses, etc.

Il est donc hors de propos de penser « qu'on aurait du mal à trouver dans Grégoire un Discours dans lequel l'orateur exprimerait ce qu'il ressent en recourant aussi peu aux astuces de la rhétorique *(ita sine rhetoricis lenociniis)* que dans cette supplique en faveur de la paix », ou que « la simplicité et l'ingénuité y sont sans recherche ni affectation, sincères et spontanées[3] ». Ces appréciations ne semblent reposer sur rien de concret ou de positif. On peut assurément penser que l'orateur était à ce point

tiques ou laudatives παραίνεσις ; d'autres distinguent les espèces suivant que les conclusions sont positives (« faites ceci » = protreptique) ou négatives (« ne faites pas » = apotreptique) ; Martin, *Rhetorik*, p. 9.

1. Éd. O. Staehlin, I, Leipzig 1905, *GCS*, 12, p. 1-86 (*SC* 2 bis).

2. Anaximène, *Rhétorique*, 1 (éd. L. Spengel, *Rhet. gr.*, I, p. 174, 29 - 176, 10) ; Martin, *Rhetorik*, p. 167-169, et la suite jusqu'à la p. 176 : προτρεπτικὸν εἶδος.

3. Sinko, *De traditione*, p. 69.

imbu et comme imbibé des habitudes de la seconde sophistique que celles-ci lui tenaient lieu de seconde nature et lui permettaient de s'exprimer sans contrainte ni détour et de ne pas pour autant déroger aux convenances de la rhétorique traditionnelle. Il reste qu'en lisant le *D.* 22 et en interprétant son contenu il faut garder présentes à l'esprit les exigences du genre littéraire auquel il appartient. On a affaire à une dissertation régulière dont les parties démonstratives comme les parties exhortatives sont orientées vers un but pratique, qui est de convaincre une communauté des avantages de la paix et de la persuader de se réconcilier.

4. Circonstances et date

De nombreuses allusions à des situations concrètes servent directement de cadre aux exhortations et aux réflexions d'ordre moral qui constituent le tissu de l'œuvre[1]. Mais l'objectif visé et le caractère exhortatif de l'ensemble colorent d'une façon particulière les renseignements fournis au sujet des circonstances qui motivent les conseils donnés par l'orateur. En principe, ces renseignements permettent des recoupements avec d'autres œuvres de Grégoire, notamment avec le *Carmen de vita sua*, poème autobiographique, et avec l'histoire générale; mais, en pratique, de tels recoupements restent souvent trop flous en raison du style propre au genre littéraire du *D.* 22.

Les Mauristes titraient leur édition : « Deuxième discours irénique prononcé à Constantinople à l'occasion d'une dissension qui s'était produite dans la communauté au sujet du désaccord survenu entre certains évêques » *Secunda de pace, in Constantini urbe habita, ob ortam in populo contentionem, de quibusdam episcopis inter se dissidentibus.* Tous

1. VOLKMANN, *Rhetorik*, p. 294 ; MARTIN, *Rhetorik*, p. 168.

nos témoins, mis à part B, dont nous ne pouvons lire le titre sur le microfilm dont nous disposons, titrent l'œuvre : *Troisième discours irénique*; V, D et P, ainsi peut-être que S, dont le titre est partiellement illisible, ajoutent que le discours fut prononcé à Constantinople; Q, W, V et T ajoutent encore εἰς ἀμφιλόνεικον.

Tous les critiques ont accepté la note de plusieurs manuscrits relative à Constantinople. Cette indication précise le lieu et fournit par la même occasion des repères chronologiques que les critiques ont cherché à préciser; on sait, en effet, que l'écrivain a séjourné à Constantinople de 379 à la fin du printemps ou au début de l'été 381.

La première hypothèse, formulée en dehors des milieux byzantins dont émanent nos manuscrits, est celle de S. Lenain de Tillemont : « Grégoire apaise une division qui s'était allumée entre les orthodoxes de Constantinople », écrit-il; et il note dans la marge : « en 379 ». Mais son commentaire montre beaucoup de prudence : « Il (Grégoire) n'exprime point clairement quelle en fut la matière (de cette division entre les orthodoxes) et je ne sçay s'il est aisé de la deviner. Néanmoins autant que nous le pouvons juger de divers endroits de ses ouvrages, la dispute qui divisait l'église d'Antioche passe à Constantinople...[1] ». La datation de Tillemont est donc présentée comme une présomption, sans plus, et le rapport de l'œuvre avec l'affaire d'Antioche comme une pure vraisemblance, avec beaucoup de réserves.

Plusieurs tentatives ont eu lieu en vue de préciser ou de vérifier l'hypothèse de Tillemont; d'une part celle de Th. Sinko, s'appuyant sur des travaux de Rauschen, reprise et développée par P. Gallay, d'autre part celle de J. Bernardi. Selon la première théorie, l'occasion de ce *D.* 22 aurait été fournie par des discussions ayant pour objet des doctrines apollinaristes et par les séquelles

1. Tillemont, *Mémoires*, IX, p. 436.

du schisme d'Antioche; le ch. 13 confirmerait ces hypothèses et on déduit de là que la pièce est du prime début du ministère de l'auteur à Constantinople et donc du début de 379[1]. M. Bernardi accepte ces conclusions, mais constate que le ch. 14 déplore que « tout ce qui est pacifique et modéré soit en butte aux attaques des deux camps... c'est ce qui nous arrive aujourd'hui »; et il conclut que « Grégoire à ce moment fait figure d'obstacle entre l'Orient et l'Occident » et qu'il a donc remanié le texte de 379 pour l'adapter à une situation nouvelle en 381. Le ton désabusé de la péroraison confirmerait cette nouvelle hypothèse[2].

Les deux argumentations reposent en définitive sur la critique interne. Les détails fournis par le texte peuvent *a priori* être considérés comme objectifs et concrets dans leur ensemble. Le genre littéraire l'exige. Conformément aux règles du genre exhortatif ou protreptique, l'écrivain « analyse les antécédents de la situation présente afin d'en tirer des leçons pour l'avenir ». C'est exactement ce qui se passe notamment au ch. 13 où le procédé est appliqué d'une manière systématique[3]. L'auditoire devait savoir de quoi il était question. De son côté, l'orateur devait savoir que la portée des conseils prodigués à son auditoire dépendait directement de la qualité de ses analyses de la situation, bien connue des auditeurs.

Nombreux sont les indices de la situation historique éparpillés dans le texte du *D*. 22 :

1. Le ch. 2 fait allusion à des malheurs publics liés à une invasion et à ses séquelles;

2. le ch. 8 évoque la ville des théâtres, du cirque et des cynodromes, où l'orateur est installé et où il n'est pas encore acclimaté;

1. GALLAY, *Vie*, p. 139-143 ; SINKO, *De traditione*, p. 68-69.
2. BERNARDI, *Prédication*, p. 147-148.
3. GALLAY, *Vie*, p. 140 ; la théorie dans VOLKMANN, *Rhetorik*, p. 294.

3. le même ch. 8 évoque les églises et les biens ou revenus ecclésiastiques se trouvant à la disposition des adversaires de l'auteur;

4. le ch. 6 évoque les discussions profanes autour des questions théologiques;

5. le ch. 12 évoque les tensions provoquées par le sabellianisme et par l'arianisme;

6. au ch. 14, le siège épiscopal de l'auteur est objet d'envie et de contestation; Grégoire ne l'occupe pas depuis longtemps;

7. ch. 14 : mention est faite de l'ordre public assuré « dans cette ville et dans cette maison ».

On allongerait considérablement cette liste en notant les passages qui décrivent ou évoquent les conflits que l'écrivain déplore; on pourrait ainsi relever :

8. au ch. 1. l'image d'un père regrettant un fils perdu;

9. aux ch. 2-3, l'évocation des mésententes internes;

10. au ch. 4, l'évocation des misères du temps;

11. au ch. 5, l'insinuation que les motifs des protagonistes des disputes sont peu avouables;

12. au ch. 6, l'insinuation que ceux-ci sont ambitieux et naïfs;

13. au ch. 7, l'évocation de leur combativité;

14. au ch. 9, l'évocation d'une confusion générale des idées;

15. au ch. 10 (fin), l'évocation de l'indignité de plusieurs évêques.

Si l'on ajoute à cela ce que le texte révèle au sujet de la position adoptée par l'écrivain lui-même, on note encore au sujet de Grégoire lui-même :

16. ch. 9 : qu'il est en butte aux attaques de toutes parts;

17. ch. 14 : qu'il est placé entre les deux camps.

Quant aux conseils qu'il donne, on lit :

18. ch. 11 : il faut savoir ce qui peut et ce qui ne peut pas faire l'objet de discussions;

19. ch. 12 : il faut constater qu'on est fondamentalement d'accord sur l'essentiel;

20. ch. 14 : il faut garder la neutralité nécessaire pour éviter d'envenimer les choses;

21. ch. 16 : il faut se montrer compréhensif, indulgent, prêt à faire des concessions.

De tous ces indices, qui pouvaient paraître suggestifs sur le moment à un auditoire mêlé à la situation analysée dans l'exposé, pas un seul ne fournit un argument décisif en faveur de l'une des années 379, 380 ou 381 plutôt que des deux autres. Pas même une présomption permettant de donner l'avantage à une hypothèse plutôt qu'à une autre.

M. Bernardi pense trouver dans le ch. 16 un indice favorable à la thèse selon laquelle le texte aurait été corrigé en 381 et adapté aux circonstances : on y remarque, c'est vrai, le « ton désabusé et assez pessimiste », qui « montre qu'il (Grégoire) n'a aucune illusion sur la gravité du mal qu'il combat ». Mais, avant de conclure que l'emphase de l'orateur dans cette péroraison est strictement inspirée par des conditions historiques et que le passage « reflète davantage la situation de 381[1] », on est forcé de constater que le pathétique et les hyperboles relatifs aux effets néfastes de la discorde sont traditionnels dans le genre littéraire; ils appartiennent, en effet, au topique des *commoda pacis ... itemque incommoda contrariorum* tel que le présentent les maîtres de la rhétorique ancienne traditionnelle[2]. Sans aucun doute, chacun partagera l'opinion du

1. Bernardi, *Prédication*, p. 147.

2. Martin, *Rhetorik*, p. 168 et p. 168-169, référence au *De oratore*,

Professeur Bernardi au sujet de retouches supposées et datées éventuellement de 381 : « opération à vrai dire bien gratuite[1] ». Assurément!

En conclusion, l'effort des historiens récents n'a rien ajouté à l'indication contenue dans la note des mss V, D, P (S), dont il a été fait mention plus haut : le *D.* 22 est de la période de Constantinople. Faut-il préciser davantage ? Peut-être une étude exhaustive de la tradition manuscrite le permettra-t-elle un jour, mais ce serait prématuré et téméraire dans l'état actuel de la documentation dont on dispose.

5. **Le destinataire ?**

Une autre note qui se lit dans le titre de quatre mss de la famille N nous met-elle en présence du nom du destinataire du *Discours* ? Les mss Q W V et T complètent le titre par les mots εἰς ἀμφιλόνεικον.

Le mot ἀμφιλόνεικος n'est mentionné par aucun dictionnaire. A-t-on affaire à un masculin ? Le mot désignerait alors soit par son nom soit par une qualité de sa personne, le destinataire du *D.* 22. A-t-on affaire à un neutre ? Le mot indiquerait d'une manière abstraite le but visé par le *Discours*. La grammaire ne permet d'exclure aucune de ces deux hypothèses.

Peut-on penser que le mot ἀμφιλόνεικον désigne ici le destinataire du *D.* 22 ? Disons tout de suite que l'addition εἰς ἀμφιλόνεικον semble bien être une excroissance propre à une branche de la tradition manuscrite. Ajoutons qu'à première vue la formule est analogue à celle qui se rencontre couramment dans des titres indiquant par là le destinataire

II, 82, de Cicéron, à Quintilien, Anaximène et autres rhéteurs indiquant le type d'arguments traditionnel dans une exhortation pour la paix.

1. Bernardi, *Prédication*, p. 147.

auquel une œuvre est particulièrement dédiée ou simplement adressée. Le cas échéant, il faudrait donc se demander qui est cet « Amphilonique » mentionné ici.

A notre connaissance — mais, que personne ne prenne ceci pour une référence — un tel nom propre est inconnu des prosopographies du IVe siècle comme de celle des œuvres de Grégoire[1]. Faudrait-il imaginer un nom fictif ou un pseudonyme ? Lucien a mis quelquefois beaucoup d'imagination dans l'invention des noms donnés à ses personnages et le Livre des *Actes des Apôtres*, adressé à « Théophile », constitue un précédent qui illustre un procédé de composition assez simple[2]. Dans le cas présent, les dictionnaires et lexiques ne connaissent aucun mot commun ayant pu directement fournir l'étymologie du nom d'Amphilonicos; on y relève une famille abondante de mots apparentés à φιλονεικία « amour de la discorde » ou « goût de la querelle »[3], et une autre apparentée à ἀμφιλογία « discussion » ou « doute »[4]; le nom d'Amphilonicos réunit des traits étymologiques communs aux deux familles. Nous nous garderons d'en déduire qu'il s'agit de traits de parenté[5]. Nous nous garderons surtout de faire état de l'emploi du mot φιλονείκως dans un contexte où il est question de la campagne menée par des

1. JONES, *Prosopography* ; HAUSER-MEURY, *Prosopographie.*

2. SCHWYZER et DEBRUNNER, *Grammatik*, I, p. 634-638, spécialement p. 635-636 : sur la formation et l'étymologie des noms de personnes en grec ancien.

3. LIDDELL et SCOTT, *Lexicon*, p. 1937, s.v. φιλονικέω.

4. *Ibid.*, p. 92.

5. Le lexique grec connaît un cas au moins où le préfixe ἀμ- a la valeur du ἀ- privatif devant la consonne φ (ἀμφασίη = ἀφασίη) : SCHWYZER et DEBRUNNER, *Grammatik*, I, p. 432 ; mais, si le pseudonyme était destiné à marquer l'absence de φιλονεικία, on attendrait ici 'Αφιλόνεικος : *Ibid.*, I, p. 635.

adversaires de la doctrine de Grégoire, que Sinko identifie aux Eunomiens[1].

Faut-il penser que le mot ἀμφιλόνεικον est un neutre ? On se trouverait sans doute en présence d'un mot rare, peut-être un hapax, τὸ ἀμφιλόνεικον désignant l'absence de φιλονεικία. La formule ajoutée au titre pourrait se traduire dans ce cas : « pour l'absence de discorde » ou « sur l'absence de discorde ». Il ne s'agirait plus d'une dédicace, réelle ou supposée, mais d'une espèce d'explicitation de l'adjectif εἰρηνικός. Il y aurait lieu de se demander pourquoi un tel adjectif employé substantivement ne se trouve pas précédé de l'article τό[2]. De sorte que cette interprétation apparemment la plus obvie ne va pas sans difficultés.

On doit conclure que la présence de cette addition dans le titre donné au *D.* 22 par une branche de la tradition représentée ici par quatre de nos témoins, constitue un détail intéressant pour le paléographe et reste, dans l'état actuel des recherches sur la tradition manuscrite, une énigme pour l'historien.

II. L'édition

Faite d'après les mêmes témoins que l'édition des œuvres précédentes, celle du *D.* 22 présente cependant une particularité qui intéresse directement le classement des manuscrits et le choix des leçons : cette œuvre appartient apparemment à un groupe indiqué par le titre, celui des

1. *Discours* 29, 21 (*PG* 36, col. 104 B 3) : εἰ δὲ λίαν ἔχοιτε φιλονείκως, si vous étiez trop portés à vous disputer ; cf. aussi *D.* 45, 27 (*PG* 36, col. 661 B 3) : sur l'objet de la guerre théologique.

2. Une tournure analogue se lit dans S. Athanase, *Vita Antonii*, 60 (*Bibl. des Pères*, 33, p. 42, 2-3) : βλέπων ... τὸ φιλόνεικον (τοῦ Θεοδώρου ...).

Discours iréniques. En présentant les témoins nous devrons signaler au passage les traits particuliers qui singularisent la tradition de cette œuvre par rapport aux autres discours édités dans ce volume.

1. Les manuscrits

A = *Ambrosianus E 49-50 inf. (gr. 1014)* (IXe s.).

Le *D.*22 a été particulièrement atteint par les conséquences d'une reliure maladroite du codex, dont nous avons déjà parlé plus haut. La première partie du texte, soit les ch. 1 à 11, jusqu'aux mots ὡς οὐδὲν τὸν λόγον (= *PG* 35, col. 1144 B 9), se lit p. 603 a - 610 b ; la suite, soit ch. 11 à 16, jusqu'aux mots πρὸς τοὺς ἀνθρώπους (= *PG* 35, col. 1149 D 2), se lit p. 627 a - 630 b ; les huit dernières lignes et le titre final manquent à partir des mots οὐδὲν γὰρ οἶμαι (= *PG* 35, col. 1149 D 3), parce qu'un feuillet fait défaut entre les p. 630 et 631 ; le texte est interrompu ex abrupto et la suite appartient au *D.* 32, 3 : οὔ τί γε (= *PG* 36, col. 176 D 2).

L'ornementation consiste p. 603 dans un médaillon représentant Grégoire en buste, placé en-haut de la marge centrale et dans la marge supérieure ; dans la même marge supérieure, une miniature placée au-dessus de la colonne b, représente le patriarche Jacob en pied tenant le manteau de Joseph ; dans la marge extérieure droite, un médaillon du buste de David en pleurs ; les deux derniers motifs illustrent un passage du ch. 1. Dans les marges latérales des p. 607 et 608, une miniature doit avoir disparu, et p. 608, dans la marge inférieure, juste au-dessous de la marge centrale, une autre représente Jérémie en pied, qui se lamente. Dans la marge gauche de la p. 630, Grégoire est représenté en pied exhortant le peuple ; dans la marge inférieure de la même page, le reste d'une miniature dont on a découpé une partie, représente symboliquement Jérusalem. Les gloses sont nombreuses et normalement marquées par un appel de note.

Le titre initial n'est aucunement orné et très bref : εἰρηνικὸς γ′ ; comme on l'a vu, le titre final, s'il y en avait un, a dû disparaître avec la fin du texte.

Q = *Patmiacus gr. 44* (xe s.).

Le *D.* 22 occupe les f. 136v à 146. Il porte ici le numéro 11. Le titre initial est orné d'un portique ; on ne voit pas de titre final ; le texte se termine à la dernière ligne de la colonne a du f. 146 recto ; la ligne est complétée par un bandeau marquant la fin du texte (ligne 27). Les très rares notes marginales sont des variantes introduites par l'abréviation ΓΡ, mis pour γράφεται[1].

B = *Parisinus gr. 510* (IXe s.).

Le texte du *D.* 22 se lit entièrement f. 360v-366, bien que le titre du f. 360v ait été découpé. Le f. 360 recto était peint de deux scènes superposées que Bordier décrit. Dans la partie supérieure, un tableau représente Noé occupé à construire l'arche : « on ne voit plus qu'un coin de la charpente ; le reste de la peinture a été enlevé à coups de ciseaux » ; dans la partie inférieure, « on voit la main de Noé passant par une fenêtre pour mettre la colombe en liberté » ... Et le même ouvrage de H. Bordier ajoute le commentaire suivant : « Le texte roulant sur la paix, il est en harmonie avec la peinture, qui représente la colombe mise hors de l'arche pour aller voir si la paix de Dieu est établie sur la terre... »[2]. Le titre du f. 360v a été exactement découpé à coups de ciseaux ; apparemment rien ne prouve que la dégradation subie avait pour but d'enlever une partie des miniatures du f. 360r, plutôt que le titre même du *D.* 22. Dans la marge, on lit encore le no 33 à hauteur de l'emplacement du titre. Le texte se termine sans titre final au-bas de la col. b du f. 366 ; cette colonne a exceptionnellement 42 lignes. On lit dans le coin inférieur de la marge droite, deux marques μζ (le nombre 47 ?) et θ (le chiffre 9 ?).

W = *Mosquensis Synod. gr. 64* (Vlad. *142*) (IXe s.).

Le texte du *D.* 22 se trouve en entier aux f. 262-266v. Le titre initial, écrit dans la même majuscule élégante que la plupart des titres de ce codex, est surmonté d'un arceau décoré de torsades et garni de palmettes stylisées à son sommet ; on note le no 36. On ne trouve pas de titre final.

V = *Vindobonensis theol. gr. 126* (XIe s.).

L'ensemble du *D.* 22 se trouve du f. 229v au f. 234v. On peut se reporter à la description de ce témoin telle qu'elle a été faite dans l'Introduction générale ; pour ce qui concerne l'ornementation (bandeaux et lettrines), les écritures et les notes, cette partie est

---

1. Gardthausen, *Die Schrift*, p. 345.
2. Bordier, *Description*, p. 83.

conforme aux caractères généraux du codex ; mais il faut noter ici l'extrême rareté ainsi que la brièveté des notes, présentées dans les deux écritures mentionnées plus haut, petites majuscules ou minuscules.

T = *Mosquensis Synod. gr. 53* (Vladim. *147*) (xe s.).

Ce codex contient le *D.* 22 en entier (f. 294-299). Les écritures, titres, ornementations ont été décrits dans l'Introduction générale et l'on peut s'en tenir aux indications données en notant toutefois que, dans cette partie du codex, pas la moindre note marginale, ni glose ni scolie, n'est à relever ; on y trouve seulement une correction marginale avec appel de note (f. 297) destinée à réparer une omission de deux mots (οὐκ ἐκνήψομεν) ; cette note est apparemment de la même écriture ou de la même main que le texte.

S = *Mosquensis Synod. gr. 57* (Vladim. *139*) (ixe s.).

Le texte de notre *D.* 22, qui se lit intégralement du f. 100 au f. 106, porte ici le no 15. Une partie du titre initial n'est plus lisible, ayant été maculée (f. 100) ; il en va de même du titre final (f. 106). Le titre que semble avoir lu Vladimir ou du moins celui qu'il donne dans son catalogue ne correspond pas tout à fait à ce que l'on peut lire du titre initial, mais plutôt à ce qui reste lisible du titre final. Par-ci par-là des notes fort brèves. Sur la lettrine initiale (f. 100), on peut lire une petite addition en petites majuscules signalant que le texte est sans intérêt dogmatique οὐδὲν ἔχει δογματικόν ; au f. 103v, une courte annotation en cursive. La stichométrie ne correspond pas à celle du codex : 438 (f. 106).

D = *Marcianus gr. 70* (xe s.).

Nous pouvons lire le texte du *D.* 22 entièrement aux f. 109-115 ; le no 15 est reproduit à la manière d'un titre courant au haut du recto de chaque feuillet. Les caractères généraux de l'écriture, l'ornementation et les annotations ont été décrits dans l'introduction générale ; ce qui a été dit à ce propos se vérifie ici. Les notes sont très brèves et très rares ; à remarquer au f. 109, la note signalant que le texte est « sans intérêt dogmatique ». La stichométrie (438) ne correspond pas à celle de ce codex : cf. plus haut, notice relative au codex S.

P = *Patmiacus gr. 33* (de 941).

La première partie du *D.* 22, portant ici le nº 15, se lit aux f. 26-27v, soit aux pages 51-54, dans la pagination du codex ; la suite aux f. 66-67 (p. 131-133). Aux indications générales fournies dans la description de l'ensemble des témoins dans l'introduction de ce volume, il faut ajouter les points particuliers suivants : le titre est décoré d'un bandeau rectangulaire à entrelacs surmonté en son milieu par un bouquet de cinq rameaux stylisés et à chacune de ses extrémités par un canard tourné vers l'extérieur du dessin et tenant dans le bec une feuille stylisée ; une note placée à hauteur du titre signale que la pièce « n'a aucun intérêt dogmatique » (cf. plus haut S et D) ; les annotations et notamment les scolies sont néanmoins abondantes. La stichométrie (438) identique à celle des codex S et D, ne correspond pas davantage à la réalité du codex P (438).

C = *Parisinus Coislin. gr. 51* (xe-xie s.).

Le *D.* 22 portant ici encore le nº 15, se trouve tout entier aux f. 120v-127v. Le titre est écrit dans une petite majuscule de type assez carré avec la haste du rhô prolongée sous la ligne, d'un style sévère et élégant ; il est surmonté d'un bandeau rectangulaire orné de six rosaces. A part deux signes marginaux (f. 121v et 125), et une glose très brève (f. 124), les annotations font défaut. Le titre final est en majuscules de type contrasté et de style moins régulier que celles du titre initial.

2. Les groupes de témoins

La répartition de nos dix témoins en deux groupes est confirmée par plusieurs indices externes positifs propres au groupe m (SDPC) qui viennent d'être signalés ; on ne peut dire si la présence du même numéro d'ordre (nº 15) dans les quatre témoins est une trace de la communauté d'archétype, mais la note signalant, à tort ou à raison l'absence d'intérêt dogmatique de l'œuvre en marge du titre et dans les mêmes termes caractérise nettement le groupe SDPC, et la stichométrie reproduit mécaniquement une note appartenant à un ancêtre commun. La solidarité du groupe m en face du groupe n est bien confirmée par ces quelques indices. Il va sans dire qu'en dehors d'une étude systématique de l'ensemble des témoins, on ne peut pas prétendre tirer des sources tout ce qu'elles sont capables de nous apprendre. Néanmoins nous sommes ici en présence d'arguments qui sont plus que de simples présomptions.

Du côté du groupe n, les choses sont apparemment moins nettes ; encore que quatre des six témoins présentent dans le titre une particularité typique, l'adresse à Amphilonicos : QWVT. Cette dédicace (?) fait défaut dans A ; ce qui s'explique assez par le fait que ce codex est d'une sobriété exceptionnelle en matière de titres. On a vu que B est dépouillé de son en-tête, découpée aux ciseaux. L'absence de cet indice positif dans A et dans B ne permet assurément pas de dissocier ces témoins du reste du groupe n.

D'autre part, l'analyse des accidents relevés en collationnant ces témoins force à constater que B se désolidarise très fréquemment de AQWVT pour s'allier au groupe m, contre les autres représentants du groupe n ; voici une série de lieux variants où le cas se présente : ils ont été repérés par rapport au texte de la Patrologie choisi ici comme texte de base et de référence.

		AQWVT (= n — B)	BSDPC (= m+B)
ch. 1	l. 27	ἔπεσε τόξον	τόξον ἔπεσε
ch. 2	l. 14	om.	add. ἢ συμπεπόνθασιν
ch. 4	l. 4	ἤ τι ἄλλο ὁ θεός	θεὸς ἤ τι ἄλλο
ch. 6	l. 6	πόρρω	πορρωτέρω
ch. 9	l. 11	om.	ἢ
	l. 25	ἄτεχνος	ἔντεχνος
ch. 10	l. 8	σεβάσμιον	σεμνόν
ch. 11	l. 13-14	οὐ	οὐδὲ - - δὲ...
	l. 15	παρετέον	παραιτητέον
ch. 12	l. 2	(τὸ) πνεῦμα (τὸ) ἅγιον	ἅγιον πνεῦμα
ch. 13	l. 2	ἀτιμοῦται	ἀτιμάζεται
	l. 11	χρῆν	ἐχρῆν
	l. 14	πρώτου	πρωτοπλάστου
ch. 14	l. 9	om.	add. καί
ch. 16	l. 8-9	νικῶσι πολλάκις	πολλάκις νικῶσι
	l. 20	om.	μᾶλλον ἢ τὸ μισεῖσθαι

A cette liste viennent s'ajouter quelques cas moins probants, qui pourraient passer pour des variantes de graphie et que nous préférons négliger parce que ces genres d'accidents ne nous paraissent pas significatifs. Bien plus intéressante ici est la constatation que le groupe n complet AQBWVT ne se trouve jamais opposé solidairement au groupe m ; d'autre part, B s'oppose parfois à tous les autres témoins — seul contre tous — par des accidents qui lui sont propres et qui sont souvent des bévues déparant son texte en l'isolant du reste de la tradition :

ch. 1 l. 7 κ' αὐτὸ θεὸν B : καὶ αὐτόθεον cet.
l. 13 τοσοῦτον... (χρόνος) B : τοσοῦτος... (χρόνος) cet.
l. 28 δ' ἀπολογεῖτε B : δὲ ἀπολογεῖται cet.
ch. 4 l. 4 τούτῳ B : τοῦτο cet.
l. 5 om. B : καί cet.
ch. 5 l. 4 μὲν B : ἐσμεν cet.
l. 7 ἐ B : ἐν cet.
l. 30-31 χρωμάτων τούτων B : χρώμεθα τούτων cet.
l. 31 φιλονικείᾳ B : φιλονεικίᾳ cet.
ch. 6 l. 6 om. B : τῷ cet.
ch. 9 l. 3 om. (saut du même au même) B : ἢ δυσφημοῦντες cet.
l. 10 πέτρα B : πέτραν cet.
l. 28 κακῶς B : κακός cet.
ch. 10 l. 5 om. B : δέ cet.
l. 10 ἄλλων B : ἀλλοτρίων cet.
ch. 12 l. 3-4 om. B : μηδὲ ὑποσέβοντες cet.
ch. 14 l. 24 δ' B : δέ cet.
ch. 15 l. 4 om. B : καλῶς cet.
l. 15 τὸ B : τοῦ cet.
ch. 16 l. 30-31 om. B : ἐν αὐτῷ Χριστῷ τῷ Κυρίῳ ἡμῶν cet.

Comme on le remarque, beaucoup de ces accidents propres sont de simples variantes de graphie, des fautes grossières, des omissions. L'ensemble du tableau ne s'écarte pas de ce que l'on peut s'attendre à trouver dans un inventaire des accidents propres à une copie honnête, légèrement négligée. Tous nos témoins présentent des fautes et des accidents propres ; nous ferons grâce au lecteur des relevés relatifs aux autres témoins, qui n'auraient d'intérêt que s'il s'agissait de découvrir entre eux des relations d'ascendance directe. Nous avons cependant voulu exposer avec plus de détails les particularités de B dans la partie du codex où se lit le *D.* 22, afin de permettre de constater en passant, d'une part, que B appartient à une branche autonome de la tradition du *D.* 22 au sein du groupe n ou peut-être entre les groupes n et m ; d'autre part, qu'en dépit de son caractère luxueux, de son écriture majuscule, de sa vétusté et du prestige dont il pourrait jouir pour avoir été rangé dans les armoires impériales, B ne doit pas passer sans sérieuses réserves comme un témoin intègre ; les Mauristes ont connu des témoins qu'ils lui préféraient et ils le disent notamment au sujet du *cod. Parisin. gr. 525* (olim 1917/2) qu'ils estiment très proche de B — *passim et ubique pene consonat cum famosissimo cod. 510* (= B) — et même parfois plus correct *emendatior*[1].

Le relevé des accidents propres à S pourrait à première vue suggérer que ce témoin occupe dans la tradition une position analogue à celle de B et qu'il représente une branche ou du moins un rameau distinct du reste du groupe m. La situation de S n'est pourtant pas tout à fait comparable à celle de B qui vient d'être exposée plus haut. Les accidents propres à S sont principalement des omissions :

ch. 1 l. 6 : un mot ;
l. 11 : un mot ;
ch. 3 l. 1-2 : trois mots ;
l. 13 : un mot ;
ch. 5 l. 11 : un mot ;
l. 17 : un mot ;
ch. 9 l. 7 : 5 mots ;
l. 8 : un mot ;
ch. 10 l. 8 : 9 mots ;
ch. 13 l. 14 : un mot ;
ch. 14 l. 12 : un mot.

A côté de ces omissions, quelques variantes de lecture ou de graphie :

titre : γεναμένη S : γενομένῃ DP om. cet.
ch. 3 l. 20 : διστάσεως S1 : διαστάσεως S2 et cet.
ch. 5 l. 23 : ζώην S1 : ζώνην S2 et cet.
ch. 9 l. 7-8 : ἐργάζοντο S : εἰργάζοντο cet.
ch. 15 l. 6-7 : ὑψηλόν τε καὶ θεοδέστερον S1 : ὑψηλότερόν τε καὶ θεοειδέστερον S2 et cet.
l. 8 : ἄριστα S : ἄριστον cet.
ch. 16 l. 8 : τό S : τῷ cet.

La plupart des accidents propres à S ont été corrigés de façon visible par S2, étant entendu que le sigle désigne ici les auteurs (première main ou autres) qui ont apporté des modifications à S. A côté de ces accidents propres, beaucoup d'autres analogues sont communs à S et à une partie du reste de la tradition collationnée, tant dans le groupe n que dans le groupe m, auquel S appartient. La situation

1. Édition bénédictine, Paris 1778, I, *Préf. ad calcem*, p. XIII (= *PG* 35, col. 29-30).

de S dans le cas du *D.* 22, ne présente rien d'original par rapport à ce qui a été dit dans l'Introduction générale au sujet du comportement commun de ce témoin.

Ce qu'il fallait remarquer dans le cas du *D.* 22 *(Troisième discours irénique)*, qui nous occupe ici, c'est la place particulière de B dans le classement des accidents relevés par la collation des témoins. L'originalité de la branche que représente B au sein du groupe des collections de 52 *Discours* (groupe n), tient peut-être au fait qu'elle dérive d'un autre type de collection. Délibérément limitée à un certain nombre de sources de type déterminé, notre investigation touche ici ses limites.

3. Le choix des leçons

Ce qui a été constaté plus haut peut justifier une petite modification au schéma de classement des témoins qui a été pris pour base du choix des leçons dans le cas des autres *Discours*. Voici comment se présentent schématiquement les rapports vérifiables entre les dix témoins utilisés du *D.* 22 :

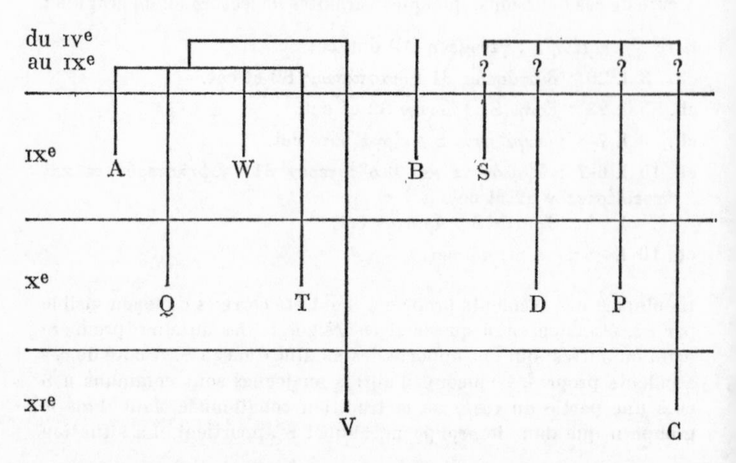

Le choix des leçons va donc se trouver soumis à des règles particulières qui ne sont que les corollaires pratiques découlant des constatations qui viennent d'être faites.

Premièrement l'unanimité des témoins sera toujours l'argument péremptoire chaque fois qu'il sera possible de s'y conformer sans heurter le sens ni la grammaire.

Deuxièmement — et ceci est particulier à l'établissement du texte du *D.* 22 — en cas d'hésitation, l'appui donné par B à une leçon sera considéré comme dirimant; de même que l'accord de AQWVT (n-B) avec m contre B sera considéré comme argument décisif.

Troisièmement les infidélités de S envers son propre groupe seront traitées ici avec moins de gravité; ainsi, dans le cas auquel il a été fait allusion plus haut, lorsque les règles générales suivies pour l'édition ont été exposées, si l'on se trouve devant trois leçons, celle de B, celle de AQWVT+S et celle de DPC (ch. 15, l. 15), on les mettra sur pied d'égalité et l'on choisira finalement la leçon de B, considérée comme plus appropriée à notre interprétation du contexte.

1132 A

Εἰρηνικὸς τρίτος

1. Εἰρήνη φίλη, τὸ γλυκὺ καὶ πρᾶγμα[a] καὶ ὄνομα, ὃ νῦν ἔδωκα τῷ λαῷ καὶ ἀντέλαβον[b] · οὐκ οἶδα εἰ παρὰ πάντων γνησίαν φωνὴν καὶ ἀξίαν τοῦ Πνεύματος, ἀλλὰ μὴ δημοσίας συνθήκας ἀθετουμένας ὑπὸ Θεῷ μάρτυρι, ὥστε 5 καὶ μεῖζον εἶναι ἡμῖν τὸ κατάκριμα.

Εἰρήνη φίλη, τὸ ἐμὸν μελέτημα καὶ καλλώπισμα, ἣν Θεοῦ τε εἶναι ἀκούομεν καὶ ἧς Θεόν, τὸν Θεὸν καὶ αὐτόθεον, ὡς ἐν τῷ · « Ἡ εἰρήνη τοῦ Θεοῦ[c] » · καὶ « Ὁ Θεὸς τῆς εἰρήνης[d] » · καὶ « Αὐτός ἐστιν ἡ εἰρήνη » ἡμῶν[e] · καὶ οὐδ' 10 οὕτως αἰδούμεθα.

Εἰρήνη φίλη, τὸ παρὰ πάντων μὲν ἐπαινούμενον ἀγαθόν, B ὑπ' ὀλίγων δὲ φυλασσόμενον, ποῦ ποτε ἀπέλιπες ἡμᾶς,

Titulus > B ‖ εἰρηνικὸς τρίτος S : εἰρηνικὸς Γ' AQWDPC τοῦ αὐτοῦ εἰρηνικός Γ' VT + εἰς ἀμφιλόνεικον QWVT + λεχθεὶς ἐν Κωνσταντίνου πόλει ἐπὶ τῇ γενομένῃ τῷ λαῷ φιλονεικίᾳ τινῶν ἐπισκόπων διενεχθέντων πρὸς ἀλλήλους DP Maur. + ἐρρέθη ἐν Κωνσταντινουπόλει περὶ ἐπισκόπων διενεχθέντων πρὸς ἀλλήλους add. mg. V + λεχθεὶς ἐν lacuna (24 litterarum ut videtur) γεναμένῃ τῷ λαῷ φιλονικίᾳ lacuna (21 litterarum ut videtur) ... λεχθέντων S + ἐρρέθη mg V legi nequit B

1, 4 πανδημοσίᾳ QWVT ‖ 6 μελέτημα > S_1 rest. S_2 ‖ 7 ἀκούωμεν D ‖ 8 κ' B ‖ 9 οὐδὲ AQWVT ‖ 11 μὲν > S_1 mg S_2 ‖ 12 ὑπὸ AVT ‖ ἀπέλιπας D_1 corr. D_2 mg

---

1. a. Cf. Prov. 16, 20-21, et 24 ; Ps. 118, 103 ; etc. b. Jn 14, 27. c. Phil. 4, 7. d. II Cor. 13, 11. e. Éphés. 11, 14.

---

1. Deux manuscrits du groupe m (D et P) ajoutent : « prononcé à l'occasion du désaccord populaire provoqué par une mésentente

DISCOURS 22

Troisième Discours irénique[1]

1. Paix bien-aimée!

Douce réalité et doux nom[a]! Je viens à l'instant de la souhaiter au peuple[2] et elle vient de m'être souhaitée de sa part[b]. J'ignore si c'était de la part de tous une formule sincère et digne de l'Esprit plutôt que des conventions sociales dont Dieu refuse d'être témoin et qui aggravent notre culpabilité.

Paix bien-aimée! Objet de mes soins et de ma fierté!

Par les formules : « La paix de Dieu[c] », « Le Dieu de la paix[d] » et « Notre paix est lui-même[e] », nous entendons qu'elle appartient à Dieu, que Dieu est son Dieu et qu'elle est divine en elle-même. Et, même dans ces conditions, nous ne la respectons pas!

Paix bien-aimée! Bien, loué par tous, mais conservé par un petit nombre, où nous as-tu un jour abandonnés, il y a

existant entre certains évêques » ; le codex V a aussi une annotation du même genre dans la marge, et le codex S, peu lisible à cet endroit, semble porter la même addition dans le titre sauf qu'il parle de discussions <δια>λεχθέντων plutôt que de mésentente διενεχθέντων épiscopales. Cette addition paraît être une scolie incorporée au titre par une branche ou par un rameau de la tradition manuscrite.

2. « Souhaiter la paix » : en grec = littéralement « donner la paix » et « la recevoir en retour », allusion au rite liturgique (cf. la Liturgie de S. Jean Chrysostome) ; Lampe, *Lexicon*, p. 421, s.v. εἰρήνη, K : l'expression est utilisée soit pour la salutation faite par la formule « Paix à tous » ou une autre analogue, soit pour signifier le baiser de paix liturgique. Voir aussi ci-dessous, ch. 16, début de la péroraison.

τοσοῦτος ἐξ οὗ χρόνος ἤδη ; Καὶ πότε ἐπανήξεις ἡμῖν ; Ὥς σε ποθῶ καὶ ἀσπάζομαι διαφερόντως τῶν ἄλλων
15 ἀνθρώπων, καὶ παροῦσαν περιέπω καὶ ἀποῦσαν ἀνακαλοῦμαι πολλοῖς θρήνοις καὶ δάκρυσιν, οἵοις οὔτε Ἰακὼβ τὸν Ἰωσὴφ ἐκεῖνον ὁ πατριάρχης ὑπὸ μὲν τῶν ἀδελφῶν πεπραμένον ὑπὸ δὲ θηρίου ἡρπασμένον, ὡς ᾤετο · οὔτε Δαβὶδ Ἰωνάθαν τὸν ἑαυτοῦ φίλον, ἔργον πολέμου γενόμενον, ἢ τὸν υἱὸν
20 Ἀβεσσαλὼμ ὕστερον.

Ὧν ὁ μὲν σπλάγχνοις πατρικοῖς σπαρασσόμενος, Θηρίον ἥρπασεν[f], ἐβόα, τὸν Ἰωσήφ, θηρίον πονηρὸν καὶ ἀνήμερον, καὶ τὴν τοῦ παιδὸς ἐσθῆτα ᾑμαγμένην προθεὶς ὡς τὰς τοῦ παιδὸς σάρκας περιεπτύσσετο, τῷ αὐτῷ καὶ φλεγόμενος
25 καὶ παραμυθούμενος. Ὁ δὲ νῦν μὲν τοῖς ὄρεσι καταρᾶται καθ' ὧν ὁ πόλεμος, « Ὄρη τὰ Γελβουέ, λέγων, μὴ πέσοι
C ἐφ' ὑμᾶς μήθ' ὑετός, μήτε δρόσος[g] » · καὶ « Πῶς τόξον ἔπεσεν Ἰωνάθαν καὶ δύναμις[h] ; » Νῦν δὲ ἀπολογεῖται ὡς οὐδὲν ἠδικηκότι τῷ πατροφόνῳ καὶ τῷ νεκρῷ σπένδεται · ἴσως
30 καὶ κατὰ τοῦτο ὑπεραλγῶν τοῦ παιδὸς ὅτι κατὰ τοῦ πατρὸς ἀνετείνατο χεῖρας. Τοιοῦτον γὰρ καὶ ὁ πατήρ · ὃν ὡς ἐχθρὸν ἠμύνατο πολεμοῦντα, ὡς φίλον ποθεῖ τεθνηκότα · καὶ νικᾷ τὴν ἔχθραν ἡ φύσις, ἧς οὐδὲν βιαιότερον.

2. Ἐλεεινὸν δὲ καὶ ἡ κιβωτὸς ὑπὸ τῶν ἀλλοφύλων κατεχομένη καὶ Ἱερουσαλὴμ ἠδαφισμένη καὶ ὑπὸ ἐθνῶν πατουμένη καὶ υἱοὶ Σιών, οἱ τίμιοι καὶ ἰσοστάσιοι χρυσίῳ,

1, 13 τοσοῦτον B ‖ ἐκ σοῦ D ‖ 14 ὡς + λίαν Maur. ‖ 16 οὔτ' BS ‖ καὶ τὸν Maur. ‖ Ἰωσὴφ illis. B ‖ 18 ὑπὸ — ἡρπασμένον > A ‖ Δαβὶδ + τὸν D ‖ 20 Ἀβεσαλώμ BW ‖ 25 ante νῦν quattuor vel quinque litterae primo expunctae deinde erasae S ‖ 26 ὧν + δέ A ‖ 27 μήθ' : μήτε AQWVTD ‖ ἔπεσε τόξον AQWVT Maur. ‖ 28 δ' BP ‖ 31 χεῖρα Maur. ‖ τοιοῦτο S_2PC Maur. ‖ καὶ > TDC ‖ 32 ἠμύνετο C ‖ πενθεῖ W

2, 2 ὑπ' BS ‖ 3 καὶ + οἱ QWVTS

---

1. f. Gen. 37, 33 ; cf. 37, 31-35. g. II Sam. 1, 21[a] ; cf. II Sam. 1, 17-27. h. Cf. I Sam. 31, 1 et 8 ; ou II Sam. 1, 25.

si longtemps déjà, et quand reviendras-tu parmi nous? A la différence des autres hommes, comme je te regrette et comme je te chéris! Je m'attache à toi lorsque tu es présente et, lorsque tu es absente, je te rappelle en gémissant et en pleurant plus que ne le fit le patriarche Jacob pour le fameux Joseph vendu par ses frères et qu'il croyait la proie d'une bête féroce, ni David pour son ami Jonathan, victime de la guerre[1], ou plus tard pour son fils Absalon.

Le premier, déchiré dans ses entrailles paternelles s'écriait : « Joseph a été la proie d'une bête sauvage, d'une bête sauvage féroce et cruelle[f] »; il tenait devant lui le vêtement ensanglanté de son enfant et il le baisait comme il aurait embrassé le corps de l'enfant en un geste qui enflammait son chagrin en même temps qu'il le consolait. Quant à l'autre, tantôt il maudit les monts dans lesquels la guerre a eu lieu en disant : « Monts de Gelboë, que ni pluie ni rosée ne vous arrosent![g] » et « Comment sont tombés l'arc et la puissance de Jonathan?[h] »; tantôt il se met à excuser le parricide comme si celui-ci était innocent et à offrir des libations en l'honneur du mort : son chagrin au sujet de son enfant provenait peut-être aussi du fait que ce dernier avait porté la main sur son père. Car le père a aussi ceci de caractéristique, qu'il regrette avec affection après qu'il est mort celui qu'il avait repoussé comme son ennemi au moment où celui-ci lui faisait la guerre : la nature contre laquelle rien ne prévaut l'emporte sur la rancune.

2. Il est pitoyable que l'arche soit aux mains d'une autre race, Jérusalem rasée et son sol foulé par des nations étrangères, que les fils de Sion, mis à prix et évalués en

1. « Victime de la guerre » (traduction des Mauristes : *in bello interemptum*) formule particulière au grec tardif : Liddell et Scott, *Lexicon*, p. 683, s.v. ἔργον, IV, 3.

4 πορευόμενοι ἐν αἰχμαλωσίᾳ καὶ νῦν ἔτι διεσπαρμένοι καὶ
1133 A λαὸς ὄντες οἰκουμένης ξένος καὶ πάροικος[a]. Δεινὸν δὲ
καὶ τὰ νῦν ὁρώμενά τε καὶ ἀκουόμενα, πατρίδες ἀνιστάμεναι
καὶ μυριάδες πίπτουσαι καὶ κάμνουσα γῆ τοῖς αἵμασι καὶ
τοῖς πτώμασι καὶ λαὸς ἀλλόγλωσσος ὡς οἰκείαν διατρέχων
τὴν ἀλλοτρίαν οὐ δι' ἀνανδρίαν τῶν προμαχομένων — κατη-
10 γορείτω μηδείς · οὗτοι γάρ εἰσιν οἱ μικροῦ πᾶσαν τὴν
οἰκουμένην παραστησάμενοι —, ἀλλὰ διὰ τὴν ἡμετέραν κακίαν
καὶ τὴν ἐπικρατοῦσαν κατὰ τῆς Τριάδος ἀσέβειαν. Δεινὰ
ταῦτα καὶ πέρα δεινῶν. Τίς ἀντερεῖ τῶν συμφορὰς δοκιμάζειν
εἰδότων ἐξ ὧν πεπόνθασιν ἢ συμπεπόνθασιν ;

15 'Αλλ' οὔπω τοσοῦτον οὐδὲν ὅσον εἰρήνη δεδιωγμένη καὶ
ἡ τῆς 'Εκκλησίας εὐπρέπεια περιῃρημένη καὶ τὸ παλαιὸν
ἀξίωμα καταλελυμένον καὶ παρὰ τοσοῦτον ἡ τάξις ἀντε-
B στραμμένη, ὥστε πρότερον μὲν ἐξ οὗ λαοῦ λαὸς καὶ ἐξ

2, 5 ὄντες + τῆς Maur. || 11 παραστησόμενοι D || 14 ἢ συμπεπόνθασιν > AQWVT || 17-18 καὶ — ἀντεστραμμένη > D saltus ab eodem ad idem

---

2. a. Cf. I Sam. 4, 10-11 ; 5, 1-3 ; 6, 1 ; etc., ou Ps. 136 (137), 1 et 8 ; et Flav. Josèphe, C. Appion., I, 21, 154 (éd. Th. Reinach et L. Blum, p. 30).

---

1. Le passage peut concerner la situation créée par la victoire remportée par les Goths sur les armées romaines de l'empereur Valens, le 9 août 378, et aux campagnes qui s'ensuivirent, au cours desquelles les Goths tentèrent de s'emparer de la ville d'Édirne (Andrinople), d'Héraclée et même de Constantinople (Stein, *Bas-Empire,* I, p. 190, et II, p. 519). Le texte ne dit pas explicitement quels sont les faits visés, et il s'applique encore mieux à la situation de la Thrace menacée et de la Macédoine pillée par les Visigoths après la victoire de ceux-ci sur l'empereur Théodose en 379 (*Ibid.,* p. 193). La formule δεινὰ ... καὶ πέρα δεινῶν · τίς ἀντερεῖ ; se lit aussi dans la *Lettre* 77, 3 (éd. P. Gallay, Berlin 1969, p. 66, 15), datée par l'éditeur de la période qui suit Pâques 379, c'est-à-dire de la même époque que le *D.* 22. Il s'agit cependant d'autres événements que ceux qui sont évoqués ici, comme l'indique le contexte de la *Lettre*

monnaie d'or, partent en captivité et qu'aujourd'hui encore dispersés, ils soient un peuple étranger dans l'univers entier et nulle part chez lui[a]. Mais ce qui se voit et s'entend maintenant est atroce aussi : patries dévastées, victimes tombant par myriades, sol couvert de sang et de ruines, peuple parlant le barbare et circulant comme s'il était chez lui dans un pays qui n'est pas le sien, non par suite de la lâcheté des défenseurs — que personne ne leur fasse des reproches, car ce sont ceux qui avaient soumis presque tout l'univers —, mais à cause de notre malice et de l'hérésie trinitaire qui est en vogue. Voilà des choses atroces, plus qu'atroces même. Qui le contestera[1] parmi ceux qui savent apprécier des événements à partir de l'expérience des malheurs qu'ils ont subis, ou de la part qu'ils ont prise dans les malheurs d'autrui ?

Mais, rien n'est encore aussi grave que la paix persécutée, l'Église dépouillée de son prestige, sa dignité d'antan entièrement détruite, l'ordre renversé à tel point que nous, qui n'étions naguère ni un peuple ni une nation et qui le sommes devenus, nous risquons actuellement de perdre

77, 1-3 : « J'apprends que tu as peine à supporter les outrages qui nous sont venus de la part des moines et des pauvres... Oui, *c'est atroce*, ce qui s'est passé, *plus qu'atroce même, qui le contestera* ? On a outragé les autels ; on a bouleversé les mystères ; debout entre ceux que l'on initiait et ceux qui nous lapidaient, nous n'avions comme remède contre les lapidations que nos prières ; des vierges ont oublié la pudeur ; des moines, la modestie ; des pauvres, leur infortune ; la violence les avait même privés de pitié » (trad. P. Gallay, dans l'éd. de Paris 1964, p. 95). Si les événements visés sont différents, il s'agit cependant, dans les deux cas, de développements pathétiques accompagnés d'ecphrases ou tableaux destinés à évoquer vivement les faits en cause : sur ces formes littéraires et leur usage : VOLKMANN, *Rhetorik*, p. 271-284, spécialement sur la δείνωσις, p. 284 ; et MOSSAY, *La mort*, p. 25 à 31. Cf. GUIGNET, *Rhétorique*, p. 203 : (A certaines descriptions) « le pathétique forcé achève de conférer une allure pénible et emphatique qui déplaît ».

οὐκ ἔθνους ἔθνος γεγόναμεν, νῦν δὲ κινδυνεύομεν ἐκ λαοῦ
20 μεγίστου καὶ ἔθνους εἰς οὐ λαὸν πάλιν καὶ οὐκ ἔθνος
ἀναλυθέντες γενέσθαι, ὡς τὸ ἀπ' ἀρχῆς, ὅτε οὐκ ἦρξας
ἡμῶν, οὐδὲ εἰς ἓν ὄνομα καὶ τάγμα συνεληλύθειμεν.

3. Καὶ ὄντως κινδυνεύει ῥᾷον εἶναι δυσπραγίαν ἐνεγκεῖν
ἢ εὐπραγίαν διασώσασθαι · ὁπότε καὶ ἡμεῖς, ἡνίκα ἐπολε-
μούμεθα, τοῖς διωγμοῖς ῥωσθέντες καὶ συναχθέντες, ἡνίκα
συνήχθημεν, διελύθημεν. Τίς γὰρ οὐκ ἂν ὀδύραιτο εὖ φρονῶν
5 τὰ παρόντα ; Τίς δὲ λόγον εὑρήσει τῇ συμφορᾷ παρισού-
μενον ;

Ληστὰς μὲν εἰρηνεύειν, οὓς κακία συνέδησε, καὶ τοὺς
C τυραννίδι συντεταγμένους ἢ κλοπῆς κοινωνοὺς ἢ στάσεως
συνωμότας ἢ μοιχείας συλλήπτορας, ἔτι δὲ χορῶν συστήματα
10 καὶ στρατῶν τάγματα καὶ νηῶν πληρώματα · ἐῶ γὰρ
λέγειν κλήρους ἐξ ἴσου διαιρουμένους καὶ πολιτείας ἀντιθέτους
καὶ διαδοχὰς λειτουργιῶν καὶ ἀρχῶν τάξει προϊούσας καὶ
νόμῳ καὶ τὴν πολυύμνητον δὴ ταύτην σοφιστικὴν ἢ γραμμα-
τικήν, ἵνα μὴ λέγω φιλοσοφίαν περὶ ἣν νέων φιλοτιμία λυσσᾷ
15 τε καὶ μέμηνε · ταύτην μὲν ὁρᾶν ὀλίγα μὲν στασιάζουσαν,
τὰ πλείω δὲ εἰρηνεύουσαν ἡμᾶς δὲ ἀσυνθέτους εἶναι καὶ
ἀσυνδέτους καὶ μήποτε δύνασθαι εἰς ταυτὸν ἐλθεῖν μηδέ
τινα λόγον φανῆναι τῆς νόσου ταύτης θεραπευτήν, ἀλλ' ὥσπερ
κακίας μυσταγωγοὺς καὶ μύστας ὄντας οὐκ ἀρετῆς, πολλὰ

2, 19 κινδυνεύωμεν D || 20 καὶ + εἰς D || 22 οὐδ' BS Maur. || τάξιν V || συνεληλύθαμεν T

3, 1-2 ἐνεγκεῖν ἢ εὐπραγίαν > S corr. manus recentior in fine paginae || 2 εὐπραξίαν AQWVT || ὁπότε : οὕτω D || 4 ὀδύραιτο AQWVT S_2DP_2 : ὠδύρετο BC ὀδύρτο S_1P_1 || 10 τάγματα : πράγματα A || 11 κλήρους + ἢ μέτρα γῆς A || 13 ἢ > S_1 rest. S_2 sup. l. || 16 δὲ[1] : δ' DP || δὲ[2] : δ' P

1. Du début du ch. 1 jusqu'à la fin du ch. 2, l'orateur est censé s'adresser à la « Paix bien-aimée », facteur d'unité religieuse. On lit une évocation analogue de la concorde qui régnait au temps des

notre situation de très grand peuple et de très grande nation et de retourner à l'état qui était le nôtre à l'origine, lorsque, n'étant ni un peuple ni une nation, nous n'étions pas tes sujets, ne nous étant même pas rassemblés sous un nom commun et sous une seule autorité[1].

3. Et en réalité, on risque que le malheur soit plus facile à supporter que le bonheur à sauvegarder. Lorsque nous aussi nous étions exposés à la guerre qu'on nous faisait, nous tirions notre force et notre unité des persécutions que nous subissions; lorsque l'unité fut réalisée, nous nous sommes laissé aller à nos divisions. Car, quelle personne de bon sens ne se lamenterait de la situation actuelle ? Qui trouvera un mot adapté aux circonstances ?

Des malfaiteurs que leurs crimes unissent vivent en paix les uns avec les autres : ainsi ceux qui se sont associés pour usurper le pouvoir, les complices d'un vol, les conjurés d'une conspiration politique ou les complices d'un adultère; même entente encore dans des corps de ballets, des unités militaires et des équipages de vaisseaux, sans parler de successions partagées équitablement entre les héritiers, de partis politiques et de l'ordre qui règle selon la loi la transmission des fonctions et des pouvoirs, ni de cette sophistique qui est assurément tant vantée, ou de la grammaire, pour ne rien dire de la philosophie dont le renom excite l'émulation et tourne la tête de la jeunesse : (on risque de voir) que celle-ci malgré quelques différends vit la plupart du temps en paix, tandis qu'entre nous, c'est le désaccord et la désunion, que nous ne parvenons jamais à nous entendre et qu'il ne se manifeste même pas un mot qui porterait remède à cette maladie; au contraire, tels des initiateurs ou des initiés, non de la vertu, mais du vice, nous attachons beaucoup d'importance

persécutions ainsi que des dommages causés par l'arianisme dans *D.* 25, 8-9 (*PG* 35, col. 1208 C 1 - 1209 C 14).

D 20 μὲν ποιεῖσθαι τὰ τῆς διαστάσεως ὑπεκκαύματα μικρὰ δὲ ἢ μηδ' ὅλως τῆς ὁμονοίας φροντίζειν. Καίτοι τούτων μὲν στασιαζόντων, οὐκ εἰς μέγα ἡ στάσις φέρει · τινὰς δὲ καὶ στασιάζειν ἢ συμφρονεῖν ἄμεινον · τὰς γὰρ ἐπὶ κακῷ συστάσεις τίς ἂν ἐπαινέσειεν εὖ φρονῶν ;

1136 A **4.** Ἡμᾶς δὲ εἴ τις ἐρωτήσειε, « Τί τὸ τιμώμενον ὑμῖν καὶ προσκυνούμενον ; » πρόχειρον εἰπεῖν · « Ἡ ἀγάπη. » Ὁ γὰρ Θεὸς ἡμῶν ἡ ἀγάπη ἐστί[a]. Ῥῆσις τοῦ ἁγίου Πνεύματος · καὶ τοῦτο χαίρει μᾶλλον ἀκούων Θεὸς ἤ τι ἄλλο. Τί δὲ
5 νόμου καὶ προφητῶν κεφάλαιον[b] ; Οὐκ ἄλλο ἢ τοῦτο συγχωρήσει ὁ εὐαγγελιστὴς ἀποκρίνασθαι. Τί δήποτε οὖν οἱ τῆς ἀγάπης οὕτω μισοῦμέν τε καὶ μισούμεθα ; Καὶ οἱ τῆς εἰρήνης πολεμοῦμεν ἀκήρυκτά τε καὶ ἀκατάλλακτα ; Καὶ οἱ τοῦ ἀκρογωνιαίου διιστάμεθα ; Καὶ οἱ τῆς πέτρας
10 σειόμεθα ; Καὶ οἱ τοῦ φωτὸς ἐσκοτίσμεθα ; Καὶ οἱ τοῦ Λόγου[c] τοσαύτης ἐσμὲν σιγῆς ἢ ἀλογίας ἢ παραπληξίας ἢ οὐκ οἶδ' ὅ τι καὶ ὀνομάσω, μεστοί ;

Ὥστε τροφῆς μὲν καὶ ὕπνου καὶ ᾠδῆς κόρος ἐστὶ καὶ
B τῶν αἰσχίστων, ὥς λέγουσι, καὶ πλησμονὴ πάντων, οὐ τῶν
15 ἀλγεινῶν μόνον ἀλλ' ἤδη καὶ τῶν ἡδίστων, καὶ πάντα εἰς ἄλληλα περιχωρεῖ τε καὶ περιτρέπεται · ἡμῖν δὲ οὐδεὶς

3, 20 διστάσεως S_1 corr. S_2 ‖ 21 μηδ' ὅλως : μηδὲ ὅλως PC μηδόλως Maur. ‖ φροντίζειν + βούλεσθαι Dmg PC ‖ 22 δὲ : τε Q Maur. ‖ 23 ἢ : καὶ C

4, 1 δ' BPC ‖ 2 ἢ C ‖ 4 τούτῳ B ‖ θεὸς ἤ τι ἄλλο : ἤ τι ἄλλο θεός AQWVT ἤ τι ἄλλο ὁ θεός Maur. ‖ δαὶ TPC Maur. ‖ 5-6 συγχωρήσειεν BPC Maur. ‖ 7 οὕτω > QBP ‖ 8 πολεμοῦμεν + καὶ QB sup. l. ‖ 15 μόνων P_1 corr. P_2 ‖ 16 δ' BSD Maur.

4. a. Cf. I Jn. 4, 1-3 et 16. b. Cf. Matth. 22, 40. c. Cf. I Jn 4-5 *passim* ; Éphés. 2, 20 ; Matth. 7, 24-25 ; 16, 18 ; etc.

1. « Logos » : la traduction explicite entre parenthèses une polysémie propre au grec : cette figure consiste à employer un mot susceptible de plusieurs interprétations sans en exclure aucune (Liddell et Scott, *Lexicon*, p. 1057-1059, s.v. ; Lampe, *Lexicon*, p. 807-811, s.v.) ; le passage renferme plusieurs allusions à des thèmes évangéliques : « Disciples de la charité... » « de la paix »

aux brandons de discorde et nous nous soucions peu ou même pas du tout de la concorde. Et pourtant quand ceux-là se disputent, leur dispute ne prête guère à conséquence; il vaut même mieux que certains se disputent plutôt que de s'entendre : en effet, quelle personne de bon sens approuverait des groupements qui n'ont que de mauvais motifs ?

4. Si l'on nous posait la question : « Quel est l'objet de votre culte et de votre adoration ? », nous dirions sans hésiter : « La charité », car « notre Dieu est la charité » — formule qui vient du Saint-Esprit et que Dieu se plaît à entendre plus que tout autre chose[a] —.

A quoi se résument la Loi et les Prophètes[b] ? L'évangéliste ne nous permettra pas de répondre autre chose que cela.

Mais alors, pourquoi nous, les (disciples) de la charité, nourrissons-nous de telles haines réciproques ? Pourquoi nous, les (disciples) de la paix, menons-nous une guerre sans trêve et sans merci ? Pourquoi nous, les (disciples) de la pierre angulaire, nous écartons-nous les uns des autres ? Pourquoi nous, les (disciples) du rocher, nous laissons-nous ébranler ? Pourquoi nous, les (disciples) de la lumière, sommes-nous dans les ténèbres ? Pourquoi nous, les (disciples) du « Logos[c] » (ce qui veut dire « parole », « raison », « clarté de la raison[1] »), sommes-nous pleins de mutisme, d'illogisme, d'hébétude et de ce que je ne sais comment nommer encore... ?

En conséquence, alors que l'on peut se fatiguer de la nourriture, du sommeil, et du chant, en avoir assez des choses impudiques, comme on le dit, et de tout, non seulement de ce qui fait mal, mais aussi des plus grands agréments, et alors que tout finit par revenir au même et par tourner en rond, néanmoins, nous, nous ne mettons

(*I Jean*, 4-5, *passim*) ; « la pierre angulaire » (*Éph.*, 2, 20) ; le « rocher » (*Matth.*, 7, 24-25 ; 16, 18 ; etc.) : cf. app. bibl.

ὅρος τοῦ βάλλειν καὶ βάλλεσθαι, οὐ τοῖς ἑτεροδοξοῦσι μόνον καὶ κατὰ τὸν τῆς πίστεως λόγον διεστηκόσιν — ἧττον γὰρ ἂν ἦν ἀλγεινὸν καὶ ὁ ζῆλος, ἀπολογία πραγμάτων ἐπαινου-
20 μένων, ἐὰν ἐν ὅροις ἵσταται —, ἤδη δὲ καὶ τοῖς ὁμοδόξοις καὶ πρὸς τοὺς αὐτοὺς καὶ ὑπὲρ τῶν αὐτῶν στασιάζουσι· τοῦτο γὰρ τὸ μοχθηρότατον ἢ ἐλεεινότατον.

C **5.** Καὶ τὸ αἴτιον τί ; Φιλαρχία τυχὸν ἢ φιλοχρηματία ἢ φθόνος ἢ μῖσος ἢ ὑπεροψία ἤ τι τῶν ὅσα μηδὲ τοὺς ἀθέους ὁρῶμεν πάσχοντας· καὶ τὸ χάριεν, ἡ τῶν ψήφων μετάθεσις. Ὅτ' ἂν ἁλῶμεν, εὐσεβεῖς ἐσμεν καὶ ὀρθόδοξοι
5 καὶ καταφεύγομεν ψευδῶς ἐπὶ τὴν ἀλήθειαν, ὡς ὑπὲρ πίστεως στασιάζοντες· καὶ τοῦτο μόνον ἐπαινετὸν ποιοῦμεν, ὡς ἐν κακοῖς, εἰ μὴ καὶ λίαν αἰσχρόν, ὅτι τὴν κακίαν ἐρυθριῶντες ἐπὶ σεμνότερον ὄνομα μεταβαίνομεν, τὴν εὐσέβειαν.

10 Ἐμβρόντητε καὶ πολύτροπε, εἴποι τις ἄν, καὶ πλάσμα τοῦ Πονηροῦ καὶ τοῦ σοφιστοῦ τῆς κακίας, ὅστις ποτὲ εἶ ὁ τοῦτο πάσχων, ἤ, τό γε ἀληθέστερον εἰπεῖν, ἀνοητότατε, οὗτός σοι χθὲς ἦν εὐσεβὴς καὶ πῶς ἀσεβὴς σήμερον μηδὲν προσθεὶς μηδ' ἀφελῶν μήτε ῥήματι μήτε γράμματι, ἀλλ' ἐπὶ
D τῶν αὐτῶν ἱστάμενος, ὃς ἀναπνεῖ τὸν αὐτὸν ἀέρα καὶ τοῖς
16 αὐτοῖς ὄμμασι προσβλέπει τὸν αὐτὸν ἥλιον· εἰ βούλει δέ, ὡς περὶ ἀριθμῶν ἢ μέτρων ἐρωτηθεὶς οὐκ ἄλλο τι ἢ ταὐτὸν ἀποκρίνεται ; Ἀλλὰ καὶ πόρνος σοι σήμερον ὁ χθὲς Ἰωσὴφ

4, 18 καὶ B saltus ab eodem ad idem ‖ τῆς > QB ‖ 19 ἂν > BTS_1C ‖ πρᾶγμα τῶν scrips. AQWVT ‖ 20 ἱστῆται AQT Maur. ἵσταται in textu ἱστῆται mg. sicut varia lectio V

5, 2 ὑποψία C ‖ 4 ὅταν Maur. ‖ ἐσμεν : μὲν B ‖ 5 καταφεύγωμεν BD ‖ 8 τὴν : εἰς V ‖ 11 τοῦ > S_1 ‖ 14 προσθῆς S ‖ μηδὲ AQWVT Maur. ‖ ῥῆμά τι AVT ‖ γράμματι : πράγματι S_2D Maur. πρᾶγμά τι VT ‖ 16 δ' BS ‖ 17 ταὐτὸν : τ' αὐτὸν WT αὐτὸν S_1

---

1. L'allusion faite ici au zèle que l'on manifeste en faveur de l'orthodoxie doctrinale peut être une allusion à des situations analogues à celles qui sont évoquées au début du *Deuxième discours irénique* (*D.* 23, 1), où il est question des controverses théologiques.

2. L'auteur indique dans son autobiographie (*De vita sua*,

aucune limite aux coups à donner et à recevoir. Et ceci n'est pas le monopole de ceux qui s'écartent les uns des autres au sujet de la formule de leur foi — car cela ferait moins mal et la cause défendue excuserait leur zèle si celui-ci ne dépassait pas les bornes[1] —; mais cela arrive aussi à ceux qui partagent les mêmes dogmes et qui se disputent avec ceux qui pensent comme eux sur les mêmes points. Voilà ce qui est le plus pénible et le plus pitoyable[2].

5. Quelle est la cause de cela ? Peut-être le goût du pouvoir ou de l'avoir, la jalousie, la haine ou l'orgueil ou l'un de tous ces vices auxquels nous voyons que même les athées échappent.

Ce qui fait nos délices, c'est de retourner nos étiquettes : lorsque nous sommes pris, nous sommes chrétiens et orthodoxes et nous nous abritons derrière le faux-fuyant de la vérité en prétendant nous disputer pour la foi. Encore qu'il s'agisse de mauvaises actions, nous ne faisons que ceci de louable — si ce n'est pas aussi une chose très honteuse —, rougir de notre mauvaise conduite et nous réfugier derrière un titre plus vénérable, celui de la piété.

Égaré et tourne-veste, pourrait-on dire, créature façonnée par le Méchant, cet expert en malice, toi, victime de cette mentalité, qui que tu sois ou pour dire plus vrai, toi, le dernier des sots, voilà donc quelqu'un qui hier à ton avis était bon chrétien[3], comment se fait-il qu'il ne le soit

v. 1835-1841 : éd. Ch. Jungck, p. 142-144), qu'il a connu à Constantinople, notamment au moment du Concile de 381, un climat d'intrigues ecclésiastiques et cléricales analogue à celui qui est évoqué ici.

3. Le mot grec implique « dévotion, sens religieux, orthodoxie, rigueur de la conduite morale, fidélité aux observances, piété »... et toutes ces nuances peuvent être cumulées ; c'est la figure que la linguistique traditionnelle appelle « polysémie » et qui est rendue tant bien que mal par les mots « bon chrétien » : Lampe, *Lexicon*, p. 575, s.v. εὐσέβεια. Le même procédé stylistique a été relevé à propos du mot « philosophie », et du mot « logos ».

1137 A — προβαίνει γὰρ καὶ μέχρι τούτων ἡ ἔρις, ὥσπερ τις φλὸξ
20 διὰ καλάμης θέουσα καὶ τὰ κύκλῳ περιλαμβάνουσα — · καὶ
Ἰούδας σήμερον ἢ Καϊάφας ὁ χθὲς Ἡλίας ἢ Ἰωάννης ἤ
τις ἄλλος τῶν μετὰ Χριστοῦ τεταγμένων καὶ τὴν αὐτὴν
ζώνην περικειμένων καὶ τὸ αὐτὸ ἀμπεχομένων φαιὸν ἢ
μέλαν τριβώνιον, ὃ σεμνότης βίου προβάλλεται, κατά γε
25 τὸν ἐμὸν νόμον καὶ λόγον[a]. Καὶ τὸ καλὸν ἄνθος τῶν ὑψηλῶν,
τὴν ὠχρότητα ἢ τὸ τῆς φωνῆς εὔτακτον καὶ ἡσύχιον ἢ
τὸ τοῦ βαδίσματος ἐμβριθές τε καὶ ἥμερον, χθὲς μὲν φιλοσοφίαν, σήμερον δὲ κενοδοξίαν προσηγορεύσαμεν · καὶ τὴν
αὐτὴν κατὰ πνευμάτων ἢ νόσων δύναμιν, ποτὲ μὲν τῷ
30 Ἰησοῦ, ποτὲ δὲ τῷ Βεελζεβοὺλ[b] προσεθήκαμεν, καὶ χρώμεθα
τούτων οὐ δικαίᾳ στάθμῃ, τῇ φιλονεικίᾳ καὶ τῷ θυμῷ.

B **6.** Καὶ ὥσπερ ἡ αὐτὴ γῆ ἕστηκε μὲν τοῖς ἐρρωμένοις
καὶ οὐ πεπονθόσι, κινεῖται δὲ τοῖς ἰλιγγιῶσι καὶ περιτρε-
πομένοις, τοῦ τῶν ὁρόντων πάθους ἐπὶ τὸ ὁρώμενον
μεταβαίνοντος · εἰ βούλει δὲ ὥσπερ τὸ αὐτὸ τῶν κιόνων
5 διάστημα, πλεῖον μὲν τοῖς ἐγγυτέρω καὶ προσεχέσιν, ἔλαττον
δὲ τοῖς πορρωτέρω φαίνεται, κλεπτομένου τοῦ ἀέρος τῷ
διαστήματι καὶ συναπτούσης τῆς ὄψεως τὰ παχύτερα, οὕτω
καὶ ἡμεῖς ῥᾳδίως ἐξαπατώμεθα διὰ τὴν ἔχθραν καὶ περὶ

5, 21 ἢ[1] + καί DP || 23 ζώην (sic) S_1 || 28 προσηγορεύκαμεν P_1C || 30 Βελζεβοὺλ A || χρώμεθα : χρωμάτων B

6, 5 πλείω BS || 6 πόρρω AQWVT || τῷ > B || 8 ἐξαπατώμεθα : ἐξαπτώμεθα DC ἐξαπτόμεθα B || διὰ τὴν : δι' C

---

5. a. Cf. Mc 1, 6 ; IV Rois 1, 8 ; et 2, 8. b. Cf. Lc 11, 15 ; Mc 3, 22 ; ou Matth. 12, 27.

---

1. Outre des allusions bibliques assez claires à la tenue (ceinture) de S. Jean Baptiste, le texte évoque ici le costume typique des religieux ainsi que celui des philosophes et ascètes païens des écoles cyniques ou stoïciennes : cf. *D.* 25, 2, et 5-6 (*PG* 35, col. 1200 B 3-5 ; et col. 1204 C 13 - 1205 B 4) ; Grégoire lui-même fait allusion à son propre costume : *D.* 36, 6 (*PG* 36, col. 272 D 1-5) ; et au costume porté par S. Basile : *D.* 43, 87 (*PG* 36, col. 600 A 6). Cf. Basile, *Lettre* 2, 6 (éd. Y. Courtonne, I, Paris 1957, p. 11-12).

2. Allusion possible aux racontars relatifs à Grégoire lui-même :

plus aujourd'hui alors qu'il n'a admis rien de plus ni de moins, pas un mot, pas une lettre, mais au contraire, qu'il est resté attaché aux mêmes choses ? Il continue à respirer le même air et à regarder le même soleil avec les mêmes yeux, et, si tu préfères, il donne exactement la même réponse et pas une autre, quand on le questionne sur des nombres ou des mesures. Pourtant, pour toi, il était hier un Joseph et il est aujourd'hui un impudique — car la discorde va même jusque là, comme une flamme qui court dans le chaume et se propage aux alentours —; il est aujourd'hui un Judas ou un Caïphe celui qui était hier un Élie, un Jean ou un autre disciple du Christ portant la même ceinture et le même manteau foncé ou noir, gage de la sainteté de sa vie, du moins selon la loi et l'opinion que je professe[a1].

Hier nous avions déclaré que la pâleur, fleur et beauté des gens supérieurs, ou la douceur d'une voix posée ou la démarche calme et rangée sont de la « philosophie[2] », nous déclarons aujourd'hui que c'est de l'affectation. Nous avons attribué une fois à un Jésus, une autre fois à un Belzéboul le même pouvoir sur des esprits et des maladies[b] et nous nous servons pour peser tout cela d'une balance faussée, celle de la dissension et de l'animosité.

6. Et comme le même sol a paru stable à ceux qui sont en bonne santé et sans infirmité, tandis qu'il paraît bouger sous les pieds de ceux qui ont le vertige ou le tournis, parce que l'impression ressentie par les spectateurs est reportée sur l'objet qu'on voit, ou, si tu préfères, comme le même intervalle entre les colonnes paraît plus grand à ceux qui sont plus près et à ceux qui sont tout contre, tandis qu'il paraît moindre à ceux qui sont plus loin, parce que le vide est escamoté dans l'intervalle, vu que le regard rapproche les objets plus massifs, de même aussi

à ce propos voir la référence à son propre portrait dans la note précédente.

τῶν αὐτῶν οὐ τὰ αὐτά, φίλοι τε ὄντες καὶ μή, γινώσκομεν·
10 καὶ χειροτονεῖ ῥᾳδίως ἡμῖν πολλοὺς μὲν ἁγίους, πολλοὺς δ' ἀθέους παρὰ τὸ εἰκὸς ὁ καιρός· μᾶλλον δὲ πάντας ἀθλίους οὐ μόνον τὸ πρὸς πονηρὸν παράδειγμα βλέπειν ἡμᾶς ἐπειδὴ πρόχειρον ἡ κακία καὶ δίχα τοῦ ἕλκοντος,
C ἀλλ' ὅτι καὶ πᾶσι πάντα συγχωροῦμεν ἑτοίμως ὑπὲρ ἑνὸς
15 τοῦ συμμαίνεσθαι.

Καὶ πρότερον μὲν οὐδὲ ῥημάτων περιττῶν τι φθέγγεσθαι τῶν ἀκινδύνων ἦν[a], νῦν δὲ λοιδορούμεθα καὶ τοῖς εὐσεβεστάτοις· καὶ ποτὲ μὲν οὐδ' ἀναγινώσκειν ἔξω νόμον ἐξῆν, οὐδ' ὁμολογίας ἐπικαλεῖσθαι — τὸ δέ ἐστιν, ὡς ἐμοὶ δοκεῖ,
20 τὴν τοῦ λαοῦ συγκατάθεσιν —· νῦν δὲ καὶ τῶν ἀπορρήτων τοῖς βεβήλοις χρώμεθα διαιτηταῖς, ῥιπτοῦντες τὰ ἅγια τοῖς κυσὶ καὶ βάλλοντες τοὺς μαργαρίτας ἔμπροσθεν τῶν χοίρων[b]. Οὐ μόνον δὲ ἀλλὰ καὶ τὰς ἀκοὰς αὐτῶν ἑστιῶμεν ταῖς κατ' ἀλλήλων ὕβρεσι· καὶ οὐδὲ ἐκεῖνο δυνάμεθα
25 συνορᾷν, ὅτι οὐκ ἀσφαλὲς ὅπλον ἐχθρῷ πιστεύειν, οὐδὲ μισοῦντι χριστιανοὺς κατὰ χριστιανοῦ λόγον. Ὃ γὰρ σήμερον ὠνειδίσαμεν, αὔριον ὠνειδίσθημεν· καὶ σαίνει τὸ
D λεγόμενον ὁ ἐχθρός, οὐχ ὅτι ἐπαινεῖ, ἀλλ' ὅτι θησαυρίζει πικρῶς ἵν' ἐν καιρῷ τὸν ἰὸν ἐμέσῃ κατὰ τοῦ πιστεύσαντος.
1140 A **7.** Τί ταῦτα πάσχομεν, ὦ οὗτοι, καὶ μέχρι τίνος; Πότε

6, 9 αὐτὰ + διανοούμεθα PC || κἂν W || γινώσκωμεν DC || 11 δὲ AQWVT || ἀθέους D_2 || 12 τῷ AS Maur. || ὑπόδειγμα PC || 16 ῥῆμα τῶν QBW Maur. || 18 οὐδ' : οὐδὲ AWVT οὐδὲν C || νόμων C || 19 οὐδὲ AWVT || 24 οὐδ' BDP Maur. || 27 τήμερον A W V || αὔριον ὠνειδίσθημεν : om. S_1
7, 1 πάσχωμεν BDC

---

6. a. Cf. Matth. 12, 36-37 (?). b. Cf. Matth. 7, 6.

---

1. Cf. Kertsch, *Bildersprache*, p. 77, n. 4 ; et p. 204, n. 3.

nous nous illusionnons facilement à cause de notre rancune et nous ne connaissons pas les mêmes choses dans les mêmes objets selon qu'ils nous sont sympathiques ou non[1]. Contre toute vraisemblance, les circonstances occasionnelles mettent facilement beaucoup de gens au rang de saints à nos yeux, beaucoup d'autres au rang d'athées ou plutôt le fait que nous ayons un mauvais modèle sous les yeux met tout le monde au rang de misérables non seulement parce qu'on est spontanément porté à la méchanceté, mais aussi parce que nous ne pardonnons tout à tous avec empressement qu'à la seule condition de partager la même folie.

Auparavant dire un mot de trop n'était pas sans péril[a] et maintenant nous insultons même les gens les plus pieux. Il fut un temps où il n'était pas permis de lire la loi au dehors ni de faire appel à des adhésions, c'est-à-dire, à mon avis, à l'approbation du peuple; mais, maintenant nous prenons les laïques pour arbitres des choses qui devraient rester secrètes, « nous jetons les choses saintes aux chiens et nous lançons les perles devant les porcs[2b] ». Et ce n'est pas tout; nous régalons leurs oreilles des fureurs qui nous excitent les uns contre les autres. Nous ne parvenons même pas à remarquer ceci : c'est qu'il est imprudent de confier une arme à un adversaire et un argument contre le christianisme à quelqu'un qui déteste les chrétiens; car on nous fera demain les reproches que nous aurons faits aujourd'hui et si l'adversaire accueille avec complaisance ce qu'on dit, ce n'est pas qu'il approuve, mais parce qu'il le garde en réserve avec amertume pour en vomir le venin à l'occasion contre celui qui le lui a confié.

7. Vous, qui êtes là, (je vous le demande) : pourquoi souffrons-nous cela ? Et jusques à quand ? Quand sortirons-

2. Sur le thème des évêques et des théologiens et de leur incompétence occasionnelle : cf. *D.* 20, *passim*, et *Carmina*, II, 1, 12-13 et 17 (*PG* 37, col. 1166-1244 et 1262-1269).

δὲ τῆς μέθης ἐκνήψομεν ἢ τῶν ὀφθαλμῶν τὴν λήμην περιαιρήσομεν καὶ πρὸς τὸ τῆς ἀληθείας φῶς ἀναβλέψομεν ; Ποία σκοτόμαινα ταῦτα ; Τίς νυκτομαχία ; Τίς ζάλη, φίλων
5 καὶ πολεμίων ὄψιν οὐ διακρίνουσα ; Διὰ τί « γεγόναμεν ὄνειδος τοῖς γείτοσιν ἡμῶν, μυκτηρισμὸς καὶ χλευασμὸς τοῖς κύκλῳ ἡμῶν[a] ; » Τίς ἡ φιλοτιμία τοῦ κακοῦ ; Πόθεν οὕτως ἀθάνατα κάμνομεν ; Μᾶλλον δὲ οὐδὲ κάμνομεν, ἀλλ' ἐρρώμεθα τῷ κακῷ, μαινομένων τὸ πάθος καὶ ἡδόμεθα δαπανώμενοι. Καὶ
10 οὐδαμοῦ λόγος, οὐ φίλος, οὐ σύμμαχος, οὐκ ἰατρὸς ἢ φαρμακεύων ἢ ἐκτέμνων τὸ πάθος · οὐ παραστάτης ἄγγελος, οὐ Θεός.

'Αλλὰ πρὸς τοῖς ἄλλοις καὶ τὴν τοῦ Θεοῦ φιλανθρωπίαν ἡμῖν αὐτοῖς ἀπεκλείσαμεν. « Ἵνα τί, Κύριε, ἀφέστηκας
B μακρόθεν[b] ; Καὶ πῶς ἀποστρέφῃ εἰς τέλος[c] ; Καὶ πότε
16 ἐπισκοπὴν ἡμῶν ποιήσῃ ; Καὶ ποῦ προβήσεται ταῦτα καὶ στήσεται ; Δέδοικα μὴ καπνὸς ᾖ τοῦ προσδοκωμένου πυρὸς τὰ παρόντα, μὴ τούτοις ὁ ἀντίχριστος ἐπιστῇ καὶ καιρὸν λάβῃ τῆς ἑαυτοῦ δυναστείας τὰ ἡμέτερα πταίσματά τε καὶ
20 ἀρρωστήματα. Οὐ γὰρ ὑγιαίνουσι προσβαλεῖ τυχὸν οὐδὲ τῇ ἀγάπῃ πεπυκνωμένοις · ἀλλὰ δεῖ μερισθῆναι τὴν βασιλείαν ἐφ' ἑαυτήν, εἶτα πειρασθῆναι καὶ δεθῆναι τὸν ἰσχυρὸν ἐν ἡμῖν λογισμόν, εἶτα τὰ σκεύη διαρπαγῆναι[d] καὶ ταῦτα

7, 2 ἐκνήψωμεν BSDC || 2-3 περιαιρήσωμεν BS_1DC corr. S_2 || 3 ἀναβλέψωμεν BS_1DC corr. S_2 || 4 σκοτόμηνα BDC || 8 κάμνωμεν D || δὲ : δ' C > BS_1 corr. S_2 sup. l. || ἐρρώσμεθα DPC || 10 ἢ : οὐ D > C || 15 ἀποστρέφῃ : ἀπεστράφης T ἀποστρέφει D || πῶς T || 16 ποιήσει D || 17 εἶ V || 18 ἀντίχριστος : ἀντίχρηστος W ἀντίδικος C || 20 προσβάλλει B || 23 λογισμὸν ἐν ἡμῖν D

---

7. a. Ps. 78, 4. b. Ps. 9, 22. c. Ps. 88, 47. d. Cf. Lc 11, 15-18.

---

1. Le passage est composé dans le style dit « asianique », fait de petites propositions balancées selon le rythme de l'expression et juxtaposées avec un minimum de subordination en évitant l'allure des périodes classiques propres au style dit « attique » ; ce style eut les faveurs des rhéteurs des siècles néo-classiques. Ici l'écrivain

nous de notre ébriété ou enlèverons-nous la chassie autour de nos yeux et lèverons-nous nos regards vers la lumière de la vérité ? Quelle sorte d'obscurité est-ce là ? Quel combat à l'aveuglette ? Quelle tempête empêchant de distinguer les amis des ennemis ? Pour quelle raison « sommes-nous devenus objet de reproche pour nos voisins, objet de critique et de risée pour notre entourage[a1] » ? Quelle est cette émulation dans le mal ? D'où vient que nous peinons perpétuellement ? Ou plutôt non, nous ne peinons même pas, mais nous sommes pleins d'énergie pour mal faire et nous allons à la ruine avec plaisir : c'est le mal dont souffrent les fous ! Il n'y a nulle part ni raison ni ami ni allié ni médecin pour guérir le mal ou l'extirper, ni ange gardien ni Dieu.

Nous avons exclu la miséricorde divine à notre égard après l'avoir exclue à l'égard des autres. « Dans quel but t'es-tu écarté loin de nous, Seigneur[b] ? » Et « comment t'es-tu détourné jusqu'au bout[c] ? » Quand nous feras-tu visite ? Jusqu'où cela ira-t-il et où cela s'arrêtera-t-il ? Je crains que la situation présente ne soit la fumée du feu auquel nous devons nous attendre, que l'Antéchrist ne survienne et qu'il ne prenne occasion de nos fautes et de nos faiblesses pour imposer son empire[2]. Car il ne se jettera sans doute pas sur ceux qui sont robustes et dont la charité a resserré les liens qui les unissent ; mais, il faut que le royaume soit morcelé, ensuite qu'on cherche à corrompre et qu'on entrave le solide bon sens qui est en nous, puis enfin que nos affaires soient livrées au pillage[d]

marque l'emprise que la seconde sophistique exerce sur sa manière d'écrire. Plusieurs citations bibliques (par ex. ici : *Ps.*, 78, 4) sont incorporées à la composition conformément aux règles du genre comme garnitures destinées à donner au style le ton chrétien qui convient : NORDEN, *Antike Kunstprosa*, p. 126-155 ; p. 351-354 ; p. 476-477 et 562-569 ; et MARTIN, *Rhetorik*, p. 329.

2. L'image de la fumée et du feu : cf. *D.* 21, 23, etc. ; et commentaires dans KERTSCH, *Bildersprache*, p. 42, n. 1.

παθεῖν ἡμᾶς ἃ νῦν ὁρῶμεν τὸν ἐχθρὸν παρὰ Χριστοῦ
25 πάσχοντα.

8. Διὰ ταῦτα ἐγὼ κλαίω, φησὶν Ἱερεμίας ἐν Θρήνοις,
C καὶ ζητῶ τοῖς ὀφθαλμοῖς μου πηγὰς δακρύων ἀρκούσας
τῷ πάθει καὶ καλῶ τὰς σοφὰς[a] ἵνα τὸν θρῆνον ἐργάσωνται
ἢ συνεργάσωνται · καὶ τὴν κοιλίαν ἀλγῶ καὶ μαιμάσσω
5 τὰ αἰσθητήρια καὶ οὐκ ἔχω πῶς κουφίσω τὸ ἀλγοῦν καὶ
τίσι τοῖς ῥήμασι[b]. Διὰ ταῦτα σιωπᾶται τὰ παλαιὰ καὶ
κωμῳδεῖται τὰ νέα · κωμῳδία γὰρ τοῖς ἐχθροῖς ἡ ἐμὴ
τραγῳδία.

Διὰ τοῦτο τῶν Ἐκκλησιῶν ὑφείλομεν οὐκ ὀλίγον καὶ
10 τῇ σκηνῇ προσεθήκαμεν · καὶ ταῦτα ἐν τοιαύτῃ πόλει ἣ
σπουδάζει τὸ τὰ θεῖα παίζειν ὥσπερ τι ἕτερον καὶ θᾶττον ἄν
τι τῶν ἐπαινουμένων γελάσειεν ἢ παρίδοι τι τῶν γελοίων
ἀγέλαστον, ὥστε θαυμάσαιμι ἂν εἰ μὴ κἀμὲ γελάσαι σήμερον
τὸν ταῦτα λέγοντα, τὸν εὐσεβείας ἔπηλυν κήρυκα καὶ μὴ
15 πάντα γελᾶν, ἀλλ' ἔστιν ἃ καὶ σπουδάζειν διδάσκοντα. Καὶ
D τί γελᾶν λέγω ; Θαυμαστὸν εἰ μὴ καὶ δίκας ἀπαιτηθείην
εὐεργετεῖν βουλόμενος. Τοιαῦτα γὰρ τὰ ἡμέτερα ὡς ἐμέ
γε οὐ λυποῦσιν οὔτ' Ἐκκλησίαι κατεχόμεναι, ὃ τάχα ἄν
19 τις πάθοι τῶν μικροπρεπῶν τὴν διάνοιαν, οὔτε χρυσὸς
1141 A ἄλλοις ῥέων οὔτε γλῶσσαι πονηραὶ τὸ ἑαυτῶν ποιοῦσαι
λέγουσαι κακῶς, ἐπειδὴ καλῶς οὐκ ἔμαθον.

8, 3 ἐργάσονται D ‖ 4 ἢ > TS_1 rest. S_2 ‖ συνεργάσωνται > TS_1 rest. S_2 συνεργάσονται D ‖ 9 ὀλίγον S ‖ 10 προσεθήκαμεν : S expunxit σ ‖ 11 τὸ > C ‖ τὰ θεῖα > AWV post παίζειν T ‖ 12 παρείδοι AD ‖ 13 θαυμάσαι μ' B ‖ γελάσει D ‖ 17 μέ (sic) B ‖ 18 οὔτε AQWVT ‖ 20 ποιοῦσαι + καί PC

---

8. a. Cf. Jér. 9, 16. b. Cf. Jér. 4, 19 (et Grég. de Naz., Orat. 27, 2).

---

1. Dans *Jérémie* (9, 16), sont mentionnées les pleureuses que la *LXX* appelle les σοφάς : les « Sages ».

2. Grégoire évoque encore les théâtres de Constantinople dans *D.* 36, 12 (*PG* 36, col. 280 B 4-15).

3. On sait par le *De vita sua* et par d'autres œuvres de l'auteur que

et que nous subissions à notre tour ce que nous voyons maintenant que l'Adversaire subit de la part du Christ.

8. Pour ces raisons, je pleure, dit Jérémie dans les Lamentations, je demande pour mes yeux des fontaines de larmes à la mesure de ma souffrance et j'appelle les (pleureuses qu'on nomme les) « Sages[a] »[1], afin qu'elles exécutent la lamentation ou y participent; je ressens la douleur jusqu'au fond de mes entrailles, mes sens sont troublés et je ne sais pas de quelle manière ni par quelles paroles calmer ma douleur[b]. Pour ces raisons, on laisse le passé sous silence et l'on tourne les choses récentes en comédie, car ma tragédie est un sujet de comédie pour mes adversaires[2].

Pour ces raisons, nous avons causé pas mal de dommages aux Églises et procuré des profits au théâtre. Et cela dans une Ville ainsi faite qu'elle cherche à se divertir avec les choses sacrées comme avec tout le reste et qu'elle serait plus pressée de rire de quelque chose de louable que de négliger de rire de quelque chose de risible. Aussi, moi, qui vous le dis, serais-je surpris qu'on ne rît pas de moi aussi aujourd'hui, moi, le prédicateur de la piété, qui ne suis pas d'ici et qui enseigne à ne pas rire de tout, mais qu'il y a des choses à prendre au sérieux. Et pourquoi parler de rire ? Il serait surprenant que je ne fusse pas traîné en justice parce que je veux faire du bien. Notre situation est telle que, contrairement à ce que pourrait sans doute éprouver quelque esprit mesquin, des églises occupées par d'autres, de l'or coulant à flots pour d'autres, des méchantes langues qui font leur office en tenant de méchants propos, puisqu'elles n'ont pas appris à en tenir de bons, ne me causent assurément aucun chagrin[3].

depuis le début de 379 jusqu'après le 24 novembre 380, il a dirigé la petite communauté nicéenne de l'Anastasia ; celle-ci n'avait aucune part aux revenus ni à l'influence sociale de l'église officielle, qui était arienne. On peut voir ici des allusions à cette situation, mais le texte

9. Οὐ γὰρ δέος μήποτε τόπῳ περιγράφηται τὸ Θεῖον ἢ ὤνιον γένηται ἵν' ὅλον ᾖ τῶν εὐπορωτέρων.

Ἐμέ τε οὐκ ἀμείψουσιν οἱ εὐφημοῦντες ἢ δυσφημοῦντες ὥσπερ οἱ βορβόρῳ μύρον ἀναμιγνύντες ἢ μύρῳ βόρβορον
5 καὶ τὰς ποιότητας τῇ ἐπιμιξίᾳ συγχέοντες, ἵνα δυσχεράνω τὰς βλασφημίας ὡς μεθιστάμενος. Ἦ πολλὰ ἂν κατέβαλον χρήματα τοῖς ἐπαινέταις εἴ με βελτίω τοῖς ἐπαίνοις εἰργάζοντο. Νῦν δὲ οὐχ οὕτω τοῦτο ἔχει. Πόθεν ; Ἀλλ' ὅπερ εἰμί,
B τοῦτο μένω καὶ δυσφημούμενος καὶ θαυμαζόμενος. « Βροτὸς
10 δ' ἄλλως νήχεται λόγοις, φησὶν ὁ Ἰώβ[a] · » καὶ ὅσα πέτραν περιρρέων ἀφρὸς ἢ πίτυν αὖραι ἤ τινα τῶν δασέων καὶ ὑψηλῶν, τοσαῦτα αἱ γλῶσσαί με περιρρέουσι καὶ ἅμα φιλοσοφῶ τι τοιοῦτο πρὸς ἐμαυτόν ὡς « Εἰ μὲν ψευδὴς ὁ κατηγορῶν, οὐκ ἐμοῦ μᾶλλον ὁ λόγος ἢ ἐκείνου τὸ λεγόμενον
15 ἅπτεται κἂν ἐμὲ ὀνόματι βλασφημῇ · εἰ δ' ἀληθής, ἐμαυτὸν μᾶλλον ἢ τὸν λέγοντα αἰτιάσομαι · παρ' ἐμοῦ γὰρ ἐκείνῳ τὸ λέγειν, οὐκ ἐμοὶ τὸ εἶναι τοιούτῳ παρὰ τοῦ λέγοντος » · καὶ παραδραμὼν τὰς φωνὰς ὡς οὐδὲν οὔσας, ἐμαυτοῦ γενήσομαι,

9, 3 ἢ δυσφημοῦντες > B ‖ 6 δυσφημίας D_1PC ‖ 7-8 ἐργάζοντο S ‖ 8 δὲ : δ' BDPC > S_1 rest. S_2 sup. l. ‖ οὕτως DPC ‖ τοῦτο : τοὔτ' AWVT τούτῳ A τοῦτ' S_1 τοῦτο in textu ταὐτ' sup. l. S_2 ‖ 10 δέ AQWVTSC et *Job* 11, 12 ‖ ὁ > Maur. ‖ πέτρα B ‖ 11 περι(ρ)ρέον S ‖ ἢ > AQWVT ‖ 12 περιρέουσι C ‖ 13 τοιοῦτον BS_1D_1P ‖ ὡς : ὃς Q ‖ 14 κακηγορῶν AVS_2 ‖ 15 βλασϐημεῖ D ‖ δὲ ADC ‖ ἀληθής + οὐκ Q ἀληθὲς DC ‖ 16 <ἐκεί>νῳ W (lacerato codice, deficiunt quattuor litterae)

---

9. a. Job 11, 12[a] ; cf. Job 16 *passim*.

---

ne le dit pas explicitement. Après le 26 novembre 380, l'écrivain entre en possession du siège métropolitain de Constantinople et est dès lors en butte à des intrigues ayant pour mobile les avantages (revenus et influence) inhérents à sa nouvelle situation : *De vita sua*, v. 1420-1435 ; v. 1441-1474 ; v. 1495-1505 (éd. Ch. Jungck, p. 122-126) ; le texte pourrait faire allusion à cette situation que l'auteur a connue de la fin de 380 jusqu'à l'été 381.

1. Le même thème dans le *De vita sua*, v. 1430-1435, et v. 1827-1830 ; le poème autobiographique se présente néanmoins davantage

9. En effet, il n'est pas à craindre que le divin soit jamais circonscrit en un lieu ou qu'il devienne une espèce de marchandise réservée aux mieux nantis.

Les gens qui disent du bien ou du mal de moi à la manière de ceux qui mêlent du parfum à de la vase ou de la vase à du parfum pour modifier la nature des substances en les mélangeant, ne me feront point changer au point de m'irriter du mal qu'on dit de moi comme si j'en étais affecté[1]. Certes j'aurais versé de fortes sommes aux adulateurs s'ils me rendaient meilleur en me louant. Mais, voilà! Maintenant d'où vient qu'il n'en est pas ainsi, mais que je reste ce que je suis en dépit du mal que l'on dit de moi ou de l'admiration dont je suis l'objet? Et « un mortel nage autrement que des discours[a2] », dit Job; et les langues passent autour de moi aussi abondamment qu'un flot d'écume autour d'un récif ou que des courants d'air autour d'un pin ou de quelque bouquet d'arbres à hautes tiges. Pendant ce temps-là, je me fais une raison en me disant à moi-même quelque chose de ce genre-ci : si l'accusateur est un menteur, sa parole ne me touche pas plus qu'elle ne l'atteint lui-même, quoi qu'il dise personnellement contre moi; et s'il dit vrai, c'est à moi-même plutôt qu'à celui qui parle que j'adresserai mes reproches; en effet, lui, tire de moi une raison de parler; quant à moi, je ne tire pas de celui qui parle une raison d'être tel que je suis; et, négligeant les paroles comme des choses insignifiantes,

comme une apologie du ministère de l'auteur à Constantinople (v. 40-50, et 556-561, où il le dit) ; de même son discours d'adieu à la Capitale, en 381 (avant le milieu de l'été) prend la forme d'un plaidoyer *pro domo* et l'auteur le fait aussi remarquer à plusieurs reprises, notamment *D.* 42, 2 et 10 (*PG* 36, col. 457 C 14 - 460 B 11 ; 469 B 12 - D 1), etc.

2. *Job*, 11, 12 a (éd. A. Rahlfs, II, p. 290). Les Mauristes renvoient ici à une version, où le texte cité se lirait en *Job*, 16, 3 ; on peut relever un parallélisme d'ensemble entre *Job*, 16, et ce développement de Grégoire.

τοῦτο μόνον αὐτῶν κερδαίνων τῆς μοχθηρίας, τὸ βιοῦν
20 ἀσφαλέστερον.

Τρίτον δέ, ὃ καὶ μέγιστον ἔχει τι καὶ μεγαλοπρεπές, ἡ λοιδορία, ὅτι μετὰ Θεοῦ βλασφημούμεθα · οἱ γὰρ αὐτοὶ
C θεότητά τε ἀθετοῦσι καὶ τὸν θεολόγον ὑβρίζουσιν. Οὔκουν τούτων δεινὸν οὐδὲν κἂν οἱ πολλοὶ νομίζωσιν, ἀλλ' ὅτι
25 μηδεὶς ἔτι πιστεύεται πιστὸς εἶναι μηδὲ τὴν ἀρετὴν ἔντεχνος καὶ σκηνῆς ἐλεύθερος, μηδ' ἂν σφόδρα ᾖ τὴν ψυχὴν ἐρρωμένος, μηδὲ γνήσιος εἰς εὐσέβειαν · ἀλλ' ὁ μὲν καὶ φανερῶς κακός, ὁ δὲ πλάσμα καὶ χρῶμα ἔχει τὴν ἐπιείκειαν, ἵνα κλέπτῃ τῷ φαινομένῳ.

10. Καὶ οἱ μὲν οὐ δοκοῦσι μέλανες διά τινας τοιούτους · οὐδὲ δυσγενεῖς ἢ δυσειδεῖς ἢ ἄνανδροι ἢ ἀκόλαστοι, πλειόνων οὕτως ἐχόντων · ἀλλὰ καθ' ἑαυτὸν ἕκαστος κρίνεται καὶ οὐ κοινοῦται οὔτε τῶν ψεγομένων οὐδὲν οὔτε τῶν ἐπαινου-
D 5 μένων. Τὸ δὲ τῆς κακίας εἰς πάντας χεῖται ῥᾳδίως καὶ κοινὴ κατηγορία τοῦ παντός, μὴ ὅτι τὸ τῶν πολλῶν, ἀλλὰ καὶ τὸ τινῶν γίνεται. Καὶ τὸ δεινότατον, ὅτι μὴ μέχρις ἡμῶν ἵσταται μόνον, ἀλλ' ἐπὶ τὸ μέγα καὶ σεμνὸν ἡμῶν διαβαίνει μυστήριον. Τῶν γὰρ τὰ ἡμέτερα κρινόντων, ὃ
10 πᾶσι μικροῦ συμβαίνει, τοῖς τῶν ἀλλοτρίων κριταῖς, οἱ μὲν ἐπιεικῶς εἰσιν ἥμεροι καὶ φιλάνθρωποι, οἱ δὲ καὶ λίαν
1144 A πικροὶ καὶ ἀγνώμονες. Οἱ μὲν γὰρ ἡμᾶς αὐτοὺς κακίζουσι τῆς μοχθηρίας ἀφιέντες τὸ δόγμα τῆς μέμψεως · οἱ δὲ καταιτιῶνται τὸν νόμον αὐτὸν ὡς κακίας διδάσκαλον καὶ
15 μάλιστα ὅταν πολλοῖς ἐντύχωσι πονηροῖς τῶν προστασίας ἠξιωμένων.

9, 21 δ' BDP Maur. || 23 οὐκοῦν QBSD Maur. || 24 οὐδὲν δεινὸν BSD_2C Maur. || 25 ἄτεχνος AQWVT Maur. || 26 καὶ AQWVT Maur. || 28 κακῶς B || ἔχειν P || εὐσέβειαν D_1

10, 5 δὲ > B || πάντας AQD Maur. || 8 ἵσταται — ἡμῶν > S (saltus ab eodem ad idem) rest. S_2 || σεμνὸν : σεβάσμιον AQWVT || 10 ἄλλων W || 12 ἀγνώμονες : ἀνήμεροι D_1 corr. D_2 || 15 μάλισθ' BP

1. Au sujet des ecclésiastiques qui ne sont pas à la hauteur de leurs fonctions, l'auteur est aussi amer que discret : lire notamment *D.* 20,

rentrant en moi-même, je tirerai de ces ennuis l'unique profit de mener une vie plus sûre.

Les insultes ont encore un troisième avantage, très important et fort flatteur, c'est qu'on dit du mal contre nous en même temps que contre Dieu. Ce sont, en effet, les mêmes qui rejettent la divinité et qui outragent le théologien. Ce qui est terrible, ce n'est donc rien de tout cela, quoique la plupart le pensent; mais, c'est qu'on n'a plus confiance dans la foi de personne, dans la vertu qu'il pratique ni dans sa franchise sans mise en scène, pas même si quelqu'un est d'une grande force d'âme et d'une piété très sincère; au contraire, l'un affiche même sa malice au grand jour et l'autre, cherchant à abuser par des faux semblants, affecte une piété qui est de l'artifice et du vernis.

10. Certains ne sont pas noirs parce que quelques autres le sont, semble-t-il! Ni même mal élevés, laids, lâches ou débauchés parce que la majorité est ainsi. Non, chacun est jugé sur son cas personnel et il n'y a aucune responsabilité collective en ce qui regarde les sujets de blâme ou de louange. Il est facile de généraliser le mal et d'accuser tout le monde de tout, non seulement de ce qui est le fait du grand nombre, mais même de ce qui est le fait de quelques-uns. Et le plus atroce est que cela ne s'arrête pas à notre personne, mais que cela s'étend jusqu'à notre grand et vénérable mystère. Car parmi ceux qui jugent notre conduite — ce qui est le cas de presque tous ceux qui se font juges des affaires d'autrui — les uns sont suffisamment bons et charitables, d'autres extrêmement amers et obtus. En effet, les premiers laissent notre doctrine à l'écart de leurs reproches et censurent notre personne pour sa perversité, les autres, surtout lorsqu'ils rencontrent un grand nombre de mauvais dans les rangs des hauts dignitaires, mettent en cause la loi elle-même comme si elle enseignait le mal[1].

ch. 1 et *passim* ; *D.* 21, 9 ; et le *De vita sua*, v. 1703-1718, ainsi que les *Carmina* II, I, 12-13 et 17.

11. Τί ταῦτα, ὦ οὗτοι καὶ μέχρι τίνος ; Οὐ σωφρονήσομεν ὀψὲ γ' οὖν ; Οὐκ ἐκνήψομεν ; Οὐκ αἰσχυνούμεθα ; Οὐκ, εἰ μή τι ἄλλο, τὰς τῶν ἐχθρῶν φυλαξόμεθα γλώσσας, αἳ καὶ τὰ ψευδῆ ῥᾳδίως ἐπηρεάζουσιν ; Οὐ παυσόμεθα τῆς ἄγαν
5 φιλονεικίας ;

Οὐ γνωσόμεθα τίνα μὲν ἡμῖν ἐφικτὰ τῶν ζητουμένων
B καὶ μέχρι τίνος, τίνα δὲ ὑπὲρ τὴν ἡμετέραν δύναμιν, καὶ τίνα μὲν τοῦ παρόντος καιροῦ καὶ τῆς κάτω συγχύσεως ἐπισκοτούσης τῇ διανοίᾳ, τίνα δὲ τοῦ μέλλοντος αἰῶνος καὶ τῆς
10 ἐκεῖθεν ἐλευθερίας, ἵνα τὰ μὲν στέργωμεν τέως, τοῖς δὲ καθαιρώμεθα ὡς ὕστερον τελεσθησόμενοι καὶ στησόμενοι τῆς ἐφέσεως ;

Οὐ διαιρήσομεν ἐν ἡμῖν αὐτοῖς τίνα μὲν οὐδὲ ζητητέον παντάπασι, τίνα δ' ὑπὲρ ὧν μετρίως, τίνα δὲ συγχωρητέον
15 καὶ παραιτητέον τοῖς φιλέρισιν, ὅπως ἂν ἔχῃ, ὡς οὐδὲν τὸν λόγον ἡμῶν παραβλάπτοντα ; Καὶ τίνα μὲν τῇ πίστει δοτέον μόνῃ τίνα δὲ καὶ τοῖς λογισμοῖς ; Ὑπὲρ δὲ τίνων καὶ πολεμητέον ἐκθύμως, λογικῶς, ἀλλ' οὐχ ὁπλιτικῶς ; Τὸ γὰρ καὶ χεῖρας ἀνταίρειν, παντελῶς ἔξω τῆς ἡμετέρας αὐλῆς
20 καὶ τοῖς μισοῦσιν ἡμᾶς ἀπορριπτέον.

C **12.** Οὐχ ἕνα μὲν ὅρον εὐσεβείας ἡγησόμεθα προσκυνεῖν Πατέρα καὶ Υἱὸν καὶ ἅγιον Πνεῦμα, τὴν μίαν ἐν τοῖς τρισὶ

11, 1 σωφρονήσωμεν BSDC ‖ 2 γοῦν PC Maur. ‖ ἐκνήψωμεν BSDC ‖ 3 φυλαξώμεθα BSDPC corr. P_1 ‖ 4 παυσώμεθα BSP_1C ‖ 6 γνωσώμεθα BSP_1C ‖ 7 δ' : BSDC ‖ 10 τὰ V ‖ 11 καθαιρόμεθα S ‖ καὶ στησόμενοι > P_1 rest. P_2 ‖ 13 διαιρήσομεν : διαιρήσωμεν BSP_1C illis. W ‖ ἐν > AQVT ‖ οὐδὲ : οὐ AQWVT ‖ 14 δ' : δὲ SDC > AQWVT ‖ δὲ > BSPC ‖ 15 παρετέον AQWVT Maur. ‖ ἔχει D ‖ 16 τῶν λόγων P ‖ 17 λόγοις D_1

12, 1 ἡγησώμεθα BSPC ‖ 2 ἅγιον πνεῦμα : τὸ πνεῦμα τὸ ἅγιον AQWT Maur. πνεῦμα ἅγιον V

---

1. Passage rhétorique en style asianique, mêlé de périodes « à la manière attique ». *Quousque tandem...* ? on ne peut s'empêcher de songer à la célèbre tirade du même style composée par Cicéron (*Catilin.*, I, 1), qui, par ailleurs, a des propos fort durs pour ce genre de style recherché : Martin, *Rhetorik*, p. 329, et les notes 1 à 6. On

11. Qu'est-ce que cela, ô vous, qui êtes là ? Jusqu'où cela va-t-il aller ? N'aurons-nous donc pas du bon sens, un peu tard sans doute ? Ne nous réveillerons-nous pas ? N'aurons-nous pas de scrupules ? Ne nous mettrons-nous pas, faute de mieux, à l'abri des langues de nos ennemis, qui sont facilement diffamatrices et même calomniatrices ? Ne cesserons-nous pas de nous chamailler abondamment[1] ?

Ne connaîtrons-nous pas quelles questions sont à notre portée et dans quelle mesure, quelles sont celles qui nous dépassent — c'est-à-dire d'une part celles qui relèvent du moment présent et de la confusion d'ici-bas qui obscurcit notre raisonnement, et d'autre part, celles qui relèvent du siècle à venir et de la liberté de l'autre monde —, afin de nous attacher provisoirement aux premières et de nous purifier en vue des autres, en nous disant que plus tard nous atteindrons la perfection et la fin de nos aspirations[2] ?

Entre nous ne ferons-nous pas de différence entre les questions qu'il ne faut même pas poser du tout, celles pour lesquelles il faut garder la mesure et celles qu'on peut en tout état de cause ignorer et abandonner aux amateurs de disputes parce qu'elles ne font aucun tort à notre doctrine ? Quelles choses relèvent exclusivement de la foi et lesquelles relèvent aussi de la raison ? Pour quels points il faut combattre énergiquement avec la force de la raison, non avec celle des armes ? Car en venir aux mains est totalement exclu de chez nous. Il faut laisser cela avec mépris à ceux qui nous détestent.

12. Ne professons-nous pas que l'unique définition de la piété est d'adorer un Père, un Fils et un Saint-Esprit,

peut relever dans le développement le mot φιλονεικία, qui est entré dans le titre de certains ms. : DP.

2. « Grégoire semble parfois donner en pâture à la rage dialectique de ses antagonistes toute une série de questions secondaires, où il juge assez inoffensifs les écarts de langage » : PLAGNIEUX, *Grégoire Théologien*, p. 26, n. 65 ; cf. aussi *D.* 27, 9 (*PG* 36, col. 21 D 1 - 25 A 10), où l'on croit trouver le même thème et le même style que dans *D.* 22, 11.

θεότητά τε καὶ δύναμιν, μηδὲν ὑπερσέβοντες μηδὲ ὑποσέβοντες — ἵνα μικρόν τι καὶ αὐτὸς μιμήσωμαι τοὺς περὶ ταῦτα
5 σοφούς · τὸ μὲν γὰρ ἀδύνατον, τὸ δὲ ἀσεβές —, μηδὲ μέγεθος ἓν ὀνομάτων καινότησι διακόπτοντες ; Οὐδὲν γὰρ ἑαυτοῦ μεῖζον ἢ ἔλαττον. Τούτου γ' οὖν ὡρισμένου καὶ τἄλλα ὁμονοήσωμεν, οἵ γ' οὖν τῆς αὐτῆς Τριάδος καὶ τοῦ αὐτοῦ σχεδὸν δόγματός τε καὶ σώματος · τὰς δὲ περιττὰς καὶ
10 ἀχρήστους παραφυάδας καὶ παρεξόδους τῶν νῦν ζητημάτων ὥσπερ τι νόσημα κοινὸν ἐκκόψωμέν τε καὶ ἀναιρήσωμεν.

Οὐκ ἤρκει μοι — τὰ γὰρ ἔτι πόρρωθεν ἐῶ λέγειν — τὸ
D Μοντανοῦ πονηρὸν πνεῦμα κατὰ τοῦ ἁγίου Πνεύματος καὶ
1145 A ἡ Ναυάτου θρασύτης, εἴτ' οὖν ἀκάθαρτος καθαρότης, τῇ τοῦ

12, 3 μηδὲν : μηδ' BC || μηδὲ : μηδ' DP > B || 3-4 ὑποσέβοντες > B || 7 γοῦν DPC Maur. || 8 ὁμονοήσομεν Maur. || γοῦν DPC Maur. || 9 τε > T_1 || δὲ : τε Maur. || 10 καὶ : τε καὶ BSDC || παραδόξους Q || 11 ἐκκόψομεν BVP_2 Maur. || ἀναιρήσομεν VP_2 Maur. || 12 οὐκ : ἢ οὐκ Maur. || 13 πνεῦμα : δόγμα D || 14 Ναυάτου : Νοβάτου A_1QP Maur. Νοάτου A_2 Ναυτου S_1 || ἧτ' οὖν B

---

1. Eunome, contemporain et compatriote de Grégoire (+vers 392-395), chef de file d'une tendance de l'arianisme rigoureux selon laquelle le Père posséderait la nature divine à un plus haut degré que le Fils et le Saint-Esprit : *D.* 28, 14-15 (*PG* 36, col. 44 C 1 - 45 C 11) ; de nombreuses autres références dans l'index analytique des Mauristes : *PG* 36, col. 1296-1297. Voir aussi J. Liebaert, art. *Eunomios*, dans *LThK*, III, 1959, col. 1182-1183.

2. Apparemment les esprits qui n'étaient pas en souci de métaphysique et de théodicée se laissaient dérouter par les outrances et les intransigeances de tous les doctrinaires ; la formule du juste milieu proposée ici devait trouver un écho dans bien des esprits. Pendant des siècles, les responsables, empereurs et patriarches, chercheront à proposer et à faire admettre une formule sur laquelle on pût s'entendre en s'accordant sur l'essentiel. Les principes d'une telle politique de tolérance et d'entente sont exposés dans la *Lettre de l'empereur Constantin à Alexandre et Arius*, qui se lit dans Socrate, *Hist. eccl.*, I, 7 (*PG* 67, col. 56 A 10 - 60 C 4) ; voir plus haut, le *Discours* 21, 13 (in fine) et 35, et les notes.

3. Les « questions discutées » ζητήματα tiennent une place telle dans la littérature chrétienne des ive et ve siècles, qu'elles donnent

la divinité et la puissance uniques dans les trois, en évitant un culte abusif ou insuffisant[1] — dirais-je pour imiter un peu, moi aussi, les experts en ces matières, car l'abus est impossible et l'insuffisance est impie — et en évitant d'en diminuer la grandeur unique par des néologismes — car rien n'est plus grand ni plus petit que soi-même[2] —. Ceci du moins étant donc bien défini, mettons-nous d'accord aussi sur le reste, nous du moins, qui sommes les partisans de la même Trinité, de presque la même doctrine et du même corps. Quant aux excroissances et surgeons superflus et inutiles qui font l'objet des questions discutées actuellement, supprimons-les et éliminons-les comme une sorte d'épidémie[3].

Ne nous suffisait-il pas — car je laisse de côté ce qu'on pourrait encore en dire en remontant loin — (ne nous suffisait-il pas) de l'esprit mauvais de Montan[4], hostile au Saint-Esprit, de la témérité ou bien donc de l'impure pureté de Novat[5], qui appâte les foules par le prestige de

naissance à un genre littéraire : cf. EUSÈBE DE CÉSARÉE, *Questions et réponses* (Ζητήματα καὶ λύσεις) : M. GEERARD, *Clavis*, n° 3470, II, p. 267. Voir aussi dans *PG* 36, col. 25, n. 77, la scolie byzantine relevée par les Mauristes ; et PLAGNIEUX, *Grégoire Théologien*, p. 200, n. 93, et p. 200-206. L'image de l'épidémie, lieu commun fréquent dans Grégoire et ailleurs : références dans KERTSCH, *Bildersprache*, p. 85, n. 4.

4. Montan, hérésiarque rigoriste et charismatique du IIe siècle : EUSÈBE DE CÉS., *Hist. eccl.*, V, 14-18 (éd. G. Bardy, *SC* 41, Paris 1955, p. 45-59). Selon des traditions d'origine imprécise, il aurait été pontife des cultes phrygiens de Cybèle ou d'Apollon : bibliographie dans H. BACHT, art. *Montanismus, Montanisten*, dans *LThK*, VII, 1962, col. 578-580.

5. Novat, adversaire de Cyprien de Carthage et disciple de Novatien ; ce dernier, martyr à Rome, fondateur d'une secte rigoriste et schismatique, dite des « Purs », en 251 : EUSÈBE DE CÉS., *Hist. eccl.*, VI, 43, 1-21 (éd. G. Bardy, *SC* 41, Paris 1955, p. 153-159). Voir aussi J. DANIÉLOU et H.-I. MARROU, *Des origines à S. Grégoire*, p. 230-238.

15 ῥήματος εὐπρεπείᾳ τοὺς πολλοὺς δελεάζουσα, καὶ ἡ Φρυγῶν εἰσέτι καὶ νῦν μανία, τελούντων τε καὶ τελουμένων μικροῦ τοῖς παλαιοῖς παραπλήσια, καὶ ἡ Γαλατῶν ἄνοια πλουτούντων ἐν πολλοῖς τῆς ἀσεβείας ὀνόμασι καὶ ἡ Σαβελλίου συναίρεσις καὶ ἡ Ἀρείου διαίρεσις καὶ ἡ τῶν νῦν σοφιστῶν ἐντεῦθεν
20 ὑποδιαίρεσις τοσοῦτον διαφερόντων ὅσον γλῶσσα λάλος τῆς ἀργοτέρας ; Ἀλλ' ἔτι καὶ ἡμεῖς πρὸς ἡμᾶς αὐτοὺς σχεδόν τι διαφερόμεθα, οἱ περὶ τὸ κεφάλαιον ὑγιαίνοντες καὶ ὑπὲρ τῶν αὐτῶν καὶ πρὸς τοὺς αὐτοὺς στασιάζοντες.

13. Λέγω δὴ τὴν ἔναγχος ἡμῖν ἐπαναστᾶσαν ζυγομαχίαν
B ἀδελφικὴν ἐξ ἧς καὶ Θεὸς ἀτιμάζεται καὶ ἄνθρωπος. Ὁ μὲν οὐδὲ γεννηθεὶς ὑπὲρ ἡμῶν ὅλως οὐδὲ τῷ σταυρῷ προσηλωθείς · δῆλον δὲ ὅτι οὔτε ταφεὶς οὔτε ἀναστάς, ὅ τισιν
5 ἔδοξε τῶν κακῶς φιλοχρίστων, ἀλλ' ἐνταῦθα μόνον τιμώμενος

12, 20 τοσούτων AT ‖ ὅσα T ‖ 21 σχεδὸ S_1
13, 2 ἀτιμοῦται AQWVTS$_2$ ‖ 4 δὲ : δ' DPC > AB ‖ οὔτ' C ‖ 5 κακῶν W

1. Les cultes antiques de Cybèle sont liés à la Phrygie ; le montanisme serait originaire lui aussi de la même région et il semble que le novatianisme s'y était organisé : O. Volk, art. *Phrygien*, dans *LThK*, VIII, 1963, col. 489. Eusèbe de Cés., *Hist. eccl.*, V, 14, 16 et 18-19 (éd. G. Bardy, *SC* 41, Paris 1955, p. 45-60), range Montan parmi les tenants de l'hérésie « cataphrygienne », dont il ne cache pas le développement important.

2. Galates : le nom donné à des disciples de Marcel d'Ancyre (ou d'Ankara), en Galatie, mort vers 374 et donc contemporain d'Athanase et de Grégoire de Nazianze ; la secte est visée par un canon du concile de Constantinople (381). O. Perler, art. *Markellos v. Ankyra*, dans *LThK*, VII, 1962, col. 4-5.

3. Sabellius : voir les notes au *D.* 20, 5.

4. Arius : voir les notes au *D.* 20, 5.

5. Les Mauristes notent qu'une scolie identifie ces « sophistes » avec les Eunomiens : *PG* 35, col. 1145, n. 37 : scolie du *cod. Paris. gr. 552* du XIIIe s. (Halkin, *Les manuscrits de Paris*, p. 34). Un passage du *D.* 23, 12, dans lequel Grégoire oppose la simplicité « apostolique »

son étiquette, du délire des Phrygiens[1], initiateurs et initiés, qui sévit aujourd'hui à peu près comme dans l'antiquité, de la sottise des Galates[2], dont la richesse consiste dans les nombreux noms donnés à leur impiété, de la façon dont Sabellius[3] additionne et de celle dont Arius[4] divise ainsi que de la subdivision que font à partir de là les sophistes actuels[5] entre lesquels il y a autant de différence qu'entre une langue bavarde et l'autre moins agile ? Mais il y a plus. Nous-mêmes aussi, dans une certaine mesure, nous sommes presque en désaccord entre nous, alors que nous avons des idées saines sur l'ensemble et que nous nous opposons pour les mêmes raisons aux mêmes adversaires.

13. Je parle bien sûr de la mésentente fraternelle qui vient de se déclarer récemment entre nous et qui est à l'origine d'un manque d'égards envers le Dieu et envers « l'homme[6] » : si ce dernier n'est pas né et n'a pas été cloué à la croix tout entier pour nous, il est évident qu'il n'a pas non plus été enseveli et qu'il n'est pas ressuscité (tout entier pour nous) — ce qui est l'opinion de certaines gens ayant pour le Christ un attachement inadéquat —;

de son enseignement « à la manière des pêcheurs (de Galilée) », à l'enseignement « à la manière d'Aristote », serait dirigé contre les Eunomiens, qui passaient pour être amateurs de rigueur philosophique : J. Liebaert, art. *Eunomios*, dans *LThK*, III, 1959, col. 1182-1183. La situation « actuelle » visée ici est présentée d'une façon plus précise dans le ch. 13. Le *D.* 27 est intitulé dans les éditions, *Premier Discours théologique* ou *Discours contre les Eunomiens* : *PG* 36, col. 12, et note 11, cf. *D.* 27, éd. P. Gallay, *SC* 250, p. 70.

6. L'apollinarisme posait la question de savoir comment la nature humaine était associée à la nature divine en Jésus-Christ : voir à ce sujet l'Introduction de M. Jourjon, dans P. Gallay, *Lettres théologiques*, p. 14-17 : « ... Apollinaire pensait que l'unité de l'homme suggérait aussi l'unité du Christ : le Verbe s'est uni à la chair comme l'âme au corps » (p. 17).

οὗ τὸ τῆς τιμῆς ἀτιμία καὶ διὰ τοῦτο εἰς δύο υἱοὺς τεμνόμενος ἢ συντιθέμενος · ὁ δὲ οὐ τελέως προσλαμβανόμενος ἢ τιμώμενος, ἀλλὰ τῷ μεγίστῳ παραρριπτούμενος καὶ ἀποξενούμενος, εἴπερ μέγιστον ἐν ἀνθρώπου φύσει τὸ κατ' εἰκόνα
10 καὶ ἡ τοῦ νοῦ δύναμις.

Ἐχρῆν γάρ, ἐπειδὴ θεότης ἥνωται, διαιρεῖσθαι τὴν ἀνθρωπότητα καὶ περὶ τὸν νοῦν ἀνοηταίνειν τοὺς τἄλλα σοφοὺς καὶ μὴ ὅλον με σῴζεσθαι, ὅλον πταίσαντα καὶ
C κατακριθέντα ἐκ τῆς τοῦ πρωτοπλάστου παρακοῆς καὶ κλοπῆς
15 τοῦ ἀντικειμένου · ὡς ἐλαττοῦσθαι τῷ μὲν Θεῷ τὴν χάριν, ἡμῖν δὲ τὴν σωτηρίαν.

Οὐ μόνον δέ, ἀλλ' ὅτι καὶ ὑπὲρ ἀνθρώπων ἡμῖν ὁ πόλεμος τοῖς παρὰ Θεοῦ σεσῳσμένοις καὶ τοσοῦτον τὸ περιὸν ἡμῖν τοῦ στασιώδους ὥστε καὶ ταῖς τῶν ἄλλων φιλοτιμίαις
20 τοῦτο ἐχρήσαμεν καὶ ὑπὲρ ἀλλοτρίων θρόνων ἰδίας ἔχθρας ἀναιρούμεθα · δύο τὰ μέγιστα περὶ ἓν ἐξαμαρτάνοντες ἐκείνων τε τὸ φίλαρχον ὑπεκκαίοντες καὶ αὐτοὶ τοῦ οἰκείου

13, 6 ἀτιμία + καθέστηκε Dmg.C Maur. || υἱοὺς δύο AWT || 8 τῶν μεγίστων S_1 corr. S_2 || 10 καὶ ἡ : ἡ AQ illis. cum foretur fol. W || 11 χρῆν ABWVT || 14 πρώτου AQWVT || 22 ὑπεκκάοντες QVT

---

1. Le fond de la spéculation développée est à mettre en relation avec la théorie apollinariste (cf. note précédente) ; l'expression se corse ici de jeux de mots et d'antithèse autour du mot νοῦς « intelligence » et de ses dérivés. Bien que la traduction ne parvienne pas à rendre compte de chacune de ces subtilités, sa lourdeur est à l'image du style de l'original.

2. Parallélismes et antithèses se combinent ici avec le ton ironique du développement : « chute et condamnation *totales* » / « *totalement* sauvé », « grâce en Dieu » / « salut en nous », etc. : cf. GUIGNET, *Rhétorique,* p. 82-105. La « fraude de l'Adversaire », DE BILLY traduit *ob ... Diaboli fraudem* (éd. F. Morel, Cologne 1690, p. 221 = *PG* 35, col. 1146 C 2) : le mot ἀντικείμενον prend ce sens dans le grec biblique et chrétien, cf. LAMPE, *Lexicon,* p. 154, s.v. 2 abcd ; et BAUER, *Wörterbuch,* col. 147.

3. Ce passage a été interprété comme allusion à la question d'Antioche : voir plus haut notre introduction à ce *D.* 22. L'histoire

mais les égards dont il est l'objet ici-bas ne l'honorent que dans la mesure où les marques d'honneur sont des manques d'égards et pour cette raison il est divisé ou décomposé en deux « fils », dont l'un n'est pas parfaitement assumé ou honoré, mais est au contraire rejeté et banni pour la part principale, puisque la part principale dans la nature de l'être humain revient à l'élément fait à l'image de Dieu et particulièrement à la puissance de l'intelligence.

Car il aurait fallu, après avoir reconnu l'unité divine, distinguer deux éléments dans la nature humaine et que ceux qui se sont montrés des sages dans tous les autres domaines se mettent à déraisonner en ce qui concerne l'intelligence[1], que moi, alors que ma chute et ma condamnation ont été totales par suite de la désobéissance du premier homme et de la tromperie de l'Adversaire, je ne fusse pas totalement sauvé, de sorte qu'il y aurait moins de grâce en Dieu et moins de salut pour nous[2] !

Et ce n'est pas tout. Mais (il est évident) aussi que nous, qui avons été sauvés par Dieu, nous voilà en guerre pour des hommes et qu'il nous reste encore un tel penchant pour les disputes que nous l'avons même utilisé au profit des ambitions d'autrui et que nous traitons comme des affaires personnelles des conflits qui concernent des trônes (épiscopaux) appartenant à d'autres[3]. Nous commettons ainsi deux fautes très graves d'un seul coup, premièrement en excitant de plus en plus l'ambition de ceux-là, deuxième-

des années 380 et 381 permet de constater que d'autres affaires retentissantes, qui ont défrayé la chronique ecclésiastique de Constantinople, pourraient aussi bien fonder l'allusion faite ici à des interventions d'évêques en dehors de leurs propres sièges : DUCHESNE, *Histoire ancienne*, II, p. 438 : « Si l'on tient tant à ce que chacun se mêle de ses affaires et reste dans son ressort « diocésain », c'est parce qu'on entend exclure l'ingérence du pape égyptien dans les affaires de Constantinople, Antioche et autres lieux. » La suite de l'exposé (ch. 14, ci-dessous) précise que le siège de Grégoire lui-même n'est pas à l'abri des contestations ; mais, que ceci n'est qu'un contrecoup de conflits plus profonds.

πάθους ἔρεισμα τοῦτο λαμβάνοντες, καθάπερ οἱ κρημνιζόμενοι τὰς πλησίον πέτρας ἢ τῶν θάμνων τὰς στερροτέρας.

1148 A **14.** Δέον κἀκείνους ποιεῖν διὰ τῆς ἑαυτῶν ἀπραγμοσύνης ἀσθενεστέρους. Οὕτω γὰρ ἂν μᾶλλον αὐτοῖς ἢ πολεμοῦντες ὑπὲρ αὐτῶν ἐχαριζόμεθα. Νῦν δὲ οἱ μὲν συμμαχοῦσι καὶ συμμαχοῦνται λίαν ἐλεεινῶς, ὡς γ' οὖν ἐμοὶ δοκεῖ, ὥστε 5 καὶ εἰς δύο μοίρας ἀντιπάλους ἤδη τὸν κόσμον ἀποκριθῆναι καὶ τοῦτο σὺν πόνῳ μόγις καὶ κατὰ μικρὸν συναχθέντα καὶ πολλῶν αἵμασιν.

Ὅσον δὲ εἰρηνικόν τε καὶ μέσον ὑπ' ἀμφοτέρων πάσχει κακῶς ἢ καταφρονούμενον ἢ καὶ πολεμούμενον. Ὧν καὶ 10 ἡμεῖς ὄντες σήμερον οἱ ταῦτα κατηγοροῦντες καὶ διὰ τοῦτο τὴν καθέδραν ταύτην δεξάμενοι, τὴν ἐπίμαχον καὶ ἐπίφθονον · θαυμαστὸν οὐδὲν εἰ ὑπ' ἀμφοτέρων ἐκτριβείημεν καὶ σταίημεν ἐκ τοῦ μέσου μετὰ τοὺς πολλοὺς ἱδρῶτας καὶ πόνους, B ἵν' ἐγγύθεν ἀλλήλους βάλλωσι καὶ παντὶ τῷ θυμῷ, μηδενὸς 15 ὄντος ἐν μέσῳ διατειχίσματος καὶ κωλύματος. Ταῦτα οὖν

14, 2 ἂν > T ‖ αὐτοῖς μᾶλλον D ‖ ἢ : εἰ C ‖ 3 δ' B ‖ 4 γοῦν DPC Maur. ‖ 6 τούτῳ AS_1 corr. S_2 ‖ συμπόνῳ ABWDC ‖ συναχθέντας D ‖ 8 δ' BPC ‖ 9 καὶ[1] > AQWVT ‖ ὧν : ᾧ S_1 corr. S_2 ‖ 12 εἰ > S_1 rest. S_2 ‖ 14 βάλωσι $ABDP_1C$ ‖ 15 ταῦτ' D

1. Le concile de Constantinople exposera au grand jour la division ecclésiastique entre Orientaux et Occidentaux : *De vita sua*, v. 1680-1684 ; et v. 1919-1949, notamment ; et *D.* 42, 27 (*PG* 36, col. 492 B 6-11). L'allusion au sang versé pour l'unification du monde, pourrait viser le conflit qui opposa Constantin à Licinius et qui avait sans doute des implications religieuses (bataille de Chrysopolis, le le 18 sept. 324, et élimination de Licinius) : cf. Stein, *Bas-Empire,* I, p. 104-105.

2. *De vita sua*, v. 1504-1679. J. Le Clercq, commentant ce passage, écrit au sujet de Grégoire : « Il y censure fortement la légèreté des Évêques, qui avoient changé sans raison d'opinion à son égard, et qui se laissoient tromper par les calomnies de ses ennemis. Il dit que l'on doit mépriser les médisances que l'on a accoûtumé de répandre contre les personnes modérées et enfin l'on voit sans peine, par tout ce qu'il

ment, en prenant cela pour motif de nous laisser aller à notre propre passion personnelle, à la manière de ceux qui dégringolent dans un précipice en s'accrochant aux rochers qui sont à leur portée ou aux arbustes plus résistants.

14. Il faudrait que nous affaiblissions ceux-là aussi en nous tenant à l'écart des affaires. Ce serait, en effet, une manière de leur faire plus de bien qu'en nous battant pour eux. Mais maintenant — et c'est fort pitoyable, du moins à mon avis —, les uns s'allient aux autres et cherchent eux-mêmes des alliés pour la bataille, au point que l'univers se trouve déjà divisé en deux clans antagonistes. Et cela, alors que celui-ci vient à peine d'être unifié récemment non sans difficulté ni sans verser le sang de beaucoup de monde[1].

Tout ce que le monde compte de pacifique et de modéré subit les mauvais coups des deux partis, soit leur dédain soit leur hostilité. Nous sommes de ce nombre aujourd'hui, nous qui portons ces accusations, et c'est la raison pour laquelle nous avons accepté ce siège (épiscopal), sujet de conflit et d'envie[2]. Il n'y aurait rien d'étonnant si les deux partis à la fois cherchaient à nous éliminer et si, après nos nombreux labeurs et nos peines, nous nous trouvions écarté de la position centrale pour permettre aux deux camps de s'entrefrapper de près avec tout leur acharnement sans aucun obstacle entre eux pour les retenir et les

dit, que ce n'est pas dans nôtre siècle seul, que l'on s'est avisé de couvrir les passions les plus indignes du beau nom de zèle pour la pureté de la foi... » (*Bibliothèque universelle et historique,* t. 18, Amsterdam, 1690, p. 110). Sans doute. Mais cet excellent critique, si justement apprécié des Mauristes, réduit ici la mésentente à de pures questions de rivalités ecclésiastiques ; les ch. 12 et 13 du même *Discours* montrent les choses sous un autre jour : voir plus haut notre introduction, p. 196-197.

ὁρίσαι καὶ στῆσαι μάλιστα μὲν Θεοῦ τοῦ πάντα συνδέοντος, ἔπειτα δὲ καὶ ἀνθρώπων, ὅσοις τὸ καλὸν διεσπούδασται καὶ τὸ τῆς ὁμονοίας ἀγαθὸν γνωρίζεται.

Ἀπὸ μὲν τῆς Τριάδος ἀρξάμενον, ἧς οὐδὲν οὕτως ἴδιον
20 ὡς τὸ ἓν τῇ φύσει καὶ πρὸς ἑαυτὴν εἰρηναῖον · μεταληφθὲν δὲ ὑπὸ τῶν ἀγγελικῶν καὶ θείων δυνάμεων αἳ καὶ πρὸς Θεὸν καὶ πρὸς ἀλλήλας εἰρηνικῶς ἔχουσι · προελθὸν δὲ μέχρι πάσης τῆς κτίσεως ἧς κόσμος τὸ ἀστασίαστον · ἐν ἡμῖν δὲ πολιτευσάμενον κατὰ μὲν ψυχὴν τῇ τῶν ἀρετῶν
25 ἀντακολουθήσει καὶ κοινωνίᾳ, κατὰ δὲ σῶμα τῇ τῶν μελῶν ἢ τῶν στοιχείων πρὸς ἄλληλα εὐαρμοστίᾳ καὶ συμμετρίᾳ ·
C ὧν τὸ μὲν κάλλος, τὸ δὲ ὑγίεια ἔστι τε καὶ ὀνομάζεται.

15. Ἐπαινῶ δ' ἔγωγε καὶ τὸ τοῦ Σολομῶντος, ὥσπερ παντὶ πράγματι οὕτω δὴ καὶ πολέμῳ καὶ εἰρήνῃ νομοθετοῦντος καιρόν. Ἐκεῖνο προσθήσω μόνον, ἀμφοτέρων μὲν τὸν καιρὸν τηρητέον ἐπειδὴ καὶ πολεμεῖν ἐστί ποτε καλῶς[a],
5 κατὰ τὸν ἐκείνου νόμον καὶ λόγον · ἕως δ' ἂν ἐξῇ, πρὸς τὴν εἰρήνην μᾶλλον ἀποκλιτέον · τοῦτο γὰρ ὑψηλότερόν τε καὶ θεοειδέστερον.

Ὡς ἔστιν ἄτοπον ἰδίᾳ μὲν ἄριστον ὑπολαμβάνειν τὸ τῆς ὁμονοίας, δημοσίᾳ δὲ μὴ λυσιτελέστατον · καὶ οἰκίαν μὲν
10 καὶ πόλιν ταύτην ἄριστα διοικεῖσθαι, ἥτις ἂν μηδὲν ἢ
D ὡς ἐλάχιστα στασιάζῃ πρὸς ἑαυτὴν ἢ τοῦτο πάσχουσα

14, 17 ὅσοις : οἷς AWVT ‖ 20 ἐν SPC ‖ 21 δ' DC ‖ 22 προελθὸν : προελθὼν QB προσελθὼν S_1 corr. S_2 προσελθὸν C ‖ 24 πολιτευόμενον AQWVT ‖ 25 με<λῶ>ν W (duae litterae legi nequeunt cum foretur fol.) ‖ 27 δὲ : δ' B ‖ ὑγεία WVTSD

15, 1 ἐπαινῶν AQWVTS ‖ δὲ D_2 Maur. ‖ 2 δὴ : δὲ n Maur. ‖ 3 ἐκείνῳ AB ‖ 4 καλῶς > B ‖ 6 ἀποκλητέον BD ‖ ὑψηλὸν S ‖ 8 ἄριστα S ‖ 11 σταζιάσῃ : στασιάζοι AWVTDP στασιάζει S

15. a. Cf. Eccl. 3, 8[b] ; et 3, 1.

1. En 381, lorsque l'auteur renonce à ses fonctions et à son siège de Constantinople, il fait valoir son intention de sauvegarder la paix ecclésiastique : *De vita sua*, v. 1632-1634 ; v. 1703-1708 ; et v. 1827-

contenir[1]. Mettre un terme et un frein à cela c'est principalement l'affaire de Dieu, qui concilie toutes choses; mais ensuite c'est aussi celle des humains qui ont le souci du bien et la connaissance du bienfait de la concorde.

Ce (bienfait) a eu son principe dans la Trinité, qui n'a rien de si particulier que l'unité de nature et la paix intérieure; il fut partagé par les puissances angéliques et divines, qui sont en paix avec Dieu et entre elles; il s'étendit à toute la création, dont l'ordre universel est l'ornement; il fut entretenu en nous spirituellement par l'association des vertus complémentaires, et physiquement par la façon harmonieuse dont s'adaptent et s'équilibrent entre eux les membres et les parties, dont elle constitue et dont elle s'appelle tantôt la beauté tantôt la santé.

15. Pour ma part, j'approuve la maxime de Salomon selon laquelle il y a un moment opportun pour la guerre et pour la paix comme pour toute chose[a]. J'ajouterai seulement qu'il faut saisir le moment opportun de l'une et de l'autre choses, puisque selon la règle et la formule de ce (Sage), il est parfois bon de faire la guerre et qu'il faut, autant que possible, avoir plus de penchant pour la paix. En effet, cette attitude manifeste plus d'élévation de caractère et rapproche davantage de Dieu.

Ainsi il serait absurde de considérer le bienfait de la concorde comme le plus grand bien dans la vie privée et de ne pas y voir ce qu'il y a de plus avantageux dans la vie publique; (il serait absurde) qu'une maison et que cette Ville fussent très bien administrées lorsqu'elles sont à l'abri de toute division interne, si ce n'est les plus minimes, et qu'elles fussent empressées de se ressaisir et

1841 ; la situation de l'écrivain à ce moment n'est pas celle qui est évoquée dans le *D.* 23, 6 ; on déduit de ce passage-ci que Grégoire joue un rôle sur la scène internationale au moment où il compose le *D.* 22 : voir plus haut l'introduction à ce discours.

τάχιστα ἐπανίῃ καὶ θεραπεύηται, τῷ δὲ κοινῷ τῆς Ἐκκλησίας
1149 A ἄλλο τι βέλτιον εἶναι καὶ πρεπωδέστερον · καὶ αὐτὸν μὲν
ἕκαστον, ὅπως ἂν πρὸς ἑαυτὸν εἰρηνεύῃ σπουδάζειν — εἰρήνη
15 δὲ τὸ καθ' ἕκαστον αἱρετὸν καὶ ἡ κατὰ τῶν παθῶν δεσποτεία —, πρὸς δὲ τοὺς ἄλλους μὴ τὸν αὐτὸν φαίνεσθαι, ἀλλ' ἡγεῖσθαι δόξαν ἑαυτοῦ, τὴν τοῦ πλησίον κατάλυσιν. Καὶ τὸν μὲν Θεὸν παριέναι κελεύειν καὶ τοῖς ἁμαρτάνουσιν εἰς ἡμᾶς μὴ ὅτι ἑπτάκις ἀλλὰ καὶ πολλάκις τοσοῦτον, ὡς τοῦ ἀφιέναι
20 τὸ ἀφίεσθαι προξενοῦντος[b], ἡμᾶς δὲ καὶ τοῖς οὐδὲν ἀδικοῦσι προθυμότερον ἐπηρεάζειν ἢ παρ' ἄλλων εὐεργετεῖσθαι καὶ τοσαύτην μὲν εἰδέναι τοῖς εἰρηνοποιοῖς ἀποκειμένην μακαριότητα, ὥστε καὶ υἱοὺς Θεοῦ[c] προσαγορεύεσθαι μόνους ἐν τῇ τάξει τῶν σωζομένων, αὐτοὺς δὲ καὶ φιλέχθρως ἔχοντας,
25 ἔπειτα οἴεσθαι φίλα πράττειν Θεῷ, τῷ παθόντι δι' ἡμᾶς
B ἵνα πρὸς ἑαυτὸν εἰρηνεύσῃ καὶ καταλύσῃ τὸν ἐν ἡμῖν πόλεμον[d].

16. Μηδαμῶς, ὦ φίλοι καὶ ἀδελφοί, οὕτω διανοώμεθα.

15, 12 ἐπανίῃ : ἐπανείῃ ABWD ἐπανήει QCS_1 corr. S_2 ἐπανίοι VP || θεραπεύηται : θεραπεύεται BDS_1 corr. S_2 || 14 εἰρηνεύει SD || 15 τὸ B : τοῦ AQWVTS ἢ τοῦ DPC || 18 παριέναι : παρεῖναι D ἀφιέναι Maur. || ἁμαρτάνουσιν : ἁμαρτήσασιν AWVT ἁμαρτάνουσιν in textu ἁμαρτήσασιν tamquam varia lectio mg. Q || 19 τοῦ : τὸ W || 24 αὐτοὺς : τοὺς S_1 corr. S_2 || 25 οἴεσθαι + καὶ D Maur. || τῷ + καὶ AQWVTD

15. b. Cf. Matth. 18, 22 ; 18, 35, etc. ; ou 6, 12 ; 7, 1-2. c. Matth. 5, 9. d. Cf. Col. 1, 20 ; Rom. 5, 10 ; ou II Cor. 5, 14-21.

1. On peut deviner ici une allusion à la situation sociale existant à Constantinople, sous Théodose, en 380 et 381 : Thémistius, *Discours* 18, 221 a - 223 b (éd. G. Downey, I, p. 318, 20 - 322, 16), laisse entendre que des problèmes se posaient ; cf. Dagron, *Naissance*, p. 310, n. 1, et p. 288-289. L'entrée de Théodose aux Saints-Apôtres, l'église principale (peu après le 24 novembre 380), nécessita l'intervention de la troupe contre le peuple de Constantinople : *De vita sua*, v. 1325-1395 ; et Gallay, *Vie*, p. 186-188 ; et aussi Socrate, *Hist.*

d'y remédier lorsqu'elles en sont victimes[1], mais qu'autre chose fût meilleur et plus convenable pour l'ensemble de l'Église; (il serait absurde) que chacun en particulier recherchât avec zèle la paix intérieure — ce qui est digne de choix pour chacun ainsi que la domination sur ses passions, voilà assurément la paix[2] —, mais qu'on se montrât d'autre part, sous un autre jour vis-à-vis des autres en considérant la destruction de son voisin comme une gloire personnelle; (il serait absurde) que Dieu ordonnât de tenir quittes non seulement sept fois, mais même de multiples fois sept fois même ceux qui ont des torts envers nous, étant donné que pardonner est une garantie d'obtenir son propre pardon[b], mais que nous aimions mieux faire du mal à ceux qui ne nous ont rien fait que profiter du bien que nous font les autres; (il serait absurde) que nous sachions, d'une part, que la béatitude réservée aux pacifiques est telle qu'ils sont les seuls dans l'ordre des sauvés à être proclamés « fils de Dieu[c] », mais que, d'autre part, nous aimions les inimitiés et que nous nous disions ensuite que nous faisons des choses chères à Dieu, lui, qui a souffert à cause de nous afin de nous rétablir en paix avec Lui et de détruire la guerre en nous[d]!

16. Mes amis et mes frères! Écartons de nous tout à fait de telles dispositions! Respectons le don que nous a fait

eccl., V, 7. La force armée eut encore à intervenir bien des fois pour faire appliquer le décret du 10 janv. 381 relatif à la restitution des églises à la communauté nicéenne : Socrate, *Hist. eccl.*, V, 6 ; et Stein, *Bas-Empire*, I, p. 197-198.

2. « Digne de choix pour chacun » ou ...« en chaque circonstance » καθ' ἕκαστον : Platon expose une doctrine analogue dans *Phédon*, 81 b (éd. L. Robin, Paris 1963, p. 41), et dans *Philèbe*, 21 d - 22 d (éd. A. Diès, Paris 1941, p. 16-18), où le mot αἱρετός « digne de choix », « éligible », « saisissable (par l'esprit) » apparaît dans un contexte opposant les plaisirs supérieurs, d'ordre spirituel, aux satisfactions grossières, d'ordre physique.

Αἰδεσθῶμεν τὸ δῶρον τοῦ εἰρηνικοῦ, τὴν εἰρήνην, ἣν ἐνθένδε ἀπιὼν ἀφῆκεν ἡμῖν, ὥσπερ ἄλλο τι ἐξιτήριον[a]. Ἕνα πόλεμον εἰδῶμεν, τὸν κατὰ τῆς ἀντικειμένης δυνάμεως. Εἴπωμεν
5 ἀδελφοὶ καὶ τοῖς μισοῦσιν ἡμᾶς, ἂν ἄρα δέχωνται. Συγχωρήσωμέν τι μικρὸν ἵνα μεῖζον ἀντιλάβωμεν, τὴν ὁμόνοιαν. Ἡττηθῶμεν ἵνα νικήσωμεν. Ὁρᾶτε νόμους ἀθλήσεως καὶ παλαιστῶν ἀγωνίσματα οἳ τῷ κάτω κεῖσθαι πολλάκις
C νικῶσι τοὺς ὑπερκειμένους. Τούτους ζηλώσωμεν, μὴ τῶν
10 δαιτυμόνων τοὺς ἀπληστοτέρους ἢ τῶν ἐμπόρων ὧν οἱ μὲν ἀμέτρως ἐμφορηθέντες τῶν προκειμένων οἱ δὲ τὴν ναῦν φορτίσαντες, θᾶττον ἐρράγησαν καὶ συγκατέδυσαν, ἤ τι τῆς ἀπληστίας ἀπέλαυσαν, ἵνα μικρὰ κερδάνωσι τὰ μεγάλα ζημιωθέντες.

15 Ἐγὼ μὲν οὖν ταῦτα καὶ βοῶ καὶ διαμαρτύρομαι καὶ τὸ τῆς Γραφῆς ποιῶν οὐ παύσομαι · « Διὰ Σιὼν οὐ σιωπήσομαι καὶ διὰ Ἱερουσαλὴμ οὐκ ἀνήσω[b], καὶ γὰρ ἐκλείπει ἡ ψυχή μου ἐπὶ τοῖς ἀναιρουμένοις[c] », οἵτινες οὐ τραυματίαι μαχαίρας

16, 5 ἐὰν DP || 6 ἵνα τὸ Maur. || 7 ἡττηθῶμεν ἵνα νικήσωμεν > Q || 8 τῷ : τό S || 8-9 νικῶσι πολλάκις AQWVT || 12 τι illis. in W, cum foretur fol. || 13 ἀπήλαυσαν BSPC || 16 ποιεῖν C

---

16. a. Cf. Jn 16, 27. b. Is. 62, 1. c. Cf. Jér. 4, 31.

---

1. Au ch. 1 du même *D.* 22, l'entrée en matière avait déjà développé le thème du souhait de la paix. Le mot ἐξιτήριον est traduit ici par « message d'adieu » en référence au contexte et à l'allusion évangélique ; Liddell et Scott, *Lexicon*, p. 595, associe le mot à un « départ » ou à une « sortie de charge » d'un fonctionnaire ; d'autres lexiques renvoient à Grégoire de Nazianze, *D.* 43, 24 (*PG* 36, col. 529 A 1), comme exemple du sens « (discours) d'adieu » : Lampe, *Patristic*, p. 497-498 ; Bailly, *Dictionnaire*, p. 708. Le « ton désabusé et assez pessimiste » de cette péroraison a été remarqué par J. Bernardi (*Prédication*, p. 147), qui la met en rapport avec le moment où Grégoire songeait à rompre avec Constantinople et à résilier ses fonctions.

le Pacifique : la paix, qu'il nous a laissée comme une sorte de message d'adieu en quittant ce monde[a1]! Sachons qu'il n'y a qu'une guerre, une seule, celle qui a lieu contre la Puissance Adverse[2]. Disons : « Mes frères! », même à ceux qui nous haïssent, si, naturellement, ils l'acceptent. Faisons quelque petite concession afin d'obtenir davantage en retour, à savoir, la concorde! Laissons-nous vaincre afin d'être vainqueurs! Voyez les règles des combats de lutte et les lutteurs, qui grâce au fait d'être au tapis remportent souvent la victoire sur ceux qui ont le dessus. Voilà ceux qu'il faut chercher à imiter, non les plus insatiables parmi les goinfres et les négociants : ceux-là après s'être empiffrés sans mesure de ce qu'on leur présente, les seconds après avoir surchargé leur navire, se font éclater ou font naufrage avec leur cargaison plus vite qu'ils ne tirent quelque jouissance[3] de leurs appétits insatiables. Ils se sont exposés à subir de grands dommages dans le but de gagner peu de choses[4].

Pour ma part, je le crie donc, j'en témoigne et je ne cesserai pas de mettre en pratique ce mot de l'Écriture : « A cause de Sion, je ne garderai pas le silence et à cause de Jérusalem je ne renoncerai pas[b] »; et, « en effet, le cœur me manque à cause de ceux qu'on est en train de faire périr[c] ». Car si nous ne sommes victimes ni de l'épée ni de

2. Personnification du Démon : voir plus haut la note relative à l'expression « Adversaire » (ch. 13).

3. L'apparat critique présente une variante propre à une branche de la tradition manuscrite représentée ici par B S P C, où peut se constater l'extension de l'augment ἠ- au lieu de ἐ- par analogie dans le grec tardif (ἀπήλαυσαν) : cf. SCHWYZER et DEBRUNNER, *Grammatik*, I, p. 654.

4. L'accumulation d'images disparates se rapportant au même sujet (pugilat, gourmandise, navire marchand), qui s'entremêlent dans l'esprit et déroutent par leur entassement le lecteur moderne, trahit ici un baroquisme particulier, caractéristique de la seconde sophistique.

οὐδὲ τραυματίαι λιμοῦ γινόμεθα, τραυματίαι δὲ φιλοδοξίας
20 ἢ φιλαρχίας ὡς μηδὲ τὸ ἐλεεῖσθαι μᾶλλον ἢ τὸ μισεῖσθαι
συμβαίνειν τοῖς πίπτουσιν.
Ὑμεῖς δέ, εἰ μὲν δέχοισθε τοὺς ἐμοὺς λόγους, τοῦτο
ἄμεινον ἀμφοτέροις, εἰ δὲ διαπτύοιτε καὶ ἀποπέμποισθε,
D νικῶντος τοῦ πάθους τὸν λογισμόν, ἐμοὶ μὲν ἱκανῶς ἀφω-
25 σίωται καὶ τὰ πρὸς Θεὸν καὶ τὰ πρὸς ἀνθρώπους · οὐδὲν
γάρ, οἶμαι, πλέον ζητήσει τις οὐδὲ τῶν σφόδρα εἰρηνικῶν
τε καὶ φιλοθέων · ὑμεῖς δ' ἂν εἰδείητε τὰ ἑξῆς. Οὐ γὰρ
1152 A ἐγώ τι προσθήσω τῶν τραχυτέρων, ἐπειδὴ παίδων φείδεσθαι
πατρικὸς νόμος. Ἀλλ' ἵλεω τύχοιτε καὶ εἰρηνικοῦ τοῦ
30 μεγάλου κριτοῦ, νῦν τε καὶ ἐν ἡμέρᾳ ἀνταποδόσεως, ἐν
αὐτῷ Χριστῷ τῷ Κυρίῳ ἡμῶν · ᾧ ἡ δόξα εἰς τοὺς αἰῶνας
τῶν αἰώνων. Ἀμήν.

16, 19 γενόμεθα D || 20 μᾶλλον — μισεῖσθαι > AQWVT || 23 εἰ : οἱ Q || 27 δ' : δὲ SD || 30-31 ἐν — ἡμῶν > B || 31 αὐτῷ + τῷ WT || τῷ : καὶ W || δόξα + καὶ τὸ κράτος AD Maur. || εἰς : νῦν καὶ εἰς D || 32 τῶν αἰώνων > QWVT

---

1. « Raisons » ou « exposés » ou « paroles », « discours » λόγους : les Mauristes traduisent *si verbis sermonibus parueritis* « si vous obéissez à mes paroles » (= trad. J. de Billy, éd. F. Morel, Cologne 1690, I, p. 224).

la famine, nous sommes victimes de l'amour-propre et de l'ambition, de sorte qu'il n'arrive même pas qu'on ait plus de pitié que de haine pour ceux qui tombent.

De votre côté, si vous acceptiez mes raisons[1], ce serait préférable pour les deux partis. Mais, si vous les méprisiez et si vous les rejetiez, la passion l'emportant sur le bon sens, moi, j'ai dit assez pour remplir mes devoirs[2] envers Dieu et à l'égard des hommes, et je pense que personne, même parmi les plus ardents partisans de la paix et de Dieu, ne me demandera rien de plus; mais, vous, vous connaîtriez les conséquences (de votre attitude). Moi, je n'ajouterai rien de plus dur puisque la règle veut qu'un père épargne des enfants, mais puissiez-vous trouver le grand Juge indulgent et pacifique, maintenant et au jour de la rétribution dans le Christ lui-même Notre-Seigneur, à qui soit la gloire dans les siècles des siècles. Amen.

2. L'expression est relevée dans H. Estienne, *Thesaurus*, I, col. 2699, s.v. ἀφοσιόω, d'après Grégoire de Naz., *Discours* 43, *Éloge de S. Basile*, 1 (*PG* 36, col. 496 A 6) ; « en dire assez pour remplir ses devoirs », semble être une formule littéraire conventionnelle qui ne reflète pas nécessairement un état d'âme particulier de l'écrivain. Le mot ἀφοσιοῦμαι (au moyen) a le sens, chez les classiques, de « s'acquitter d'une obligation » (morale ou religieuse, selon le contexte) : Liddell et Scott, s.v. II, 2, a, p. 293.

DISCOURS 23

INTRODUCTION

Comme on l'a signalé à propos du *Discours* 22, les *D.* 6, 22 et 23, portent assez régulièrement dans les manuscrits les titres de *Premier*, *Troisième* et *Deuxième discours iréniques.* L'ordre dans lequel ils se trouvent dans les sources, lorsqu'ils sont groupés — ce qui est assez généralement le cas[1] —, a été modifié dans l'édition des Mauristes reproduite dans la *Patrologie grecque* de Migne. Nous conservons le numérotage donné par cette édition et vulgarisé par l'usage depuis longtemps. Avant de présenter les particularités de l'édition (II), il faudra rappeler brièvement les raisons par lesquelles les Mauristes ont justifié le classement actuel; celles-ci sont principalement d'ordre historique et chronologique et elles auront naturellement leur place dans un premier paragraphe qui sert d'introduction particulière au *D.* 23 (I).

I. Le Discours 23 (Deuxième Discours irénique)

Il faudra rappeler les grandes lignes de la doctrine trinitaire de l'auteur, avant d'aborder le genre littéraire

1. Tous nos témoins intitulent les *Discours* 22 et 23 : *Discours iréniques.* M. Lafontaine nous signale que tous les témoins arméniens de la collection des 15 (= 14) *Discours théologiques* (collection *ad quos*) se terminent par les *Discours* 6, 23, 22, dans l'ordre.

et les circonstances de la composition de ce discours. En effet, l'exposé théologique y tient une place importante. Pour plus de clarté, il est indispensable de commencer par une brève analyse du texte.

1. Analyse

La charité est une vertu tenace et une seconde nature (ch. 1). Des gens toujours à l'affût des disputes font le procès de tous et opposent les orthodoxes entre eux (ch. 2). Ils doivent constater que les disputes existantes portent sur des points d'organisation et de discipline, qui sont secondaires (ch. 3). Les différents partis opposés sont d'accord au sujet de la divinité, mais en désaccord à cause de l'attachement voué à leurs pasteurs respectifs (ch. 4). Le spectacle public d'un père et d'un fils siégeant côte à côte atteste que la paix ecclésiastique est rétablie dans la communauté (ch. 5).

Les orthodoxes sont unanimes dans leur profession de foi trinitaire, tandis que les hérétiques professent des erreurs opposées entre elles (ch. 6). C'est une erreur de dire que le Fils et l'Esprit ne tiennent leur être d'aucun principe, ou qu'ils le tirent d'un principe autre que le Père (ch. 7). Le principe de l'être divin et tout ce qui dépend de ce principe doivent faire l'objet d'un culte identique (ch. 8). La génération du Fils est à l'abri des passions qui sont associées à la génération des êtres corporels (ch. 9). Les hérétiques manquent de respect envers la Trinité et celle-ci est vraiment unité de trois Êtres égaux (ch. 10). La Trinité possède une nature divine une et identique qui est connaissable par analogie malgré le mystère entourant les relations réciproques des Trois (ch. 11). Voilà en résumé le mystère de la foi en un seul Dieu, Père, Fils et Esprit (ch. 12).

Ainsi se réalise sous les yeux des contradicteurs l'union

des orthodoxes unanimes dans la foi trinitaire (ch. 13). Les hérétiques peuvent opposer à cela des divagations variées inspirées par Satan (ch. 14).

2. Doctrine

Le contenu théologique de l'œuvre tourne entièrement autour de « ce que le grand mystère veut dire pour nous »... : « la foi dans un Père, dans un Fils, dans un Saint-Esprit et dans un nom commun, régénération, négation de l'athéisme et confession de la divinité » (ch. 12) ; l'auteur le remarque lui-même en présentant son œuvre comme « une sorte de récapitulation faite pour développer la doctrine et sans polémique » (ch. 12). Nous allons donc examiner quelques aspects typiques de l'enseignement théologique donné dans le *D.* 23, avant de signaler les doctrines profanes, plus nettement philosophiques, sur lesquelles s'appuie l'exposé théologique.

Il s'agit ici d'un sermon prêchant la charité et, d'une façon plus immédiatement concrète, la réconciliation, à des chrétiens orthodoxes. L'auteur ne perd jamais de vue cet objectif. Dans cette perspective, il distingue les personnes des doctrines que celles-ci professent (ch. 4), affirme et répète que les deux partis en présence restent fondamentalement unis par la fidélité à l'orthodoxie (ch. 2, 4, 6 et 13), et il fait appel à l'union de tous contre les hérésies quelles qu'elles soient (ch. 7 et 14). C'est manifeste : le désaccord auquel Grégoire cherche à mettre fin se fonde, pour une part du moins, sur des divergences doctrinales ou des méfiances touchant la foi chrétienne de l'adversaire. Cinq chapitres, pas moins (ch. 8 à 12), sont consacrés à un exposé doctrinal. De plus, l'auteur prend soin de dire que le but de cet exposé « est de vous faire savoir à vous qui n'êtes d'accord entre vous que par les réquisitoires et les discours publics que vous prononcez contre nous, que nous pensons tous la même chose... »

(ch. 12). Il est donc impliqué personnellement dans les soupçons d'hétérodoxie. Il lui faut rassurer le camp opposé.

L'analyse des ch. 8 à 11, faite ci-dessus, donne les grandes lignes de l'exposé doctrinal. On l'a vu, il laisse de côté les questions christologiques qui tiennent une grande place dans le *D.* 22. L'œuvre est manifestement destinée à un autre milieu essentiellement préoccupé des questions trinitaires. On se reportera donc au sujet de ces doctrines, à l'Introduction de M. Jourjon (*Discours théologiques*, *SC* 250, p. 29-65). Nous avons déjà eu l'occasion de signaler que le lecteur trouvera là une synthèse aussi brillante que limpide de la théologie de Grégoire. En y renvoyant, nous éviterons de répéter ici ce qui a été dit dans le volume précédent.

Tout au long des chapitres proprement théologiques du *Discours*, des explications catéchétiques et doctrinales tendent directement ou indirectement à montrer le caractère transcendant et analogique des termes employés. Il y est fait appel à des idées ou à des thèmes familiers de la philosophie ancienne. On le constate en lisant la *Théologie platonicienne* de Proclos, récemment éditée par MM. H. D. Saffrey et L. G. Westerink, et la synthèse historique qui introduit le *Livre* III de cet ouvrage[1] : relations entre les Trois dans l'Unité de Dieu (ch. 7 et 8, et Proclos, III, ch. 23, p. 82, 23 - 83, 2), transcendance du divin par rapport au temps et à la matière (ch. 8, et Proclos, III, 20, p. 72, 23 - 73, 7 ; 21, p. 77, 18 - 78, 14 ; 24, p. 84, 24 - 85, 16), caractère analogique des « générations » divines (ch. 10-11, et Proclos, III, 26, p. 91, 9 - 92, 28 et p. 146, note 2).

Grégoire paraît ici beaucoup plus proche des écoles d'Athènes que dans le *Troisième discours irénique*, par

1. PROCLUS, *Théologie platonicienne. Livre* III. Texte établi et traduit par H. D. Saffrey et L. G. Westerink (Coll. des Universités de France), Paris 1978, p. IX-XCIV spécialement.

exemple. Le *D.* 23 atteste l'appoint apporté par le néoplatonisme à la théologie et à sa présentation littéraire.

Le « Platonisme des Pères » n'a rien de choquant et il n'y aurait rien de plus à en dire ici, si cet aspect, à vrai dire fondamental, de la formulation des dogmes n'avait été à la source de controverses apparemment acharnées entre les commentateurs de Grégoire. Et précisément sur des points qu'on vient de relever ci-dessus. Grégoire lui-même situe son langage théologique dans la filière des traditions « propres aux Hellènes et aux polythéistes », notamment quand il explique la transcendance divine par rapport aux « réalités corporelles » (ch. 8). En 1690, J. Le Clercq écrivait à ce propos dans *La bibliothèque universelle et historique* que « Grégoire à l'égard de la philosophie suivoit celle des Platoniciens; de qui il empruntoit divers termes que l'on ne sauroit entendre sans la savoir... Pour entendre ce que veulent dire ces termes, « être au-dessus de l'Essence », il faut savoir que les Platoniciens établissaient des chaînes d'êtres, comme ils parloient, c'est-à-dire des suites d'êtres placez les uns au-dessus des autres. ... Sans savoir ce dogme platonicien, on ne saurait entendre ce que veut dire Grégoire...[1] ». Bien qu'il vise particulièrement les doctrines exposées dans le *D.* 23, ce commentaire n'est pas cité ici pour revenir au fond du débat, mais pour signaler qu'il provoqua des réactions en sens divers, notamment au sein de la Congrégation des Mauristes. Certains prirent l'exégèse de J. Le Clercq pour des « attaques portées contre les Pères », et prétendirent rassembler les matériaux permettant au R. P. J.-F. Baltus d'y répliquer et de réfuter « les

1. J. Le Clercq, *Bibliothèque universelle et historique,* XVIII, Amsterdam 1690, p. 25-26, avec référence à Proclos, *Théolog. platon.,* III, 20, et *passim.* On lit ce commentaire de Le Clercq, copié par des Mauristes, dans les archives de ces derniers relatives à l'édition de Paris 1778. Nous nous réservons de revenir prochainement sur ces documents.

objections » faites par le brillant et savant commentateur[1]. Pour sa part, dom C. Clémencet, le Bénédictin érudit à qui nous devons l'édition du texte, publiée à Paris en 1778, écrivait avec sagesse : « En gémissant sur les écarts, nous profitons avec plaisir de ce que ces auteurs peuvent avoir d'utile pour le genre d'étude auquel nous sommes appliqués[2]. » Ces prises de positions reflètent des tensions qui ont déchiré la Congrégation de Saint-Maur et l'Église de France à la fin de l'Ancien Régime. Une étude récente vient encore de mettre en lumière cet aspect de l'histoire de la pensée chrétienne et le rôle joué par les Mauristes dans ces polémiques marquant la fin du XVIIIe siècle[3]. Sur le plan philosophique, le *D.* 23 offrait un terrain propice

1. Anonyme (= J.-F. Baltus), *Défense des SS. Pères accusez de Platonisme,* Paris 1711. Le ton polémique de cet ouvrage dénué de tout esprit critique en fait une sorte de péché contre l'esprit *sed veniale propter ignorantiam peccatoris...* ! On ne remarque pas que l'auteur ait tiré parti des matériaux recueillis à son usage par certains Mauristes et conservés dans leurs archives.

2. « Minute d'une lettre écrite à M. Lodewijk Kaspar Valckenaer, professeur à Leyde, au nom de dom Clémencet [1703-1778], trop faible pour tenir lui-même la plume : Paris, 18 août 1776 ». Nous connaissons ce détail grâce à la grande amabilité de M. Ch. Astruc, qui a bien voulu nous permettre d'en prendre connaissance dans un texte inédit rédigé par la regrettée Mlle M.-L. Concasty, pour le prochain volume du Catalogue des mss du Fonds Suppl. gr. de la Bibliothèque Nationale de Paris. Nous tenons à exprimer ici notre vive gratitude.

3. Y. Chaussy, « La fin de la Congrégation de Saint-Maur et de Saint-Germain-des-Prés », dans *La Revue des études augustiniennes,* 24 (1978), p. 159-187, spécialement p. 166-167 ; et aussi A. B. Caillau, *Praefatio* (*ad Tom.* II) = Préface de l'éd. de Paris 1840, dans *PG* 37, col. 9-10. Sur le fond de la question et sur le « platonisme des Pères » : J. Daniélou, *Platonisme et théologie mystique. Essai sur la doctrine spirituelle de Saint Grégoire de Nysse* (*Théologie,* 2), Paris 1944, *passim* ; R. Gottwald, *De Gregorio Nazianzeno platonico,* Diss., Wrotsław (= Vratislavia), 1906, p. 9, 15 et 47, références au *D.* 23 ; C. Gronau, *De Basilio, Gregorio Nazianzeno Nyssenoque Platonis imitatoribus,* Diss., Goettingue 1908, p. 2-12 ; Moreschini, *Platonismo,* p. 1347-1392.

et fertile aux controverses. Par une sorte de prémonition, Grégoire de Nazianze recommandait la doctrine chrétienne sur laquelle il s'appuie par son équilibre entre une philosophie « vulgaire », et une autre « désordonnée », l'une « complètement juive », l'autre « propre aux Hellènes et aux polythéistes » (ch. 8).

3. Genre littéraire

L'œuvre est composée de deux parties inégales : la première (ch. 1 à 5) développe les avantages moraux de la cohésion et de la concorde pour la communauté des fidèles; la seconde (ch. 6 à 14) expose méthodiquement la théologie trinitaire. On a lu plus haut, dans l'introduction du *D.* 22, comment les rhéteurs anciens avaient codifié, sous le nom de « dissertation » λαλιά, un genre littéraire combinant les démonstrations et les exhortations[1]. Le genre est très proche de l'homélie chrétienne; dans l'ensemble, les rhéteurs recommandent de donner un caractère libre et spontané à la composition[2].

A cet égard, la transition extrêmement élaborée qu'on trouve à la fin du ch. 5 et au début du ch. 6 répond aux règles théoriques avec toutes les astuces de la sophistique : d'abord une aporie, qui consiste à faire part à l'auditoire des hésitations de l'auteur, ensuite une petite mise en scène, un monologue suggestif, qui a pu tromper les critiques puisqu'ils ont pensé que Grégoire parle ici après un autre orateur[3], l'évocation du silence de l'auditoire,

1. Volkmann, *Rhetorik*, p. 360 ; Ménandre, *De genere demonstrativo* (éd. L. Spengel, *Rhet. gr.*, III, p. 388, 16 - 394, 31 ; spécialement p. 388, 16 - 389, 2, et 390, 14 - 391, 18).

2. Ménandre, *De genere demonstrativo* (éd. L. Spengel, p. 391, 19-27).

3. Bernardi, *Prédication*, p. 179, n. 219 ; Tillemont, *Mémoires*, IX, p. 437, et 711.

qui est interprété comme une invitation à développer une leçon de théologie dogmatique, apparemment impromptue, mais de toute évidence rigoureuse, calculée et méticuleusement charpentée.

La rhétorique conseille la fantaisie comme qualité principale du genre, expliquant que ce caractère justifie le fait qu'aucun plan n'est imposé à la dissertation : « le plan idéal est de n'en pas suivre[1] ». La brièveté et surtout le « charme et l'agrément du style » sont d'autres qualités non moins caractéristiques des « dissertations » de ce genre[2].

A cet égard, le morceau d'éloquence religieuse que constitue le *D.* 23 peut passer pour une pièce d'atelier, tant dans sa partie protreptique que dans la partie doctrinale. Le ch. 1 juxtapose une série de sentences dans le pur style asianique, suivies d'une série de comparaisons (lieux communs) en style périodique à la manière attique; le ch. 2 est caractérisé par des interrogations oratoires, dont l'artifice est renforcé et rendu plus criant par le recours aux anaphores (le même mot au commencement de chaque tirade), typiques de l'éloquence à effet. Le ch. 3 commence par une apostrophe surchargée d'exclamations, de défis, d'interrogations fictives et d'invectives... Et ainsi de suite. La partie doctrinale n'est pas moins pourvue des garnitures, que le rhéteur avisé puisait dans l'arsenal de la seconde sophistique. Il est parfaitement concevable que Psellos, un lettré et bel esprit à la manière de son temps, le début de la période des Comnènes (XIe siècle), ait pu éprouver en le lisant les émotions décrites dans la lettre adressée à son élève Pothos, devenu un haut fonctionnaire de l'empire : il avoue qu'il lui arrive d'être pris d'une telle admiration pour la technique littéraire de Grégoire qu'il

1. MÉNANDRE, *De genere demonstrativo* (éd. L. Spengel, p. 391, 23-24).

2. *Ibid.*, p. 393, 24-30 ; p. 389, 11-14 ; et p. 393, 15-16.

perd de vue le sujet développé et se laisse enivrer par la forme et le style[1].

Il est utile de répéter ici que les moyens d'expression élaborés par les rhéteurs antiques, de Gorgias jusqu'à l'époque protobyzantine où Grégoire fréquentait les écoles d'Athènes, fournissent aux lettrés rompus (comme l'est Grégoire) à cette gymnastique intellectuelle, un moyen quasi-naturel de communication, que l'on peut considérer comme une seconde nature. Il faut tenir compte de cela en les lisant et éviter de prendre au pied de la lettre des détails qui tiennent plutôt à la forme qu'au fond des débats. Un exemple typique se présente au ch. 5. Notre documentation, encore très fragmentaire, ne permet pas de savoir si le texte porte τοῦτο μὲν οὖν ἀκηκόατε « vous avez donc entendu dire cela » (attesté par BDPC) ou s'il dit τοῦ μὲν οὖν ἀκηκόατε « vous avez donc été les auditeurs de ce personnage » (attesté par AQWVT S). Tandis que la philologie reste provisoirement perplexe devant le choix à faire entre les deux leçons, critiques et historiens ont construit des hypothèses à partir de l'une ou de l'autre variante (voir plus loin ce qu'on dira des circonstances dans lesquelles l'œuvre doit avoir été prononcée). La nuance a son importance si la phrase a pour but de nous faire savoir les détails d'une cérémonie, liturgique ou autre; mais, elle peut passer pour indifférente dans un passage destiné à introduire l'exposé des chapitres suivants sur le dogme trinitaire (τοῦτο) et se prêtant fort aisément à une petite mise en scène littéraire mettant cet exposé à l'actif d'un personnage (τοῦ μὲν). Les allusions à des situations qui paraissent concrètes et historiques dans un tel contexte appellent une certaine réserve. Mais, qu'on ne s'y trompe pas! Cette constatation ne rabaisse en aucune manière le zèle apostolique de l'écrivain. Au

1. Psellos, *Ad Pothum*, 3 (éd. A. Mayer, dans *BZ*, 20, 1911, p. 49, 46-50).

contraire! La maîtrise des moyens d'expression est mise ici au service d'un ministère : la rhétorique sert d'instrument à la fonction pastorale. Si l'exposé dogmatique tel qu'il se présente dans les chapitres 6 à 12 est admirable, sa densité et sa portée sont encore renforcées par les effets d'une technique littéraire consommée.

4. Lieu, date et circonstances

Critiques et éditeurs sont toujours tombés d'accord pour placer l'origine du *Premier Discours irénique* (*D.* 6) à Nazianze, au début de la carrière cléricale de l'auteur et celle du *Troisième Discours irénique* (*D.* 22) à Constantinople. La tradition byzantine, représentée par Élie de Crète, commentateur de Grégoire (VIIIe siècle), suivie par les premiers éditeurs, met le *D.* 23 en relation avec des événements qui se seraient produits à Nazianze, lorsque Grégoire y exerçait son ministère[1]. Papebroch[2] et ensuite les éditions de J. de Billy et F. Morel ont accepté la même façon de voir, que le premier des deux érudits résume comme suit : la discorde entre Grégoire le père et les moines de Nazianze, mentionnée dans le *Premier Discours irénique* (*D.* 6) était apaisée, mais les ariens cherchaient à la ranimer en grossissant les points de désaccord et en « faisant d'une souris un éléphant[3] ».

S. Lenain de Tillemont, lui, suppose, avec beaucoup de réserves, que l'œuvre serait à mettre en rapport avec

1. SINKO, *De traditione*, p. 87, signale que la « famille n » seulement range régulièrement les *Discours* 6 et 23 (ensemble) dans le groupe des œuvres de Nazianze ; voir l'éd. F. Morel, Cologne 1690, II, col. 638 A, note 7 : les scolies d'Élie de Crète, relevées par J. de Billy mettent le contenu du *D.* 23 en rapport avec un conflit attisé par les Ariens de Nazianze hostiles à Grégoire.

2. *AS Mai.* IX, p. 403.

3. MOREL, *Opera*, II, p. 637, Argumentum.

la situation que l'auteur a connue à Constantinople au milieu de l'année 379 et plus spécialement avec le schisme d'Antioche[1]. A leur tour, les Mauristes se sont efforcés d'étayer cette hypothèse de Tillemont, par un triple argument : 1° le ch. 3 indique un conflit différent de celui que le *D.* 6 révèle entre Grégoire le père et les moines de Nazianze, qui le soupçonnaient d'arianisme; 2° le ch. 14 annonce des exposés théologiques, qui sont les *Discours* 27 à 31; 3° le ch. 5 évoquant le père et le fils siégeant côte à côte et partageant la même foi orthodoxe, ne concerne pas Grégoire le père et Grégoire le fils, mais notre Grégoire, traité ici comme « père », et un autre ecclésiastique inconnu[2]. L'hypothèse fort prudente de Tillemont est devenue ici « l'hypothèse plus vraisemblable ».

Th. Sinko suit les Mauristes et emprunte à Rauschen une série d'arguments destinés à étayer son essai de datation de l'œuvre : 1° le ch. 3 (qui met en cause des questions d'organisation et de discipline ecclésiastiques) et le ch. 5 (la réconciliation entre un père et un fils) concernent le schisme d'Antioche; 2° le ch. 5 indique que l'écrivain se trouve à Constantinople depuis longtemps; 3° le ch. 13 indique que l'œuvre fut composée après le 28 février 380 (restitution des églises aux orthodoxes); 4° le ch. 6 esquisse le sujet développé dans les *Discours théologiques* (*D.* 27 à 31), que l'on date de la seconde partie de l'année 380[3]. P. Gallay suit à son tour Th. Sinko, dont il adopte les conclusions sans accepter toutes ses raisons : comme Sinko, il admet que le ch. 5 dénote un séjour assez long de l'écrivain à Constantinople, parce qu'il évoque les pierres qui lui ont été jetées par les partisans du clan adverse, et que le ch. 13 suppose que Grégoire est devenu une personnalité d'importance internationale,

1. Tillemont, *Mémoires*, IX, p. 436-438, et p. 728.
2. *PG* 35, col. 1129-1130.
3. Sinko, *De traditione*, p. 65-68.

vu qu'il s'attribue des responsabilités œcuméniques; mais, au sujet du conflit en cause, il exclut la question d'Antioche (qui, notons-le en passant, était justement l'argument fondamental sur lequel Tillemont appuyait l'hypothèse adoptée), il admet que le ch. 3 indique un conflit disciplinaire différent de celui dont le *D.* 22 fait état, il constate la nécessité de se défendre contre l'obsession des historiens voyant « partout des allusions à la malheureuse affaire d'Antioche ». L'illustre historien de Grégoire de Nazianze conclut : « Nous croyons personnellement qu'il est plus sage de ne pas prendre parti » ... « Avouons d'ailleurs que le sujet de la dissension nous échappe[1] ». Il date enfin le *D.* 23 entre le 28 fév. et le 14 juil. 380.

L'ouvrage de J. Bernardi sur la prédication de Grégoire commence par noter « que des obscurités demeurent sur les circonstances auxquelles il (le *D.* 23) se réfère[2] » et qu'il ne s'agit apparemment pas de l'affaire d'Antioche. Il affirme aussi avec netteté qu'on ne trouve aucun conflit doctrinal à la base de l'œuvre, il voit, dans le cas présent, une réconciliation entre l'auteur et l'un de ses prêtres compromis dans l'affaire de Maxime, et il conclut en proposant « une date située au cours de l'été ou de l'automne 380, une date qui est proche des cinq *Discours théologiques* et les précède de peu[3] ».

Conclusion

En définitive, cet état des questions ressemble à un inventaire des incertitudes et nous laisse perplexes. L'hypothèse de Tillemont et ses dérivés n'apportent, tout compte fait, aucun éclaircissement des points obscurs. Au contraire les théories sont échafaudées à partir

1. GALLAY, *Vie*, p. 177.
2. BERNARDI, *Prédication*, p. 177.
3. *Ibid.*, p. 180-181.

d'interprétations hypothétiques de passages peu clairs. Quant aux interprétations proposées, leur vraisemblance reste question d'appréciation et n'est pas toujours évidente.

L'incertitude est totale au sujet de la nature du conflit concerné : le ch. 3 a beau affirmer que l'accord est parfait au sein du parti de l'écrivain sur une doctrine orthodoxe homogène et que le différend en cause ne touche que des questions de discipline et d'organisation ecclésiastiques, le chapitre 13 fait état de la division d'ordre doctrinal partageant le monde en trois camps : on a voulu voir dans ces trois parties de la société chrétienne les trois niveaux d'alignement sur les prescriptions impériales du 28 janvier 380 en matière de foi; rien ne l'exclut, mais rien ne l'impose : où que l'on soit, une masse flottante existe fréquemment entre deux adversaires et chacun peut la considérer, comme l'auteur le fait ici, comme une réserve de recrues prochaines (ch. 13). Quant à la possibilité d'enclencher une polémique doctrinale, si elle est nettement affirmée au ch. 14, et si on ne peut nier qu'elle pourrait s'appliquer à une annonce des *Discours théologiques*, qui oserait exclure qu'elle se rapporte à d'autres œuvres dogmatiques, connues ou non, de Grégoire ?

Le ch. 5 fait allusion à des pierres lancées à l'auteur ainsi qu'à des agrandissements de sa communauté et l'on ne peut oublier qu'il parle ailleurs d'une contestation ayant eu son église de l'*Anastasia* pour théâtre et qui aurait dégénéré en violences[1]; ce n'était pas une méthode propre à la capitale. La Cappadoce aussi avait connu, lorsque Grégoire y résidait, des conflits violents et les ecclésiastiques du parti de Basile de Césarée ou du parti de son rival Anthime pouvaient à l'occasion mettre leurs sbires — religieux ou laïques — sur un mauvais coup : on le sait parce que Grégoire s'en plaint[2]. Les allusions

1. *De vita sua*, v. 665 (éd. Ch. Jungck, p. 86).
2. *D.* 43, 58 (*PG* 36, col. 569 C 7 - 572 C 1).

relevées dans le ch. 5 ne peuvent pas être interprétées comme concernant exclusivement le séjour de Grégoire à Constantinople.

C'est particulièrement le cas de l'allusion faite dans le même chapitre 5 à un père bienveillant siégeant côte à côte avec un fils docile. Nous ne nous trouvons pas plus avancés sur ce point que les lettrés byzantins, dont nous possédons les témoignages. Et nous estimons prudent de nous tenir à leur interprétation qui voit ici l'écrivain et son propre père. Cette interprétation a en sa faveur trois arguments.

Le premier est l'argument d'autorité. Il vaut ce qu'il vaut. Le *D.* 23 *(Deuxième Discours irénique)* se trouve généralement placé juste après le *D.* 6 (de la période de Nazianze) et avant le *D. 22* (de la période de Constantinople) dans la série des « iréniques » et cette classification est apparemment fort ancienne, car elle est constante, comme le signale M. G. Lafontaine, dans la tradition arménienne des collections des 15 discours théologiques de Grégoire dont les trois « iréniques » font partie[1]. Élie de Crète reflète probablement une opinion commune quand il dit que le passage en question indique les deux Grégoire, père et fils[2].

Le second argument est une raison de convenance d'ordre littéraire, confirmant l'interprétation byzantine qui voit dans le ch. 5 une allusion à l'écrivain et à son père. Si Grégoire voulait parler d'autres personnes, il n'aurait pas été en peine de s'exprimer d'une façon moins équivoque. Le contexte, dans lequel il affirme qu'il ne fera que

1. L'ordre normal de cette collection, représentée par un bon nombre de témoins arméniens est le suivant : 27, 20, 29 (Grég. de Nysse), 30, 31, 28, 33, lettre 101, lettre 102, 17, 32, 6, 23, 22. Note aimablement communiquée par M. G. Lafontaine.

2. Éd. F. Morel, d'après J. de Billy, Cologne 1690, II, p. 638, A, n. 7.

répéter ce que son partenaire a déjà dit, qu'il parle parce qu'on lui force la main, et qu'il n'existe au fond aucune divergence entre les deux personnages, est plein de rhétorique et de diplomatie : il est de bon ton après la réconciliation de laisser entendre que tout n'était que malentendu et qu'on était fondamentalement d'accord, etc. Ces élégances vont de soi entre gens éduqués, et les Grégoire l'étaient au moins autant que les chrétiens de Constantinople, et apparemment beaucoup plus qu'un certain clergé de la capitale[1].

Le dernier argument est tiré du désaccord des hypothèses proposées à la place de l'interprétation traditionnelle du chap. 5 : passons sur l'idée de Rauschen qui verrait dans le « père » l'écrivain lui-même et dans le « fils », S. Jérôme, qui fut, comme on sait, l'auditeur de Grégoire[2]; Th. Sinko entend sans hésiter que Grégoire, auteur du *D.* 23, est le « fils[3] », Tillemont juge les deux opinions possibles[4], P. Gallay, après avoir noté les hypothèses ci-dessus croit personnellement qu'il est plus sage « de ne point prendre parti[5] », et J. Bernardi pense pouvoir identifier le « père » avec Grégoire l'écrivain et le « fils » avec le prêtre de son clergé compromis dans l'affaire de Maxime et mentionné comme tel dans le *Carmen de vita sua*, v. 824-831[6]. La diversité des opinions témoigne en faveur de l'interprétation traditionnelle : « elles ne sont d'accord entre elles que par les réquisitoires », oserait-on dire, en paraphrasant un argument employé par Grégoire au ch. 12 de ce *D.* 23.

Nous nous tiendrons à l'opinion de J. de Billy et d'Élie de Crète; c'est encore l'hypothèse qui donne le moins de

1. *De vita sua*, v. 1835-1836 (éd. Ch. Jungck, p. 142).
2. Cf. l'opinion de G. Rauschen, dans Gallay, *Vie*, p. 177.
3. Sinko, *De traditione*, p. 67.
4. Tillemont, *Mémoires*, IX, p. 711, note 30.
5. Gallay, *Vie*, p. 177.
6. Bernardi, *Prédication*, p. 179.

difficultés d'interprétation des textes. Elle respecte la tradition manuscrite telle que nous la possédons. Et provisoirement, en attendant une étude exhaustive des sources manuscrites et des traditions indirectes, elle présente l'avantage de ne pas hypothéquer les recherches ultérieures.

II. L'Édition

1. Les manuscrits

A = *Ambrosianus E 49-50 inf. (gr. 1014)* (IXe s.).

Le *D.* 23 se lit en entier p. 119 b-128 b et cette partie du codex ne présente pas d'autres particularités que celles de l'ornementation et des notes. L'ornementation consiste dans les deux bandeaux fort simples formés de lignes de pointes de flèches avec l'angle pointé vers la droite, qui sont placés l'un au-dessus, l'autre au-dessous du titre final, et dans trois miniatures placées dans les marges inférieures : p. 119 (Grégoire et quatorze autres personnages), elle illustre le titre initial ; p. 122 (Grégoire et son père), elle se rapporte au ch. 5 ; p. 128 (Grégoire, son père et saint Basile), la scène placée au bas de la col. b, après le titre final, illustre le titre initial du *Discours* suivant (*D.* 9, *Apologetica ad Patrem*) inscrit en haut de la page 129.

Les notes marginales les plus importantes se lisent p. 124 (marge de droite), où elles concernent le ch. 8, et p. 126 (marge inférieure), où la scolie explique un passage du ch. 11.

Q = *Patmiacus gr. 43* (Xe s.).

Le *D.* 23 se trouve intégralement du f. 85v au f. 92v ; il porte le n°7, avec l'indication qu'il occupe sept feuillets. Le portique qui surmonte le titre initial est peu décoré et un bandeau très discret sépare le texte du titre final.

B = *Parisinus gr. 510* (IXe s.).

Le *D.* 23 doit avoir occupé les f. 62 à 67 ; mais le f. 62 a été remplacé par une feuille sur laquelle une main plus tardive a écrit en minuscules les chapitres 1 et 2 jusqu'aux mots εἶναι ἀσφαλεστέρους (ch. 2 : *PG* 35, col. 1153 A 3) ; le mot νῦν sert de réclame et la suite à partir de νῦν δὲ se lit aux f. 63-67. Quelques signes marginaux, parfois ornementés (f. 64 recto, marge de droite) et une scolie (f. 66r, marge supérieure) sont les seules particularités à relever. Le titre final est séparé de la fin du texte par un bandeau discret.

W = *Mosquensis Synod. gr. 64* (Vladim. *142*) (ixe s.).

Du f. 51v au f. 55v, le *D.* 23 s'y trouve tout entier. Le titre est surmonté d'un bandeau et marqué du no 7 ; le titre final est placé entre deux bandeaux. Des notes sont écrites dans une minuscule qu'une comparaison sommaire permet de rapprocher des planches 1 (1425-1450) et 30 (1453) du recueil de spécimens publié par le Dr D. Harlfinger[1], et se rapportent au ch. 8 (f. 53v) et au ch. 10 (f. 54r).

V = *Vindobonensis theol. gr. 126* (xie s.).

On peut lire le *D.* 23 en entier aux f. 44v-47v. Le titre est surmonté d'un bandeau orné d'arabesques ; l'ornementation des lettrines n'est pas uniforme : celles-ci sont ornées (f. 44v), simples (f. 45), à peine décorées (f. 45v et 46r) ; aux f. 46v et 47, certaines sont ornées, d'autres pas. Outre des signes marginaux traditionnels, on trouve quelques scolies en minuscules plus tardives (f. 44v, marge gauche). On ne voit pas de titre final.

T = *Mosquensis Synod. gr. 53* (Vladim. *147*) (xe s.).

Tout le *D.* 23 se lit aux f. 57v-62. On peut s'en tenir aux caractères signalés plus haut en ce qui concerne l'écriture et l'ornementation. Ce texte porte ici le no 7 ; le bandeau qui le sépare du texte précédent est très mince ; à part les signes marginaux, on ne relève dans les marges que des gloses assez rares et une scolie (f. 61) en petites majuscules. Il n'y a pas de titre final.

S = *Mosquensis Synod. gr. 57* (Vladim. *139*) (ixe s.).

Le *D.* 23 est intégralement copié du f. 95v au f. 100 ; il porte le no 14, qui correspond à la place que lui assigne l'archimandrite Vladimir, dans le pinax de ce codex[2]. Le titre en majuscules élégantes

---

1. Harlfinger, *Specimina griechischer Kopisten der Renaissance* I, Berlin 1974, p. 13 et 22.
2. Vladimir, *Sistematičeskoe*, p. 144.

et sobres est partiellement illisible, mais il est transcrit complètement dans le catalogue de Vladimir, qui ne fait à ce sujet aucune observation et qui l'avait peut-être lu dans son état intégral avant les dégradations que paraissent attester les microfilms utilisés.

La partie du codex concernée ici répond aux traits généraux signalés dans l'introduction. On peut néanmoins relever les particularités suivantes : au f. 95ᵛ, des notes en minuscules apparemment très récentes signalent une variante de lecture et réparent une omission ; au f. 98 et 98ᵛ, une scolie en petites minuscules est présentée avec un peu de fantaisie de façon à former des figures géométriques dans les marges ; au f. 100, le titre final n'est pas lisible, mais est présent ; la stichométrie (342) ne correspond pas à la réalité du codex.

D = *Marcianus gr. 70* (xᵉ s.).

Les f. 104ᵛ-109 portent le *D.* 23 en entier ; il a le nº 14 et ce numéro d'ordre se trouve reproduit à la manière d'un titre courant au recto de chaque feuillet. Au sujet de l'écriture, de l'ornementation, des notes et des signes marginaux, on peut se reporter à la description générale donnée dans l'introduction de ce volume. Il faut néanmoins noter que les titres sont ici en petites majuscules droites de type allongé ; que le f. 107 porte dans la marge inférieure un monogramme ; que le signe marginal héliaque constitué normalement par un cercle et deux tangentes convergentes formant un triangle, se trouve ici triplé, c'est-à-dire composé d'un cercle et de trois triangles formés par trois paires de tangentes au cercle (f. 107ᵛ, à hauteur du ch. 10). La stichométrie (342) ne correspond pas à ce manuscrit.

P = *Palmiacus gr. 33* (de 941).

Le *D.* 23 se lit en entier aux f. 23ᵛ-26. Au-dessus du titre, un large bandeau rectangulaire décoré d'arabesques et d'entrelacs est surmonté de deux cygnes affrontés de part et d'autre d'une vasque posée au milieu, avec des bouquets stylisés à chaque bout du bandeau (f. 23ᵛ). Les scolies, rares, sont en petites majuscules ; les signes marginaux traditionnels sont nombreux et quelques autres moins courants s'y ajoutent. La stichométrie (342) ne correspond pas à la réalité de ce codex.

C. *Parisinus Coislin. gr. 51* (xᵉ-xɪᵉ s.).

Le *D.* 23, portant ici le nº 14, se trouve aux f. 115-120. Le titre initial est écrit dans une majuscule petite de type analogue à celles qui se trouvent dans le texte en très petit nombre mêlées aux minuscules, de style élégant et sobre ; le bandeau surmontant le titre est orné d'arabesques et de motifs stylisés en forme de cœurs. Les notes seraient totalement absentes si on ne relevait pas quelques signes marginaux très rares (f. 115) et une annotation en minuscules moins anciennes apparemment (f. 120).

2. Le classement des témoins

Si l'on considère les accidents significatifs c'est-à-dire ceux dont la simultanéité constatée dans plusieurs témoins ne semble pas pouvoir s'expliquer par un effet du hasard, mais dénote par conséquent une tradition commune, un seul cas voit le groupe AQBWVT (groupe n) opposé en bloc à SDPC (groupe m) :

ch. 14, l. 19-20 : ἀποδράσης n : ἀποδρασάσης m

La fréquence des accords entre DPC au sein du groupe m est frappante au premier examen :

ch. 1, l. 4 : ἡ ἀγάπη συνδεῖ
l. 13 : οἰκείῳ
l. 13 : φλόξ
l. 17 : om. καί
ch. 4, l. 7-8 : τὸ ἅγιον πνεῦμα
l. 13 : add. ἢ λαβήν
ch. 5, l. 7 : ἕως
l. 14 : συμφωνοῦντας
l. 21 : add. τόν
l. 22 : add. ταῖς
ch. 6, l. 3 : ταῦτα μόλις
ch. 7, l. 8 : add. σύ
l. 8-9 : μᾶλλον ἀτιμάζει
ch. 8, l. 10 : διὰ (γὰρ)
l. 12 : add. ἡ
ch. 10, l. 3 : add. κατὰ σέ
l. 3 : add. κατὰ τὸν ἀληθῆ λόγον
l. 5 : add. ὅτι μηδὲ εἴδει ἑνὶ κατασκευάζεται
l. 10 : ἀποφθέγξομαι
ch. 12, l. 11 : add. πεφιλοσόφηται πρὸς ὑμᾶς
ch. 14, l. 8 : ἀγάγωμεν
l. 21 : add. καὶ τὸ κράτος
l. 22 : add. τῶν αἰώνων

Cette constance dans l'accord de trois témoins du groupe m, souligne la régularité des accords de S avec le groupe n, qui se vérifie dans tous les cas énumérés ci-dessus. Dans ces conditions, on doit supposer que S représente une tradition plus proche de celle du groupe n, que celle des trois autres avec lesquels il constitue ce que nous appelons le groupe m. Appartiendrait-il pour ce qui concerne le *D.* 23 à une tradition que Th. Sinko appelle un « groupe mêlé » *familia mixta,* en raison de la présence simultanée de caractères externes, la stichométrie par exemple, communs avec m et de leçons communes avec n. Bien que Th. Sinko ait disposé d'une documentation beaucoup plus vaste que la nôtre, ses conclusions sur ce point ne sont ni très nettes ni très fermes : *Facilis inde coniectura stichometrias pristinus non nisi familiae M proprias fuisse indeque in nonnullos codices familiae N et familiae mixtae migravisse*[1]. Elles sont cependant nécessaires sous la forme prudente que le savant polonais leur a donnée. Et elles suffisent pour fonder le corollaire pratique qui en découle pour le choix des leçons du *D.* 23.

3. Le choix des leçons

L'application des règles énoncées dans l'introduction générale est tempérée ici par la nécessité de traiter S comme représentant d'une tradition distincte, dans une certaine mesure, de celle de DPC ; de sorte que son poids renforce celui du groupe de témoins avec lequel il s'accorde, le groupe m dans l'exemple tiré plus haut du ch. 14 (l. 19-20 : σπερμολογῆτε), le groupe n, dans tous les autres exemples relevés ci-dessus pour illustrer la cohésion de DPC.

Pour ce qui concerne les autres indices de contamination des traditions ou des codex, qui se rencontrent ici comme dans le texte des autres *Discours,* nous avons dit dans l'Introduction générale ce qu'il y a lieu d'en penser. Il n'y a rien de particulier à ajouter à propos du *D.* 23.

1. Sinko, *De traditione,* p. 220 : « A partir de cela, on peut facilement conjecturer qu'à l'origine les indications stichométriques n'appartenaient qu'au groupe M, d'où elles sont passées dans quelques manuscrits du groupe N et du groupe mêlé. »

1152 B

Εἰρηνικὸς δεύτερος

1 Θερμὸς ὁ ζῆλος, πρᾶον τὸ Πνεῦμα, φιλάνθρωπον ἡ ἀγάπη, μᾶλλον δὲ αὐτοφιλανθρωπία · μακρόθυμον ἡ ἐλπίς. Ὁ ζῆλος ἀνάπτει, τὸ Πνεῦμα πραΰνει, ἡ ἐλπὶς ἀναμένει, ἡ ἀγάπη συνδεῖ καὶ οὐκ ἐᾷ σκεδασθῆναι τὸ ἐν ἡμῖν καλὸν
5 καὶ εἰ σκεδαστῆς ἐσμεν φύσεως καὶ τριῶν ἕν, ἣ οὖσα μένει ἢ κινηθεῖσα καθίσταται ἢ ἀπελθοῦσα ἐπάνεισι · καθάπερ τῶν φυτῶν ἃ βίᾳ χερσὶ μετασπώμενα εἶτ' ἀφιέμενα πρὸς ἑαυτὰ πάλιν ἐπανατρέχει καὶ δείκνυσι τὸ οἰκεῖον, βίᾳ μὲν ἀποκλινόμενα, οὐ βίᾳ δὲ ἀνορθούμενα. Φύσει μὲν γὰρ
10 πρόχειρον ἡ κακία καὶ πολὺς ἐπὶ τὸ χεῖρον ὁ δρόμος, ῥοῦς
C κατὰ πρανοῦς τρέχων ἢ καλάμη τις πρὸς σπινθῆρα καὶ ἄνεμον ῥᾳδίως ἐξαπτομένη καὶ γινομένη φλὸξ καὶ συνδαπανωμένη τῷ ἰδίῳ γεννήματι. Πῦρ γὰρ ὕλης γέννημα καὶ δαπανᾷ τὴν ὕλην, ὡς τοὺς κακοὺς ἡ κακία καὶ τῇ τροφῇ
15 συναπέρχεται. Εἰ δέ τις ἐν ἕξει καλοῦ τινος γένοιτο καὶ

Titulus Εἰρηνικός cod. : τοῦ αὐτοῦ εἰρηνικός VC εἰς τὴν σύμβασιν (illis.) <ἐποιη>σάμεθα οἱ ὁμόδοξοι εἰρηνικὸς S ‖ δεύτερος cod. : τρίτος Maur. + εἰς τὴν σύμβασιν ἣν μετὰ τὴν στάσιν (Maur. : σύστασιν) ἐποιησάμεθα οἱ ὁμόδοξοι nDPC et Maur. (quod suspicari decet non esse genuinum)

1, 2 δ' Maur. ‖ 4 ἡ ἀγάπη συνδεῖ DPC : mg. Q post φύσεως ABWVTS ‖ 5 vide supra nota ad lin. 4 ‖ 7 εἶτα T ‖ 8 ἀνατρέχει QPC + καὶ τὴν πρώτην ἑαυτῶν φύσιν Maur. ‖ 9 δ' P ‖ 10 πρόχειρος VT ‖ πολὺ B ‖ 13 ἰδίῳ : οἰκείῳ DPC Maur. ‖ πῦρ nS : φλόξ DP$_1$C corr. P$_2$ mg. ‖ γὰρ ὕλης γέννημα > S$_1$ rest. S$_2$

---

1. Les hypothèses tendant à justifier le titre donné par les Mauristes *De pace tertia* sont exposées dans l'introduction : voir plus haut et *PG* 35, col. 1152.

2. J. de Billy note que les premiers mots du *Discours* concernent les dissidents de Nazianze et il renvoie à Élie de Crète : éd. F. Morel, Cologne 1690, II, p. 637, n. 1. Une autre note d'Élie de Crète fait remarquer que l'entrée en matière répond aux directives données par

DISCOURS 23

Deuxième Discours irénique[1]

1. Le zèle est ardent. L'Esprit est calme. La charité est clémente ou plutôt est l'essence même de la clémence. L'espérance est persévérante. Le zèle embrase. L'Esprit calme. L'espérance sait attendre. La charité assemble et en dépit de notre nature gaspilleuse, ne permet pas le gaspillage du bien qui est en nous; elle unit trois en un; elle est permanente si elle existe, garde sa place après les secousses ou la reprend après l'avoir quittée[2]. Elle ressemble aux plantes qu'on force de la main à changer de position et qu'on lâche ensuite : elles retournent rapidement à leur forme antérieure et reprennent leur première position naturelle, montrant qu'elles ont la propriété de fléchir si on les force et de se redresser spontanément[3]. Car le penchant pour la méchanceté est naturel et il y a plus d'une route qui conduisent vers le mal; c'est un courant qui ruisselle sur une pente ou une sorte de roseau qu'on approche facilement d'une étincelle et d'un courant d'air et qui s'enflamme et se consume lui-même dans le (feu) auquel il a lui-même donné naissance. Car le feu prend naissance dans la matière et consume la matière comme le

Hermogène, *De inventione*, I, 1 (éd. L. Spengel, *Rhet. gr.*, II, p. 177, 5 - 180, 23) : cf. *PG* 36, col. 873 C 3-5 (les scolies d'Élie de Crète, d'après l'éd. A. Jahn, Berne 1858). Le même scoliaste note plus loin que le mot ζῆλος « zèle » signifie un penchant à redresser les torts et qu'il est parfois synonyme de φθόνος « rancune » : *PG* 36, col. 873 C 7-11).

3. Le thème du végétal qui reprend spontanément sa position naturelle est traité dans le *Premier Discours irénique* (*D.* 6), 8 (*PG* 35, col. 732 B 2-6), où il fait suite comme ici à un développement sur les excès de zèle qui ont porté les moines de Nazianze à faire dissidence.

ἀπ' αὐτοῦ ποιωθείη, τὸ μεταπεσεῖν ἐργωδέστερον ἢ γενέσθαι ἀπ' ἀρχῆς ἀγαθόν, ἐπειδὴ καὶ χρόνῳ καὶ λόγῳ βεβαιωθὲν ἅπαν καλόν, φύσις καθίσταται, καθάπερ καὶ ἡμῖν ἡ ἀγάπη, μεθ' ἧς λατρεύομεν τῇ ὄντως ἀγάπῃ καὶ ἣν ἠγαπήσαμεν
20 καὶ παντὸς τοῦ βίου προεστησάμεθα.

D **2.** Ποῦ τοίνυν οἱ τὰ ἡμέτερα τηροῦντες ἐπιμελῶς εὖ τε καὶ ὡς ἑτέρως ἔχοντα οὐχ ἵνα κρίνωσιν, ἀλλ' ἵνα κακίσωσιν, οὐδ' ἵνα συνησθῶσιν, ἀλλ' ἵνα ἐφησθῶσι καὶ τὰ μὲν καλὰ συκοφαντήσωσι, τὰ δὲ φαῦλα ἐκτραγῳδήσωσι καὶ ἀπολογίαν
1153 A ἔχωσι τῶν οἰκείων κακῶν τὰ τῶν πλησίον πταίσματα ; Εἴθε δικαίως κρίνοντες · ἦν γὰρ ἄν τι καὶ χολῆς ὄφελος, κατὰ τὴν παροιμίαν, εἰ φόβῳ τῶν ἐχθρῶν ὑπῆρχεν εἶναι ἀσφαλεστέρους · νῦν δὲ μετὰ τῆς ἔχθρας καὶ τῆς ἐπισκοτούσης τοῖς λογισμοῖς κακίας ὑφ' ἧς οὐδὲ ὁ ψόγος ἔχει
10 τὸ ἀξιόπιστον.

Ποῦ τοίνυν οἱ μισοῦντες ἐπίσης καὶ θεότητα καὶ ἡμᾶς ; Τοῦτο γὰρ ὧν πάσχομεν τὸ μεγαλοπρεπέστατον, ὅτι μετὰ Θεοῦ κινδυνεύομεν. Ποῦ ποτε ἡμῖν οἱ τῶν μὲν ἰδίων πρᾶοι κριταὶ τῶν δὲ ἀλλοτρίων ἀκριβεῖς ἐξετασταὶ ἵνα κἀνταῦθα
15 ψεύδωνται τὴν ἀλήθειαν ; Ποῦ ποτε ἡμῖν οἱ τὰ τραύματα ἔχοντες καὶ τοὺς μώλωπας ὀνειδίζοντες, οἱ τὰ προσκόμματα διασύροντες καὶ τὰ πτώματα αὐτοὶ πάσχοντες, οἱ τῷ βορβόρῳ ἐγκαλινδούμενοι καὶ τοῖς σπίλοις ἡμῶν ἐπευφραινό-

1, 17 καί¹ nS > DP_1C rest. P_2 sup. l. || 18 ἡμῖν ἡ ABWVT SDC : ἐν ἡμῖν ἡ Q ἡ P ἡ ἐν ἡμῖν Maur.

2, 1-2 εὖ — ἔχοντα > S_1 rest. S_2 mg. manu recentiori || 1-8 Ποῦ — ἀσφαλεστέρους : lac. B || 3 ἵν' TC Maur. || 5 πταίσματα : τραύματα PC Maur. || 6 τι > W Maur. notant σχολῆς ut lectionem alicuius cod. secundum ed. Hervagii (Basileae 1550) || 9 οὐδ' DPC || 11 ἐπ' ἴσης QWV || 13 μὲν > Maur. || 14 δ' DPC || 18 καλινδούμενοι B

---

1. « La charité ἀγάπη ...objet de notre charité ἠγαπήσαμεν » : jeux de mots dans le goût d'une certaine sophistique.

2. Cette tirade indique l'existence, en face des deux clans qui se

mal dévore les mauvais et disparaît avec ce qui lui sert d'aliment. Mais, si quelqu'un a pris quelque bonne habitude et que celle-ci est devenue pour lui un trait de son caractère, s'en écarter serait plus pénible que les premiers débuts dans la voie du bien : toute qualité affermie par le temps et la raison, constitue une seconde nature de la même manière que la charité pour nous. C'est grâce à elle que nous avons le culte de la charité véritable, et elle est l'objet de notre charité et le guide de toute notre vie[1].

2. Où sont-ils donc ceux qui surveillent avec soin ce qui se passe chez nous non pour juger le bien ainsi que le reste, mais pour tout dénigrer, ni même pour partager nos satisfactions, mais pour s'amuser à nos dépens, calomnier les bonnes choses, dramatiser les mauvaises et prendre les fautes d'autrui pour excuses de leurs propres vices ? Ah! s'ils jugeaient objectivement![2] En effet, suivant le proverbe, même leur amertume aurait quelque utilité si par crainte des adversaires nous nous trouvions plus fermes. Mais, en réalité (ils jugent) avec l'hostilité et la malice qui enténèbrent leur raison et qui font en sorte que même leur blâme perd son crédit.

Où sont-ils donc ceux qui haïssent la divinité en même temps que nous ? Car voilà le plus superbe de ce que nous subissons : nous sommes persécutés en même temps que Dieu. Où sont-ils, nos juges pleins de bienveillance pour leurs propres cas tandis qu'ils sont des inquisiteurs tâtillons pour autrui ? (Où sont-ils) afin qu'ils falsifient ici aussi la vérité ? Où sont-ils, nos gens qui portent les blessures et nous reprochent nos meurtrissures, qui dénigrent nos faux-pas et sont eux-mêmes victimes de lourdes chutes, qui sont vautrés dans la boue et qui rient des taches que

réconcilient, d'un parti adverse qui s'écarte d'eux pour des raisons théologiques. On peut supposer qu'il s'agit des Ariens attentifs aux désaccords existants entre les clans orthodoxes.

B μενοι, οἱ ταῖς δοκοῖς τυφλώττοντες καὶ τὰ κάρφη προφέροντες,
20 ἃ μήτε λυπεῖ λίαν ἐγκείμενα μήτε χαλεπὸν ἀποσκευασθῆναι
καὶ ἀποφυσηθῆναι τῆς ὄψεως[a] ;

3. Δεῦρο μετάσχετε τῶν ἀπορρήτων τῶν ἡμετέρων˙
καλοῦμεν ὑμᾶς εἰς τὸ συνέδριον καὶ μισούμενοι, χρώμεθα
διαιτηταῖς τοῖς ἐχθροῖς, ὢ τῆς αὐθαδείας ἢ τῆς παρρησίας,
ἵν' ἀπέλθητε ἠσχυμμένοι καὶ ἡττημένοι — τί τούτου παραδο-
5 ξότερον ; — μαθόντες ἡμῶν τὴν ὑγίειαν ἐξ ὧν ἠρρωστήσαμεν.

Οὐ γὰρ περὶ θεότητος διηνέχθημεν, ἀλλ' ὑπὲρ εὐταξίας
ἠγωνισάμεθα˙ οὐδ' ὁποτέραν δεῖ τῶν ἀσεβειῶν ἑλέσθαι
C μᾶλλον ἠμφισβητήσαμεν, εἴτε τὴν συναιροῦσαν Θεὸν εἴτε
τὴν τέμνουσαν καὶ τέμνουσαν εἴτε τὸ Πνεῦμα μόνον ἀπὸ
10 τῆς θεϊκῆς οὐσίας εἴτε καὶ τὸν Υἱὸν πρὸς τῷ Πνεύματι,
τὴν μίαν μοῖραν ἢ τὰς δύο τῆς ἀσεβείας. Ταῦτα γάρ, ὡς
ἐν κεφαλαίῳ περιλαβεῖν, τὰ νῦν ἀρρωστήματα ἐπειδὴ
ἀναβάσεις ἐν τῇ καρδίᾳ τίθενται, οὐχ ὁμολογίας, ἀλλ' ἀρνή-
σεως οὐδὲ θεολογίας, ἀλλὰ βλασφημίας. Ἄλλος γὰρ ἄλλου
15 φιλοτιμότερος ἐν τῷ πλούτῳ τῆς ἀσεβείας, ὥσπερ δεδοικότες
οὐ τὸ ἀσεβεῖν, ἀλλὰ τὸ μέτρια καὶ ἑτέρων φιλανθρωπότερα.

2, 20 λυπεῖ AQBVTSDP : λυπεῖν W λυπῇ C || 21 ultima pars verbi ἀποφυσηθῆναι legi nequit in Q

3, 1 δεύτε W || 4 ἵνα ABWS || τούτων Maur. || 5 ὑγείαν D || 8 εἴτε cod. : ἢ Maur. || 9 καὶ > Maur. || τέμνουσαν nSPC : ἀτιμάζουσαν D > Maur. || 12 ἐν > AQBW || 13 τίθενται n : τίθεται S_1 corr. S_2 διατίθενται DPC || 13-14 ἀρνήσεις C

2. a. Cf. Matth. 7, 4.

1. L'invitation est manifestement oratoire.
2. L'écrivain s'efforce de montrer qu'il n'existait pas de divergence théologique profonde et sérieuse entre les protagonistes du conflit qui s'apaise. De telles affirmations ne sont pas à prendre au pied de la lettre. En bon avocat et rhéteur professionnel, Grégoire minimise une situation gênante. La suite de l'exposé démontre l'importance

nous avons, qui sont aveuglés par les poutres et qui nous reprochent les brindilles qui ne font pas grand mal où elles se trouvent et ne sont pas difficiles à ôter de l'œil et à chasser en soufflant dessus[a] ?

3. Ici partagez nos secrets! Qu'on nous haïsse, nous vous invitons à notre assemblée, — quelle audace ou plutôt quelle franchise! — nous prenons nos adversaires pour arbitres afin que vous repartiez confus et vaincus après avoir constaté que les maladies que nous avons subies prouvent notre bonne santé — y a-t-il une chose plus paradoxale que cela ? —[1].

Des questions théologiques n'ont pas été à l'origine de nos différends, mais nous ne tombions pas d'accord sur un point d'organisation[2], nos avis ne divergeaient même pas sur la question de savoir laquelle des deux formes d'impiété était préférable, celle qui rétrécit Dieu ou celle qui le partage soit en séparant seulement l'Esprit de l'essence divine soit en séparant aussi le Fils en plus de l'Esprit, la seule ou les deux sections de l'impiété. Car voilà, pour résumer la situation, ce que sont les maladies actuelles puisqu'elles « disposent dans le cœur des montées[3] » qui amènent à la négation plutôt qu'à la confession de la foi, au blasphème plutôt qu'à la théologie[4]. En effet, chacun met son point d'honneur à être plus riche d'impiété qu'un autre, comme s'ils redoutaient non d'être des impies, mais de l'être avec modération et d'une manière moins sectaire que les autres.

des mises au point doctrinales qu'il estime néanmoins nécessaires. « Avouons d'ailleurs que le sujet même de la dissension nous échappe « (Gallay, *Vie*, p. 177).

3. Allusion aux « montées » du Psalmiste (*Ps.* 83, 6 b) : le mot suggère l'idée de prétention orgueilleuse.

4. La notion de théologie dans Grégoire de Nazianze : cf. Szymusiak, *Théologie*, p. 7-14.

4. Ἡμεῖς δ' οὐχ οὕτως. Ἀλλ' ὑπὲρ μὲν θεότητος συμφρονοῦμέν τε καὶ συμβαίνομεν οὐχ ἧττον ἢ πρὸς ἑαυτὴν ἡ
D θεότης, εἰ μὴ μέγα τοῦτο εἰπεῖν, καὶ γεγόναμεν χεῖλος ἓν καὶ φωνὴ μία, ἐναντίως ἢ οἱ τὸν πύργον οἰκοδομοῦντες[a]
5 τὸ πρότερον. Οἱ μὲν γὰρ ἐπὶ κακῷ συνεφρόνουν · ἡμῖν δὲ ἐπὶ παντὶ βελτίστῳ τὰ τῆς ὁμονοίας ἵν' ὁμοθυμαδὸν ἐν ἑνὶ στόματι δοξάζωμεν τὸν Πατέρα καὶ τὸν Υἱὸν καὶ τὸ Πνεῦμα τὸ ἅγιον καὶ τοῦτο λέγηται περὶ ἡμῶν ὅτι · « Ὄντως ὁ Θεὸς ἐν ὑμῖν ἐστιν, ὁ τοὺς ἑνοῦντας ἑνῶν καὶ δοξάζων τοὺς
1156 A δοξάζοντας[b] » · καὶ μὴ λέγηται μόνον, ἀλλὰ καὶ πιστεύηται.
11 Ἄλλα δέ ἐστιν ὑπὲρ ὧν διηνέχθημεν · κακῶς μὲν καὶ περὶ τούτων, οὐ γὰρ ἀρνήσομαι — ἐχρῆν γὰρ μηδεμίαν διδόναι[1] τῷ πονηρῷ πάροδον μηδὲ ταῖς πονηραῖς γλώσσαις ἐλευθερίαν —, πλὴν οὐ τοσοῦτον, ὅσον δοκεῖ τοῖς τὰ ἡμέτερα
15 διαβάλλουσιν. Ἐπειδὴ γὰρ ἔδει τι καὶ ἁμαρτεῖν, ὄντας ἀνθρώπους, τοῦτο ἔστιν ὃ ἐπταίσαμεν, λίαν φιλοποίμενες γεγόναμεν καὶ οὐκ ἔσχομεν εὑρεῖν ἀγαθῶν δύο τὸ αἱρετώτερον, ἕως συνέβημεν ἀμφότερα ἐπίσης θαυμάζειν. Τοῦτο ἡμῶν τὸ ἔγκλημα · περὶ τούτων ἡμᾶς ὁ βουλόμενος εὐθυνέτω
20 ἢ ἀφιέτω · τοῦτο τῶν αἱρετικῶν ἡ ἀσφάλεια · ὑπὲρ δὲ τοῦτο οὐδὲν οὐδ' ἂν σφόδρα βούλησθε. « Μυῖαι σαπριοῦσιν
B ἔλαιον, φησὶν ὁ εἰπών, ἐννεκρούμεναί τε καὶ ἐνσηπόμεναι[c] · » τὰ δὲ καλὰ ὁ φθόνος βουλήσεται μέν, οὐ δυνήσεται δέ. « Πάντων γὰρ ἰσχυρότατον[d] », ὡς τῷ Ἔσδρᾳ κἀμοὶ δοκεῖ,
25 « ἡ ἀλήθεια ».

4, 1 δ' P ‖ μὲν > S_1 ‖ 6 ἵνα W ‖ 7 δοξάζομεν D ‖ 7-8 τὸ πνεῦμα τὸ ἅγιον nS : τὸ ἅγιον πνεῦμα DPC Maur. ‖ 8 ὁ > B ‖ 9 ἡμῖν Maur. ‖ ἑνοῦντας nS_2 : αἰνοῦντας S_1DPC corr. S_2 add. αὐτόν Maur. ‖ αἰνῶν S_1DPC corr. S_2 ‖ 13 πάροδον + ἢ λαβὴν DPC Maur. ‖ 15 ἁμαρτάνειν Maur. ‖ 17 ἔχομεν Q_1 corr. Q_2 sup. l. Maur. ‖ 18 ἐπ' ἴσης QWVT ‖ 21 τούτων AWS_1 corr. S_2

4. a. Cf. Gen. 11, 1 ; cf. Ps. 1, 4. b. I Cor. 14, 25. c. Eccl. 10, 1. d. Cf. I Esdr. 4, 35 (non canonique, éd. Rahlfs,, I, p. 882).

1. Le thème de la tour de Babel est un lieu commun dans Grégoire (allusion à la diversité des options hérétiques et à leurs contradictions) : *Gen.*, 11, 1-9. Voir notamment : *D.* 21, 22 ; 32, 17 ; 43, 67.

4. Pour notre part, nous ne sommes pas ainsi. Au contraire, il n'y a pas moins d'entente et d'accord entre nous au sujet de la divinité que dans la divinité elle-même, si l'expression n'est pas trop forte, et contrairement à ceux qui construisaient jadis la Tour <de Babel>[a], nous sommes devenus une seule bouche et une seule voix[1]. Ceux-là s'entendaient pour une mauvaise action; chez nous, les effets de la concorde tendent à tout ce qu'il y a de meilleur, glorifier d'un cœur unanime et d'une seule voix le Père, le Fils et l'Esprit-Saint, et faire en sorte que l'on dise de nous : « Dieu est vraiment en vous, Lui qui unit ceux qui proclament son unité, et qui glorifie ceux qui proclament sa gloire[b] »; et que l'on ne se contente pas de le dire, mais qu'on en soit convaincu.

Mais il y a des points sur lesquels nous fûmes en désaccord; en effet, je ne nierai pas que nous avons eu tort aussi, dans ces domaines, car il n'aurait fallu donner nul accès au Mauvais et nulle licence aux mauvaises langues; mais, nous n'avons pas eu autant de torts qu'il semble à ceux qui nous calomnient. En effet, il était inévitable, puisque nous sommes humains, que nous commettions aussi l'une ou l'autre erreur; voici la faute que nous avons faite : nous nous sommes trop attachés à des pasteurs[2] et nous n'avons pas pu trouver lequel de deux biens était préférable, jusqu'à ce que nous nous fussions mis d'accord pour les admirer également l'un et l'autre. C'est ce qu'on nous reproche. Que celui qui voudra nous redresse ou nous absolve à ce sujet! C'est cela qui donne de l'assurance aux hérétiques; rien de plus, même si vous le désiriez ardemment! « Des moucherons », dit le Texte, « font puer l'huile en s'y noyant et en s'y putréfiant[c] » et l'envie voudra le bien mais n'y réussira pas, car « la vérité est plus forte que tout le reste[d] », dit Esdras, et c'est aussi mon avis.

2. Ou bien : « ... nous avons été trop attachés à un pasteur », les deux sens étant possibles : Gallay, *Vie*, p. 175, n. 4.

5. Τὰ μὲν οὖν ἡμέτερα ἡμεῖς ἐν ἡμῖν αὐτοῖς καὶ διαλελύμεθα καὶ διαλυσόμεθα. Οὐ γὰρ οἷόν τε παῖδας πατράσι δικάσαι κακῶς καὶ ἅμα τῆς κοινῆς Τριάδος μεσιτευούσης, ὑπὲρ ἧς πολεμούμεθα καὶ δι' ἣν οὐ πολεμήσομεν. Ἐγὼ
5 τῆς εἰρήνης ἐγγυητὴς ὁ μικρὸς τοῦ τοσούτου πράγματος, ἐπειδὴ ταπεινοῖς δίδωσι χάριν ὁ Κύριος ταπεινοῖ δὲ ὑψηλοὺς ἄχρι γῆς[a].

Ὑμῖν δὲ τί τοῦτο τοῖς κοινοῖς ἡμῶν διαλλακταῖς;
C Διαλλακταὶ γάρ ἐστε καὶ εἰ ἀκουσίως τοῦτο χαρίζεσθε. Οὐ
10 γὰρ ὑμεῖς εὐσεβεῖς, εἰ κακοὶ περί τι μικρὸν ἢ μεῖζον ἡμεῖς· ἀλλ' ἡμεῖς μὲν οὐκ ἐπαινετοὶ τῆς κακίας εἴπερ τι πταίοιμεν, ὑμεῖς δὲ οὐδὲν ἧττον ἀσεβεῖς κἂν ἡμεῖς ἁμαρτάνωμεν, εἰ μὴ καὶ μᾶλλον ὅσῳ καὶ πταιόντων ἐστὲ βαρύτεροι.

Καὶ ἵν' εἰδῆτε τὰ πάντα συμφρονοῦντας ἡμᾶς, καὶ διὰ
15 τούτων ὅτι καὶ ἀεὶ συμφρονήσομεν μάθητε, πέπεικε μέν, ὡς οἶμαι, καὶ τὸ ὁρώμενον, πατὴρ εὐγνώμων καὶ παῖς εὐπειθὴς ἀλλήλοις συγκαθεζόμενοι καὶ συμπρέποντες καί,

5, 1-2 λυθησόμεθα C ‖ 5 τοσαύτου Maur. ‖ 6 δ' Q Maur. ‖ 7 ἄχρι nS : ἕως DPC Maur. ‖ 9 εἰ > W Maur. ‖ 11 πταίομεν TPC Maur. ‖ 12 δ' PC ‖ 14 συμφωνοῦντας DPC ‖ 15 συμφρονήσωμεν BDC ‖ μάθετε AQVPC

---

5. a. Cf. Jac. 4, 6 ; Prov. 3, 34 ; Ps. 146, 6.

---

1. L'hypothèse traditionnelle situant le conflit entre des partisans de chacun des deux Grégoire, père et fils, à Nazianze, peut éclairer ce passage. L'hypothèse soutenue par les Mauristes (*PG* 35, col. 1155, n. 88) suivant laquelle les « pères » auxquels il est fait allusion ici seraient les évêques Paulin et Mélèce d'Antioche, paraît peu compatible avec ce que l'on peut savoir de la concurrence entre Constantinople et Antioche au début du règne de Théodose : Dagron, *Naissance,* p. 451 ; et Duchesne, *Histoire ancienne,* II, p. 431-435, et p. 439.

5. Nous avons donc résolu et nous résoudrons, nous-mêmes, nos problèmes entre nous. En effet, il n'est pas possible que des enfants jugent mal des pères d'autant plus que nous avons en commun la Trinité, médiatrice qui nous rapproche les uns des autres, pour laquelle on nous fait la guerre et à cause de laquelle nous ne ferons pas de guerre[1]. Pour ma part, je suis le garant de la paix, moi si petit pour une si grande chose, puisque le Seigneur donne sa grâce aux humbles et humilie les superbes jusqu'à terre[a].

Mais, qu'est-ce que cela pour vous, les arbitres impartiaux entre nous ? Car, arbitres, vous l'êtes, même si vous accordez cette faveur à contre-cœur. En effet, vous ne seriez pas pour autant des gens pieux si nous étions, nous, plus ou moins mauvais; mais, nous, nous ne mériterions pas d'être loués de notre malice si nous commettions quelque faute, et, de votre côté, vous ne seriez pas moins impies si même nous étions des pécheurs invétérés[2], à moins que vous ne le fussiez encore davantage dans la mesure où vous êtes aussi plus arrogants que ceux qui commettent une faute[3].

Afin que vous sachiez que nous partageons totalement les mêmes pensées et afin que par là vous appreniez aussi que nous les partagerons toujours, ce que vous voyez vous a déjà convaincus, je le pense : un père à l'âme noble et un fils soumis siégeant côte à côte et en bon accord

2. « Invétérés » : l'adjectif devrait traduire la nuance de répétition exprimée par le subjonctif grec.

3. Le style diffus jusqu'à la confusion de plusieurs développements dépare ce passage et plusieurs autres (notamment le chap. 17). Des allusions ironiques compliquent la pensée, et l'expression est alourdie par l'accumulation de subordonnées et d'incises que la traduction ne peut pas escamoter.

εἴ τι ζώπυρον ἐν ἡμῖν ὑπῆρχεν εὐνοίας τε καὶ συμπνοίας, τοῦτο ἀνάψαντες, πειθέτω δὲ καὶ ὁ λόγος.

20 Τοῦ (vel τοῦτο) μὲν οὖν ἀκηκόατε καὶ τὸ θαῦμα ἔνηχον ἔτι ταῖς ἐμαῖς ἀκοαῖς καὶ οἶδα ὅτι μεῖζον ἐν ὑμῖν τοῦ εἰς 1157 A ἀέρα χεθέντος τὸ ἐν ψυχαῖς ἀποκείμενον · ἡμῶν δὲ ἀκούσεσθε πάλιν, εἰ πάλιν ποθεῖτε · καὶ εἰ μή τῳ πρὸς ἀπόδειξιν ἱκανὰ τὰ δημοσιευθέντα πολλάκις καὶ οἱ πειρασμοὶ καὶ οἱ 25 λιθασμοὶ οὕς τε ἤδη πεπόνθαμεν καὶ οἷς ηὐτρεπίσμεθα οὐ τὸ παθεῖν ζημίαν τὸ δὲ μὴ παθεῖν κρίνοντες · καὶ τοσούτῳ μᾶλλον ὅσῳ τῶν ὑπὲρ Χριστοῦ κινδύνων γεγεύμεθα ὧν καὶ καρπὸν ἄριστον ἠνεγκάμεθα, τὴν τοῦ λαοῦ τοῦδε συναύξησιν.

5, 18 ὑμῖν Maur. || 20 τοῦ AQWVTS : τοῦτο BDPC || 21 οἶδ' DPC Maur. || εἰς + τὸν DPC Maur. || 22 post ἐν + ταῖς DPC Maur. || δ' QPC || 25 εὐτρεπίσμεθα T || 26 τοσοῦτο S_1 corr. S_2 || 27 γεγεύσμεθα Maur. || ὃν D

---

1. Le contexte indique qu'il s'agit de l'auteur et d'un autre personnage que l'auditoire pouvait reconnaître ; Grégoire le Père, Basile de Césarée, archevêque dont l'évêque de Nazianze était suffragant, ou un autre personnage pouvaient avoir joué ce rôle à Nazianze ; voir l'introduction : on ne peut pas exclure que les rôles soient renversés et que l'auteur joue ici le rôle de « père » par rapport à son partenaire. La situation évoquée ici est assez analogue à celle qui fut à l'origine du *D.* 6. Les allusions sont peu claires et l'on pourrait imaginer un autre genre de conflit, analogue, par exemple, à celui dont il est fait état dans les *Lettres* 46-49 (éd. P. Gallay, Berlin 1969, p. 42-45) et qui avait opposé les partisans de Basile de Césarée et ceux de Grégoire à ceux d'Anthime : *Lettre* 48, 4-10 (p. 44, 13 - 45, 5) ; on en serait venu aux mains, semble-t-il. L'image de la « braise » dans Grégoire et ailleurs : cf. KERTSCH, *Bildersprache*, p. 170, et n. 1.

2. « Vous l'avez entendu ». La tradition manuscrite actuellement explorée est partagée sur le genre, masculin ou neutre, du mot traduit ici par le pronom personnel élidé « l' ». Les arguments tirés de ce mot (s'agit-il de « l'orateur » ou de « ce qu'on a dit » ?) pour soutenir ou vérifier une hypothèse ou une autre sont évidemment prématurés.

après avoir rallumé la bienveillance et la bonne entente, dont il y avait encore quelque braise en nous. Qu'on fasse aussi confiance à ma parole[1].

De votre côté, vous l'avez donc entendu, les échos du prodige résonnent encore à mes oreilles et je sais que ce qui se passe à l'intérieur des âmes trouve plus d'écho en vous que le bruit répandu dans l'atmosphère[2]. Vous nous entendrez encore si vous le désirez encore; même si quelqu'un ne trouve pas les choses souvent publiées suffisantes pour la démonstration à faire, les épreuves et les lapidations[3] que nous avons déjà subies et que nous avons tournées à notre avantage en jugeant que ce qui fait du mal ce n'est pas de souffrir, mais plutôt de ne pas souffrir. D'autant plus que nous avons goûté les persécutions pour le Christ dont nous avons recueilli le fruit le meilleur, à savoir le développement de la communauté[4].

3. Le *Carmen de vita sua*, v. 665 (éd. Ch. Jungck, p. 86), relève un incident au cours duquel des pierres auraient été jetées, le jour de Pâques (21 avril 379), par des perturbateurs au cours des cérémonies de la veillée pascale. De telles manifestations de fanatisme sont trop naturelles pour permettre de penser qu'elles ne se produisaient pas à d'autres occasions ; Grégoire mentionne qu'il fut exposé à des sévices analogues en Cappadoce, à l'occasion de ce que l'on a appelé « l'affaire de Sasimes » : *D.* 43, 58 ; cf. aussi au sujet de la situation cappadocienne : *Lettre* 48, 5-8 (éd. P. Gallay, Berlin 1969, p. 44 ; Paris 1964, p. 62-63).

4. Le mot λαός « peuple » signifie couramment « les fidèles », dans un tel contexte : LAMPE, *Patristic*, p. 792-793. Le passage a servi d'argument pour dater le texte de 380, c'est-à-dire du moment où les activités de Grégoire à Constantinople avaient déjà pu provoquer un accroissement de la communauté nicéenne dont il avait la charge : cf. BERNARDI, *Prédication*, p. 178 ; mais, cette interprétation, qui est admissible, ne s'impose d'aucune manière : il pourrait s'agir d'une autre communauté que celle de Constantinople, celle de Nazianze, par exemple.

B **6.** Τί οὖν βούλεσθε ; Πέπεισθε τοῦτο καὶ οὐδὲν δεῖ πραγμάτων ἡμῖν οὐδὲ θεολογίας δευτέρας καὶ φείδεσθε τῆς ἐμῆς ἀσθενείας, ὑφ' ἧς μόλις ὑμῖν καὶ ταῦτα φθέγγομαι · ἢ δεῖ, καθάπερ ταῖς βαρείαις τῶν ἀκοῶν, πολλάκις τὸν 5 αὐτὸν ἐνηχεῖν λόγον ἵνα τῷ γ' οὖν ἐπιμόνῳ τῆς φωνῆς εἰς ὦτα λαλήσωμεν ἀκουόντων. Δοκεῖτέ μοι τὸν λόγον προκαλεῖσθαι διὰ τῆς ἡσυχίας. Καὶ γὰρ τὴν σιωπὴν συγκατάθεσιν εἶναι, διδάσκει καὶ ἡ παροιμία.

Οὐκοῦν δέξασθε λόγον ἀμφοτέρων ἐκ μιᾶς ψυχῆς καὶ 10 ἑνὸς στόματος. Ἄχθομαι δὲ ὅτι μὴ ἐπί τι ὄρος τῶν ὑψηλῶν ἀνελθὼν μηδὲ φωνὴν λαβὼν τῆς ἐπιθυμίας ἀξίαν, πᾶσιν ὁμοῦ τοῖς φρονοῦσι κακῶς ταῦτα φθέγγομαι, ὥσπερ ἐν κοινῷ θεάτρῳ τῇ οἰκουμένῃ · « Υἱοὶ ἀνθρώπων, ἕως πότε C βαρυκάρδιοι ; Ἵνα τί ἀγαπᾶτε ματαιότητα καὶ ζητεῖτε 15 ψεῦδος[a] », οὐ μίαν οὐδὲ ἁπλῆν θεότητος φύσιν εἰσάγοντες, ἀλλ' ἤτοι τρεῖς ἀπεξενωμένας ἀλλήλων καὶ διεσπασμένας, οὐ θαυμαστὸν δὲ εἰπεῖν, εἰ καὶ μαχομένας ὑπερβολαῖς καὶ ἐλλείψεσιν · ἢ μίαν μὲν μικροπρεπῆ δέ τινα καὶ στενὴν οὐκ ἔχουσαν τὸ μεγάλων εἶναι ἀρχήν, ὥσπερ οὐ δυνηθεῖσαν

6, 1 τούτῳ T ‖ 3 ταῦτα μόλις S_2DPC Maur. ‖ 5 γ' οὖν : γοῦν P post ἐπιμόνῳ Maur. ‖ 6 δοκεῖταί D ‖ 7 προκαλεῖσθε T ‖ 15 οὐδὲ : οὐδ' DPC δὲ QW ‖ θεότητος post φύσιν T ‖ 17 δ' D ‖ εἰ > BDP Maur. ‖ 19 τὸ : τῶν S_1 corr. S_2

---

6. a. Ps. 4, 3.

---

1. Tout le passage constitue une transition fortement teintée de rhétorique par laquelle l'auteur introduit l'exposé auquel il semble désireux de se soustraire ; une charnière aussi apparente est exigée par le plan même de l'exposé : on passe ici de la partie anecdotique et pastorale à la partie théorique et doctrinale du développement. La suite est une leçon de théologie.

2. Lieu commun : au *D.* 39, 11, on peut lire une transition analogue où l'auteur demande à l'auditoire de ne pas lui tenir rigueur de répéter des phrases déjà entendues, et qui introduit un développement doctrinal analogue à celui qui va suivre. Le rhéteur chrétien ne pouvait ignorer la pauvreté de vocabulaire, et l'inculture de ses auditoires, ni même la difficulté propre des doctrines trinitaires qu'il

6. Que voulez-vous donc ? Ou bien vous avez cru ce qui précède et il n'y a nul besoin de nous mettre en affaires ni même de faire un second sermon théologique : vous faites grâce à ma mauvaise santé, qui me permet à peine de prononcer même les paroles que je vous adresse[1]. Ou bien, il faut, comme on le fait pour les durs d'oreille, répéter maintes et maintes fois la même chose afin que, bien sûr à force de persévérance, notre voix arrive aux oreilles des auditeurs[2]. Et, en effet, votre tranquillité semble m'inviter à vous adresser un discours, puisque selon l'adage, le silence est un consentement.

Ainsi donc accueillez le discours qu'une seule âme et qu'une seule bouche vous adresse au nom des deux ensemble[3]. Mais je regrette de n'être pas monté sur quelque haute montagne pour prendre la parole d'une manière digne de mon désir et, comme si je me trouvais sur la scène du théâtre de l'univers tout entier, dire ceci à tous ceux sans exception qui ont des idées malsaines : « Fils d'hommes, jusques à quand êtes-vous arrogants ? Dans quel but vous attachez-vous à de la vanité et recherchez-vous une illusion[a] ? » Vous admettez que la nature de la divinité n'est pas unique ni simple, mais vous admettez au contraire soit trois natures étrangères les unes aux autres et séparées les unes des autres, et il ne faut pas s'étonner qu'on le dise si même elles s'opposent par ce que chacune a de plus ou de moins que les autres; soit une nature, unique sans doute, mais réduite en quelque sorte et étriquée et ne pouvant pas être le principe de grandes choses, comme si le pouvoir ou la volonté lui

expose : cf. GUIGNET, *Rhétorique*, p. 86-87 ; SINKO, *De traditione*, p. 53 ; et KERTSCH, *Bildersprache*, p. 121.

3. Le texte ne précise pas à quelles circonstances il est fait allusion ici. Il est possible d'imaginer que l'auteur se fait le porte-parole de son propre père, évêque de Nazianze et notoirement peu au fait des nuances théologiques : *D.* 18, 18 (*PG* 35, col. 1005 C 3 - 1008 A 9) ; cf. GALLAY, *Vie*, p. 81-84.

20 ἢ οὐ θελήσασαν · καὶ τοῦτο διχῶς, ἢ διὰ φθόνον ἢ διὰ φόβον · τὸ μὲν ἵνα μή τι ὁμότιμον συνεισάγηται, τὸ δὲ ἵνα μὴ ἐχθρὸν καὶ μαχόμενον ;

Καίτοι ὅσῳ τιμώτερον Θεὸς κτισμάτων, τοσούτῳ μεγαλοπρεπέστερον τῇ πρώτῃ αἰτίᾳ, θεότητος εἶναι ἀρχὴν ἢ 25 κτισμάτων · καὶ διὰ θεότητος μέσης ἐλθεῖν ἐπὶ τὰ κτίσματα ἢ τοὐναντίον τούτων ἕνεκεν ὑποστῆναι θεότητα, ὃ δοκεῖ τοῖς λίαν ἐξεταστικοῖς τε καὶ μετεώροις.

D **7.** Εἰ μὲν γὰρ ἐμέλλομεν, Υἱοῦ καὶ Πνεύματος τὴν ἀξίαν ὁμολογοῦντες ἢ ἄναρχα ταῦτα εἰσάγειν ἢ εἰς ἑτέραν ἀρχὴν ἀνάγειν, δέος ἂν ἦν ὄντως μὴ ἀτιμασθῇ Θεὸς ἢ 4 κινδυνεύσῃ παρ' ἡμῶν τὸ ἀντίθεον. Εἰ δὲ ὅσον ἂν ἐξάρῃς 1160 A τὸν Υἱὸν ἢ τὸ Πνεῦμα, οὐχ ὑπὲρ τὸν Πατέρα θήσεις οὐδὲ τῆς αἰτίας ἀποξενώσεις, ἀλλ' ἐκεῖσε ἀνοίσεις τὸ καλὸν γέννημα καὶ τὴν θαυμασίαν πρόοδον, προσερήσομαί σε, ὦ λίαν φιλαγέννητε καὶ φιλάναρχε, πότερος ἀτιμάζει Θεὸν μᾶλλον ὁ τοιούτων τιθεὶς ἀρχήν, οἵων αὐτὸς εἰσάγεις ἢ ὁ 10 μὴ τοιούτων, ἀλλ' ὁμοίων τὴν φύσιν και ὁμοδόξων καὶ οἵων ὁ ἡμέτερος βούλεται λόγος.

6, 20 τοῦτο + μέν D ‖ 23 τοσοῦτο S_1 corr. S_2

7, 1 τὴν > B ‖ 4 κινδυνεύσει SD ‖ δ' TDP ‖ ἐξαίρῃς D Maur. ‖ 6 ἀποξενώσῃς A ‖ ἀνοίσεις : ἀνάγεις Maur. ‖ 7-8 ὦ λίαν cod. : ὀλίγον Maur. ‖ 8 φιλαγέννητε + σύ DPC Maur. ‖ ἀτιμάζει θεόν cod. : θεὸς ἀτιμάζει Maur. ‖ μᾶλλον ante ἀτιμάζει DPC ‖ 9 τοιοῦτον S_1 corr. S_2

1. Les Ariens mettaient un rapport entre la divinité du Verbe et la création : « Que Dieu, jugeant indigne de lui de créer le reste, ait seulement créé son Fils et lui ait remis la charge des autres, comme à un aide, c'est cela qui est indigne de Dieu... » « ... ou bien toutes choses doivent être amenées à l'être par le Père avec le Fils, ou bien, si toutes les choses produites viennent à l'être par le Fils, nous ne devons pas l'appeler lui-même l'une des choses produites... » : ATHANASE, *Contre les Ariens*, II, 25 (éd. B. de Montfaucon = Athènes, I, 1962, vol. 30, p. 200, 21 - 201, 12) : trad. et commentaire historique dans J. QUASTEN, *Initiation*, III, p. 108-109 ; cf. F. LAKNER, art. *Demiurg*, dans *LThK*, III, 1959, col. 218-220 : les racines antiques (platoniciennes ?) et alexandrines de cette théorie.

avaient fait défaut; et cela pour deux raisons, par jalousie ou par crainte : par jalousie, pour éviter d'admettre une égalité de valeur, par crainte, pour éviter d'introduire inimitié et opposition.

Mais, quoi? Autant Dieu l'emporte en valeur sur les créatures, autant le fait d'être le principe de la divinité est, pour la cause première, une prérogative qui l'emporte sur le fait d'être le principe des créatures, et autant le fait qu'elle étend son effet sur les créatures par l'intermédiaire de la divinité l'emporte sur le contraire, à savoir sur le fait que la divinité existerait à cause de ces (créatures), comme l'enseignent les gens qui abusent de la critique et qui n'ont pas les pieds sur terre[1].

7. En effet, d'une part, si, tout en confessant la dignité d'un Fils et d'un Esprit nous allons ou admettre que ceux-ci sont dépourvus de principe ou les faire dépendre d'un principe autre qu'eux-mêmes, il serait à craindre en réalité que Dieu fût privé de l'honneur qui lui revient et que ce qui est de notre côté semblable à Dieu fût mis en danger. Et si, dans la mesure où tu élèveras le Fils et l'Esprit, tu ne les places pas au-dessus du Père et tu ne les considères même pas comme étrangers à la cause, mais si au contraire tu y fais remonter le fait de bien engendrer et l'admirable procession, je te poserai à toi, l'ardent partisan de l'absence de génération et de principe, une question : lequel des deux porte davantage atteinte à l'honneur qui revient à Dieu, celui qui le présente comme principe de choses pareilles à celles que toi-même tu admets, ou celui qui le présente comme principe non de choses pareilles, mais de choses semblables en nature et en dignité et telles que notre doctrine l'exige[2] ?

2. Voir la note précédente et aussi *D.* 39, 12, sur les crises doctrinales de l'époque, et *D.* 2, 39, sur les difficultés de saisir et d'exposer les mystères divins.

Ἀλλὰ σοὶ μὲν εἰς τιμὴν μέγα καὶ μέγιστον ὁ σὸς υἱὸς
καὶ τοσούτῳ μᾶλλον ὅσῳπερ ἂν τὰ πάντα πατρώζῃ καὶ
χαρακτὴρ ᾖ γνήσιος τοῦ γεννήσαντος καὶ οὐκ ἂν δέξαιο
15 μυρίων ἀνδραπόδων εἶναι μᾶλλον δεσπότης ἢ ἑνὸς γεννήτωρ
παιδός · τῷ Θεῷ δὲ ἄλλο τι μεῖζον ἢ Υἱοῦ τυγχάνειν
Πατέρα, ὃ προσθήκη δόξης ἐστίν, οὐχ ὑφαίρεσις, ὡς δὲ
καὶ προβολέα Πνεύματος. Ἢ ἀγνοεῖς ὅτι σὺ μὲν κτισμάτων
B τιθεὶς ἀρχήν, τὴν ἀρχὴν λέγω δὴ Υἱοῦ καὶ Πνεύματος, οὔτε
20 τὴν ἀρχὴν τιμᾷς καὶ ἀτιμάζεις τὰ ἐξ αὐτῆς ; Τὴν μέν,
ὅτι μικρῶν εἰσάγεις ἀρχὴν καὶ ἀναξίων θεότητος · τὰ δέ,
ὅτι μικρὰ καὶ μὴ κτίσματα μόνον, ἀλλὰ καὶ πάντων κτισμάτων ποιεῖς ἀτιμότερα · εἴ γε τούτων ἕνεκεν ὑπέστη καὶ
ποτέ, ὥσπερ ὄργανα τεχνίτῃ πρὸ τῶν τεχνιτῶν πρότερον
25 οὐκ ὄντα οὐδ' ἂν ἄλλως γενόμενα, εἰ μή τι κτίσαι δι' αὐτῶν
ἠβουλήθη Θεός, ὡς οὐκ ἀρκοῦντος τοῦ βούλεσθαι. Πᾶν γὰρ
ὅ τινος ἕνεκεν, ἀτιμότερον ἐκείνου δι' ὃ γεγένηται.

C **8.** Ἐγὼ δὲ θεότητος ἀρχὴν εἰσάγων ἄχρονον καὶ ἀχώριστον
καὶ ἀόριστον τήν τε ἀρχὴν τιμῶ καὶ τὰ ἐκ τῆς ἀρχῆς ἐπίσης
τὴν μέν, ὅτι τοιούτων ἀρχή · τὰ δέ, ὅτι οὕτως καὶ τοιαῦτα
καὶ ἐκ τοιούτου μήτε τῷ ποτὲ μήτε τῇ φύσει μήτε τῷ
5 σεπτῷ διειργόμενα, ἓν ὄντα διῃρημένως καὶ διαιρούμενα

7, 16 δ' P ‖ 17 ὑφαιρέσεως D ‖ 19 τὴν ἀρχήν > Maur. ‖ δὴ : δέ AQ ‖ 21 ἀναξίαν V ‖ 26 ἐβουλήθη VTS$_2$PC
8, 2 ἐπ' ἴσης QBWV ‖ 3 δ' PC ‖ οὕτω TD ‖ 5 σεπτῶν S$_1$ corr. S$_2$

1. Le *D.* 38, 2, développe un thème analogue de façon plus littéraire et moins abstraite. Les idées d'Eunome sur le sujet sont présentées et discutées par Grégoire de Nysse, *Contre Eunome*, Lib. II, 526 (éd. W. Jaeger, I, p. 379, 32 - 380, 10 = *PG* 45, col. 1086 D 10 - 1088 A 3).

Mais, d'une part, le fils que tu as est pour ton honneur personnel une grande chose, une très grande, même, et d'autant plus grande qu'il est en tout semblable à son père et la réplique exacte de celui qui l'a engendré ; et tu ne préférerais sans doute pas être le seigneur de multitudes de serviteurs plutôt que d'être celui qui a engendré son enfant unique. D'autre part, pour Dieu, il y aurait quelque chose de plus grand que d'être Père du Fils — ce qui augmente sa gloire et ne la diminue pas — : c'est d'être aussi celui dont vient l'Esprit. Est-ce que tu ignores que toi en établissant un principe de créatures — j'entends le principe d'un Fils et d'un Esprit, bien sûr —, tu ne fais pas honneur au principe et tu portes atteinte à l'honneur des êtres qui en dépendent ? D'une part, (tu n'honores pas le principe) parce que tu admets un principe de petites choses indignes de la divinité ; d'autre part, (tu portes atteinte à l'honneur des êtres qui en dépendent) parce que tu fais de ceux-ci non seulement des créatures, mais de petites choses et même moins honorables que des créatures, si ces dernières ont été faites pour ces raisons et à un moment donné comme des outils faits pour un artisan, n'existant pas d'abord avant les artisans, et qui n'auraient même pas existé autrement si Dieu n'avait pas voulu s'en servir pour créer quelque chose, comme si sa simple volonté ne suffisait pas. Tout ce qui « est-pour » quelque chose (ὅ τινος ἕνεκεν) est, en effet, inférieur en valeur (ἀτιμότερον) à la chose à cause de laquelle (δι' ὅ) il a été fait (γεγένηται)[1].

8. Quant à moi, en admettant un principe de la divinité intemporel, indivisible et infini, j'honore le principe et tout autant les êtres qui en dépendent ; (j'honore le principe) parce qu'il est principe de choses pareilles à lui-même ; (j'honore les êtres qui en dépendent) parce que de cette façon, ils sont aussi pareils à lui et viennent de quelque chose de pareil à eux-mêmes, dont ils ne se différencient ni par le temps, ni par la nature, ni par le culte dont ils sont

συνημμένως εἰ καὶ παράδοξον τοῦτο εἰπεῖν · οὐχ ἧττον ἐπαινετὰ τῆς πρὸς ἄλληλα σχέσεως ἢ καθ' ἑαυτὸ ἕκαστον νοούμενόν τε καὶ λαμβανόμενον. Τριάδα τελείαν ἐκ τελείων τριῶν, μονάδος μὲν κινηθείσης διὰ τὸ πλούσιον, δυάδος
10 δὲ ὑπερβαθείσης — ὑπὲρ γὰρ τὴν ὕλην καὶ τὸ εἶδος, ἐξ ὧν τὰ σώματα —, Τριάδος δὲ ὁρισθείσης διὰ τὸ τέλειον, πρώτη γὰρ ὑπερβαίνει δυάδος σύνθεσιν, ἵνα μήτε στενὴ μένη θεότης,
D μήτε εἰς ἄπειρον χέηται. Τὸ μὲν γὰρ ἀφιλότιμον, τὸ δὲ ἄτακτον · καὶ τὸ μὲν ἰουδαϊκὸν παντελῶς, τὸ δὲ ἑλληνικὸν
15 καὶ πολύθεον.

1161 A **9.** Σκοπῶ δὲ κἀκεῖνο καὶ ἴσως οὐκ ἀπαιδεύτως οὐδὲ ἀμαθῶς, ἀλλὰ καὶ λίαν ἐπεσκεμμένως, ὅτι σοὶ μὲν κίνδυνος οὐδὲ εἷς γεννητὸν εἰσάγοντι τὸν Υἱόν. Οὐ γὰρ μὴ πάθῃ τι γεννῶν ὁ ἀγέννητος τῶν σωματικῶν τε καὶ ὑλικῶν, ὅτι
5 μηδὲ σῶμα, καὶ τοῦτο αἱ κοιναὶ περὶ Θεοῦ παραχωροῦσιν

8, 10 ὑπὲρ nS : διὰ DP_1C rest. P_2 mg. || γὰρ > DP_1C rest. P_2 mg. || 11 δ' PC || 12 μένη + ἡ DPC Maur. || 13 μήτ' C
9, 1 οὐδ' TDPC

1. Selon Sabellius, le Fils et le Saint-Esprit seraient des manifestations diverses du Père et non des Personnes particulières : il comparait la monade divine au soleil, dont la substance se manifeste par la lumière, la chaleur et la forme sous laquelle elle apparaît : Athanase, *Première lettre à Sérapion,* 28 (trad. J. Lebon, Paris 1947, p. 134) ; considérations analogues sur le premier principe dans *D.* 20, 7.

2. Ailleurs Grégoire traite avec le sérieux qui s'impose la théodicée des penseurs païens qu'il appelle « les théologiens des Hellènes » : *D.* 31, 5 et 16 (*PG* 36, col. 137 B 14 ; et col. 149 C 4-6). Ici l'écrivain emprunte un lieu commun de la littérature patristique, consistant à décrier les inepties mythologiques du folklore païen, et traité notamment par Athanase, *Première lettre à Sérapion,* 28 : où Sabellius, Caïphe et « le polythéisme des Gentils » sont opposés à la doctrine orthodoxe sur un point analogue à celui qui est traité ici : Athanase, *Première lettre à Sérapion,* 28 (trad. J. Lebon, Paris 1947, p. 134 ;

l'objet, constituant une réalité unique dans la distinction et des réalités distinctes dans l'unité, même si ces expressions sont un paradoxe. Leurs relations réciproques ne méritent pas moins de louanges que chacune d'entre elles conçue et saisie dans son individualité : Trinité parfaite de trois réalités parfaites, une monade étant à exclure à cause de la richesse de la réalité, une dyade étant dépassée — car elle surpasse la matière et l'espèce, éléments constitutifs des réalités corporelles —, on la définit comme une Trinité à cause de sa perfection, car étant première elle surpasse une composition telle que la dyade, pour éviter qu'une divinité soit à l'étroit ou se dissolve dans l'indéfini[1]. En effet, ceci est vulgaire, cela désordonné, ceci complètement juif, cela propre aux Hellènes et aux polythéistes[2].

9. J'observe encore autre chose et ce n'est peut-être pas par manque de culture ou d'instruction, mais au contraire même par l'effet d'une très grande circonspection : c'est que toi, qui admets que le Fils est engendré, tu ne t'exposes pas au moindre danger. Car il n'est pas à craindre que l'inengendré éprouve en engendrant quelque passion propre aux êtres corporels et matériels[3], parce qu'il n'est même pas un corps. Les opinions communément admises au sujet de Dieu en conviennent. Par conséquent, pourquoi

éd. B. de Montfaucon = Athènes, IV, vol. 33, p. 116, 19-22). La même matière développée sur un ton positif : dans *Discours* 31, 5 (*PG* 36, col. 137 B 8 - D 4). Autre opinion sur le sérieux des spéculations helléniques : *Carmen ad Nemesium*, v. 130-140 = *Carmina*, II, 2, 7 (*PG* 37, col. 1561-1562 = Mauristes, Paris, II, 1840, p. 1076), et le contexte, v. 130-140. Sur le sabellianisme présenté comme une doctrine judaïque, *Carmen ad Seleucum*, *Carmina*, II, 2, 8, v. 204 (*PG* 37, col. 1590 = Mauristes, Paris, II, 1840, p. 1098).

3. Même idée dans *D.* 29, 4 (*PG* 36, col. 77 C 1 - D 1 ; éd. P. Gallay, *SC* 250, p. 182-184), et 20, 9 (voir plus haut).

ὑπολήψεις. Ὥστε τί φοβούμεθα φόβον οὗ μὴ ἔστι φόβος καὶ ἀσεβοῦμεν διακενῆς, ὃ δὴ λέγεται[a] ;

Ἐμοὶ δὲ κίνδυνος ζημιωθῆναι θεότητα, εἰ τὸ κτίσμα παραδεχοίμην. Οὐ γὰρ Θεὸς τὸ κτιζόμενον οὐδὲ δεσποτικὸν
10 τὸ ὁμόδουλον, κἂν τὰ πρῶτα φέρηται δουλείας καὶ κτίσεως καὶ τοῦτο μόνον φιλανθρωπεύηται ὑβριζόμενον. Ὁ γὰρ τῆς ὀφειλομένης ἀποστερῶν τιμῆς οὐ μᾶλλον τιμᾷ τῷ δεδομένῳ ἢ ἀτιμάζει τῷ ὑφαιρουμένῳ κἂν προσποίησιν ἔχῃ τιμῆς τὸ γινόμενον.

B **10.** Καὶ εἴ σοι πλάττεται πάθη περὶ τὴν γέννησιν, κἀμοὶ περὶ τὴν κτίσιν · οὐδὲ γὰρ τὸ κτιζόμενον ἀπαθῶς οἶδα κτιζόμενον. Εἰ δὲ μὴ γεγέννηται μηδὲ ἔκτισαι, δέξαι τοῦ λόγου σοι τὸ λειπόμενον, ὁ μικροῦ τὸ ἴσον λέγειν τολμῶν
5 διὰ τῆς προσηγορίας τοῦ κτίσματος. Σοὶ μὲν οὖν οὐδὲν ἀνεπιχείρητον, οὐδὲ ἀτόλμητον τῷ κακῷ βραβευτῇ καὶ διαιτητῇ θεότητος · οὐ γὰρ εἶχες ἄλλως εὐδοκιμεῖν ἢ μακρὰν ἐκβάλλων Θεὸν δεσποτείας, ὥσπερ ἐνταῦθα οἱ τυραννικοὶ τὸν τρόπον καὶ πλεονεκτικοὶ τοὺς ἀσθενεστέρους.
10 Ἐγὼ δὲ μίαν φωνήν, τὴν αὐτὴν καὶ σύντομον φθέγξομαι. Τριὰς ὡς ἀληθῶς ἡ Τριάς, ἀδελφοί. Τριὰς δέ, οὐ πραγμάτων ἀνίσων ἀπαρίθμησις — Ἢ τί κωλύει καὶ δεκάδα καὶ ἑκατον-
C τάδα καὶ μυριάδα ὀνομάζειν μετὰ τοσούτων συντιθεμένην ; Πολλὰ γὰρ τὰ ἀριθμούμενα καὶ πλείω τούτων —, ἀλλ' ἴσων

9, 10 φέρηται ABWVTSP : φέρη QC φέρει D ‖ 12 τιμᾷ post δεδομένῳ T ‖ δεδομένῳ AQWVTS : διδομένῳ BDP Maur. γινομένῳ C ‖ 13 ἀφαιρουμένῳ C Maur. ‖ 14 γινόμενον : διδόμενον PC

10, 3 γεγέννηται + κατὰ σέ DPC Maur. ‖ ἔκτισαι + κατὰ τὸν ἀληθῆ λόγον DPC Maur. ‖ 4 σὺ T ‖ 5 κτίσματος + ὅτι μηδὲ εἴδει ἑνὶ κατασκευάζεται DPC ‖ 6 οὐδ' DPC ‖ 7 διαιτητῇ + τῆς D Maur. ‖ 8 ἐκβαλὼν D ‖ 10 ἀποφθέγξομαι DPC ‖ 11 δ' PC ‖ οὐχί D ‖ 14 πλείων S_1

---

9. a. Ps. 13, 5 ; et 52, 6.

---

1. Voir la note précédente et spécialement *D.* 20, 9.

« vivons-nous dans la crainte où il n'y a pas lieu de craindre[a] » et sommes-nous impies d'une façon absolument vaine, comme on dit ?

Pour moi, il y aurait danger de faire du tort à la divinité si nous acceptions de lui reconnaître le caractère de créature. Car l'être créé n'est pas Dieu, et le compagnon de servitude n'a pas le rôle du maître, quand bien même ils occuperaient dans le service et dans la création les premières places et quand bien même ils jouiraient dans leur méprisable état de cette unique marque de clémence. Car celui qui refuse d'accorder tout l'honneur qui est dû ne témoigne pas plus d'honneur par la part qu'il accorde, qu'il n'inflige de déshonneur par celle qu'il refuse, même si ce qui se passe avait l'apparence d'une marque d'honneur.

10. Et si, selon ta façon de voir, la génération s'entoure de passions, pour moi, il en va de même aussi pour la création, car je sais que ce qui se crée ne se crée pas non plus sans intervention des passions. S'il n'a pas été engendré et si tu ne l'as pas créé, toi qui oses dire à peu près la même chose que cela en utilisant le mot « création », accepte d'aller jusqu'au bout de ton discours[1]. Donc pour toi, qui te fais mauvais juge et arbitre de la divinité, rien n'échappe à tes critiques et à tes audaces : en effet, tu ne pourrais arriver à la célébrité autrement qu'en écartant Dieu loin de la toute-puissance, comme en ce monde, ceux qui ont un tempérament dictatorial et arrogant écartent les plus faibles.

Quant à moi, je prononcerai une formule, une seule, toujours la même, et concise : « En réalité, la trinité est Trinité, frères ! ». Mais, Trinité n'est pas addition d'objets inégaux, sinon qu'est-ce qui empêche d'appeler « Dizaine », « Centaine » et « Myriade » un ensemble d'autant d'objets ? En effet, les objets qu'on peut compter sont nombreux et plus nombreux que cela. Mais, une Trinité est une union

15 καὶ ὁμοτίμων σύλληψις, ἑνούσης τῆς προσηγορίας τὰ ἡνωμένα ἐκ φύσεως καὶ οὐκ ἐώσης σκεδασθῆναι ἀριθμῷ λυομένῳ τὰ μὴ λυόμενα.

11. Οὕτω φρονοῦμεν καὶ οὕτως ἔχομεν ὥστε ὅπως μὲν ἔχει ταῦτα πρὸς ἄλληλα σχέσεώς τε καὶ τάξεως, αὐτῇ μόνῃ τῇ Τριάδι συγχωρεῖν εἰδέναι καὶ οἷς ἂν ἡ Τριὰς ἀποκαλύψῃ κεκαθαρμένοις ἢ νῦν ἢ ὕστερον · αὐτοὶ δὲ μίαν 5 καὶ τὴν αὐτὴν εἰδέναι φύσιν θεότητος, ἀνάρχῳ καὶ γεννήσει καὶ προόδῳ γνωριζομένην, ὡς νῷ τῷ ἐν ἡμῖν καὶ λόγῳ 1164 A καὶ πνεύματι — ὅσον εἰκάσαι τοῖς αἰσθητοῖς τὰ νοητὰ καὶ τοῖς μικροῖς τὰ μέγιστα, ἐπειδὴ μηδεμία εἰκὼν φθάνει πρὸς τὴν ἀλήθειαν —, αὐτὴν ἑαυτῇ συμβαίνουσαν, ἀεὶ τὴν 10 αὐτήν, ἀεὶ τελείαν, ἄποιον, ἄποσον, ἄχρονον, ἄκτιστον, ἀπερίληπτον, οὔποτε λείπουσαν ἑαυτῆς οὔτε λείψουσαν · ζωὰς καὶ ζωήν, φῶτα καὶ φῶς, ἀγαθὰ καὶ ἀγαθόν, δόξας καὶ δόξαν, ἀληθινὸν καὶ ἀλήθειαν καὶ πνεῦμα τῆς ἀληθείας[a], ἅγια καὶ αὐτοαγιότητα · Θεὸν ἕκαστον, ἂν θεωρῆται μόνον, 15 τοῦ νοῦ χωρίζοντος τὰ ἀχώριστα · Θεὸν τὰ τρία, μετ' ἀλλήλων νοούμενα τῷ ταυτῷ τῆς κινήσεως καὶ τῆς φύσεως · οὔτε ὑπὲρ ἑαυτήν τι καταλιποῦσαν ἢ ὑπερβᾶσαν ἄλλο τι · οὐ γὰρ ἦν · οὔτε μεθ' ἑαυτήν τι καταλείψουσαν ἢ ὑπερβησομένην · οὐκ ἔσται γάρ · οὔτε μεθ' ἑαυτῆς τι παραδεχομένην B 20 ὁμότιμον · οὐ γὰρ ἐφικνεῖταί τι τῶν κτιστῶν καὶ δούλων

10, 16 λελυμένῳ DP_1

11, 2 ἔχῃ BC || 4 ἀποκαλύψει D || 7 πνεύματι + καὶ T || 8 ἐπειδὴ : ἐπεὶ P || 10 ἄποινον S_1 corr. S_2 || 13 ἀληθινά PC || τῆς > Q_1 rest. Q_2 mg. || 16 αὐτῷ S || 17 καταλείπουσαν QSD || ὑποβᾶσαν C || καταλείψουσαν — τι > S_1 rest. S_2

---

11. a. Jn 16, 13.

---

1. Lieu commun de la prédication et de la spiritualité de Grégoire : se purifier pour arriver à connaître l'être pur tel qu'il est ; voir plus haut la péroraison du *Discours* 20, 12 ; et aussi *D.* 39, 9 ; 40, 5-6 ; etc.

2. Thème littéraire commun : *... sic parvis componere magna solebam* (Virgile, *Bucol.*, I, 23).

de réalités égales et de même valeur. Le mot désigne solidairement des réalités solidaires par nature et exclut un calcul discursif isolant les unes des autres les réalités inséparables.

11. Notre pensée et nos dispositions sont telles que nous réservons d'une part la science des relations réciproques et du rang de ces réalités uniquement à la Trinité elle-même ainsi qu'aux êtres déjà purifiés auxquels la Trinité la révélera maintenant ou dans l'avenir[1], et, d'autre part, à nous-mêmes, celle de la nature divine une et identique connue par négation du principe de génération et de procession, et par analogie avec l'intelligence, la raison et l'esprit qui sont en nous, pour autant que l'on puisse conjecturer les choses intelligibles à partir des choses sensibles et les grandes à partir des petites[2] vu qu'aucune image n'atteint tout à fait la vérité[3], nature en parfaite harmonie avec elle-même, toujours la même, toujours parfaite, dépourvue de qualité, de quantité et de durée, non créée et non déterminée, jamais inférieure à elle-même dans le présent ni dans le futur : elle est une vie et plusieurs vies, une lumière et plusieurs lumières, un bien et plusieurs biens, une gloire et plusieurs gloires, véritable et vérité et esprit de la vérité[a], plusieurs êtres saints et sainteté substantielle; chacun (de ces êtres) est Dieu, si on les considère chacun à part grâce à l'intelligence permettant d'envisager séparément des réalités inséparables; les Trois considérés ensemble par l'intelligence sont un Dieu par l'identité du mouvement et de la nature; elle n'a été dépassée par rien qui la précédât et n'a surpassé rien d'autre, car cela n'existait pas ; elle ne sera pas dépassée ni ne surpassera rien de ce qui est après elle, car cela n'existera pas ; elle exclut l'existence d'une réalité de

3. « L'image qui reste inférieure à la réalité qu'elle représente » : thème analysé dans Kertsch, *Bildersprache*, p. 144, et 163.

καὶ μετεχόντων καὶ περιγραπτῶν τῆς ἀκτίστου καὶ δεσποτικῆς καὶ μεταληπτῆς καὶ ἀπείρου φύσεως.

Τὰ μὲν γὰρ πάντῃ πόρρω, τὰ δὲ ποσῶς πλησιάζοντα καὶ πλησιάσοντα · καὶ τοῦτο οὐ φύσει, ἀλλὰ μεταλήψει
25 καὶ πηνίκα ὅτ' ἂν τῷ δουλεῦσαι καλῶς τῇ Τριάδι, ὑπὲρ τὴν δουλείαν γένηται[b] · εἴπερ μὴ καὶ τοῦτο αὐτὸ ἡ ἐλευθερία καὶ βασιλεία, τὸ γνῶναι καλῶς δεσποτείαν, ἀλλὰ μὴ φύρειν τὰ διεστῶτα νοῦ ταπεινότητι. Οἷς δὲ τὸ δουλεῦσαι τοσοῦτον, πηλίκη τούτων ἡ δεσποτεία ; Καὶ εἰ τὸ γνῶναι μακαριότης,
30 πηλίκον τὸ γινωσκόμενον ;

C **12.** Τοῦτο ἡμῖν τὸ μέγα μυστήριον βούλεται. Τοῦτο ἡ εἰς Πατέρα καὶ Υἱὸν καὶ ἅγιον Πνεῦμα καὶ τὸ κοινὸν ὄνομα πίστις καὶ ἀναγέννησις, ἄρνησις ἀθεΐας καὶ ὁμολογία θεότητος. Τοῦτο γὰρ τὸ κοινὸν ὄνομα. Ὥστε τὸ ἀτιμάζειν
5 τι τῶν τριῶν ἢ χωρίζειν, ἀτιμάζειν ἐστὶ τὴν ὁμολογίαν, τὸ μὲν τὴν ἀναγέννησιν τὸ δὲ τὴν θεότητα τὸ δὲ τὴν θέωσιν τὸ δὲ τὴν ἐλπίδα. Ὁρᾶτε οἷα χαρίζεται ἡμῖν τὸ Πνεῦμα θεολογούμενον καὶ οἷα ζημιοῖ ἀθετούμενον. Ἐῶ γὰρ λέγειν τὸν φόβον καὶ τὴν ἠπειλημένην ὀργήν, οὐ τοῖς τιμῶσιν,
10 ἀλλὰ τοῖς ἀτιμάζουσιν.

Ταῦτα ὡς ἐν βραχέσι δογματικῶς, ἀλλ' οὐκ ἀντιλογικῶς · ἁλιευτικῶς, ἀλλ' οὐκ ἀριστοτελικῶς · πνευματικῶς, ἀλλ' οὐ

11, 22 μεταληπτικῆς Maur. ‖ 25 ὅταν TP Maur. ‖ τῷ : τὸ TSDC Maur. ‖ 27 ἡ βασιλεία P Maur.

12, 1 τοῦτο ἡμῖν > W_1 rest. W_2 mg. ‖ 6 τὸ... τὸ... τὸ... cet. : τῷ... τῷ... τῷ... S_2 ‖ τὴν θεότητα > S_1 rest. S_2 manu recentiori ‖ δὲ cod. : μὲν Maur. ‖ 7 τὸ[1] cet. : τῷ S_2 ‖ 8 ζημιοῖ + τό S_1 del. S_2 ‖ 11 βραχέσι + πεφιλοσόφηται πρὸς ὑμᾶς DPC Maur.

11. b. Cf. Jn 15, 15 ; ou Apoc. 7, 3.

1. L'allusion faite ici à Aristote vise-t-elle les théories « païennes » évoquées plus haut (ch. 8, l. 14-15) et relatives à la cause première et au démiurge-créateur ? Vise-t-elle plutôt des adversaires auxquels Grégoire reproche une manie générale de faire étalage d'arguments tirés de la philosophie ancienne (cf. *D.* 32, 25 : *PG* 36, col. 201 C 4 - D 4) ? Plagnieux, *Grégoire Théologien*, p. 27, rappelle à ce sujet le *Carmen ad Seleucum* (*Carmina* II, 2, 8, v. 60-63 : *PG* 37, col. 1581 = Mauristes, Paris, II, 1840, p. 1092) : « prendre garde aux épines et

même rang coexistant avec elle, car rien parmi les êtres créés, subordonnés, contingents et définis n'arrive au niveau de la nature increéée, souveraine, absolue et infinie.

Certaines de ces réalités-là s'en trouvent, en effet, tout à fait éloignées, certaines s'en rapprochent ou s'en rapprocheront plus ou moins et ceci se produira non par une exigence de la nature, mais par un échange lorsque le fait d'être un fidèle serviteur de la Trinité dépassera l'état de serviteur[b], à moins même que la liberté et le règne ne soient précisément ceci : bien connaître une puissance souveraine sans confondre par suite d'un manque d'élévation de l'intelligence les réalités qui sont distinctes les unes des autres. Pour ceux dont le rôle de serviteurs est si important, que doit être la puissance souveraine ? Et, si posséder la connaissance est la béatitude, que doit être (la possession de) celui qui est connu ?

12. Voilà ce que le grand mystère veut dire pour nous. Voilà la foi et la régénération dans un Père, dans un Fils, dans un Saint-Esprit et dans un nom commun, négation de l'athéisme et confession de la divinité. Voilà, en effet, le nom commun. Par conséquent, mépriser quelque chose des Trois ou le prendre à part c'est mépriser la confession aussi bien que la régénération, la divinité, la divinisation et l'espérance. Vous voyez quelles grâces nous accorde l'Esprit qui nous éclaire au sujet de Dieu et de quelle sanction il punit celui qui le rejette, car je passe sous silence la crainte et la colère dont la menace n'a pas été lancée contre ceux qui honorent, mais contre ceux qui méprisent.

Voilà une sorte de récapitulation faite pour développer la doctrine et sans polémique, à la manière des pêcheurs <de Galilée> et sans imitation d'Aristote[1], d'une manière

cueillir les roses » ; et il note que l'écrivain se sert de l'hellénisme comme ornement littéraire, « mais il refuse de s'y asservir et d'y asservir ses croyances ». HUNGER, *Die hochsprachliche Literatur*, I, p. 43, commente ce passage et y voit un reflet direct du mouvement des idées qui prenait sous Théodose l'allure d'un *Kulturkampf*.

κακοπραγμονικῶς · ἐκκλησιαστικῶς, ἀλλ' οὐκ ἀγοραίως ·
D ὠφελίμως, ἀλλ' οὐκ ἐπιδεικτικῶς · ἵνα γνῶτε τὸ αὐτὸ
15 φρονοῦντας ἡμᾶς, οἱ καθ' ἡμῶν δημηγοροῦντες καὶ πανη-
1165 A γυρίζοντες καὶ τοῦτο μόνον ὁμονοοῦντες, ἓν ἐμπνεομένους,
ἓν πνέοντας · καὶ μή, καθάπερ οἱ λιμώττοντες, σπερμολογῆτε
τὰ μικρὰ ἡμῶν, εἴτε πταίσματα χρὴ λέγειν, εἴτε καὶ παίγνια ·
ὡς ἔστι τῆς ἄκρας κακοδαιμονίας, μὴ ἐν τοῖς ἰδίοις ἰσχυροῖς
20 τὸ ἀσφαλὲς ἔχειν, ἀλλ' ἐν τοῖς ἑτέρων σαθροῖς.

13. Ἰδοὺ δεξιὰς δίδομεν ἀλλήλοις ἐν ταῖς ὑμετέραις
ὄψεσιν. Ἰδοὺ τῆς Τριάδος τὰ ἔργα, τῆς ὁμοίως ἡμῖν δοξαζο-
μένης τε καὶ προσκυνουμένης. Τοῦτο ὑμᾶς χρηστοτέρους
ποιήσει καὶ ὀρθοδοξοτέρους. Ὡς ὄφελόν γε καὶ ἀκουσθείημεν
5 καὶ γένοιτο τὴν ἡμέραν ταύτην ἡμέραν γενέσθαι κλητήν,
B ἁγίαν, μὴ ἀντιλογίας ἀλλ' εὐρυχωρίας[a] · μὴ πειρασμοῦ

12, 17 ἐμπνέοντες D sup. l. ‖ 20 σταθμοῖς C
13, 2 τὰ > C ‖ 4 ὄφελόν : ὤφελον V ὄφειλον B ὄφελο S_1 corr. S_2 ‖ 5 ταύτην ἡμέραν > S_1 (saltavit ad idem ab eodem) rest. S_2

13. a. Cf. Gen. 26, 22.

1. Jeu de mots sur le verbe σπερμολογῆτε « glaner » ou « faire le bouffon » (Bailly, *Dictionnaire*, p. 1777) ou encore « colporter des commérages » (Liddell et Scott, *Lexicon*, p. 1627) ; le calembour est souligné par le mot παίγνια « plaisanteries ».

2. Tout le contexte de ce passage, notamment la phrase suivante et la fin du chapitre précédent, implique que le différend auquel l'œuvre se rapporte portait sur des questions de doctrine trinitaire importantes.

3. L'allusion faite ici à *Genèse* 26, 22 s'éclaire si l'on rapproche ce passage de *Carmina* II, 1, 11 *(De vita sua)*, v. 1844-1845 (éd. Ch. Jungck, p. 144 = *PG* 37, col. 1158 A)... Οὗτος Εὐρυχωρίας τόπος καλείσθω... « Que cet endroit s'appelle ' le lieu où l'on est au large '... ! Or, *Gen.* 26, 22 nous dit qu'Isaac donna ce nom à un lieu où ses serviteurs cessèrent de se quereller avec les bergers de Gérasa, leurs voisins. Après avoir creusé deux puits, dont il avait appelé l'un « Injustice » (Ἀδικία) et l'autre « Inimitié » (Ἐχθρία), « étant parti de là, il (Isaac) creusa encore un autre puits pour lequel on ne se querella plus et il le nomma « Vaste-emplacement » (Εὐρυχωρία) en disant : ' C'est parce que le Seigneur nous a mis au large et qu'il

spirituelle sans mauvaise intention, à la manière de l'Église sans adopter le style de l'agora, de manière à faire du bien sans chercher à faire une démonstration. Son but est de vous faire savoir à vous qui n'êtes d'accord entre vous que par les réquisitoires et les discours publics que vous prononcez contre nous, que nous pensons tous la même chose, que nous n'avons qu'une seule inspiration et qu'un seul souffle. Elle a aussi pour but de vous éviter de ramasser à la manière des affamés les petites choses — il faut dire soit « des fautes » soit « des bons mots » — qui traînent derrière nous comme des glanures[1], vu que c'est de l'aberration aiguë de mettre sa sécurité dans les déficiences des autres plutôt que dans la fermeté de ses propres assurances.

13. Voici que sous vos regards nous nous donnons la main les uns aux autres[2]. Voici les œuvres de la Trinité, que nous glorifions et que nous adorons de la même manière. Ceci vous rendra meilleurs et plus orthodoxes. Aussi puissions-nous être entendus! Puisse-t-il se faire que cette journée devienne la journée attendue et sainte, non une journée de polémique mais une journée « où l'on est au large[a3] », non le rappel d'une épreuve mais la

nous fit prospérer sur ce terrain '. » Ἀπάρας δὲ ἐκεῖθεν ὤρυξεν φρέαρ ἕτερον καὶ οὐκ ἐμαχέσαντο περὶ αὐτοῦ · καὶ ἐπωνόμασεν τὸ ὄνομα αὐτοῦ Εὐρυχωρία λέγων · Διότι ἐπλάτυνεν κύριος ἡμῖν καὶ ηὔξησεν ἡμᾶς ἐπὶ τῆς γῆς (éd. A. Rahlfs, I, p. 38).

Dans notre texte, ἡμέρα se lit à la place où l'on trouve τόπος dans le *De vita sua* ; la *LXX* n'a ni l'un ni l'autre. Dans son contexte, l'allusion est riche d'évocations qui ne pouvaient échapper à des esprits nourris de la poésie biblique et de la méditation des Écritures : cf. Basile, *Lettre* 2 (à Grégoire de Naz.), § 3, éd. Y. Courtonne, I, p. 8-9. On aurait donc tort de considérer comme de purs ornements factices, les « agréments » de style (sentences, allusions, énigmes, etc.) que Grégoire recommande, après les rhéteurs de la seconde sophistique, pour garantir le « charme » ou la « grâce » (χάρις) de ce qu'on écrit : *Lettre* 51, 5 (éd. et trad. P. Gallay, Paris, I, 1964, p. 67) ; et Martin, *Rhetorik*, p. 259-260, et p. 336.

μνημόσυνον ἀλλ' ἑορτὴν ἐπινίκιον · ἵνα τὸ ἡμᾶς συμφρονεῖν ἀλλήλοις καὶ μικροῦ πᾶσαν τὴν οἰκουμένην, ἧς τὰ μὲν ὑγιῶς εἶχε τὰ δὲ νῦν ἀπέλαβε τὴν ὑγίειαν τὰ δὲ ὑγιαίνειν
10 ἄρχεται, τοῦτο καὶ ὑμῖν αἴτιον γένηται σωτηρίας καὶ ἀναπλάσεως.

Ὦ Τριὰς ἁγία καὶ προσκυνητὴ καὶ μακρόθυμε · μακρόθυμος γὰρ ἡ ἐπὶ τοσοῦτον ἀνασχομένη τῶν σὲ τεμνόντων. Ὦ Τριάς, ἧς ἐγὼ κατηξιώθην καὶ λάτρις εἶναι καὶ κῆρυξ
15 ἐκ πλείονος ἀνυπόκριτος. Ὦ Τριάς, ἡ πᾶσί ποτε γνωσθησομένη, τοῖς μὲν τῇ ἐλλάμψει, τοῖς δὲ τῇ κολάσει. Δέχοιο καὶ τούτους προσκυνητάς, τοὺς νῦν ὑβριστάς, καὶ μηδένα ζημιωθείημεν μηδὲ τῶν ἐλαχίστων κἂν ἐμέ τι ζημιωθῆναι δέοι τῆς χάριτος · οὐ γὰρ τολμῶ τοσοῦτον ὅσον ὁ Ἀπόστολος[b]
C 20 φθέγξασθαι.

14. Ἀλλ' οὐ ταῦτα φίλα ὑμῖν · σπαράσσεται δὲ ἡ γλῶσσα καὶ ὠδίνει τὴν ἀντίρρησιν. Ὀψόμεθα καὶ ταύτην ποτὲ ἢ οἷς μᾶλλον ἡμῶν σχολὴ περίεστι · γνωσόμεθα καὶ τὰ κομψὰ ὑμῶν γεννήματα ἢ ἐξαμβλώματα ἐπειδὰν τὰ ᾠὰ
5 τῶν ἀσπίδων ῥήξαντες ἢ συντρίψαντες λόγῳ σκληρῷ τε καὶ ἀντιτύπῳ, οὔρια καὶ ἀνεμιαῖα ταῦτα ἐλέγξωμεν, καὶ τὸν ἐν αὐτοῖς τῆς ἀσεβείας κρυπτόμενον βασιλίσκον εἰς μέσον ἄγωμεν εἰ καὶ βασιλίσκον, ἀλλὰ νεκρόν τε καὶ ἀτελῆ καὶ ἀκίνητον, ταῖς ὠδῖσιν ἐναποθανόντα, καὶ πρὶν

13, 9 ὑγειῶς D ‖ ὑγεῖαν AWVS$_1$ DP corr. S$_2$ ‖ 14 λάτρης B$_1$ Maur. ‖ 18 μηδὲν W Maur.

14, 1 δ' QVDC ‖ 5 τε > QS Maur. ‖ 6 οὔραια C ‖ ἐλέγχωμεν AQWVTS ‖ 7 ἐν αὐτοῖς nDPCS$_2$: ἑαυτοῖς S$_1$ corr. S$_2$ ‖ 8 ἀγάγωμεν DPC Maur. ‖ τε > B

13, b. Cf Rom. 9, 3.

---

1. *Rom.*, 9, 3 : « car je souhaiterais être anathème pour sauver mes frères... »

2. Voir l'introduction au *D.* 23 : on s'est appuyé sur ce passage-ci pour placer l'œuvre en 380 ; il y aurait ici une allusion à la compo-

célébration d'un succès, afin que l'unanimité de pensée existant entre nous ainsi qu'avec l'univers presque tout entier, dont une première partie était restée en bonne santé, dont une seconde vient de la retrouver maintenant et dont une troisième enfin entre en convalescence, soit pour vous aussi une cause de salut et de rétablissement.

Ô Trinité sainte, adorable et magnanime! Tu es magnanime, en effet, toi qui supportes si longtemps ceux qui te découpent! Ô Trinité, dont je fus jugé digne, moi, d'être un zélateur et un messager sincère depuis si longtemps! Ô Trinité, qui seras un jour reconnue par tout le monde, à la suite soit de l'illumination des uns soit de la punition des autres! Accueille comme adorateurs ceux-là aussi qui t'insultent maintenant! Et puissions-nous éviter la perte d'aucun des nôtres même celle de l'un des plus petits et même s'il fallait que je subisse moi-même quelque privation de la grâce — en effet, je n'ose en dire autant que l'Apôtre[b1] !

14. Mais cela ne vous est pas agréable, votre langue est agitée de mouvements convulsifs et elle éprouve un pressant besoin de répliquer. Nous verrons un jour cette réplique, ou plutôt ceux qui ont plus de loisir que nous (la verront). Nous connaîtrons aussi l'élégant produit de vos procréations ou de vos fausses couches après que notre riposte impitoyable[2] aura brisé ou écrasé les œufs des aspics, démontré que ce n'est que vents et bourrasques et fait paraître au grand jour le basilic de l'impiété qui s'y dissimule[3]. Encore que si basilic il y a, c'est néanmoins à l'état de cadavre et d'avorton inerte, mort-né et privé

sition prochaine des *Discours théologiques* 27-31. Cela n'est pas évident.

3. Le basilic (de l'impiété) — extension du thème biblique du *Psaume* 90, 13 : marcher sur l'aspic et sur le basilic — : métaphore appliquée ici allégoriquement aux adversaires de Grégoire, ailleurs à l'empereur Julien : *D.* 21, 32. Cf. *supra*, *D.* 21, 34, et la note 2.

10 γεννηθῆναι οὐκ ὄντα · καθ' ὑμᾶς εἰπεῖν ἵνα τι μικρὸν ὑμῖν καὶ χαρίσωμαι, οὐ μᾶλλον μισητὸν τῆς συλλήψεως ἢ ἐλεεινὸν τῆς ἀμβλώσεως.

D Τοῦτο δώσει ἡμῖν, οἶδ' ὅτι, ὁ δοὺς ἐπὶ ἀσπίδα καὶ βασιλίσκον ἐπιβαίνειν[a] καὶ περιπατεῖν ἐπάνω ὄφεων καὶ 15 σκορπίων[b] · ὃς καὶ συντρίψει τὸν Σατανᾶν ἐν τάχει ὑπὸ τοὺς πόδας ἡμῶν, εἴτε ὡς ἀστραπὴν ἐκ τοῦ οὐρανοῦ πεσόντα διὰ τὴν παλαιὰν λαμπρότητα[c], εἴτε ὡς ὄφιν[d] φεύγοντα διὰ τὴν ὕστερον σκολιότητα καὶ τὴν εἰς τὸ χαμερπὲς μετα- 1168 A ποίησιν, ἵνα μικρόν τι τῶν κακῶν ἀναπνεύσωμεν, ἀποδρα- 20 σάσης παντελῶς ὀδύνης καὶ λύπης καὶ στεναγμοῦ, νῦν τε καὶ ὕστερον ἐν Χριστῷ Ἰησοῦ τῷ Κυρίῳ ἡμῶν, ᾧ ἡ δόξα εἰς τοὺς αἰῶνας. Ἀμήν.

14, 11 καὶ > WS$_1$ corr. S$_2$ manu recentiori ‖ 17 τὴν > S ‖ 19-20 ἀποδράσης n ‖ 21 δόξα + καὶ τὸ κράτος DPC Maur. ‖ 22 αἰῶνας + τῶν αἰώνων DPC Maur.

---

14. a. Ps. 90, 13 ; cf. Is. 59, 5. b. Lc 10, 19. c. II Pierre 2, 4 ; Lc 10, 18. d. Gen. 3, 14 ; cf. II Cor. 11, 3-4 ; Apoc. 12, 9.

---

1. « Marcher sur un aspic et un basilic » : *Ps.* 90, 13 ; « poser le pied sur des serpents et des scorpions » : *Luc* 10, 19 ; cf. aussi *Is.* 59, 5. Même thème dans *Carmina* II, 1, 11 *(Carmen de vita sua)*, v. 822 (*PG* 37, col. 1086 A) à propos de Maxime et de ses partisans. De tels rapprochements — cf. encore celui qui a été noté plus haut à la note 3, p. 306 — avec le *Carmen de vita sua* ne peuvent suggérer l'idée d'une « hantise verbale » quelconque propre à une époque déterminée de la carrière de l'écrivain ; mais, ils trahissent assurément une association privilégiée entre certains thèmes bibliques et l'idée des

d'être avant de naître; pour parler comme vous afin de vous faire à vous aussi une petite faveur, disons qu'il ne faut pas lui en vouloir d'avoir été conçu, plus qu'il ne faut le plaindre de son avortement.

C'est ce que nous accordera, je le sais, Celui qui accorde de « marcher sur un aspic et un basilic[a] », de « poser le pied sur des serpents et des scorpions[b] », Lui qui sans délai brisera aussi sous nos pieds Satan, soit tombé du ciel[c] comme un éclair[1] à cause de sa splendeur passée, soit fuyant comme un serpent[d] à cause de sa fourberie ultérieure et de sa métamorphose en reptile[2], afin de nous accorder un petit peu de répit à nos maux lorsque chagrin, peine et plainte auront totalement disparu maintenant et plus tard dans le Christ Jésus Notre Seigneur, à qui la gloire pour les siècles. Amen.

querelles ecclésiastiques ou religieuses. Au demeurant le *Carmen de vita sua*, ne peut sûrement pas avoir été composé à l'époque du différend avec Maxime : cf. v. 556-561 ; v. 1943-1949 ; et *passim* (éd. Ch. Jungck, p. 80, et 148, etc.).

2. L'accumulation des figures et des images dans cette péroraison, comme dans d'autres morceaux d'éloquence de Grégoire, déroute l'imagination du lecteur moderne. Allusion à II *Pierre*, 2, 4 ; *Jude*, 6 ; et surtout *Luc* 10, 18 : Satan précipité du ciel comme un éclair ; et à *Gen.*, 3, 14 ; ou à II *Cor.*, 11, 3-4 ; et *Apoc.*, 12, 9. Les explications introduites par « à cause de... » (deux fois) paraissent être des gloses incorporées dans le texte pour en faciliter l'interprétation ; elles se trouvent dans tous nos témoins et peuvent s'inspirer aussi bien d'une iconologie religieuse que de réminiscences scripturaires directes. Dans un contexte biblique, le mot σκολιότης « sinuosité » est normalement pris dans le sens figuré « fourberie » : Bauer, *Wörterbuch*, col. 1498.

LISTE DES SIGLES

Anal. Boll.	*Analecta Bollandiana.*
AS	*Acta Sanctorum.*
BHG	*Bibliotheca hagiographica graeca* (Halkin[3]).
BZ	*Byzantinische Zeitschrift.*
CC	*Corpus Christianorum. Series graeca.*
CCSL	*Corpus christianorum. Series latina.*
CSEL	*Corpus Scriptorum Ecclesiasticorum Latinorum.*
CSHB	*Corpus scriptorum historiae byzantinae.*
CUF	*Collection des Universités de France.*
DB	*Dictionnaire de la Bible.*
DHGE	*Dictionnaire d'histoire et de géographie ecclésiastiques.*
DOP	*Dumbarton Oaks Papers.*
DSp	*Dictionnaire de Spiritualité.*
GCS	*Griechische christliche Schriftsteller.*
LThK	*Lexikon für Theologie und Kirche.*
PG	*Patrologie grecque.*
RAC	*Reallexikon für Antike und Christentum.*
REG	*Revue des Études grecques.*
RHE	*Revue d'Histoire ecclésiastique.*
SC	*Sources chrétiennes.*
TU	*Texte und Untersuchungen.*

ABRÉVIATIONS BIBLIOGRAPHIQUES

Aigrain, *Arius* = R. Aigrain, art. *Arius*, dans *DHGE* IV, 1930, col. 208-215.

— *Hagiographie* = *L'hagiographie. Ses sources. Ses méthodes. Son histoire*, s.l., s.d. (= Paris 1953).

Anastasi, Λόγοι = R. Anastasi, Λόγοι μὴ ἀναγινωσκόμενοι, dans *Siculorum gymnasium* 23, 1970, p. 202-204 ; cf. *BZ* 64, 1971, p. 410.

Astruc, *Signes marginaux* = C. Astruc, *Remarques sur les signes marginaux de certains manuscrits de S. Grégoire de Nazianze*, dans *Anal. Boll.* 92, 1974, p. 289-295.

Bardy, art. *Athanase* = dans *DSp* I, 1937, col. 1047-1051.

— art. *Athanase* = dans *DHGE* IV, 1930, col. 1313-1340.

— *La crise arienne* = dans J. R. Palanque, G. Bardy, P. de Labriolle, *De la paix constantinienne à la mort de Théodose* (*Histoire de l'Église*... de A. Fliche et V. Martin, 3), Paris 1945, p. 69-298.

Bauer, *Wörterbuch* = W. Bauer, *Griechisch-deutsches Wörterbuch zu den Schriften des Neuen-Testaments und der übrigen urchristlichen Literatur*, Berlin 1958^{5}.

Bernardi, *Compte rendu* = c. r. de l'éd. de P. Gallay, *Lettres théologiques*, dans *REG* 89, 1976, p. 176-177.

— *Prédication* = J. Bernardi, *La prédication des Pères cappadociens. Le prédicateur et son auditoire* (Publications de la Fac. des Lettres et Sc. humaines de l'Univ. de Montpellier, 30), Paris 1968.

Bordier, *Description* = H. Bordier, *Description des peintures et autres ornements contenus dans les manuscrits grecs de la Bibliothèque Nationale (B.N.)*, Paris 1885.

Boulenger, *Discours funèbres* = F. Boulenger, *Grégoire de Nazianze, Discours funèbres en l'honneur de son frère Césaire et de Basile de Césarée*... (Textes et documents...), Paris 1908.

Bury, *The Imperial System* = J. B. Bury, *The Imperial Administrative System in the Ninth Century*..., Londres 1911.

Camelot, art. *Athanasios* = dans *LThK* I, 1957, col. 976-981.

CHAIGNET, *Rhétorique* = A.-E. CHAIGNET, *La rhétorique et son histoire*, Paris 1888.

Clétorologion, voir OIKONOMIDÈS, *Listes de préséance.*

CROISET, *Litt. gr.*, *V* = A. CROISET et M. CROISET, *Histoire de la Littérature grecque. V. Période romaine*, par A. CROISET, Paris 1928.

DAGRON, *Les moines* = G. DAGRON, *Les moines et la ville. Le monachisme à Constantinople jusqu'au Concile de Chalcédoine (451)*, dans *Travaux et Mémoires* 4, 1970, p. 229-276.

— *Naissance* = *Naissance d'une capitale. Constantinople et ses Institutions de 330 à 451.* Préface par P. Lemerle (Bibliothèque byzantine. Études 7), Paris 1974.

DANIÉLOU, *Platonisme* = J. DANIÉLOU, *Platonisme et théologie mystique. Essai sur la doctrine spirituelle de Grégoire de Nysse* (Théologie, 2), Paris 1954[2].

DANIÉLOU et MARROU, *Des origines à S. Grégoire* = J. DANIÉLOU et H. I. MARROU, *Des origines à S. Grégoire le Grand.* Introduction de R. Aubert (*Nouvelle Histoire de l'Église*, I), Paris s.d. (= 1963).

DELEHAYE, *Synaxarium* = *Synaxarium ecclesiae Constantinopolitanae e codice Sirmondiano... adiectis synaxariis selectis*, opera et studio H. DELEHAYE = *Propylaeum ad A S Nov.*, Bruxelles 1902.

De vita sua = GRÉGOIRE DE NAZIANZE, *Carmen de vita sua*, éd. Ch. Jungck, Heidelberg 1974.

DEVREESSE, *Fonds Coislin* = R. DEVREESSE, *Le fonds Coislin* (B.N., Catalogue des manuscrits grecs, II), Paris 1945.

Discours = GRÉGOIRE DE NAZIANZE, *Discours* 1 à 45.

DUCHESNE, *Histoire ancienne* = L. DUCHESNE, *Histoire ancienne de l'Église* II, Paris 1908[3]; III, 1910[3].

ECKSTEIN, art. *Basilisk* = dans *RAC* I, col. 1260-1261.

EHRHARD, *Ueberlieferung* = A. EHRHARD, *Ueberlieferung und Bestand der hagiographischen und homiletischen Literatur der griechischen Kirche, von den Anfängen bis zum Ende des 16. Jhdts* (*TU* 50-52), Leipzig 1937-1939 et 1952.

ESTIENNE, *Thesaurus* = *Thesaurus graecae linguae...*, 8 vol., Paris 1831.

FRAINE (de), *Satan* = dans *Dictionnaire encyclopédique de la Bible*, Turnhout et Paris 1960, col. 1689-91.

GALAVARIS, *Liturgical Homilies* = G. GALAVARIS, *The Illustrations of the Liturgical Homilies of Gregory Nazianzenus* (Studies in Manuscript Illumination, 6), Princeton 1969.

GALLAY, *Discours théologiques* = GRÉGOIRE DE NAZIANZE, *Discours théologiques.*

— *Lettres théologiques* = GRÉGOIRE DE NAZIANZE, *Lettres théologiques.*

— *Vie* = P. GALLAY, *La vie de saint Grégoire de Nazianze*, Thèse, Paris et Lyon 1943.

GARDTHAUSEN, *Die Schrift* = V. GARDTHAUSEN, *Die Schrift, Unterschriften und Chronologie im Altertum und im byzantinischen Mittelalter* (Griechische Paleographie, 2), Leipzig 1913².

GAUDEMET, *L'Église dans l'Empire* = J. GAUDEMET, *L'Église dans l'Empire romain (IVe-Ve s.)* (Histoire du Droit et des Institutions de l'Église en Occident III), Paris 1958.

GEERARD, *Clavis* = M. GEERARD, *Clavis Patrum graecorum.* II et III, *(CC)*, Turnhout 1974 et 1979.

GOTTWALD, *De Gregorio platonico* = R. GOTTWALD, *De Gregorio Nazianzeno platonico*, Diss., Wrotsław 1906.

GRABAR, *Miniatures* = A. GRABAR, *Les miniatures du Grégoire de Nazianze de l'Ambrosienne (Ambros. 49-50)* (Collection Orient et Byzance. Études d'art médiéval), Paris 1943.

GRONAU, *De Platonis imitatoribus* = C. GRONAU, *De Basilio, Gregorio Nazianzeno Nyssenoque, Platonis imitatoribus*, Diss., Goettingue 1908.

GUIGNET, *Rhétorique* = M. GUIGNET, *Saint Grégoire de Nazianze et la rhétorique*, Thèse, Paris 1911.

HALKIN, *Les manuscrits de Paris* = F. HALKIN, *Les manuscrits de Paris. Inventaire hagiographique* (Subs. hag., 44), Bruxelles 1968.

HAUSER-MEURY, *Prosopographie* = Marie-Madeleine HAUSER-MEURY, *Prosopographie zu den Schriften Gregors von Nazianz* (Theophaneia, 13), Diss., Bonn 1960.

HOERANDER, *Poésie* = W. HOERANDER, *La poésie profane au XIe siècle et la connaissance des auteurs anciens*, dans *Travaux et Mémoires* 6, 1976, p. 245-263.

HUERTH, *De orationibus* = X. HUERTH, *De Gregorii Nazianzeni orationibus funebribus* (Dissertationes philologicae argentoratenses selectae, 12, 1), Strasbourg 1907.

HUNGER, *Literatur* = H. HUNGER, *Die hochsprachliche profane Literatur der Byzantiner.* I (Byz. Handbuch, 5, 1 = Handbuch der Altertumwissenschaft, 12, 5, 1), Munich 1978.

JONES, *Prosopography* = A. H. M. JONES, J. R. MARTINDALE et J. MORRIS, *The Prosopography of the Later Roman Empire.* I. *A.D. 260-395*, Cambridge, etc., 1975 (= 1971).

JONES, *The Later Roman Empire* = A. H. M. JONES, *The Later Roman Empire. 284-602. A Social, Economic and Administrative Survey*, 2 vol., Oxford 1973 (= 1964).

JUNGCK, *De vita sua* = GREGOR VON NAZIANZ, *De vita sua. Einleitung. Text. Uebersetzung. Kommentar*, hg. Chr. Jungck (Wissenschaftliche Kommentare zu gr. und lat. Schriftstellern), Heidelberg 1974.

KANNENGIESSER = Ch. KANNENGIESSER, voir ATHANASE, *Traité de l'Incarnation.*

KERTSCH, *Bildersprache* = M. KERTSCH, *Bildersprache bei Gregor von Nazianz. Ein Beitrag zur spätantiken Rhetorik und Popularphilosophie* (Grazer theologische Studien, 2), Graz 1978.

KOMINIS, *Nouveau catalogue* = A. D. KOMINIS, Ὁ νέος κατάλογος τῶν χειρογράφων τῆς ἐν Πάτμῳ ἱερᾶς μονῆς Ἰωάννου τοῦ Θεολόγου (Μέθοδος καὶ προβλήματα), dans Σύμμεικτα, 1, 1966, p. 17-35, avec résumé en français.

LABOURT = voir JÉRÔME, *Epist.*

LAFONTAINE-DOSOGNE, *Propyläen* = W. F. VOLBACH et Jacqueline LAFONTAINE-DOSOGNE, *Byzanz und der christliche Osten* (Propyläen Kunstgeschichte, 3), Berlin 1968.

LAMBROS, *Les signes* = Sp. LAMBROS, Τὰ παλαιογραφικὰ σημεῖα... (= *Les signes paléographiques marginaux... et Aréthas de Césarée*), dans *Néos hellénomnimon*, 11, 1914, p. 255-259.

La Souda = *Suidae lexicon*, éd. Th. Gaisford et G. Bernardhy, Halle et Brunswig 1853, 2 vol. ; ou éd. A. Adler, Leipzig 1928-1938, 5 vol.

LEROY-MOLINGHEN, *Arius* = Alice LEROY-MOLINGHEN, *La mort d'Arius*, dans *Byzantion*, 38, 1968, p. 105-111.

LESÊTRE, art. *Satan* = dans *DB*, t. V, 2e partie, 1910, col. 1496.
— art. *Voile* = dans *DB, ibid.*, 1912, col. 2448-2449.

LESKY, *Literatur* = A. LESKY, *Geschichte der griechischen Literatur*, Berne 1971[3].

Lettres théologiques, voir GALLAY, *Lettres théologiques.*

LIÉBAERT, art. *Arianismus* = dans *LThK* I, 1957, col. 842-848.

— art. *Eunomios* = dans *LThK* II, 1959, col. 1182-1183.

MALINGREY, *Philosophia* = A.-M. MALINGREY, « *Philosophia* ». *Étude d'un groupe de mots dans la littérature grecque des Présocratiques au IVe s. ap. J.-C.*, Thèse, Paris 1961.

MARROU, art. *Diatribe* = dans *RAC*, III, 1957, col. 997-1009.

MARTIN, *Rhetorik* = J. MARTIN, *Antike Rhetorik. Technik und Methode* (Handbuch der Altertumswissenschaft, II, 3), Munich 1974.

MARTINI et BASSI, *Catalogue* = E. MARTINI et D. BASSI, *Catalogus codicum graecorum Bibliothecae ambrosianae*, II, Milan 1906.

MASON = A. J. MASON, *The Five Theological Orations of Gregory of Nazianzus* (Cambridge Patristic Texts), Cambridge 1899.

MIONI, *Codici* = E. MIONI et Mariarosa FROMENTIN, *I codici greci in minuscola dei sec. IX e X della biblioteca nazionale marciana. Descrizione e tavole* (Università di Padova. Studi bizantini e neogreci, 8), Padoue 1975.

— *Indici* = E. MIONI, *Indici e cataloghi*, Nuova serie, IV. *Codices graeci manuscripti bibliothecae divi Marci Venetiarum*, I, 1, s.l., s.d. (= Venise 1968).

MORELLI, *Bibliotheca* = J. MORELLI, *Bibliotheca manuscripta graeca et latina*, I, Bassano 1802.

MORESCHINI, *Platonismo* = C. MORESCHINI, *Il platonismo cristiano di Gregorio Nazianzeno*, dans *Annali della Scuola Normale Sup. di Pisa. Cl. di lettere e filosofia*, 4, 1974, p. 1347-1392.

— *Luce* = *Luce e purificazione nella dottrina di Gregorio Nazianzeno*, dans *Augustinianum* 13, 1973, p. 535-549.

MOSSAY, *La mort* = J. MOSSAY, *La mort et l'au-delà dans saint Grégoire de Nazianze* (Université de Louvain. Recueil de travaux d'histoire et de philologie, 4e série, 34), Louvain 1966.

— *Léon Sternbach* = *Léon Sternbach, byzantiniste et patriote*, dans *RHE* 65, 1970, p. 820-835.

NERSESSIAN (der), *The Illustrations* = Sirarpie der NERSESSIAN, *The Illustrations of the Homilies of Gregory of Nazianzus Paris. gr. 510. A Study of the Connections between Text and Images*, dans *DOP* 16, 1962, p. 197-228 (reproduit dans *Études byzantines et arméniennes* (Bibliothèque arménienne de la Fondation Calouste Gulbenkian), Louvain 1973, I, p. 77-107.

NESSEL (de), *Breviarium* = D. de NESSEL, *Breviarium et supplementum commentariorum lambecianorum, sive catalogus aut recensio specialis codicum manuscriptorum graecorum...*, Vienne et Nuremberg 1690.

NORDEN, *Antike Kunstprosa* = E. NORDEN, *Die antike Kunstprosa*, Berlin 1923⁴.

OIKONOMIDÈS, *Listes de préséance* = N. OIKONOMIDÈS, *Les listes de préséance byzantines des IXe et Xe s.* Introduction, texte, traduction et commentaire (Le monde byzantin), Paris 1972.

OMONT, *Inventaire* = H. OMONT, *Inventaire sommaire des manuscrits grecs de la Bibliothèque Nationale et... (B.N.)*, Paris I, 1898.

— *Miniatures* = *Fac-similés des miniatures des plus anciens manuscrits grecs de la Bibliothèque Nationale du VIe au XIe s.*, Paris 1902.

OPITZ = H. G. OPITZ, *Athanasius Werke*, hg. im Auftrage der Kirchenväter-Kommission der Preussischen Akademie der Wissenschaften. Bd II, 1. *Die Apologien*, Berlin et Leipzig 1935-1941 ; Bd III, 1. *Urkunden zur Geschichte des arianischen Streites* (318-328), Berlin et Leipzig 1934-1935.

ORLANDI, *La traduzione* = T. ORLANDI, *La traduzione copta dell'Encomio di Atanasio di Gregorio Nazianzeno*, dans *Le Muséon* 83, 1970, p. 351-366.

OSTROGORSKY et STEIN, *Die Krönungsordnungen* = G. OSTROGORSKY et E. STEIN, *Die Krönungsordnungen des Zeremonienbuches. Chronologische und verfassungsgeschichtliche Bemerkungen*, dans *Byzantion* 7, 1932, p. 185-233.

PAYR, art. *Enkomion* = dans *RAC*, V, 1960, col. 332-343.

PINAULT, *Platonisme* = H. PINAULT, *Le Platonisme de saint Grégoire de Nazianze. Essai sur les relations du christianisme et de l'hellénisme dans son œuvre théologique*, Thèse, Paris et La Roche-sur-Yon 1925.

PLACES (des), *Lexique* = PLATON, *Œuvres complètes*. XIV, 1-2. *Lexique de la langue philosophique et religieuse de Platon*, par É. des PLACES (CUF), Paris 1964 (réimpr. 1970).

PLAGNIEUX, *Grégoire théologien* = J. PLAGNIEUX, *Saint Grégoire de Nazianze théologien* (Études de Science Religieuse, 7) Paris 1951.

PUECH, *Littérature*, III = A. PUECH, *Histoire de la littérature grecque chrétienne...*, t. III (Collection d'Études anciennes), Paris 1930.

QUASTEN, *Initiation*, III = J. QUASTEN, *Initiation aux Pères de l'Église*. Trad. de l'anglais par J. Laporte. III, Paris 1963.

SAJDAK, *Nazianzenica*, I = J. SAJDAK, *Nazianzenica*, I, dans *Eos* 15, 1909, p. 123-129.

— *Quaestiones nazianzenicae* = *Quaestiones nazianzenicae. Pars Ia. quae ratio inter Gregorium Nazianzenum et Maximum Cynicum intercedat*, dans *Eos*, 15, 1909, p. 18-48.

SAKKELION, *Patmiaki* = J. SAKKELION, Πατμιακὴ βιβλιοθήκη ἤτοι..., Athènes 1890.

SCHMID et STAEHLIN, *Geschichte der griechischen Literatur*, II, 2 = W. SCHMID et O. STAEHLIN, *W. von Christ's Geschichte der griechischen Literatur*, II, 2 (Handbuch der Altertumswissenschaft, VII, II, 2), Munich 1961 (= 1924).

SCHNAYDER, *Editionis gregorianae* = G. SCHNAYDER, *Editionis gregorianae ab Academia Litterarum cracoviensi institutae fata quae fuerint*, dans *Studia Theologica Varsoviensia*, 9, 1971, p. 5-19.

SCHWARTZ, *Athanasius* = E. SCHWARTZ, *Zur Geschichte des Athanasius*, dans *Nachrichten von der König. Gesell. der Wissensch. zu Göttingen. Philol.-Historische Klasse*, Goettingen et Berlin 1904, 1905, 1908, 1911.

SCHWYZER et DEBRUNNER, *Grammatik* = E. SCHWYZER et A. DEBRUNNER, *Griechische Grammatik* (Handbuch der Altertumswissenschaft, II, 1, 1-4), 4 vol., Munich 1953-1971.

SINKO, *De traditione* = Th. SINKO, *De traditione orationum Gregorii Nazianzeni*, I (Meletemata patristica, II), Cracovie 1917.

— *O rękopisach* = *O rękopisach mów św Grzegorza z Nazyanzu w bibliotekach włoskich*. II, dans *Eos* 15, 1909, p. 63-81.

SPENGEL, *Rhet. gr.* = L. SPENGEL, *Rhetores graeci*, I-III, Leipzig 1853-1856.

STEIN, *Bas-Empire* = E. STEIN, *Histoire du Bas-Empire*. I. *De l'État romain à l'État byzantin (284-476)*. Ed. fr. par J. R. Palanque, Bruges et Paris 1959.

SZYMUSIAK, *Théologie* = J.-M. SZYMUSIAK, *Éléments de théologie de l'homme selon saint Grégoire de Nazianze* (Pontificia Universitas Gregoriana), Thèse, Rome 1963.

TABACHOVITZ, *Grec de la basse époque* = D. TABACHOVITZ, *Étude sur le grec de la basse époque* (Skrifter utgivna av K. Humanistika..., 36), Upsal et Leipzig 1943.

TILLEMONT, *Mémoires* = S. LENAIN DE TILLEMONT, *Mémoires pour servir à l'histoire ecclésiastique...*, t. VI, Paris 1704 ; t. IX, Paris 1714.

Vita B = *Vie B anonyme de s. Athanase l'Athonite* (= *BHG* 188) éd. par J. Noret, *Les deux vies anciennes de saint Athanase l'Athonite*, Diss. dactyl., III, Louvain 1976 ; et par L. Petit, dans *Anal. Boll.* 25, 1906, p. 12-87.

VLADIMIR, *Sistematičeskoe (Description systématique)* = l'Archimandrite VLADIMIR, *Sistematičeskoe opisanie rykopisej moskovskoj sinodalnoj biblioteki. I. Rykopisi grečeskiia (Description systématique des manuscrits de la bibliothèque synodale de Moscou. I. Manuscrits grecs)*, Moscou 1894.

VOLKMANN, *Rhetorik* = R. VOLKMANN, *Die Rhetorik der Griechen und Römer in systematischer Uebersicht dargestellt*, Leipzig 1885².

WALTZ, voir *Anth. Palat.*

WATTENBACH, *Das Schriftwesen* = W. WATTENBACH, *Das Schriftwesen im Mittelalter*, Leipzig 1896³.

ZERWICK, *Graecitas biblica* = M. ZERWICK, *Graecitas biblica exemplis illustratur* (Scripta Pontificii Instituti Biblici), Rome 1960⁴.

AUTEURS ANCIENS

AMMIEN MARCELLIN = *Rerum gestarum libri XIV-XXXI*, éd. Didot, trad. M. Nisard, Paris 1855 ; ou éd. J. Fontaine, *CUF*, t. IV en préparation.

Anth. Palat., VIII = *Anthologie grecque. 1re partie. Anthologie palatine.* T. VI (Livre VIII), éd. P. Waltz, *CUF*, Paris 1944.

ATHANASE, *Apologia secunda* = ATHANASE D'ALEXANDRIE, *Athanasius Werke*, II, 1, éd. H. G. Opitz, Berlin et Leipzig 1935-1941, p. 87-168.

— *Apologie pour sa fuite* = *Apologie à l'Empereur Constance*, éd. J. Szymusiak, *SC* 56, Paris 1958.

— *Histoire des Ariens* = *Historia arianorum*, dans *Athanasius Werke* II, 1 (fasc. 7-8), éd. H. G. Opitz, p. 183-230.

— *Lettres (à Sérapion)* = *Lettres à Sérapion*, éd. H. G. Opitz, II, 1, trad. J. Lebon, *SC* 15, Paris 1947.

— *Sur la foi* = *Ad Iovianum de Fide*, éd. B. de Montfaucon, *PG* 26, col. 813-824.

— *Traité de l'Incarnation* = *Sur l'Incarnation du Verbe*, éd. Ch. Kannengiesser, *SC* 199, Paris 1973.

— *Traité sur les Synodes* = *De synodis*, dans *Athanasius Werke* II, 1 (fasc. 8), éd. H. G. Opitz, 1940, p. 231-236.

— *Vita Antonii* = *Vie de saint Antoine*, éd. B. de Montfaucon, *PG* 26, col. 835-878.

BASILE, *Aux jeunes gens* = SAINT BASILE, *Sur la manière de tirer profit des lettres helléniques*, éd. F. Boulenger, *CUF*, Paris 1952.

Cod. theodos. = *Codex theodosianus*, éd. P. Krueger et Th. Mommsen, *Theodosiani libri XVI cum Constitutionibus Sirmondianis*, I, 2, Dublin et Zurich 1971 (= 1904).

CONSTANTIN VII PORPHYROGÉNÈTE, *De Ceremoniis* = *De ceremoniis aulae byzantinae*, éd. J. J. Reiske *(CSHB)*, Bonn 1829, 2 vol. ; ou éd. A. Vogt (Collection byzantine), Paris 1935-1940, 4 vol.

EUSÈBE, *Hist. eccl.* = EUSÈBE DE CÉSARÉE, *Histoire ecclésiastique*, éd. E. Schwartz, *Eusebius Werke*, II, 1-3 (*GCS*, 9, 1-3), Leipzig 1903-1909 ; éd. G. Bardy, *SC* 31, 41, 55, Paris 1952, 1955, 1958.

GRÉGOIRE DE NAZIANZE, *Carmina* = *Gregorii Nazianzeni opera omnia...*, éd. des Mauristes, II, Paris 1840 (*PG* 37-38).
— *De vita sua* = cf. Jungck.
— *Discours* 1-45 = *Gregorii Nazianzeni opera omnia*, I, Paris 1778 ; éd. J. Billius Prunaeus et F. Morellus, 2 vol., Cologne 1690 ; *D.* 43, v. aussi Boulenger ; *D.* 27-31, v. aussi Mason.
— *Discours théologiques* = *Discours* 27-31, éd. P. Gallay, *SC* 250, Paris 1978.
— *Discours* 1-3 = éd. J. Bernardi, *SC* 247, Paris 1978.
— *Lettres* = GREGOR VON NAZIANZ, *Briefe*, hg. P. Gallay, *GCS*, Berlin 1969 ; ou *Lettres*, éd. P. Gallay, *CUF*, I, Paris 1964 ; II, 1967.
— *Lettres théologiques* = éd. P. Gallay, *SC* 208, Paris 1974.

GRÉGOIRE DE NYSSE, *Contre Eunome* = *Gregorii Nysseni Contra Eunomii libri*, éd. W. Jaeger, Leyde 1960.
— *La vie de Moïse* = *La vie de Moïse*, éd. J. Daniélou, *SC* 1 *bis*, Paris 1955 (3e éd. 1968).

JÉRÔME, *Epist.* = SAINT JÉRÔME, *Lettres*, éd. J. Labourt, *CUF*, t. I-VII, Paris 1949-1961.

JOSÈPHE, *Antiquités judaïques* = JOSEPHUS, *Antiquities*, IV-IX, éd. H. St. J. Thackeray et autres (Loeb Classical Library), Londres et New York 1926-1965.
— *Contre Apion* = FLAVIUS JOSÈPHE, *Contre Apion*, éd. Th. Reinach et L. Blum, *CUF*, Paris 1930.

JULIEN, *Lettres* = JULIEN L'EMPEREUR, *Œuvres complètes*, I, 2. *Lettres et Fragments*, éd. J. Bidez, *CUF*, Paris 1924.

LIBANIUS, *De festorum invitationibus* = *Oratio* LIII, *Libani Opera* IV, éd. R. Foerster = *Orationes* LI-LXIV (Bibl. teubn.), Leipzig 1908, p. 54-69.
— *Lettres* = *Epistulae*, éd. R. Foerster = *Libanii Opera* X-XI (Bibl. teubn.) Leipzig 1921, 1923.

PALLADE, *Hist. laus.* = *Histoire lausiaque*, éd. Fronton du Duc et Cotelier, *PG* 34, col. 991-1260 ; ou G. J. M. Bartelink, *Storia lausiaca...* (Scritti greci e latini), Vérone 1974.

PLATON, *Phédon* = *Œuvres complètes*, IV, 1 *Phédon*, éd. L. Robin, *CUF*, Paris 1926 ; ou *Plato's Phaedo*, éd. R. Hackforth, Cambridge 1955.
— *Phèdre* = *id.*, IV, 3, éd. L. Robin, *CUF*, Paris 1933.
— *Philèbe* = *id.*, IX, 2, éd. A. Diès, *CUF*, Paris 1941.
— *République* = *id.*, VI-VII, 1-2, éd. E. Chambry et A. Diès, *CUF*, Paris 1932, 1933, 1948.
— *Timée* = *id.*, X, éd. A. Rivaud, *CUF*, Paris 1925.

Porphyre, *Sentences* = *Porphyrii Sententiae ad intelligibilia ducentes*, éd. E. Lamberz (Bibl. teubn.), Leipzig 1975.

Socrate, *Hist. eccl.* = *Histoire ecclésiastique*, éd. H. Valesius, Paris 1668 (= *PG* 67).

Théodoret, *Hist. eccl.* = *Kirchengeschichte*, éd. L. Parmentier, *GCS* 19, Leipzig 1911.

Virgile, *Buc.* = *Bucoliques*, éd. E. de Saint Denis, *CUF*, Paris 1942.

Vita Constantini = *Eusebius Werke. I. Das Leben Constantins...*, éd. I. A. Heikel, *GCS* 17, Leipzig 1902, p. 1-148.

TABLE DES MATIÈRES

Les Index de ces quatre Discours seront publiés avec ceux des trois Discours suivants.

SOURCES CHRÉTIENNES

LISTE COMPLÈTE DE TOUS LES VOLUMES PARUS

N. B. — L'ordre suivant est celui de la date de parution (nº 1 en 1942) et il n'est pas tenu compte ici du classement en séries : grecque, latine, byzantine, orientale, textes monastiques d'Occident ; et série annexe : textes para-chrétiens.

Sauf indication contraire, chaque volume comporte le texte original, grec ou latin, souvent avec un apparat critique inédit.

La mention *bis* indique une seconde édition. Quand cette seconde édition ne diffère de la première que par de menues corrections et des *Addenda et Corrigenda* ajoutés en appendice, la date est accompagnée de la mention « réimpression avec supplément ».

1. Grégoire de Nysse : **Vie de Moïse.** J. Daniélou (3e édition) (1968).

2 bis. Clément d'Alexandrie : **Protreptique.** C. Mondésert, A. Plassart (réimpression de la 2e éd., 1976).

3 bis. Athénagore : **Supplique au sujet des chrétiens.** *En préparation.*

4 bis. Nicolas Cabasilas : **Explication de la divine Liturgie.** S. Salaville, R. Bornert, J. Gouillard, P. Périchon (1967).

5. Diadoque de Photicé : **Œuvres spirituelles.** É. des Places (réimpr. de la 2e éd., avec suppl., 1966).

6 bis. Grégoire de Nysse : **La création de l'homme.** *En préparation.*

7 bis. Origène : **Hom. sur la Genèse.** H. de Lubac, L. Doutreleau (1976).

8. Nicétas Stéthatos : **Le paradis spirituel.** *Remplacé par le nº 81.*

9 bis. Maxime le Confesseur : **Centuries sur la charité.** *En préparation.*

10. Ignace d'Antioche : **Lettres — Lettres et Martyre** de Polycarpe de Smyrne. P.-Th. Camelot (4e édition) (1969).

11 bis. Hippolyte de Rome : **La Tradition apostolique.** B. Botte (1968).

12 bis. Jean Moschius : **Le Pré spirituel.** *En préparation.*

13 bis. Jean Chrysostome : **Lettres à Olympia.** A.-M. Malingrey. Trad. seule (1947).

13 bis. 2e édition avec le texte grec et la **Vie anonyme d'Olympias** (1968).

14. Hippolyte de Rome : **Commentaire sur Daniel.** G. Bardy, M. Lefèvre. Trad. seule (1947).
2e édition avec le texte grec. *En préparation.*

15 bis. Athanase d'Alexandrie : **Lettres à Sérapion.** J. Lebon. *En prép.*

16 bis. Origène : **Hom. sur l'Exode.** H. de Lubac, J. Fortier. *En prép.*

17. Basile de Césarée : **Sur le Saint-Esprit.** B. Pruche. Trad. seule (1947).

17 bis. 2e édition avec le texte grec (1968).

18 bis. Athanase d'Alexandrie : **Discours contre les païens.** P. Th. Camelot (1977).

19 bis. Hilaire de Poitiers : **Traité des Mystères.** P. Brisson (réimpression, avec supplément, 1967).

20. Théophile d'Antioche : **Trois livres à Autolycus.** G. Bardy, J. Sender. Trad. seule (1948).
2e édition avec le texte grec. *En préparation.*

21. Éthérie : **Journal de voyage.** H. Pétré (réimpression, 1975).

22 bis. Léon le Grand : **Sermons,** t. I. J. Leclercq, R. Dolle (1964).

23. Clément d'Alexandrie : **Extraits de Théodote.** G. Quispel (réimp., 1970).

24 bis. PTOLÉMÉE : **Lettre à Flora.** G. Quispel (1966).
25 bis. AMBROISE DE MILAN : **Des Sacrements. Des Mystères. Explication du Symbole.** B. Botte (1961).
26 bis. BASILE DE CÉSARÉE : **Homélies sur l'Hexaéméron.** S. Giet (réimpr. avec suppl., 1968).
27 bis. **Homélies Pascales,** t. I. P. Nautin. *En préparation.*
28 bis. JEAN CHRYSOSTOME : **Sur l'incompréhensibilité de Dieu.** J. Daniélou, A.-M. Malingrey, R. Flacelière (1970).
29 bis. ORIGÈNE : **Homélies sur les Nombres.** A. Méhat. *En préparation.*
30 bis. CLÉMENT D'ALEXANDRIE : **Stromate I.** *En préparation.*
31. EUSÈBE DE CÉSARÉE : **Histoire ecclésiastique,** t. I. G. Bardy (réimpression, 1965).
32 bis. GRÉGOIRE LE GRAND : **Morales sur Job,** t. I. Livres I-II. R. Gillet, A. de Gaudemaris (1975).
33 bis. **A. Diognète.** H. I. Marrou (réimpr. avec suppl., 1965).
34. IRÉNÉE DE LYON : **Contre les hérésies,** livre III. F. Sagnard. *Remplacé par les nos 210 et 211.*
35 bis. TERTULLIEN : **Traité du baptême.** F. Refoulé. *En préparation.*
36 bis. **Homélies Pascales,** t. II. P. Nautin. *En préparation.*
37 bis. ORIGÈNE : **Homélies sur le Cantique.** O. Rousseau (1966).
38 bis. CLÉMENT D'ALEXANDRIE : **Stromate II.** *En préparation.*
39 bis. LACTANCE : **De la mort des persécuteurs.** 2 vol. *En préparation.*
40. THÉODORET DE CYR : **Correspondance,** t. I. Y. Azéma (1955).
41. EUSÈBE DE CÉSARÉE : **Histoire ecclésiastique,** t. II. G. Bardy (réimpression, 1965).
42. JEAN CASSIEN : **Conférences,** t. I. E. Pichery (réimpression, 1966).
43. JÉRÔME : **Sur Jonas.** P. Antin (1956).
44. PHILOXÈNE DE MABBOUG : **Homélies.** E. Lemoine. Trad. seule (1956).
45. AMBROISE DE MILAN : **Sur S. Luc,** t. I. G. Tissot (réimpr. avec suppl., 1971).
46. TERTULLIEN : **De la prescription contre les hérétiques.** P. de Labriolle et F. Refoulé (1957).
47. PHILON D'ALEXANDRIE : **La migration d'Abraham.** R. Cadiou (1957).
48. **Homélies Pascales,** t. III. F. Floëri et P. Nautin (1957).
49 bis. LÉON LE GRAND : **Sermons,** t. II. R. Dolle (1969).
50 bis. JEAN CHRYSOSTOME : **Huit Catéchèses baptismales inédites.** A. Wenger (réimpr. avec suppl., 1970).
51 bis. SYMÉON LE NOUVEAU THÉOLOGIEN : **Chapitres théologiques, gnostiques et pratiques.** J. Darrouzès. *En préparation.*
52 bis. AMBROISE DE MILAN : **Sur S. Luc,** t. II. G. Tissot (réimpr. avec suppl., 1976).
53 bis. HERMAS : **Le Pasteur.** R. Joly (réimpr. avec suppl., 1968).
54. JEAN CASSIEN : **Conférences,** t. II. E. Pichery (réimpression, 1966).
55. EUSÈBE DE CÉSARÉE : **Histoire ecclésiastique,** t. III. G. Bardy (réimpression, 1967).
56. ATHANASE D'ALEXANDRIE : **Deux apologies.** J. Szymusiak (1958).
57. THÉODORET DE CYR : **Thérapeutique des maladies helléniques.** 2 volumes. P. Canivet (1958).
58 bis. DENYS L'ARÉOPAGITE : **La hiérarchie céleste.** G. Heil, R. Roques, M. de Gandillac (réimpr. avec suppl., 1970).
59. **Trois antiques rituels du baptême.** A. Salles. Trad. seule. ***Épuisé.***
60. AELRED DE RIEVAULX : **Quand Jésus eut douze ans.** A. Hoste, J. Dubois (1958).
61 bis. GUILLAUME DE SAINT-THIERRY : **Traité de la contemplation de Dieu.** J. Hourlier (réimpression, 1977).
62. IRÉNÉE DE LYON : **Démonstration de la prédication apostolique.** L. Froidevaux. Nouvelle trad. sur l'arménien. Trad. seule (réimpr. 1971).
63. RICHARD DE SAINT-VICTOR : **La Trinité.** G. Salet (1959).

64. JEAN CASSIEN : **Conférences**, t. III. E. Pichery (réimpr., 1971).

65. GÉLASE Ier : **Lettre contre les Lupercales et dix-huit messes du sacramentaire léonien.** G. Pomarès (1960).

66. ADAM DE PERSEIGNE : **Lettres**, t. I. J. Bouvet (1960).

67. ORIGÈNE : **Entretien avec Héraclide.** J. Scherer (1960).

68. MARIUS VICTORINUS : **Traités théologiques sur la Trinité.** P. Henry, P. Hadot. Tome I. Introd., texte critique, traduction (1960).

69. **Id.** — Tome II. Commentaire et tables (1960).

70. CLÉMENT D'ALEXANDRIE : **Le Pédagogue**, t. I. H. I. Marrou, M. Harl (1960).

71. ORIGÈNE : **Homélies sur Josué.** A. Jaubert (1960).

72. AMÉDÉE DE LAUSANNE : **Huit homélies mariales.** G. Bavaud, J. Deshusses, A. Dumas (1960).

73 bis. EUSÈBE DE CÉSARÉE : **Histoire ecclésiastique**, t. IV. Introd. générale de G. Bardy et tables de P. Périchon (réimpr. avec suppl., 1971).

74 bis. LÉON LE GRAND : **Sermons**, t. III. R. Dolle (1976).

75. S. AUGUSTIN : **Commentaire de la 1re Épître de S. Jean.** P. Agaësse (réimpression, 1966).

76. AELRED DE RIEVAULX : **La vie de recluse.** Ch. Dumont (1961).

77. DEFENSOR DE LIGUGÉ : **Le livre d'étincelles**, t. I. H. Rochais (1961).

78. GRÉGOIRE DE NAREK : **Le livre de Prières.** I. Kéchichian. Trad. seule (1961).

79. JEAN CHRYSOSTOME : **Sur la Providence de Dieu.** A.-M. Malingrey (1961).

80. JEAN DAMASCÈNE : **Homélies sur la Nativité et la Dormition.** P. Voulet (1961).

81. NICÉTAS STÉTHATOS : **Opuscules et lettres.** J. Darrouzès (1961).

82. GUILLAUME DE SAINT-THIERRY : **Exposé sur le Cantique des Cantiques.** J.-M. Déchanet (1962).

83. DIDYME L'AVEUGLE : **Sur Zacharie.** Texte inédit. L. Doutreleau. Tome I. Introduction et livre I (1962).

84. **Id.** — Tome II. Livres II et III (1962).

85. **Id.** — Tome III. Livres IV et V, Index (1962).

86. DEFENSOR DE LIGUGÉ : **Le livre d'étincelles**, t. II. H. Rochais (1962).

87. ORIGÈNE : **Homélies sur S. Luc.** H. Crouzel, F. Fournier, P. Périchon (1962).

88. **Lettres des premiers Chartreux**, tome I : S. BRUNO, GUIGUES, S. ANTHELME. Par un Chartreux (1962).

89. **Lettre d'Aristée à Philocrate.** A. Pelletier (1962).

90. **Vie de sainte Mélanie.** D. Gorce (1962).

91. ANSELME DE CANTORBÉRY : **Pourquoi Dieu s'est fait homme.** R. Roques (1963).

92. DOROTHÉE DE GAZA : **Œuvres spirituelles.** L. Regnault, J. de Préville (1963).

93. BAUDOUIN DE FORD : **Le sacrement de l'autel.** J. Morson, É. de Solms, J. Leclercq. Tome I (1963).

94. **Id.** — Tome II (1963).

95. MÉTHODE D'OLYMPE : **Le banquet.** H. Musurillo, V.-H. Debidour (1963).

96. SYMÉON LE NOUVEAU THÉOLOGIEN : **Catéchèses.** B. Krivochéine, J. Paramelle. Tome I. Introduction et Catéchèses 1-5 (1963).

97. CYRILLE D'ALEXANDRIE : **Deux dialogues christologiques.** G. M. de Durand (1964).

98. THÉODORET DE CYR : **Correspondance**, t. II. Y. Azéma (1964).

99. ROMANOS LE MÉLODE : **Hymnes.** J. Grosdidier de Matons. Tome I. Introduction et Hymnes I-VIII (1964).

100. IRÉNÉE DE LYON : **Contre les hérésies**, livre IV. A. Rousseau, B. Hemmerdinger, Ch. Meruier, L. Doutreleau. 2 vol. (1965).

101. QUODVULTDEUS : **Livre des promesses et des prédictions de Dieu.** R. Braun. Tome I (1964).

102. **Id.** — Tome II (1964).
103. Jean Chrysostome : **Lettre d'exil.** A.-M. Malingrey (1964).
104. Syméon le Nouveau Théologien : **Catéchèses.** B. Krivochéine, J. Paramelle. Tome II. Catéchèses 6-22 (1964).
105. **La Règle du Maître.** A. de Vogüé. Tome I. Introd. et chap. 1-10 (1964).
106. **Id.** — Tome II. Chap. 11-95 (1964).
107. **Id.** — Tome III. Concordance et Index orthographique. J.-M. Clément, J. Neufville, D. Demeslay (1965).
108. Clément d'Alexandrie : **Le Pédagogue,** tome II. Cl. Mondésert, H. I. Marrou (1965).
109. Jean Cassien : **Institutions cénobitiques.** J.-C. Guy (1965).
110. Romanos le Mélode : **Hymnes.** J. Grosdidier de Matons. Tome II. Hymnes IX-XX (1965).
111. Théodoret de Cyr : **Correspondance,** t. III. Y. Azéma (1965).
112. Constance de Lyon : **Vie de S. Germain d'Auxerre.** R. Borius (1965).
113. Syméon le Nouveau Théologien : **Catéchèses.** B. Krivochéine. J. Paramelle. Tome III. Catéchèses 23-24, Actions de grâces 1-2 (1965).
114. Romanos le Mélode : **Hymnes.** J. Grosdidier de Matons. Tome III. Hymnes XXI-XXXI (1965).
115. Manuel II Paléologue : **Entretien avec un musulman.** A. Th. Khoury (1966).
116. Augustin d'Hippone : **Sermons pour la Pâque.** S. Poque (1966).
117. Jean Chrysostome : **A Théodore.** J. Dumortier (1966).
118. Anselme de Havelberg : **Dialogues,** livre I. G. Salet (1966).
119. Grégoire de Nysse : **Traité de la Virginité.** M. Aubineau (1966).
120. Origène : **Commentaire sur S. Jean.** C. Blanc. Tome I. Livres I-V (1966).
121. Éphrem de Nisibe : **Commentaire de l'Évangile concordant ou Diatessaron.** L. Leloir. Trad. seule (1966).
122. Syméon le Nouveau Théologien : **Traités théologiques et éthiques.** J. Darrouzès. Tome I. Théol. 1-3, Éth. 1-3 (1966).
123. Méliton de Sardes : **Sur la Pâque (et fragments).** O. Perler (1966).
124. **Expositio totius mundi et gentium.** J. Rougé (1966).
125. Jean Chrysostome : **La Virginité.** H. Musurillo, B. Grillet (1966).
126. Cyrille de Jérusalem : **Catéchèses mystagogiques.** A. Piédagnel, P. Paris (1966).
127. Gertrude d'Helfta : **Œuvres spirituelles.** Tome I. **Les Exercices.** J. Hourlier, A. Schmitt (1967).
128. Romanos le Mélode : **Hymnes.** J. Grosdidier de Matons. Tome IV. Hymnes XXXII-XLV (1967).
129. Syméon le Nouveau Théologien : **Traités théologiques et éthiques.** J. Darrouzès. Tome II. Éth. 4-15 (1967).
130. Isaac de l'Étoile : **Sermons.** A. Hoste, G. Salet. Tome I. Introduction et Sermons 1-17 (1967).
131. Rupert de Deutz : **Les œuvres du Saint-Esprit.** J. Gribomont, É. de Solms. Tome I. Livres I et II (1967).
132. Origène : **Contre Celse.** M. Borret. Tome I. Livres I et II (1967).
133. Sulpice Sévère : **Vie de S. Martin.** J. Fontaine. Tome I. Introduction, texte et traduction (1967).
134. **Id.** — Tome II. Commentaire (1968).
135. **Id.** — Tome III. Commentaire (suite), Index (1996).
136. Origène : **Contre Celse.** M. Borret. Tome II. Livres III et IV (1968).
137. Éphrem de Nisibe : **Hymnes sur le Paradis.** F. Graffin, R. Lavenant. Trad. seule (1968).
138. Jean Chrysostome : **A une jeune veuve. Sur le mariage unique.** B. Grillet, G. H. Ettlinger (1968).
139. Gertrude d'Helfta : **Œuvres spirituelles.** Tome II. **Le Héraut.** Livres I et II. P. Doyère (1968).

140. Rufin d'Aquilée : **Les bénédictions des Patriarches.** M. Simonetti, H. Rochais, P. Antin (1968).
141. Cosmas Indicopleustès : **Topographie chrétienne.** Tome I. Introduction et livres I-IV. W. Wolska-Conus (1968).
142. **Vie des Pères du Jura.** F. Martine (1968).
143. Gertrude d'Helfta : **Œuvres spirituelles.** Tome III. **Le Héraut.** Livre III. P. Doyère (1968).
144. **Apocalypse syriaque de Baruch.** Tome I. Introduction et traduction. P. Bogaert (1969).
145. **Id.** — Tome II. Commentaire et tables (1969).
146. **Deux homélies anoméennes pour l'octave de Pâques.** J. Liébaert (1969).
147. Origène : **Contre Celse.** M. Borret. Tome III. Livres V et VI (1969).
148. Grégoire le Thaumaturge : **Remerciement à Origène. — La lettre d'Origène à Grégoire.** H. Crouzel (1969).
149. Grégoire de Nazianze : **La passion du Christ.** A. Tuilier (1969).
150. Origène : **Contre Celse.** M. Borret. Tome IV. Livres VII et VIII (1969).
151. Jean Scot : **Homélie sur le Prologue de Jean.** E. Jeauneau (1969).
152. Irénée de Lyon : **Contre les hérésies,** livre V. A. Rousseau, L. Doutreleau, C. Mercier. Tome I. Introduction, notes justificatives et tables (1969).
153. **Id.** — Tome II. Texte et traduction (1969).
154. Chromace d'Aquilée : **Sermons.** Tome I. Sermons 1-17. J. Lemarié (1969).
155. Hugues de Saint-Victor : **Six opuscules spirituels.** R. Baron (1969).
156. Syméon le Nouveau Théologien : **Hymnes.** J. Koder, J. Paramelle. Tome I. Hymnes I-XV (1969).
157. Origène : **Commentaires sur S. Jean.** C. Blanc. Tome II. Livres VI et X (1970).
158. Clément d'Alexandrie : **Le Pédagogue.** Livre III. Cl. Mondésert, H. I. Marrou et Ch. Matray (1970).
159. Cosmas Indicopleustès : **Topographie chrétienne.** Tome II. Livre V. W. Wolska-Conus (1970).
160. Basile de Césarée : **Sur l'origine de l'homme.** A. Smets et M. Van Esbroeck (1970).
161. **Quatorze homélies du IXe siècle d'un auteur inconnu de l'Italie du Nord.** P. Mercier (1970).
162. Origène : **Commentaire sur l'Évangile selon Matthieu.** Tome I. Livres X et XI. R. Girod (1970).
163. Guigues II le Chartreux : **Lettre sur la vie contemplative** (ou **Échelle des Moines). Douze méditations.** E. Colledge, J. Walsh (1970).
164. Chromace d'Aquilée : **Sermons.** Tome II. S. 18-41. J. Lemarié (1971).
165. Rupert de Deutz : **Les œuvres du Saint-Esprit.** Tome II. Livres III et IV. J. Gribomont, É. de Solms (1970).
166. Guerric d'Igny : **Sermons.** Tome I. J. Morson, H. Costello, P. Deseille (1970).
167. Clément de Rome : **Épître aux Corinthiens.** A. Jaubert (1971).
168. Richard Rolle : **Le chant d'amour (Melos amoris).** F. Vandenbroucke et les Moniales de Wisques. Tome I (1971).
169. **Id.** — Tome II (1971).
170. Évagre le Pontique : **Traité pratique.** A. et C. Guillaumont. Tome I. Introduction (1971).
171. **Id.** — Tome II. Texte, traduction, commentaire et tables (1971).
172. **Épître de Barnabé.** R. A. Kraft, P. Prigent (1971).
173. Tertullien : **La toilette des femmes.** M. Turcan (1971).
174. Syméon le Nouveau Théologien : **Hymnes.** J. Koder, L. Neyrand. Tome II. Hymnes XVI-XL (1971).
175. Césaire d'Arles : **Sermons au peuple.** Tome I. Sermons 1-20. M.-J. Delage (1971).

176. SALVIEN DE MARSEILLE : **Œuvres,** Tome I. G. Lagarrigue (1971).
177. CALLINICOS : **Vie d'Hypatios.** G. J. M. Bartelink (1971).
178. GRÉGOIRE DE NYSSE : **Vie de sainte Macrine.** P. Maraval 1971).
179. AMBROISE DE MILAN : **La pénitence.** R. Gryson (1971).
180. JEAN SCOT : **Commentaire sur l'évangile de Jean.** É. Jeauneau (1972).
181. **La Règle de S. Benoît.** Tome I. Introduction et Chapitres I-VII. A. de Vogüé et J. Neufville (1972).
182. **Id.** — Tome II. Chapitres VIII-LXXIII, Tables et concordance. A. de Vogüé et J. Neufville (1972).
183. **Id.** — Tome III. Étude de la tradition manuscrite. J. Neufville (1972).
184. **Id.** — Tome IV. Commentaire (I-III). A. de Vogüé (1971).
185. **Id.** — Tome V. Commentaire (IV-VI). A. de Vogüé (1971).
186. **Id.** — Tome VI. Commentaire (VII-IX), Index. A. de Vogüé (1971).
187. HÉSYCHIUS DE JÉRUSALEM, BASILE DE SÉLEUCIE, JEAN DE BÉRYTE, PSEUDO-CHRYSOSTOME, LÉONCE DE CONSTANTINOPLE : **Homélies pascales.** M. Aubineau (1972).
188. JEAN CHRYSOSTOME : **Sur la vaine gloire et l'éducation des enfants.** A.-M. Malingrey (1972).
189. **La chaîne palestinienne sur le psaume 118.** Tome I. Introduction, texte critique et traduction. M. Hari (1972).
190. **Id.** — Tome II. Catalogue des fragments, Notes et Index. M. Harl (1972).
191. PIERRE DAMIEN : **Lettre sur la toute-puissance divine.** A. Cantin (1972).
192. JULIEN DE VÉZELAY : **Sermons.** Tome I. Introduction et Sermons 1-16. D. Vorreux (1972).
193. **Id.** — Tome II. Sermons 17-27, Index. D. Vorreux (1972).
194. **Actes de la Conférence de Carthage en 411.** Tome I. Introduction. S. Lancel (1972).
195. **Id.** — Tome II. Texte et traduction de la Capitulation et des Actes de la première séance. S. Lancel (1972).
196. SYMÉON LE NOUVEAU THÉOLOGIEN : **Hymnes.** J. Koder, J. Paramelle, L. Neyrand. Tome III. Hymnes XLI-LVIII, Index (1973).
197. COSMAS INDICOPLEUSTÈS : **Topographie chrétienne,** t. III. Livres VI-XII, Index. W. Wolska-Conus (1973).
198. **Livre** (cathare) **des deux principes.** Ch. Thouzellier (1973).
199. ATHANASE D'ALEXANDRIE : **Sur l'incarnation du Verbe.** C. Kannengiesser (1973).
200. LÉON LE GRAND : **Sermons,** tome IV. Sermons 65-98, Éloge de S. Léon, Index. R. Dolle (1973).
201. **Évangile de Pierre.** M.-G. Mara (1973).
202. GUERRIC D'IGNY : **Sermons.** Tome II. J. Morson, H. Costello, P. Deseille (1973).
203. NERSÈS ŠNORHALI : **Jésus, Fils unique du Père.** I. Kéchichian. Trad. seule (1973).
204. LACTANCE : **Institutions divines,** livre V. Tome I. Introd., texte et trad. P. Monat (1973).
205. **Id.** — Tome II. Commentaire et index. P. Monat (1973).
206. EUSÈBE DE CÉSARÉE : **Préparation évangélique,** livre I. J. Sirinelli, É. des Places (1974).
207. ISAAC DE L'ÉTOILE : **Sermons.** A. Hoste, G. Salet, G. Raciti. Tome II. Sermons 18-39 (1974).
208. GRÉGOIRE DE NAZIANZE : **Lettres théologiques.** P. Gallay (1974).
209. PAULIN DE PELLA : **Poème d'action de grâces et Prière.** C. Moussy (1974).
210. IRÉNÉE DE LYON : **Contre les hérésies,** livre III. A. Rousseau, L. Doutreleau. Tome I. Introduction, notes justificatives et tables (1974).
211. **Id.** — Tome II. Texte et traduction (1974).
212. GRÉGOIRE LE GRAND : **Morales sur Job.** L. XI-XIV. A. Bocognano (1974).
213. LACTANCE : **L'ouvrage du Dieu créateur.** Tome I. Introduction, texte critique et traduction. M. Perrin (1974).
214. **Id.** — Tome II. Commentaire et index. M. Perrin (1974).

215. Eusèbe de Césarée : **Préparation évangélique**, livre VII. G. Schroeder, É. des Places (1975).
216. Tertullien : **La chair du Christ.** Tome I. Introduction, texte critique et traduction. J. P. Mahé (1975).
217. **Id.** — Tome II. Commentaire et Index. J. P. Mahé (1975).
218. Hydace : **Chronique.** Tome I. Introduction, texte critique et traduction. A. Tranoy (1975).
219. **Id.** — Tome II. Commentaire et index. A. Tranoy (1975).
220. Salvien de Marseille : **Œuvres,** t. II. G. Lagarrigue (1975).
221. Grégoire le Grand : **Morales sur Job.** L. XV-XVI. A. Bocognano (1975).
222. Origène : **Commentaire sur S. Jean.** Tome III. L. XIII. C. Blanc (1975).
223. Guillaume de Saint-Thierry : **Lettre aux Frères du Mont-Dieu (Lettre d'or).** J. Déchanet (1975).
224. **Actes de la Conférence de Carthage en 411.** Tome III. Texte et traduction des Actes de la 2e et de la 3e séance. S. Lancel (1975).
225. Dhuoda : **Manuel pour mon fils.** P. Riché, B. de Vregille et C. Mondésert (1975).
226. Origène : **Philocalie 21-27 (Sur le libre arbitre).** E. Junod (1976).
227. Origène : **Contre Celse.** M. Borret. Tome V. Introduction et index (1976).
228. Eusèbe de Césarée : **Préparation évangélique.** L. II-III. É. des Places (1976).
229. Pseudo-Philon : **Les Antiquités Bibliques.** D. J. Harrington, C. Perrot, P. Bogaert, J. Cazeaux. Tome I. Introduction critique, texte et traduction (1976).
230. **Id.** — Tome II. Introduction littéraire, commentaire et index (1976).
231. Cyrille d'Alexandrie : **Dialogues sur la Trinité.** Tome I. Dial. I et II. G. M. de Durand (1976).
232. Origène : **Homélies sur Jérémie.** P. Nautin et P. Husson. Tome I. Introduction et homélies I-XI (1976).
233. Didyme l'Aveugle : **Sur la Genèse.** Tome I (Sur Genèse I-IV). P. Nautin et L. Doutreleau (1976).
234. Théodoret de Cyr : **Histoire des moines de Syrie.** Tome I. Introduction et **Histoire Philothée** I-XIII. P. Canivet et A. Leroy-Molinghen (1977).
235. Hilaire d'Arles : **Vie de S. Honorat.** M. D. Valentin (1977).
236. **Rituel cathare.** Ch. Thouzellier (1977).
237. Cyrille d'Alexandrie : **Dialogues sur la Trinité.** Tome II. Dial. III-V. G. M. de Durand (1977).
238. Origène : **Homélies sur Jérémie.** Tome II. Homélies XII-XX et homélies latines, index. P. Nautin et P. Husson (1977).
239. Ambroise de Milan : **Apologie de David.** P. Hadot et M. Cordier (1977).
240. Pierre de Celle : **L'école du cloître.** G. de Martel (1977).
241. **Conciles gaulois du IVe siècle.** J. Gaudemet (1977).
242. S. Jérôme : **Commentaire sur S. Matthieu.** Tome I. Livres I et II. É. Bonnard (1978).
243. Césaire d'Arles : **Sermons au peuple.** Tome II. Sermons 21-55. M.-J. Delage (1978).
244. Didyme l'Aveugle : **Sur la Genèse.** Tome II (Sur Genèse V-XVII). Index. P. Nautin et L. Doutreleau (1978).
245. **Targum du Pentateuque.** Tome I : **Genèse.** R. Le Déaut et J. Robert. Trad. seule (1978).
246. Cyrille d'Alexandrie : **Dialogues sur la Trinité.** Tome III. Dial. VI-VII, index. G. M. de Durand (1978).
247. Grégoire de Nazianze : **Discours** 1-3. J. Bernardi (1978).
248. **La doctrine des douze apôtres.** W. Rordorf et A. Tuilier (1978).
249. S. Patrick : **Confession et Lettre à Coroticus.** R.P.C. Hanson et C. Blanc (1978).
250. Grégoire de Nazianze : **Discours** 27-31 (Discours théologiques). P. Gallay (1978).

251. Grégoire le Grand : **Dialogues.** Tome I. Introduction, bibliographie et cartes. A. de Vogüé (1978).

252. Origène : **Traité des principes.** Tome I. Livres I et II : Introduction, texte critique et traduction. H. Crouzel et M. Simonetti (1978).

253. **Id.** — Tome II. Livres I et II : Commentaire et fragments. H. Crouzel et M. Simonetti (1978).

254. Hilaire de Poitiers : **Sur Matthieu.** Tome I. Introduction et chap. 1-13. J. Doignon (1978).

255. Gertrude d'Helfta : **Œuvres spirituelles.** Tome IV. **Le Héraut.** Livre IV. J.-M. Clément, B. de Vregille et les Moniales de Wisques (1978).

256. **Targum du Pentateuque.** Tome II. **Exode et Lévitique.** R. Le Déaut et J. Robert. Trad. seule (1979).

257. Théodoret de Cyr : **Histoire des moines de Syrie.** Tome II. **Histoire Philotée** (XIV-XXX), **Traité sur la Charité** (XXXI) et Index. P. Canivet et A. Leroy-Molinghen (1979).

258. Hilaire de Poitiers : **Sur Matthieu.** Tome II. Chap. 14-33, appendice et index. J. Doignon (1979).

259. S. Jérôme : **Commentaire sur S. Matthieu.** Tome II. Livres III et IV, index. É. Bonnard (1979).

260. Grégoire le Grand : **Dialogues.** Tome II. Livres I-III. A. de Vogüé et P. Antin (1979).

261. **Targum du Pentateuque.** Tome III. **Nombres.** R. Le Déaut et J. Robert. Trad. seule (1979).

262. Eusèbe de Césarée : **Préparation évangélique,** livres IV, 1 - V, 17. O. Zink et É. des Places (1979).

263. Irénée de Lyon : **Contre les hérésies,** livre I. A. Rousseau, L. Doutreleau. Tome I. Introduction, notes justificatives et tables (1979).

264. **Id.** — Tome II. Texte et traduction (1979).

265. Grégoire le Grand : **Dialogues.** Tome III. Livre IV, tables et index. A. de Vogüé et P. Antin (1980).

266. Eusèbe de Césarée : **Préparation évangélique,** livres V, 18 - VI. É. des Places (1980).

267. **Scolies ariennes sur le concile d'Aquilée.** R. Gryson (1980).

268. Origène : **Traité des principes.** Tome III. Livres III et IV : Texte critique et traduction. H. Crouzel et M. Simonetti (1980).

269. **Id.** — Tome IV. Livres III et IV : commentaire et fragments. H. Crouzel et M. Simonetti (1980).

270. Grégoire de Nazianze : **Discours** 20-23. J. Mossay (1980).

Hors série :

Directives pour la préparation des manuscrits (de « Sources Chrétiennes »). A demander au Secrétariat de « Sources Chrétiennes », 29, rue du Plat, 69002 Lyon.

La Règle de S. Benoît. VII. Commentaire doctrinal et spirituel. A. de Vogüé (1977).

SOUS PRESSE

Jean Chrysostome : **Le Sacerdoce.** A.-M. Malingrey.

Pseudo-Macaire : **Œuvres spirituelles,** t. IV. Desprez.

Lettres des premiers Chartreux, tome II : les Chartreux de Portes. Par un Chartreux.

Tertullien : **A son épouse.** C. Munier.

Tertullien : **Contre les Valentiniens.** J.-C. Fredouille (2 volumes).

Targum du Pentateuque. Tome IV. **Deutéronome.** R. Le Déaut.

Clément d'Alexandrie : **Stromate** V. A. Le Boulluec.

Jean Chrysostome : **Homélies sur Ozias.** J. Dumortier.

PROCHAINES PUBLICATIONS

Irénée de Lyon : **Contre les hérésies,** livre II. A. Rousseau et L. Doutreleau.

Théodoret de Cyr : **Commentaire sur Isaïe.** J.-N. Guinot.

Romanos le Mélode : **Hymnes,** t. V. J. Grosdidier de Matons.

SOURCES CHRÉTIENNES

(1-269)

Également aux Éditions du Cerf

LES ŒUVRES DE PHILON D'ALEXANDRIE

publiées sous la direction de

R. ARNALDEZ, C. MONDÉSERT, J. POUILLOUX.

Texte grec et traduction française.

1. **Introduction générale. De opificio mundi.** R. Arnaldez (1961).
2. **Legum allegoriae.** C. Mondésert (1962).
3. **De cherubim.** J. Gorez (1963).
4. **De sacrificiis Abelis et Caini.** A. Méasson (1966).
5. **Quod deterius potiori insidiari soleat.** I. Feuer (1965).
6. **De posteritate Caini.** R. Arnaldez (1972).

7-8. **De gigantibus. Quod Deus sit immutabilis.** A. Mosès (1963).

9. **De agricultura.** J. Pouilloux (1961).
10. **De plantatione.** J. Pouilloux (1963).

11-12. **De ebrietate. De sobrietate.** J. Gorez (1962).

13. **De confusione linguarum.** J.-G. Kahn (1963).
14. **De migratione Abrahami.** J. Cazeaux (1965).
15. **Quis rerum divinarum heres sit.** M. Harl (1966).
16. **De congressu eruditionis gratia.** M. Alexandre (1967).
17. **De fuga et inventione.** E. Starobinski-Safran (1970).
18. **De mutatione nominum.** R. Arnaldez (1964).
19. **De somniis.** P. Savinel (1962).
20. **De Abrahamo.** J. Gorez (1966).
21. **De Iosepho.** J. Laporte (1964).
22. **De vita Mosis.** R. Arnaldez, C. Mondésert, J. Pouilloux, P. Savinel (1967).
23. **De Decalogo.** V. Nikiprowetzky (1965).
24. **De specialibus legibus.** Livres I-II. S. Daniel (1975).
25. **De specialibus legibus.** Livres III-IV. A. Mosès (1970).
26. **De virtutibus.** R. Arnaldez, A.-M. Vérilhac, M.-R. Servel et P. Delobre (1962).
27. **De praemiis et poenis. De exsecrationibus.** A. Beckaert (1961).
28. **Quod omnis probus liber sit.** M. Petit (1974).
29. **De vita contemplativa.** F. Daumas et P. Miquel (1964).
30. **De aeternitate mundi.** R. Arnaldez et J. Pouilloux (1969).
31. **In Flaccum.** A. Pelletier (1967).
32. **Legatio ad Caium.** A. Pelletier (1972).
33. **Quaestiones in Genesim et in Exodum. Fragmenta graeca.** F. Petit (1978).

34 A. **Quaestiones in Genesim,** I-II (e vers. armen.) (1979).

34 B. **Quaestiones in Genesim,** III-IV (e vers. armen.) (en préparation).

34 C. **Quaestiones in Exodum,** I-II (e vers. armen.) (en prépar.).

35. **De Providentia,** I-II. M. Hadas-Lebel (1973).

IMPRIMERIE A. BONTEMPS
LIMOGES (FRANCE)

Éditeur n° 7182 - Imprimeur n° 1579
Dépôt légal : 1er trimestre 1980